TANZ 19

Texte und Arbeiten zum neutestamentlichen Zeitalter

herausgegeben von
Klaus Berger, François Vouga, Michael Wolter und Dieter Zeller

Peter Busch

Der gefallene Drache

Mythenexegese am Beispiel von
Apokalypse 12

Die Deutsche Bibliothek – CIP-Einheitsaufnahme

Busch, Peter:
Der gefallene Drache : Mythenexegese am Beispiel von Apokalypse 12 /
Peter Busch. – Tübingen ; Basel : Francke, 1996
(Texte und Arbeiten zum neutestamentlichen Zeitalter ; 19)
Zugl.: Heidelberg, Univ., Diss., 1995
ISBN 3-7720-1870-X
NE: GT

© 1996 · A. Francke Verlag Tübingen und Basel
Dischingerweg 5 · D-72070 Tübingen

Druck: Müller + Bass, Tübingen
Verarbeitung: Braun & Lamparter, Reutlingen
Printed in Germany

ISSN 0939-5199
ISBN 3-7720-1870-X

Vorwort

Die sternengeschmückte Dame am Himmel, die, von einem in schrecklichen Farben gemalten Drachen bedroht, ein Kind gebiert, das darauf zum Thron Gottes entrückt wird - Michael, der mit den Seinen gegen das Heer des Drachen kämpft und diesen auf die Erde wirft - die anschließende Verfolgung der Frau, ihre Flucht, ihre weitere Bedrohung durch den Drachen und ihre Rettung von der Erde - und schließlich der Zorn des gefallenen Drachen, der sich gegen die Anhänger Christi richtet: Ein fesselndes Panorama, das seit Beginn der historisch-kritischen Forschung viele Exegeten in seinen Bann geschlagen hat.

Die mythischen Bilder des Kapitels legen dem Ausleger nahe, die verschiedenen Bezüge zu griechischen, babylonischen und ägyptischen Mythen und ihre Rezeption und Umarbeitung in Betracht zu ziehen - die "religionsgeschichtliche Auslegung" scheint geradezu prädestiniert für die Exegese von Apk.Joh.12.

So ist es nicht verwunderlich, daß diesem 12. Kapitel der Offenbarung des Johannes eine besonders exponierte Position in der Geschichte der religionsgeschichtlichen Erforschung des Neuen Testaments zukommt: Das Erstlingswerk der "religionsgeschichtlichen Schule", H. Gunkels "Schöpfung und Chaos in Urzeit und Endzeit" (1895), hatte (neben dem ersten Kapitel der Genesis) Apk.Joh.12 zum Gegenstand. Die "religionsgeschichtliche Exegese" und die "Exegese von Apk.Joh.12" sind seit Gunkels bahnbrechender Arbeit zwei eng miteinander verflochtene Phänomene. Durch die Arbeit an diesem Text ist eine eigene Auslegungsmethode entwickelt worden, die wiederum die Exegese des Textes in der weiteren Forschung bestimmte.

Die vorliegende Untersuchung hat die Reflexion über Apokalypse 12 und über die religionsgeschichtliche Mythenexegese zum Gegenstand und wurde 1995, genau hundert Jahre nach dem Erscheinen von "Schöpfung und Chaos", bei der Theologischen Fakultät der Ruprechts-Karls-Universität Heidelberg als Dissertation angenommen. Bei der Entstehung dieser Arbeit wurde bald deutlich, daß dem Untersuchungstext zwar große Aufmerksamkeit gewidmet worden ist, daß aber eine explizite Reflexion der "Methode" sich als Desiderat erweist. Darum soll in der vorliegenden Untersuchung der Methodik des religionsgeschichtlichen Vergleichs ein eigener Teil gewidmet werden; der Exegese des Textes ist somit ein Kapitel vorangestellt, in dem über die methodischen Schritte bei der späteren Auslegung ausführlich Rechenschaft gegeben wird

(Teil I). Die Verweise auf die spätere Einzelexegese bei der Wahl der Beispiele sind beabsichtigt und sollen zum Hin- und Herblättern anregen.

Das Vorwort ist stets der Ort der Danksagung. In diesem Zusammenhang sei mein Doktorvater, Herr Prof.Dr. Klaus Berger, an erster Stelle genannt. Er hat die Entstehung dieser Arbeit mit großem Engagement und vielfältigem Rat begleitet. Wertvolle Hinweise verdanke ich weiterhin Herrn Prof.Dr.Dr. Otto Böcher und Herrn Prof.Dr. Christoph Burchard, ebenso den Mitherausgebern der TANZ-Reihe, Herrn Prof.Dr. François Vouga, Herrn Prof.Dr. Michael Wolter und Herrn Prof.Dr. Dieter Zeller.

Weiterhin erwies sich das montägliche Doktorandenkolloquium als wahre Fundgrube für Kritik und Anregung; allen Teilnehmern, insbesondere Konstanze Buddruss, Gabriele und Stephan Hagenow, Markus Sasse und Peter Söllner, sei hierfür gedankt. Den Löwenanteil der Anregungen verdanke ich meinem Freund Jürgen Zangenberg, der gleichzeitig seine Rolle als advocatus diaboli glänzend gespielt hat. Meine Frau Karin Busch erwies sich dagegen als hervorragende Seelsorgerin.

Die Konrad-Adenauer-Stiftung e.V. unterstützte mich finanziell durch ein Graduiertenstipendium und ideell durch die Möglichkeit, an mehreren interessanten Seminaren teilnehmen zu dürfen. Die Evangelische Kirche der Pfalz (Protestantische Landeskirche) machte durch einen großzügigen Druckkostenzuschuß die Veröffentlichung dieser Arbeit möglich.

Meine Eltern und meine Tante, Frau Olga Busch, trugen durch ihre vielfältige Unterstützung Wesentliches zur Entstehung dieser Arbeit bei. Gesine von Kloeden danke ich für ihren Humor und meinen beiden hermanos für ihr Engagement in Durststrecken.

Am Ende soll auch eine Widmung nicht fehlen. Hierbei denke ich an meinen Vater, Herrn Dr.rer.pol. Hermann Busch, dessen Lebenszeit sich mit der meinen um lediglich sechs Wochen überschnitten hat. Ihm sei nachträglich diese Arbeit zugeeignet.

Inhaltsverzeichnis

Teil III: Textanalyse von Apk.Joh.12

Teil IV: Traditions- und religionsgeschichtliche Analyse von Apk.Joh.12

Teil V: Die Gesamthandlung - Zur Theologie von Apk.Joh.12

Teil VI: Die Rezeptionsgeschichte von Apk.Joh.12

Teil I

Die traditions- und religionsgeschichtliche Exegese und ihre Methodik

1. Die Fragestellung

1.1. Forschungsgeschichte und Terminologie

Die Auslegung des Neuen Testaments mit Hilfe von Texten aus dem weiteren religionsgeschichtlichen Umfeld wurde um die Jahrhundertwende von der "religionsgeschichtlichen Schule" kultiviert. Die Ziele dieser religionsgeschichtlichen Exegese von damals sind noch heute in der Forschung akzeptiert: Erstens die Berücksichtigung und Würdigung der weiteren religionsgeschichtlichen Umwelt bei der Erklärung des Neuen Testaments, zweitens die von modernen dogmatischen Positionen freie Auslegung der Schrift.[1]

Zwar ist die Forschungsgeschichte dieser religionsgeschichtlichen Exegese bislang hinlänglich aufgearbeitet worden,[2] doch mangelt es beim momentanen Stand der Forschung noch an der entsprechenden methodischen Reflexion - diese ist immer noch ein Desiderat der Forschung.[3] Es gilt, was K. Berger gegen K. Müller formulierte: "Eine eigene religionsgeschichtliche Methode gibt es nicht".[4]

Konkrete methodische Vorschläge zur Praxis des religionsgeschichtlichen Vergleichs wurden in der neueren Forschung nur von K. Müller (1985) und in der Einleitung von Berger / Colpe (1987) gemacht. Besonders an diese Autoren knüpfen die folgenden Ausführungen an.

Hierbei sollen folgende terminologische Vorentscheidungen getroffen werden:

---

[1] Für die "religionsgeschichtliche Schule": vgl. Müller, 1983, S.38; ähnlich die moderne Position bei Berger, 1991³, S.188 (Darstellung der Individualität christlicher Texte mit Hilfe nicht-apologetischer Mittel; Einbettung der Texte in ihren "pragmatischen" Kontext).

[2] Vgl. für die ältere Forschung Clemen 1973 (=1924²); zur neueren Diskussion K. Müller, 1983, S.1-66; K. Müller, 1985.

[3] Vgl. K. Müller, 1985, S.161 und das dort zitierte Votum Schnackenburgs in seinem Kommentar zum Ev.Joh.

[4] Berger / Colpe, 1987, S.18; vgl. auch ebd., Anm.8.

1. "Religionsgeschichtliche Exegese / Methode": Der Unterschied zwischen "religionsgeschichtlicher Exegese" und "religionsgeschichtlicher Methode" läßt sich in der Forschung nicht genau abgrenzen. Darum ist es notwendig, beide Begriffe und ihr Verhältnis zueinander zu definieren.

   Der Begriff *"religionsgeschichtliche Exegese"* bezeichne im folgenden die entsprechende Fragestellung, die Annäherung an den Ausgangstext. Wie z.B. bei der Literarkritik nach zugrundeliegenden Quellen gesucht wird, sucht man bei der religionsgeschichtlichen Exegese nach religionsgeschichtlichen Vergleichstexten.

   Die religionsgeschichtliche und die traditionsgeschichtliche Exegese unterscheiden sich von anderen historisch - kritischen Fragestellungen durch ihre *Methode*, nämlich den Textvergleich. Da diese Methode nicht nur bei der religionsgeschichtlichen Exegese angewendet wird, ist der Begriff "religionsgeschichtliche Methode"[5] irreführend und sollte vermieden werden. Die Methode des Textvergleichs wird bei der traditionsgeschichtlichen Untersuchung ganz ähnlich gebraucht; die Verhältnisbestimmung von traditionsgeschichtlicher und religionsgeschichtlicher Exegese wird im Anschluß an dieses Kapitel gegeben. Hier genügt eine vorläufige Begriffsbestimmung der Methode religionsgeschichtlicher Exegese: Es handelt sich um die Auslegung neutestamentlicher Texte durch einen Vergleich mit Texten aus dem weiteren religionsgeschichtlichen Umfeld.

2. "Tradition und Stoff": Diese von Gunkel vollzogene Scheidung wird auch hier beibehalten. "Stoff" beschreibt dann die Inhalte der vorliegenden Schrift, Tradition seine Vorgeschichte.[6]

---

[5] Dies ist ein Terminus Gunkels; vgl. die Darstellung bei K. Müller, 1985, S.163, Anm.13.

[6] Vgl. Gunkel, 1895, S.207f. Gunkel fragt dort nach der Herkunft dieser Stoffe; speziell in Apk. seien sie nicht vom Autor selbst erfunden, sondern sie seien "Codificationen einer Tradition": "Der eigentliche Urheber des in ihnen (der vorliegenden Schriften) niedergelegten Stoffes ist nicht der Schriftsteller, sondern eine ganze Reihe von Geschlechtern; und der Stoff setzt in der Form, in der er gegenwärtig existiert, eine vielleicht jahrhundertjährige Geschichte voraus, in der auch die mündliche Tradition eine Rolle gespielt haben mag" (a.a.O., S.208). - Zur methodischen Bedeutung dieser Differenzierung vgl. K. Müller, 1985, S.172; zur Definition von "Tradition" und zur traditionsgeschichtlichen Terminologie vgl. weiterhin Barth/Steck, 1984[10], S.79f., Anm.130.

1.2. Die Abgrenzung: Traditionsgeschichte versus Religionsgeschichte

Wird in der Textkritik das Verhältnis literarisch abhängiger Texte behandelt, so geht es bei der traditionsgeschichtlichen sowie bei der religionsgeschichtlichen Exegese um das Verhältnis von Texten, die nicht literarisch voneinander abhängig sind. Dabei wird besonders der Begriff "Traditionsgeschichte" in der modernen Forschung uneinheitlich gebraucht:

- Bei einer engeren Begriffsbestimmung ist "Traditionsgeschichte" die Suche nach mündlichen Vorstufen von Texten.[7] Traditionsgeschichte rückt damit methodisch eng an die Literarkritik, in der die schriftlichen Vorstufen von Texten untersucht werden. Bei dieser Vorgehensweise ist allein die mündliche Vorstufe beim Verhältnis von literarisch unabhängigen Texten entscheidend.

- Eine zweite, weitergefaßte Begriffsbestimmung der traditionsgeschichtlichen Exegese wird in der vorliegenden Untersuchung vertreten: Hierbei geht es nicht um die Suche nach der mündlichen Vorgestalt von Texten, sondern es geht um die Frage nach festen sprachlichen Formen oder Sachgehalten, die in Texten weitertradiert werden.[8]

Die so bestimmte "traditionsgeschichtliche" Fragestellung ist der "religionsgeschichtlichen" strukturell sehr ähnlich. Es geht bei beiden Fragestellungen um das Phänomen ähnlicher oder gar identischer sprachlicher Formen in Texten, die literarisch nicht voneinander abhängig sind.

Die Abgrenzung der beiden exegetischen Vorgehensweisen erfolgt mit K. Berger durch den jeweiligen Herkunftsbereich der Vergleichstexte: "'Traditionsgeschichte' betrifft den Bereich von AT, Judentum, NT und früher Kirchen- und Sektengeschichte, Religionsgeschichte betrifft den Vergleich von Texten aus dem eben genannten Bereich mit solchen außerhalb stehender Gruppen".[9]

Die Schriften des Neuen Testaments bilden mit anderen frühjüdischen, früh- christlichen und rabbinischen Texten einen eigenen Bereich, der durch den

---

[7] Vgl. Egger, S.170ff.; Nach mündlichen Vorstufen wird in der deutschen Forschung oft auch in der "überlieferungsgeschichtlichen Fragestellung" gesucht, vgl. Barth/Steck, 1984[10], S.40ff.

[8] Vgl. Berger, 1991[3], S.160ff. Anders z.B. Lührmann, 1984, S.55ff.; Barth/Steck, 1984[10], S.77f.; K. Müller, 1985; Mußner, 1990: hier werden unter dem Begriff "Religionsgeschichte" auch Texte aus dem Wirkungsbereich des AT behandelt.

[9] A.a.O., S.168. In ähnlicher Weise unterschied Hahn, 1970, S.12-18, bei seiner kurzen Reflexion über die "religionsgeschichtlichen Voraussetzungen" einer Christologie des Neuen Testaments methodisch "jüdische Voraussetzungen" und "nichtjüdische Heilserwartungen".

steten Rückgriff auf das Alte Testament gekennzeichnet ist. Dieses stellt in Form seiner griechischen LXX-Rezension einen eigenen abgrenzbaren Referenzbereich für die Autoren des Neuen Testaments dar. Dabei ist allerdings zu beachten, daß die Septuaginta von den neutestamentlichen Autoren nicht "historisch - kritisch" gelesen, sondern in der Manier der zeitgenössischen Wirkungsgeschichte rezipiert wurde.[10] Alttestamentliche Motive werden aufgegriffen und erfahren in ihrer Weitertradierung fortwährende Neuinterpretation. Die Fortschreibung und die Wirkungsgeschichte des Alten Testaments ist damit als separater Bereich (im folgenden "Wirkungsbereich des AT" genannt) von der weiteren religionsgeschichtlichen Umwelt abgrenzbar. Man kann hier mit einer historischen Vermittlung und Weiterbildung von Traditionen rechnen, die in der traditionsgeschichtlichen Exegese untersucht werden.

Die Umprägungen alttestamentlicher Traditionen und die Neubildung von Traditionen innerhalb des Wirkungsbereichs des AT sind oft durch Kontakte mit dem weiteren religionsgeschichtlichen Umfeld begründbar; darum werden bei der "religionsgeschichtlichen Exegese" gerade solche Traditionen außerhalb des Wirkungsbereichs des AT mit neutestamentlichen Texten verglichen. Die "religionsgeschichtliche Fragestellung" ist demnach dadurch motiviert, daß neben der Septuaginta noch andere, pagane Referenzbereiche für die Autoren des Neuen Testaments eine Rolle spielen.

Wenn man nun für die Traditionen des Neuen Testaments mit mehreren Referenzbereichen zu rechnen hat, stellt sich die Frage, ob die oben vorgeschlagene Unterscheidung zwischen "Traditionsgeschichte" und "Religionsgeschichte" überhaupt aufrecht zu erhalten ist. Denn die Konsequenz einer derartigen Distinktion, die besondere Würdigung des Wirkungsbereiches des AT, dessen Analyse eine eigene Methode (die Traditionsgeschichte) zugeeignet wird, ist wegen der alternativen möglichen Referenzbereiche schwerlich zu begründen.

Meiner Meinung nach ist es aufgrund des Problems der "historischen Vermittlung" aber trotzdem sinnvoll, zwischen den beiden Verfahrensweisen methodisch zu unterscheiden (s.u., 2.2). Denn bei einem Vergleich mit Texten aus der weiteren religionsgeschichtlichen Umwelt muß viel stärker als bei Texten aus dem Wirkungsbereich des AT die Frage der "Transmission" erörtert werden. Bei der religionsgeschichtlichen Analyse kommt damit im Gegensatz zur Traditionsgeschichte ein methodisches Zusatzproblem ins Spiel, das die theoretische Unterscheidung der beiden Verfahrensweisen legitimiert.

---

[10]   Vgl. hierzu Berger, 1991³, S.169f.

Diese Begriffsbestimmung von "Religionsgeschichte" im Verhältnis zur "Traditionsgeschichte" wendet sich an dieser Stelle besonders gegen K. Müllers Vorschlag zur Verfahrensweise bei der "religionsgeschichtlichen Methode":[11] Müller geht von einem "neutestamentlichen Traditionsbereich" aus, aus dem bestimmte "Stoffe" als "fremdartig" ausgegrenzt werden könnten, die dann zur religionsgeschichtlichen Auslegung geeignet seien. Dagegen wird in der vorliegenden Arbeit die Existenz eines eigenen "neutestamentlichen Überlieferungsstratums" als methodisch relevante Größe bestritten. Die einzelnen Schriften des Neuen Testaments sind durch ihren Rückgriff auf vielfältige Traditionen des Alten Testaments mit den anderen Schriften des Urchristentums, der frühen Kirchengeschichte und des Frühjudentums vergleichbar. Die Existenz des Kanons ist kein Grund, bei der traditionsgeschichtlichen Exegese innerhalb des Wirkungsbereichs des AT bestimmte Schriften methodisch von anderen abzugrenzen - zumal der Kanon eine Größe ist, die bei der Verfassung der neutestamentlichen Schriften noch nicht besteht. Es ist dagegen sinnvoll, bei der traditionsgeschichtlichen Exegese die Kanongrenzen zu überschreiten und eher von einem "Stratum der Wirkungsgeschichte des Alten Testaments" zu sprechen als, mit K. Müller, von einem "neutestamentlichen Überlieferungsstratum".

1.3. Berechtigung der religionsgeschichtlichen Exegese

K. Müller "legitimiert" die von ihm dargestellte "religionsgeschichtliche Methode" durch die Feststellung der "Fremdartigkeit" im "neutestamentlichen Überlieferungsstratum". Hierzu ist anzumerken:
1. Zum "neutestamentlichen Überlieferungsstratum": K. Müllers Argumentation fußt auf dem Postulat dieses "neutestamentlichen Überlieferungsstratums", da alles, was innerhalb dieses Bereichs singulär ist, als "fremd" identifiziert wird. Die Argumentationsstruktur besteht also darin, daß ein bestimmter Bereich abgegrenzt wird und innerhalb dieses Bereiches manche Stoffe als "fremd" identifiziert werden.
Kann man eine derartige Argumentation aufrecht erhalten, indem man den betreffenden Bereich weiter faßt? In der vorliegenden Arbeit wird, wie oben deutlich wurde, ein solches "Stratum" - zumindest als methodisch relevante Größe - zugunsten eines viel weiteren Referenzbereichs, nämlich des

---

[11] Vgl. zum folgenden K. Müller, 1985, S.184ff.

"Wirkungsbereichs des AT", aufgegeben. Ist es nun, unter Beibehaltung der Argumentationsstruktur K. Müllers möglich, den Einsatz der religionsgeschichtlichen Exegese durch die Feststellung der "Fremdartigkeit" innerhalb des Wirkungsbereichs des AT zu begründen?

2. Zur "Fremdartigkeit": Werden innerhalb des Wirkungsbereichs des AT bestimmte Stoffe als "fremdartig" identifiziert, so kann dies auch durch die lückenhafte Überlieferung dieses Bereichs begründet sein. Die Kategorie der "Fremdartigkeit" muß weiterhin nicht immer historische Tatsache, sondern kann Konsequenz des "Garstigen Grabens" zwischen Antike und Moderne sein. Die Feststellung der "Fremdartigkeit" berechtigt demnach nicht zwingend, bestimmte Stoffe aus dem Bereich der Wirkungsgeschichte des AT auszuscheiden und religionsgeschichtlich zu erklären.

3. Zur "Legitimation": Bedarf die religionsgeschichtliche Exegese grundsätzlich der Legitimation? Diese Frage ist zu verneinen. Für das erste Jahrhundert n. Chr. ist generell mit einem gegenseitigen Kontakt von paganen und alttestamentlichen Traditionen zu rechnen. Auch für Texte, die traditionsgeschichtlich vornehmlich dem Wirkungsbereich des AT verhaftet sind, lassen sich pagane Einflüsse nicht ausschließen (dies soll in dieser Arbeit anhand von Apk.Joh.12,7-9 gezeigt werden). Die religionsgeschichtliche Fragestellung kann demnach Traditionsgeschichte ersetzen, wenn keine entsprechenden Parallelen im Wirkungsbereich des AT aufweisbar sind. Sie kann weiterhin Traditionsgeschichte ergänzen, wenn vergleichbare Texte in der paganen Umwelt des Neuen Testaments gefunden werden. Wenn also nach der Herkunft verschiedener Stoffe gefragt wird, bedarf die religionsgeschichtliche Exegese keiner Legitimation.

2. Die Methode des traditions- und religionsgeschichtlichenchen Vergleichs

2.1. Die Vergleichselemente

Beim traditionsgeschichtlichen und beim religionsgeschichtlichen Vergleich werden bestimmte Elemente des Ausgangstextes mit anderen Texten verglichen. Besonders in der älteren Forschung verglich man immer wieder "Vorstellungen" oder "Motive"; solche Vergleichselemente sind jedoch - gerade wegen der Verwendung dieser Termini in vielen, auch nicht-wissenschaftlichen Kontexten - unpräzise und müssen genauer definiert werden.[12] Für eine Begriffsbestimmung genügt im vorliegenden Zusammenhang, daß es sich bei "Motiven" und "Vorstellungen" um wiedererkennbare *Themen* handelt, die in verschiedenen Texten ähnlich behandelt werden.

Einen Vergleich von Texten anhand solcher Themen möchte ich im folgenden "thematischen Vergleich" nennen. Hierbei werden zwei Schriften aufgrund der gleichen ihnen zugrunde liegenden Thematik bzw. Problematik oder der gleichen in ihnen auftauchenden Vorstellungen miteinander verglichen. Dabei kann die jeweilige Ausgestaltung der Thematik mit Bildmaterial völlig unterschiedlicher Herkunft erfolgt sein; als Beispiel hierfür ist der thematische Vergleich von Apk.Joh.12 und Past.Herm., Vis.IV zu nennen (vgl. Teil IV.1.3.1.1, S.67f.).

Derartige thematische Vergleiche sind vor allem theologiegeschichtlich interessant und sollen im folgenden oft angestellt werden. Sie sollen hier aber von einer anderen Technik des Textvergleichs unterschieden sein, bei der nicht die thematischen, sondern die rhematischen Textelemente im Vordergrund stehen.[13] Hierbei wird gefragt, mittels welchen Bildmaterials, welcher

---

[12] Vgl. zur Begriffsbestimmung von "Vorstellung": Barth/Steck, 1984[10], S.84-87; zum "Motiv": a.a.O., S.89f.

[13] Die Thema - Rhema - Opposition, die in den obigen Ausführungen appliziert ist, hat sich als Instrumentarium der "Prager Schule" in der strukturalistischen Linguistik etabliert (vgl. Lewandowski III, S.1125f. mit Lit.) und wurde, obwohl in den 20-er Jahren für die Interpretation von Sätzen entwickelt ("Funktionale Satzperspektive"), zu Beginn der 70-er Jahre auch auf die Textlinguistik übertragen (vgl. a.a.O., S.1126f.).

Redewendungen und welcher Wortfelder das jeweilige "Thema" erörtert wird. Genau dies ist die Fragestellung des traditions- oder religionsgeschichtlichen Vergleichs; es geht um formal abgrenzbare Einheiten (Wortfelder, Formulierungen, Gattungen), mit denen ein Thema behandelt wird. Dabei ist es kaum notwendig zu erwähnen, daß mit einem bestimmten Wortfeld oder Bild verschiedene Themen erörtert werden können bzw. verschiedene Kontexte beschreibbar sind.

Die weiteren Überlegungen richten sich darauf, wie die rhematischen Elemente, die beim traditions- oder religionsgeschichtlichen Vergleich als Grundlage dienen, genauer strukturiert werden können. Die folgende Auflistung möglicher Vergleichselemente lehnt sich an die Vorschläge von K. Berger an;[14] zwischen traditions- und religionsgeschichtlichem Vergleich soll allerdings bei der Diskussion der Vorschläge methodisch deutlich unterschieden werden:

2.1.1. Wortfelder / Semantische Felder

Unter "Wortfeldern" bzw. "semantischen Feldern" versteht man gemeinhin Sinnzusammenhänge, die durch bestimmte Wortkombinationen tradiert werden.
Beispiele: In Apk.Joh.12,7-9 treten zusätzlich zu den Haupthandlungsträgern "Michael" und "Drache" noch die Engel hinzu, kämpfen im Himmel und werden mit dem Drachen auf die Erde geworfen. Durch traditionsgeschichtliche Analyse läßt sich zeigen, daß der "Fall Satans" und der "Fall der Engel" ursprünglich zwei getrennte Traditionen waren, die nachträglich verbunden worden sind (s.u., Teil IV, 3.4.4, S.155f.).

Die Notiz vom Kampf der Engel läßt sich auch religionsgeschichtlich erhellen: das semantische Feld "Himmelskampf und Engel" hat eine wichtige Parallele im Mittelplatonismus: "Himmelskampf und Dämonen" (s.u., Teil IV, 3.4.3.2, S.147ff.).

Der traditions- und religionsgeschichtliche Vergleich semantischer Felder hat m.E. folgende Konsequenzen für die Deutung des Textes:
1. Erhellung der pragmatischen Dimension des Textes
    Der Autor verwendet beim oben genannten Beispiel ein semantisches Feld (Himmelskampf + Engel), das sowohl im Wirkungsbereich des AT als auch

---

[14]   Berger, 1991³, S.168f.

8

in der paganen Mythologie breit bezeugt ist. Dies kann bei der Exegese von Apk.Joh.12 öfter festgestellt werden: Auch das Feld "Geburt eines Kindes und messianische (göttliche) Charakterisierung des Kindes und Bedrohung bei der Geburt" ist, vergleichbar mit Apk.Joh.12, traditionsgeschichtlich und religionsgeschichtlich belegbar. Auch hier benutzt der Autor eine Konzeption, die deutlich kulturübergreifend ist.

Dieser Befund hat Konsequenzen für die Deutung der pragmatischen Dimension des Textes, also für seine Kommunikationssituation. Sind in einem Text kulturübergreifende semantische Felder nachweisbar, so kann man davon ausgehen, daß dieser Text von einer gemischten Leserschaft (mit jüdischem bzw. paganem Hintergrund) verstanden werden kann. Dies ist gerade für die historische Situation der Apk.Joh. in Kleinasien plausibel, da hier aufgrund des soziokulturellen Kontextes neben judenchristlichen auch heidenchristliche Leser anzunehmen sind. An dieser Stelle können die Thesen M. Karrers (1986), der die Rolle der griechisch - hellenistischen Leser der Apk.Joh. hervorgehoben hatte, durch Einzelexegese gestützt werden.[15] Trotz der Verwurzelung in der alttestamentlich-jüdischen Tradition hat die Apk.Joh. - besonders in Kap.12 - durch die Benutzung kulturübergreifender semantischer Felder internationalen Charakter. Damit können auch Leser mit paganem Hintergrund die entsprechenden Zusammenhänge wahrnehmen. Diese interkulturelle Ausdrucksweise dürfte angesichts des Adressatenkreises der Apk.Joh. in Kleinasien, also in heidnischer Umgebung, notwendig gewesen sein. Sie ist keine Ausnahme in der frühchristlichen Literatur. So hatte z.B. N. Brox (1991) für den Past.Herm. eine ähnliche Struktur festgestellt: ein stark judenchristlich geprägtes Christentum, doch in paganem Milieu.[16] Der Autor Hermas reagiert darauf allerdings mit einer breiteren Rezeption paganer Traditionen als Johannes von Patmos.

Mit der Feststellung, daß in einem Text kulturübergreifende Sinnzusammenhänge auftauchen, ist allerdings noch nicht gesagt, daß die Verstehbarkeit für eine gemischte Leserschicht vom Autor so intendiert worden ist; anders gesagt: religionsgeschichtliche Parallelen sind im Mittelmeerraum kaum zu vermeiden, und wo Parallelen konstatiert werden, muß die Frage nach einer intendierten Benutzung gesondert gestellt werden (dies wird unten beim Problem der "Transmission" zu erörtern sein).

---

[15] Vgl. Karrer, 1986, S.258ff.; zur Einzelexegese: Teil IV, 1.3.2.4, S.84f.
[16] Vgl. Brox, 1991, S.51f.

Doch abgesehen vom bewußten Einsetzen speziell kulturübergreifender Traditionen ist unumstritten, daß ein Text, der solche enthält, ein breites Publikum erreicht; dies ist dann eine Frage der Wirkungsgeschichte: kommt der Text bei den Lesern an? Dieser Frage soll in Teil VI gesondert nachgegangen werden; die Tatsache, daß sich die Apk.Joh. schnell in Kleinasien ausbreitet und zur kanonischen Schrift wird, kann durchaus damit zusammenhängen, daß eine breite Leserschaft unterschiedlichen Genres in ihr Vertrautem begegnet.

2. Veränderte Funktion von Sinnzusammenhängen

Semantische Felder machen auf vorgegebene Sinnzusammenhänge aufmerksam. Besonders bedeutend für die Exegese des Textes ist die Analyse der Funktion dieser Sinnzusammenhänge.

Beispiel 1: Wie bei der Analyse der ersten Handlungssequenz deutlich werden wird, benutzt der Autor von Apk.Joh.12 eine verbreitete Tradition, bei der die Geburt des Messias (des Gottes) die Voraussetzung für den Sieg über das Böse darstellt.[17] "Geburt eines Kindes und Sieg über das Böse" bilden einen Sinnzusammenhang, der auch in Apk.Joh.12 rezipiert wird: Christus wird geboren, der Satan wird besiegt. Doch gegen die benutzte Tradition bildet die Geburt des Kindes nicht die Voraussetzung zum Sieg über den Satan, sondern hat die verstärkte Wirksamkeit des Satans zur Folge. Das gleiche semantische Feld wird hier in genau gegenläufiger Tendenz gebraucht.

Beispiel 2: In V.4 fegt der Schwanz des Drachen Sterne vom Himmel. Das Wortfeld "Drache" - "Sterne fallen vom Himmel" ist anhand mehrerer Texte nachweisbar, und zwar im Zusammenhang mit der Beschreibung apokalyptischer Endereignisse. Da dieser Sinnzusammenhang in dieser Funktion auch in Apk.Joh.12 vorliegt, zeigt dieses Beispiel, daß im Gegensatz zu Beispiel 1 hier ein Wortfeld mit der üblichen Tendenz benutzt wird.

3. Interaktion von semantischen Feldern

Gerade bei komplexen Handlungsabläufen, die eine Vielzahl von Traditionen verarbeiten, ist die Interaktion von semantischen Feldern zu berücksichtigen.

Beispiel: Bei der Analyse von Ev.Joh.12,31f. wird deutlich werden,[18] daß in Apk.Joh.12 auf eine Tradition angespielt wird, die von der Erhöhung Christi als Sieg über den Widersacher handelt. Gleichzeitig klingt noch ein weiterer Sinnzusammenhang an: Die Geburt des Heilsträgers als Voraussetzung für den Sieg über den Widersacher. Es überlagern sich demnach zwei

---

[17] S.u., Teil IV, 1.3.1.2, S.68ff.
[18] S.u., Teil IV, 3.4.1.2.a, S.132f.

Sinnzusammenhänge mit dem gleichen Element (Sieg über den Widersacher).

Folge: Das gemeinsame Element wird exponiert (der Sieg über den Drachen als entscheidendes Element im Gang der Handlung). Weiterhin nimmt das Motiv der Erhöhung Christi im Handlungsverlauf an Bedeutung ab. Der Zusammenhang von Erhöhung Christi und Sieg über den Widersacher ist zwar noch deutlich erkennbar (V.5b.7-12), doch ist ein Element (Erhöhung) durch Überlagerung mit einer anderen Tradition in seiner Bedeutung für den Handlungsverlauf eingeschränkt.

Es ist also nicht nur notwendig, die verwendeten Einzeltraditionen aufzuzeigen; auch deren Interaktion innerhalb des Textes muß bei der Untersuchung semantischer Felder zur Sprache kommen.

4. "Semantische Felder" und "Tradition"

H. Frankemölle benutzte in seinem Kommentar zum Jakobusbrief (1994) absichtlich einen engen Begriff der "Tradition": Dies sei nur das, was ein Autor "rezipiert und selbst wieder tradiert"; es geht also um die "wirklich von Jakobus rezipierten Traditionen".[19] Dieser Begriff der "Tradition" kommt dem der "Reminiszenz" sehr nahe.

Die z.B. bei Jesus Sirach rezipierten Traditionen werden von Frankemölle anhand semantischer Felder nachgewiesen. Letztere dienen also zur genauen Festlegung einer speziellen Tradition, die vom Autor des neutestamentlichen Briefes benutzt wurde.

Dieses Beispiel zeigt eine wichtige Funktion semantischer Felder bei der Ermittlung von Traditionen: Sie dienen dazu, exklusive Herkunftsbereiche zu bestimmen. Doch macht es ein religionsgeschichtlicher Vergleich mit semantischen Feldern (und Formen, Gattungen, größeren Strukturen) auch möglich, das Verhältnis von "semantischen Feldern" und "Tradition" viel weiter zu fassen. Indem wir semantische Felder benutzen, um jenseits des Wirkungsbereichs des AT auch Anknüpfungspunkte an die pagane Umwelt festzulegen, kommen wir davon ab, einen exklusiven Herkunftsbereich des Feldes zu bestimmen und damit auf eine spezielle "Tradition" zu verweisen. Ein Vergleich anhand semantischer Felder kann damit mehrere traditionsgeschichtliche und religionsgeschichtliche Anknüpfungspunkte aufweisen, wie die oben genannten Beispiele zeigen. Dies bedeutet, daß mittels semantischer Felder die verschiedenen Referenzbereiche transparent gemacht werden, auf die die neutestamentlichen Autoren reflektiert haben oder zumindest

---

[19] Frankemölle, 1994, S.182.

reflektiert haben könnten. "Traditionen" können demnach nicht nur aus dem Bereich der "Traditionsgeschichte" (Wirkungsbereich des AT), sondern auch aus dem der "Religionsgeschichte" ermittelt werden.

Fazit: Neben dem Nachweis, auf welche speziellen Traditionen ein Autor zurückgreift (H. Frankemölle), leistet die Arbeit mit semantischen Feldern noch etwas anderes: Sie eröffnet einen Zugang zur Sprachkompetenz des Erzählers, stellt die (mögliche) Vielschichtigkeit der Anknüpfungspunkte heraus und zeigt damit, wie kulturübergreifend und vielschichtig die Traditionen sind, die der Autor benutzt hat.

2.1.2. Rhetorische und literarische Formen

Beim Vergleich von semantischen Feldern wird die Benutzung vorgegebener Sinnzusammenhänge deutlich. Doch darüber hinaus können auch Reminiszenzen an literarische Vorgaben festgestellt werden. Solche Reminiszenzen können Zitate sein, die literarisch vom Alten Testament abhängig sind. Die Benutzung von Ps.2,9 bei der Beschreibung des Kindes in Apk.Joh.12,5 dürfte solch ein Zitat darstellen.

Die Benutzung solcher alttestamentlicher Reminiszenzen bedeutet jedoch nicht zwingend, daß ein judenchristlicher Adressatenkreis exklusiv angesprochen wird. Eine Form, die im Alten Testament nachweisbar ist, kann ebenso gut in der paganen Umwelt gebräuchlich sein, so z.B. die Form "ὕδωρ ὡς ποταμός" in Apk.Joh.12,15. Hier kann zur Erklärung - neben Ps.77,16 LXX - Jer.26,7f. LXX herangezogen werden - die Form ist somit traditionsgeschichtlich erklärbar. Doch ist sie auch in der paganen Umwelt nachweisbar. Ein religionsgeschichtlicher Vergleich mit Strabo und Diodorus Sic. zeigt, daß sie auch als Metapher für eine große Wassermenge verwendet werden kann.[20] Dies Beispiel zeigt, daß auch hier eine kulturübergreifende Form begegnet, die für Juden und für Nichtjuden Anknüpfungspunkte lieferte.

2.1.3. Größere Strukturen

Dieser Punkt ist absichtlich sehr weit gefaßt, ist aber für den religionsgeschichtlichen Vergleich eine notwendige Kategorie. Gemeint sind

---

[20]   S.u., Teil IV, 6, S.178.

Handlungsstrukturen, die nicht Teil einer eigenen Gattung sind. Dabei werden zwei Problemfelder angesprochen:

1. Im Lauf der Forschungsgeschichte zu Apk.Joh.12 wurde der religionsgeschichtliche Vergleich oft anhand sehr begrenzter Elemente vorgenommen.[21] Dagegen haben Texte besonderen Wert zur Erklärung des Ausgangstextes, die sich in möglichst großen Handlungsstrukturen, beispielsweise in Kombinationen von Handlungselementen, vergleichen lassen. Gerade die vorbereitete Kombination von Handlungselementen hat für die Exegese besonderen Wert; ihr wird beim Textvergleich anhand größerer Strukturen die notwendige Aufmerksamkeit gezollt.

2. In der Praxis lassen sich oft Texte vergleichen, die zeitlich und räumlich weit auseinander liegen, doch enge inhaltliche Strukturparallelen aufweisen. Gerade die Parallelität in sehr weiten Handlungsstrukturen machen solche Texte für den religionsgeschichtlichen Vergleich attraktiv, obwohl man kaum von einer direkten Bezugnahme ausgehen kann. Beispiel: Die unten in Teil V dargestellte mythologische Konzeption von Apk.Joh.12 hat ihre engste Parallele bei Homer, Il.19. Der Text ist in dieser Hinsicht also primär durch religionsgeschichtliche, nicht durch traditionsgeschichtliche Exegese erklärbar. Die Voraussetzungen, einen zeitlich weit entfernten Text zum Vergleich heranziehen zu können, müssen im nächsten Abschnitt reflektiert werden.

2.2. Die historische Vermittlung (Transmission) der Vergleichstexte

Bei der traditionsgeschichtlichen Exegese werden Texte aus dem Wirkungsbereich des AT miteinander verglichen; man kann damit rechnen, daß die Trägerkreise der Traditionen miteinander in Kontakt standen, daß Traditionen mündlich vermittelt worden oder (wie z.B. beim Verhältnis Jak. und Jesus Sirach) Ergebnis schriftgelehrter Auslegetradition sind.

Beim religionsgeschichtlichen Vergleich kann der Kontakt der Trägergruppen und damit die Vermittlung von Traditionen zunächst nicht ohne weiteres vorausgesetzt werden. Wenn vergleichbares religionsgeschichtliches Material vorliegt, kann es sich dabei auch um vom jeweiligen neutestamentlichen Text unabhängige pagane Traditionen handeln, die dem Autor nicht bekannt waren. Solche religionsgeschichtlichen Parallelen sind dennoch nicht unerheblich für

---

[21] S.u., Teil II, 2.4, S.33ff.

die Exegese des Ausgangstextes. Einerseits zeigen sie, daß die neutestamentlichen Schriften Teil ihrer zeitgenössischen antiken Sprach- und Kulturgemeinschaft sind.[22] Andererseits erfüllen sie das Analogiekriterium und sind damit ein wichtiges Korrektiv für moderne Exegeten: Findet sich nämlich eine aus neutestamentlicher Zeit stammende, historische Analogie zu einer durch moderne Exegese ermittelten theologischen Aussage, so gewinnt jene Exegese an Plausibilität.[23]

2.2.1. Alternative Ansätze

Die oben angestellte methodische Überlegung ist bei der folgenden Untersuchung von Apk.Joh.12 entscheidend für die Analyse der theologischen Aussage. Die dort ermittelte theologische Aussage von Apk.Joh.12 hat eine enge Analogie zu einem Text aus Homers Ilias. Die Existenz dieser Analogie zeigt, daß die betreffende theologische Konzeption in der Antike tatsächlich entwikkelt wurde; damit sinkt die Wahrscheinlichkeit, daß die durch moderne Exegese rekonstruierte theologische Aussage des antiken Autors eine Fiktion des Exegeten ist.

Doch darüber hinaus besteht auch die Möglichkeit, daß sich die neutestamentlichen Autoren auf diese paganen Traditionen beziehen, daß also eine Rezeption des Materials stattgefunden hat. Dann jedoch stellt sich die Frage, wie der neutestamentliche Autor mit diesen paganen Traditionen in Kontakt kommt. Wenn wir also bei der Analyse von Apk.Joh.12 vergleichbare pagane Mythen finden - wie ist die Verbindung dieser Mythen mit Johannes denkbar?

Zu dieser Frage sind bei der Durchsicht der Forschungsgeschichte mehrere Lösungswege aufweisbar:

- Ausprägung eines Urmythos. W. Bousset zog ägyptische Parallelen aus dem Alten und Mittleren Reich zur Erklärung von Apk.Joh.12 heran. Trotz der weiten zeitlichen und räumlichen Entfernung zu Apk.Joh.12 waren diese Mythen für ihn dennoch vergleichbar, weil es sich jeweils um einen unabhängigen Niederschlag eines alten Sonnenmythos handelt.[24] Die von

---

[22] Es sei an dieser Stelle Adolf Deissmann erwähnt, der in seinem "Licht vom Osten" (1908) mit zahlreichen paganen Vergleichstexten die Verbindung des Neuen Testaments zu der antiken Volksliteratur aufzeigte (vgl. ders., 1923[4], S.8f.); vgl. hierzu Dormeyer, 1993, S.4f.

[23] Zum "Analogieprinzip" (neben dem Prinzip der Kritik und der Korrelation) bei der historischen Exegese vgl. E. Troeltsch, 1898, S.108: die "prinzipielle Gleichartigkeit alles historischen Geschehens".

Bousset wohl hierbei vorausgesetzte Implikation dürfte folgendermaßen zu bestimmen sein: Es gibt eine "alte heilige Erzählung von dem Sieg des jungen erwachenden Lichtgottes über die bösen Mächte der Finsternis". Dieser Mythos, orts- und zeitungebunden, konkretisiere sich in den verschiedensten Mythologumena. In Apk.Joh.12 werde der Sieg Jesu über den Satan so interpretiert. Die Verbindung von Apk.Joh.12 mit anderen ähnlichen Mythen besteht dann darin, daß sie alle an der gleichen Urform teilhaben.

In ähnlicher Weise geht J. Fontenrose vor, der verschiedene vorderorientalische Kampfmythen als Ausprägungen eines ursprünglichen "Prototyps" begreift.[25] Die Verbindungen der verschiedenen Mythen wird hier als genetische Abhängigkeit gedacht. Die von Johannes benutzten Mythen sind damit, wie auch die vergleichbaren paganen Mythen, Ausprägungen desselben Prototyps.

- Teilhabe an festen "pattern". A.Y. Collins Arbeit zu Apk.Joh. fußt - in Weiterführung der Thesen Fontenroses - auf der Annahme eines fester Kampfmythenmusters, "combat myth pattern", das im ersten nachchristlichen Jahrhundert in vielfacher Ausprägung vorgelegen habe.[26] Dieses Muster wurde aus konkreten Mythen abstrahiert und besteht somit aus einer Abfolge von Handlungsschritten, die wiederum all diesen Mythen gemeinsam ist. Es handelt sich also um eine Abstraktion des größten gemeinsamen Musters von Mythen mit ähnlicher Thematik. Es ist hier demnach weniger dieselbe "Urform", die die Verbindung von Apk.Joh.12 mit anderen Mythen ausmacht. Die Frage nach der historischen Verbindung der Mythen stellt sich A.Y. Collins explizit nicht.[27] Dagegen wird angenommen, daß sich ein abstraktes Muster von Handlungsabfolgen in der antiken Geisteswelt etabliert habe. Die Verbindung des Apokalyptikers mit paganen Mythen besteht in der Teilhabe an diesem Muster.

Einen ähnlichen Weg hatte in neuerer Zeit A. Feldtkeller (1994) bei der Untersuchung der "Religionsbetrachtung" innerhalb der religiös pluralen Kultur Syriens eingeschlagen.[28] Feldtkeller leistete einen m.E. wichtigen Beitrag zur Synkretismusforschung und Religionsgeschichte, indem er den Kontakt verschiedener Religionen nach den Quellen eines begrenzten geographischen

---

[24]   So Bousset, 1896 (1906[6]), S.355.
[25]   Vgl. Fontenrose, 1959, S.2f.; 145; 176.
[26]   Vgl. A.Y. Collins, 1976, S.57ff.
[27]   "The question of the historical interrelationship of these myths is not directly relevant to our study" (dies., a.a.O., S.58).
[28]   Vgl. Feldtkellers "Vierten Durchgang: Verhältnisbestimmung zwischen Religionen als Religionsbetrachtung" in: ders., 1994, S.251ff.

Raumes (Syrien) unter vier verschiedenen Aspekten (Religionsausübung, Konstruktion religiöser Biographie, Selektion aus dem sozio-kulturellen Erbe und Religionsbetrachtung) untersuchte. Bei der Analyse der Religionsbetrachtung werden zunächst verschiedene, aus den antiken Quellen entwickelte Modelle dargestellt; anschließend wird versucht, ein "gemeinhellenistisches Sinnsystem" nachzuweisen, mittels dessen die Menschen in Syrien Verhältnisbestimmungen von Religionen vornahmen.[29] Nach Feldtkellers Vorstellung konnten sich die Menschen bestimmte Elemente dieses Sinnsystems für den persönlichen religiösen Bedarf selektieren.[30]

Kritik: Diese Ansätze sind hypothetisch stark vorbelastet. Sowohl der "Urmythos" als auch die abstrakten "pattern" und das "gemeinhellenistische Sinnsystem" sind Hypothesen, die für eine Theorie des Vergleichs von Religionen eine unnötige Zusatzbelastung darstellen.

Kritik an A.Y. Collins: Die Arbeit mit Mythenmustern birgt zusätzlich die Gefahr in sich, daß der Textvergleich auf zu abstrakter Ebene stattfindet: Es werden dann keine konkreten Texte mehr verglichen, sondern nur noch Mythenkreise mit vergleichbaren Mustern. Dies wird bei A.Y. Collins Arbeit nur allzu deutlich: Beim Vergleich mit paganen Mythen wird kein einziger Text zitiert und anschließend mit Apk.Joh.12 verglichen, sondern Mythenkreise (z.B. ugaritische Mythen, der Isismythos) werden lediglich unter besonderer Berücksichtigung des vorher postulierten Handlungsmusters (also "pattern"-gerecht) nacherzählt.[31] Werden dabei zwar die immer wieder rezipierten Motive des Mythos hervorgehoben, kommen dagegen die Veränderungen, die der Mythos im Laufe seiner Geschichte erfährt, nicht in den Blick. Dies ist, wie wir später sehen werden, bei der Diskussion der Isis-Mythen besonders wichtig. Hier kann anhand konkreter Texte festgestellt werden, daß der Geburtsmythos des Horus in hellenistisch-römischer Zeit kaum noch rezipiert wird. Doch gerade diese Geburtsgeschichte ist für die Exegese von Apk.Joh.12 besonders interessant. Der Isismythenkreis verliert darum an Relevanz für die Erklärung des Textes.

Kritik an Feldtkeller: Feldtkeller ist bemüht, sich gerade im einschlägigen vierten "Durchgang" seines Buches methodisch nicht unnötig zu belasten. Er folgt hier nicht dem (beispielsweise in seinem dritten "Durchgang"

---

[29] Vgl. ders., a.a.O., S.287.
[30] Ebd.
[31] Vgl. A.Y. Collins, 1976, S.61ff. Der traditionsgeschichtliche Vergleich mit 1QH3 und Apk.Ad.(kopt.) (a.a.O., S.67ff.) wird allerdings dagegen mittels Vergleichs konkreter Texte durchgeführt.

angewandten) Schema, von einem neuzeitlichen Modell der vergleichenden Religionswissenschaft auszugehen und dies anhand bestimmter Beispiele zu verifizieren. Die Modelle, die er zur systematischen Darstellung der antiken "Religionsbetrachtung" anführt, werden ohne neuzeitliche Fremdkategorien aus den Quellen selbst generiert. Doch stellt die Einführung eines "gemeinhellenistischen Sinnsystems" eine theoretische Zusatzbelastung dar. Dieses "Sinnsystem" ist methodisch auf einer ähnlich abstrakten Ebene wie die "pattern" angesiedelt. Es ist m.E. nicht notwendig, bei einer Theorie des Vergleichs von Religionen eine derartig abstrakte Ebene einführen zu müssen; es genügt, bestimmte Modelle und Linien zu entwerfen, die für das Verhältnis von Religionen konstitutiv sind. Diese müssen nicht unter ein noch weiter abstrahiertes System subsummiert werden.

Weist man somit das Postulat einer abstrakten gemeinantiken Ebene ("pattern" oder "Sinnsystem") als methodische Voraussetzung für einen Kontakt von Trägergruppen zurück und beschränkt sich auf konkrete Ausprägungen eines Mythos, die uns durch einen bestimmten Text überliefert sind, so bleibt als Konsequenz noch eine Frage offen: Wie ist der Autor des neutestamentlichen Textes mit dem Mythos in Kontakt gekommen?

An dieser Stelle ist die Frage nach der "Transmission" ein entscheidender methodischer Schritt.[32] Es geht dabei nicht um eine deskriptive Beschreibung der Weitergabe von Traditionen im Rahmen eines Kommunikationsmodells, wie es z.B. P.G. Müller (1981) vorgeschlagen hatte.[33] Es geht vielmehr um eine historische Fragestellung nach Möglichkeiten, wie Traditionen vermittelt werden konnten. Die Motivation zu dieser Frage bildet die Feststellung von Ähnlichkeit bzw. Identität beim Vergleich von Texten verschiedenartiger Herkunft.

Der Aufweis religionsgeschichtlicher Ähnlichkeit ist allerdings nicht ausreichend, um eine Rezeption des paganen Materials annehmen zu können. Es

---

[32] Feldtkeller, 1994, S.278-270, hatte für den syrischen Raum gezeigt, daß die "historische Vermittlung" schon in der Antike bei der Verhältnisbestimmung von verschiedenen Religionen behandelt wurde.

[33] P.G. Müller, 1981, S.72-75 definiert "Transmission" als "Zusammenspiel von Traditionswille, Traditionsinteresse und Traditionssinn". Dabei wird eine Kommunikationssituation aus Sprecher (Wille zur Tradition), Hörer (Interesse an der Tradition) und Code (Traditionssinn) vorausgesetzt. Dagegen meinen wir in der vorliegenden Untersuchung bei der Begriffsbestimmung der "Transmission" räumliche, zeitliche und / oder interkulturelle Verbindungslinien von Traditionen; vgl. hierzu z.B. Forsyth, 1987, S.90: "... we need to know whether and how the myths of the ancient Near East were transmitted (and transformed) during the intervening millennium". Weiterhin K. Müller, 1985, S.191 (Terminus "geschichtliche Vermittlung"); Berger, 1991³, S.166f. ("historische Vermittlung").

muß zusätzlich die Voraussetzung geprüft werden, ob der Autor mit diesem Material in Kontakt gekommen sein kann. In der Konsequenz bedeutet dies, daß die Plausibilität paganer Vorstellungen für das Verständnis des neutestamentlichen Textes geprüft wird. Wenn die Transmission paganer Vorstellungen wahrscheinlich gemacht werden kann, so kommt diesen ein erhöhter Wert für das Verständnis des Textes zu.

Für die Exegese der Apk.Joh. bedeutet dies: Sind vorbereitete Anknüpfungslinien belegbar, die es ermöglichen, daß pagane Mythen von Johannes aufgenommen werden konnten? Dies kann in der folgenden Analyse bei der Diskussion um die Dämonologie des Mittelplatonismus dargestellt werden. Hier werden Aussagen von paganer Seite getroffen, die den Aussagen in Apk.Joh.12,7-12 sehr ähnlich sind. Diese haben großen Wert zur Erklärung des Textes, weil belegbar ist, daß die mittelplatonische Dämonologie schon vor der Abfassung der Apk.Joh. in das Judentum Eingang gefunden hat. Die vorbereitete Übernahme von paganen Stoffen in den Wirkungsbereich des AT ist ein wichtiges Kriterium der Transmission.

2.2.2. Kriterien der Transmission

Als Kriterien der Transmission können angegeben werden:
- Kontakt der Trägergruppen; wir gehen beim Textvergleich von einem bestimmten Kulturraum (Vorderer Orient) aus, in dem die geographischen und soziologischen Rahmenbedingungen für eine Vermittlung von Traditionen vorausgesetzt werden können. So werden bei der Exegese von Apk.Joh.12,15f. z.B. griechische Sintflutmythen berücksichtigt, aber keine indonesischen oder nordamerikanischen.

Der Nachweis, daß Trägergruppen innerhalb dieses Kulturraumes in Kontakt standen, bildet dabei eine wichtige Voraussetzung für die Vermittlung von Traditionen. Dies gilt nicht nur für die schriftliche Weitergabe, sondern auch, wie wir bei Papias sehen werden, für die mündliche Vermittlung von Traditionsgut. Beispiele: Das kleinasiatische Christentum hatte Kontakt zum ägyptischen Judentum / Christentum.[34] Damit ist es historisch möglich, daß die oben genannte Kontamination von ägyptischen und jüdischen Traditionen in Kleinasien Eingang findet. Weiterhin ist über die "Lugdunensischen

---

[34] Zum Kontakt Ägypten - Ephesos und zu den Konsequenzen für die religionsgeschichtliche Exegese vgl. Berger, 1995², S.771.

Akten" bei Euseb, h.e.5,1f. ein früher Kontakt von gallischen mit kleinasiatischen Christen nachweisbar. Die Vermittlung von Traditionen kann auf dieser Linie stattfinden

- Vorbereitete Aufnahme von religionsgeschichtlichem Material in den Wirkungsbereich des AT. Beispiel: Schon lange vor dem ersten nachchristlichen Jahrhundert werden Isismythen vom ägyptischen Judentum aufgenommen, wie z.B. eine Notiz aus Plutarch, Is.31 und ein Fragment des Artapanus beweisen (s.u., Teil IV, 3.4.3.4, S.151ff.). Paganes Material ist einer "interpretatio iudaica" unterworfen worden, eine Weitertradierung im Bereich der Wirkungsgeschichte des AT ist möglich.

- Explizite Rezeption von paganen Traditionen im Umkreis des Ausgangstextes. Beispiel: Ein wichtiger Vergleichstext für die mythologische Konzeption von Apk.Joh.12 ist der Ate-Mythos bei Homer, Il.19. Die Rezeption dieses Mythos ist im christlichen Umfeld im 3. Jahrhundert bei Ps.-Justin nachweisbar (s.u., Teil V, 2, S.193). Eine "vorbereitete Aufnahme" ist damit zwar nicht gegeben, doch ist zumindest die Bekanntheit des Mythos in der weiteren christlichen Tradition vorauszusetzen. Die mythologische Konzeption, die in diesem Mythos entfaltet wird, kann damit als wichtige Analogie für den Ausgangstext verwendet werden.

Ist durch den Nachweis der Transmission die Möglichkeit gegeben, daß religionsgeschichtlich weiter entfernte Stoffe von den neutestamentlichen Autoren rezipiert worden sind, so können genauere Kriterien für das Verhältnis der jeweiligen Vergleichstexte angegeben werden; hier wurden in der Literatur schon hinreichend Vorschläge gemacht, die die Ähnlichkeiten oder die Kontraste zwischen den Vergleichstexten genauer bestimmen.[35] Kriterien der Ähnlichkeit oder der Kontraste dieser Vergleichstexte machen auch die Stellung des Autors zur paganen Welt erkennbar: So kompiliert Josephus in Ant.18,1 und Bel.2,156 jüdische Parteien und pagane Philosophenschulen; dabei wird für heidnische Leser in werbender Weise die Ähnlichkeit jüdischen und heidnischen Denkens betont. Dagegen unterstreicht Justin in 1.Apol.20ff. in polemischer Weise die Ähnlichkeiten heidnischer Mythen mit alttestamentlichen Aussagen - dabei geht es um dämonische Nachäffung der Heiden (1.Apol.54ff.).

---

[35] Hahn, 1970, S.12, berücksichtigte nur Kategorien der Ähnlichkeit (Übertragung, Adaption, Neubildung); Müller, 1985, S.190, schlug ein "gestaffeltes Wertesystem" vor: Übernahme / Übertragung - Adaption - Umbildung - Abstoßung; dabei wurden auch kontrastive Kategorien berücksichtigt. Berger, 1987, S.19-26, unterschied zwei Gruppen, die vielfältig ausdifferenziert werden: Kategorien, die den Kontrast bzw. die Andersheit erfassen und Kategorien, die die Ähnlichkeit erfassen.

Ähnlich werden die Kultmähler des Mithras und das Abendmahl in der früh-christlichen Literatur miteinander verglichen, z.B. bei Justin, 1.Apol.66 (die Dämonen haben Elemente der Eucharistie in die Mithrasmysterien eingeführt) oder bei Tertullian, Praescript.40,3f. (der Teufel äfft die Handlungen der göttli-chen Sakramente nach). Hier liegt eine deutlich polemische Stoßrichtung vor.

Beispiel aus der Exegese von Apk.Joh.12: Mehrere Texte aus dem traditions- und dem religionsgeschichtlichen Umfeld von Apk.Joh.12 handeln davon, daß die Geburt des Messias (eines Gottes) Voraussetzung für den Sieg über das Böse ist. Dagegen ist in Apk.Joh.12 die Geburt Jesu Grund für die verstärkte Wirksamkeit des Bösen auf der Erde. Es geht demnach in Apk.Joh.12 um eine "Rezeption mit entgegengesetzter Tendenz".[36] Das seman-tische Feld "Geburt des Messias / des Gottes" und "Wirksamkeit des Bösen" wird aufgenommen und in Opposition zu gängigen Vorstellungen gestellt.

---

[36]   Zum Begriff vgl. Berger/Colpe, 1987, S.19.

Teil II

Die traditions- und religionsgeschichtliche Exegese von Apk.Joh.12

Neben den forschungsgeschichtlichen Untersuchungen zur Apk.Joh. von Maier (1981) und Kretschmar (1985; Auslegungsgeschichte des ersten Jahrtausends) ist die Forschungsgeschichte speziell von Apk.Joh.12 von Prigent (1959) detailliert dargestellt worden. Ergänzungen aus neuerer Zeit hierzu bietet O. Böcher (1988[3]).[37] Die folgenden Darstellungen können damit auf diesen Arbeiten aufbauen und eigene Schwerpunkte setzen.

1. Die exegetischen Fragestellungen der Forschung zu Apk.Joh.12

1.1. Systematische Entwürfe zu Apk.Joh.12

Zunächst sind an dieser Stelle systematische Entwürfe auf der Basis von Apk.Joh.12 zu nennen, obwohl diese eher zur modernen Rezeptions- denn zur Forschungsgeschichte zu zählen sind. Hierzu gehört Koch (1957), der auf Apk.Joh.12 eine "Israellogie" gründet, indem er die Himmelsfrau mit "Israel" identifiziert. Jossua (1975) entwarf eine kurze systematische Darstellung über das Böse, die Erlösung und das Heil; da der Sieg Christi über das Böse die Hauptaussage im NT sei, ist Apk.Joh.12,9 für ihn eine zentrale Stelle. Keller

---

[37] Vgl. auch Böchers Überblick über die Forschung zur Apk.Joh. in ANRW II, 25,5; dort nennt er die Literatur zu Apk.Joh.12 seit 1945 "fast unübersehbar". Die Arbeit von Pauliah, 1993, konnte nicht eingesehen werden.

(1990) gab mit ihrem feministisch-theologischen Midrasch zu Apk.Joh.12 ein Beispiel für die moderne Rezeption des Kapitels.

1.2. Die literarkritische Exegese

Bei der literarkritischen Exegese der älteren Forschung ging man von einer jüdischen Grundschrift aus, die von Johannes aufgenommen worden ist.[38] Die Motive werden aus dem Judentum erklärt und die eindeutig christlichen Züge als christliche Interpolation gewertet.[39] Als Vertreter dieses Ansatzes sind besonders J. Weiss (1904) und J. Wellhausen (1907) zu nennen, nach deren Analyse Johannes zwei jüdische Quellen kompiliert hat.[40] Dieser Ansatz dient in neuerer Zeit dazu, die christologischen Eigenheiten des Kapitels als genuin jüdisch zu erklären.[41]

Die modernen Varianten der literarkritischen Auslegung von Apk.Joh.12 berufen sich auf das Modell, das Charles (1920) in seinem Apokalypse - Kommentar entworfen hat. Charles vereinigt die literarkritische und die traditionsgeschichtliche Fragestellung bei der Exegese von Apk.Joh.12.[42] Er

[38] So zuerst Vischer, 1886, S.24: "Wir sind so bei der Annahme, dass dies Stück christlichen Ursprunges ist, in ein fatales Dilemma geklemmt. Bei der Erkenntniss, dass uns ein Theil einer jüdischen Schrift vorliegt, fallen alle Schwirigkeiten dahin".

[39] Vgl. Vischer, 1886, S.35; Wellhausen, 1907, S.19.

[40] Weiss, 1904, S.87f. sieht in V.7-9 eine christliche Urapokalypse, das übrige beruht auf einer eingearbeiteten jüdischen Quelle. Wellhausen, 1907, S.18-21, geht von zwei parallelen Quellen A und B aus, die nach Bearbeitung des christlichen Redaktors noch in den Versen 1-6 (Quelle A) und 7-9.13f. (Quelle B) fragmentarisch vorliegen und in einen gemeinsamen Schluß C (VV.15-17) münden. Der Redaktor hatte jedoch nicht nur die Vorlagen zur besseren Kompilation gekürzt, sondern auch den Hymnus (V.10-12) zugesetzt und in den Versen 3.5.9.17 interpoliert. Das Verhältnis des Redaktors zur Vorlage beschreibt Wellhausen wie folgt (a.a.O., S.19f.; vgl. auch ders., 1899, S.218ff.): "Die wichtigsten Zusätze des Redaktors christianisiren. Die Vorlage ist rein jüdisch". Ähnlich Boismard, 1949, der die Apk.Joh. als ein zusammengesetztes Werk begreift und Apk.Joh.12,1-6.13-17 zusammen mit Apk.Joh.17,1-9.15-18 als eine Quelle postuliert.

[41] Vgl. U. Müller, 1972, der Vischers These der jüdischen Grundschrift positiv rezipiert und auf die Christologie anwendet: "Apk 12 wurzelt tief in jüdischen Denkformen, gerade was seine Messianologie angeht" (S.179).

[42] Vgl. Charles, 1920, S. 307-310. Dagegen insistiert Greßmann, 1929, S.393-400, der wie Charles eine jüdische Vermittlung vor der christlichen Rezeption betont, auf der spezifisch ägyptischen Herkunft des zugrundeliegenden Mythos.

rekonstruiert in einem ersten, literarkritisch geprägten Schritt zwei semitische Quellen (1.Quelle: V.1-5.13-17; 2. Quelle: V.7-10.12), die von einem Pharisäer in der Zeit um 67-69 geschrieben und von Johannes aufgenommen und christianisiert worden seien (Addition von VV. 6.11; Interpolationen in VV.3.5.9.10.17). In einem zweiten, traditionsgeschichtlich geprägten Schritt wird die These vertreten, Quelle 1 liege ein "early international myth" zugrunde. Der gesamte mythische Stoff ist nach diesem Ansatz vor seiner christlichen Rezeption durch den Verfasser der Apk.Joh. vom älteren apokalyptischen Judentum adaptiert worden. Diese Hypothese wird der Forschung zu Apk.Joh.12 stark rezipiert.[43] Das literarkritische Hauptargument für die Quellenscheidung ist neben allgemeinen stilistischen Gründen die vermeintliche Existenz einer "Dublette" der Verse 6 und 13-16.[44] Doch ist die doppelte Erwähnung der Flucht der Frau in die Wüste im Rahmen der vorliegenden Komposition begründbar.[45] Da der Drache die Frau doppelt bedroht (V.4 zusammen mit dem Kind, V.13), entzieht sich die Frau auch doppelt dem Angriff des Drachen. Das Argument der Dublette ist somit zur Begründung einer Existenz von zwei Quellen nicht überzeugend. Darum wird auch in der vorliegenden Arbeit von einer literarischen Einheitlichkeit des Textes ausgegangen.[46] Die auch in neueren Arbeiten seit Charles rekonstruierten zwei Fragmente von Apk.Joh.12, z.B.

---

[43] In neuerer Zeit ist die Arbeit von A. Y. Collins, 1976, (trotz der gegen Charles getroffenen Annahme einer griechischen Originalsprache der beiden Quellen; vgl. A. Y. Collins, 1976, S.108f.) insgesamt vom Ansatz von Charles geprägt (vgl.S.101ff.). In diese forschungsgeschichtliche Reihe fügt sich auch U.Müller, 1984 (vgl. S.241-245), obwohl er nur noch eine Quelle (Quelle 1 bei Charles und A. Y. Collins) als literarisch fixierte Vorlage für Johannes annimmt (S.243; vgl. auch U.Müller, 1972, S.168f.). - Zu jüdischen Adaptationen des mythischen Stoffes vor der christlichen Rezeption, ohne jedoch literarische Vorlagen zu thematisieren, tendieren in neuerer Zeit Lohse, 1988[14] (1960), S.73 und Böcher, 1988[3], S.75.

[44] Die Diskussion der "Dublette" V.6; VV.13-17 in der älteren Forschung ist ausführlich dargestellt bei Bousset, 1906[6], S.349f. und in der neueren Forschung bei Ernst, 1967, S. 106f. Kontrovers diskutiert wird die Frage, ob V.6 und VV.13-17 Parallelberichte seien (Gunkel, Wellhausen; auch Dieterich, 1891, S.118; Boll, 1914, S.107), oder ob V.6 auf die Arbeit eines Redaktors schließen lasse, der zwei Quellen in Kap. 12 verarbeitet habe. An letztere These schließt sich an Charles, 1920, S.307; Zielinski, 1931, S.156 und in der neueren Forschung A.Y. Collins, 1976, S.103f.

[45] Vgl. Lohmeyer, 1953[2] (1926), S.94f.; Hadorn, 1928, S.131; Gollinger, 1972, S.100; 116f., Anm.180.

[46] Vgl. die Analyse von Gollinger, 1971, S.110ff. Ihre methodische Skizze bei der Kritik Wellhausens verdient Beachtung: "Eine korrekte Methode verlangt, einen als Einheit vorliegenden Text zunächst als Einheit zu verstehen" (S.117, Anm.180); zur exegetischen Pflicht, den Text "bis zum Erweis des Gegenteils (nicht um jeden Preis) als Einheit anzusehen" vgl. Berger, 1991[3], S.29. Da bei Apk.Joh.12 keine Gegenindikation vorliegt, ist Apk.Joh.12 zunächst als Einheit zu lesen.

bei A.Y. Collins (1976) oder bei U.Müller (1984), stellen also eine unnötige methodische Zusatzbelastung dar und fallen damit dem Ockham'schen Rasiermesser anheim.

1.3. Die traditionsgeschichtliche Exegese

Der neben der religionsgeschichtlichen Exegese bedeutendste Ansatz der Forschung zu Apk.Joh.12 ist die traditionsgeschichtliche Exegese. In neuerer Zeit zeigte Hildegard Gollinger (1971) in ihrer sorgfältigen traditionsgeschichtlichen Analyse von Apk.Joh.12 die enge Verbindung zum spätantiken Judentum.[47]

Gemäß der Begriffsbestimmung im methodischen Teil (s.o., Teil I, 1.2) wird der Text bei der traditionsgeschichtlichen Exegese innerhalb des "Wirkungsbereichs des AT" ausgelegt. Diese Vorgehensweise wird auch bei der vorliegenden Arbeit neben der religionsgeschichtlichen Analyse eine entscheidende Bedeutung haben.

Forschungsgeschichtlich sind folgende Differenzierungen der traditionsgeschichtlichen Exegese von Apk.Joh.12 zu machen:

- Einen eigenen Zweig bilden Arbeiten zu Apk.Joh.12, die auf außerbiblische Quellen verzichten und das Kapitel ganz innerbiblisch verstehen wollen. Hier sind vor allem die Exegeten Sickenberger (1942), Wikenhauser (1959), in neuerer Zeit Kraft (1974) und Corsini (1994) zu nennen.[48]

Dieser Forschungsansatz macht auf wichtige Bezugspunkte der alttestamentlichen Tradition aufmerksam. So ist z.B. in neuerer Zeit von Sweet (1979), Morgen (1981) und Minear (1991) speziell Gen.3,15-20 als Mustertext vorgeschlagen worden, der die Vision des Sehers in Apk.Joh.12 entscheidend geprägt habe. Bei der Erforschung der traditionsgeschichtlichen Verbindungen von Apk.Joh.12 mit dem Alten Testament kann man sich allerdings

---

[47] Vgl. auch die Zusammenfassung in Gollinger, 1985.

[48] Die Fragestellung der Herkunftsbereiche der Mythen von Apk.Joh.12 erklären explizit für unbedeutend: Hadorn, 1928, S.132; Sickenberger, 1940, S.121; Kraft, 1974, S.172; Giesen, 1986, S.94. Auf außerbiblische mythologische Bezüge verzichten weiterhin vollständig Zahn, 1926 (dafür aber breite Berücksichtigung der patristischen Rezeption), Roesch, 1928; Wikenhauser, 1947; Ellul, 1981, S.76-81; Hughes, 1990.

nicht auf die kanonischen Texte beschränken. Schon die ältere "religionsgeschichtliche Schule" hob die Bedeutung des zwischentestamentlichen Judentums bei der traditionsgeschichtlichen Fragestellung hervor.[49] Bei der traditionsgeschichtlichen Exegese von Apk.Joh.12 werden wir also, gemäß den methodischen Prämissen in Teil I, neben den biblischen Schriften die anderen Texte des "Wirkungsbereichs des AT" berücksichtigen.

- Einen besonderen Zweig der innerbiblischen Auslegung bilden Exegeten mit mariologischem Interesse, v.a. Kosnetter (1952), Kassing (1958), P.James (1960), in neuerer Zeit Molina (1993).

Dieser Ansatz ist erstens methodisch für die vorliegende Arbeit nicht annehmbar (innerbiblische Auslegung), zweitens ist eine Deutung der himmlischen Frau als "Maria", wie unten in Teil IV, 1.1 deutlich werden wird, nicht anzunehmen.

- Eine sich speziell an frühjüdische Traditionen anlehnende Auslegung von Apk.Joh.12 hat sich, soweit sich beurteilen läßt, nicht durchgesetzt. Hier ist v.a. Lohmeyer (1926) zu nennen, der Apk.Joh.12 als Niederschlag eines jüdischen Weisheitsmythos zu erklären versuchte. Auch Bruns (1964) sieht Apk.Joh.12 ganz in jüdischer Tradition verwurzelt. Der Vorschlag von McNamara (1966), besonders die Targume zur Erklärung von Apk.Joh.12 heranzuziehen, wird in der aktuellen Forschung kaum rezipiert. Lediglich Serra (1976) brachte dies in seiner Rezension der Monographie Gollingers nochmals ins Gespräch.

Die frühjüdischen Quellen spielen bei der Analyse von Apk.Joh.12 eine wichtige Rolle. Darum wird dieser Ansatz als Teil der traditionsgeschichtlichen Exegese in der vorliegenden Arbeit positiv rezipiert werden.

---

[49] In diesem Zusammenhang ist von H. Gunkel der Begriff der "Pfütze des Judentums" entwickelt worden; vgl. hierzu und zur Stellung des zwischentestamentlichen Judentums bei der "religionsgeschichtlichen Schule" K. Müller, 1985, S.166.

1.4. Die religionsgeschichtliche Exegese

Bei einem religionsgeschichtlichen Ansatz ist die Entdeckung und Darbietung von Vergleichsmaterial unerläßlich.[50] Die Epoche der Entdeckung dieses Materials ist bei der Exegese von Apk.Joh.12 durch die Daten 1882 und 1925 eingegrenzt. In der ersten Phase dieser Epoche wurde jeweils ein bestimmter, abgegrenzter Kulturraum vorgeschlagen, aus dem die Mythen von Apk.Joh.12 entstammen könnten: 1882 erschien D. Völters Schrift "Die Entstehung der Johannesapokalypse", in der persische Parallelen zur Erklärung herangezogen werden; 1891 verglich A. Dieterich in "Abraxas" griechische, 1895 H. Gunkel in "Schöpfung und Chaos in Urzeit und Endzeit" babylonische und 1896 W.Bousset in seinem Kommentar zur Apk.Joh. ägyptische Parallelen mit Apk.Joh.12.

In der zweiten Phase der religionsgeschichtlichen Forschung zu Apk.Joh.12 wurden als Ergänzung zu diesen Kulturräumen weitere Vorschläge gemacht, woher die Mythen des Kapitels entlehnt sein könnten: 1914 legte F. Boll vielfältiges Material vor, um eine 1794 von Ch. F. Dupuis aufgestellte These[51] wahrscheinlich zu machen: Eine astrale Konstellation sei Hintergrund der Szenerie von Apk.Joh.12. 1925 schließlich versuchte E. Lohmeyer,[52] Anklänge an einen jüdischen Weisheitsmythos zu beweisen. Damit war, was die Herkunft der Mythen von Apk.Joh.12 anbetrifft, die Pionierzeit der religionsgeschichtlichen Exegese beendet. Es stehen nun eine Reihe von Möglichkeiten in der Diskussion, woher die Mythen von Apk.Joh.12 entlehnt sein könnten.

Angesichts dieser Forschungslage rückte man in der Folge davon ab, einen exklusiven Herkunftsbereich der Mythen anzunehmen. Die Mythen aus Apk.Joh.12 könnten aus ganz verschiedenen Bereichen stammen. Dies wird besonders bei der These von Charles (1920) deutlich, daß in Apk.Joh.12 ein "internationaler Mythos" rezipiert worden sei, dessen Herkunft man nicht genau bestimmen könne.[53] Diese These zeigt bis heute nachhaltige Wirkung und wurde in den meisten weiteren Arbeiten zur Apk.Joh. aufgenommen. Man postulierte anhand weniger Belege Anklänge an mehrere Mythen und legte sich nur

---

[50]   Einen stringent auf die Interpretation der "Sonnenfrau" bezogenen forschungsgeschichtlichen Überblick zur religionsgeschichtlichen Schule liefert in jüngerer Zeit Benko, 1993, S.85ff.
[51]   Vgl. hierzu Prigent, 1959, S.126.
[52]   "Das zwölfte Kapitel der Offenbarung Johannis", ThBl 4, Dez.1925.
[53]   Vgl. Charles, 1920, S.313f.

tendenziell auf einen Herkunftsbereich fest.[54] Charles' Zwischenschritt der Adaptation dieses internationalen Mythos vom apokalyptischen Judentum vor der christlichen Verwendung wurde allerdings von vielen neueren Autoren aufgegeben.[55]

Nach der "Pionierzeit" der religionsgeschichtlichen Forschung zu Apk.Joh.12 wurden kaum noch neue Vergleichstexte vorgeschlagen. Die wenigen neuen Texte kommen aus den Funden in Nag Hammadi und Qumran.[56] Doch ernstzunehmende Vorschläge von Zielinski (1931), der überraschende Parallelen bei Homer fand oder von McNamara (1966), der die Targume für Apk.Joh.12 fruchtbar machte, wurden in der Folgezeit kaum noch rezipiert. Auch eine systematische Durchsicht der frühen Kirchenväter auf vergleichbares religionsgeschichtliches Material, die Zahn (1926) in nuce angeregt hatte, wurde nicht aufgegriffen. Eine erfreuliche Ausnahme bildet hierbei allerdings die neuere Arbeit von Benko (1993), der sowohl neues Quellenmaterial aufbereitete als auch bei Kirchenvätern nach Traditionen forschte; leider beschränkte sich seine Arbeit auf die "Himmelsfrau" und ließ die weiteren Handlungsstränge von Apk.Joh.12 außer acht.

---

[54] Zu ägyptischer Herkunft tendieren Greßmann, 1929, S.397ff.; Müller, 1984, S.232; 244f. Zu griechischer Herkunft tendiert A. Yarbro Collins, 1976, S.75, doch nur was das "myth pattern" anbetrifft (die Ausgestaltung der Frau in astrale Elemente sei vom Isis - Mythos übernommen); ganz aus dem paganen griechischen Raum leitet Benko, 1993, S.83ff. die Mythen her. Keine Festlegung bei Lohse, 1960 (1988[14]), S. 72f.; Gollinger, 1971, S.132; Vögtle, 1971, S.399f.; Roloff, 1987[2], S.123; Mounce, 1977, S.235.

[55] Vgl. Hadorn 1928, S.132; Halver, 1962, S.153; Gollinger, 1972, S.132; Mounce, 1977, S.235; Roloff, 1987[2], S.124; zur Fragestellung: Böcher, 1988[3], S.75.

[56] So 1QH3,3-18 (sehr breit diskutiert bei Gollinger, 1971, S.138ff.; zur Rezeption von 1QH3 bei der Exegese von Apk.Joh.12: vgl. dort S.138, Anm.49 und A. Y. Collins, 1976, S. 92, Anm.56); weiterhin Apk.Adam (kopt.) (NHC V,5) 78f. (vgl. zur Rezeption bei der Exegese von Apk.Joh.12: A. Y. Collins, 1976, S.93, Anm.57).

2. Methodische Implikationen der Forschung zu Apk.Joh.12

Im folgenden werden bestimmte methodische Vorgaben bei der Forschung zu Apk.Joh.12 dargestellt und anschließend einer kritischen Prüfung unterzogen.

2.1. Traditionsgeschichtliche Vorlagen

Gegen den literarkritischen Ansatz von J. Wellhausen und J. Weiss wird seit H. Gunkels "Schöpfung und Chaos in Urzeit und Endzeit" (1895)[57] versucht, anstelle einer literarischen Vorlage eine festgefügte mündliche Tradition als Vorlage von Apk.Joh.12 anzunehmen. Unabhängig hiervon wurde dieser Ansatz von W. Bousset in seinem "Antichrist", der wenige Monate nach "Schöpfung und Chaos" erschien, erfolgreich an Apk.Joh.11 herangetragen: dies Kapitel sei nur im Rahmen der festgefügten Geheimtradition vom "Antichrist" zu verstehen, die in mehreren Texten nachweisbar war.

In ganz ähnlicher Weise vermutete H. Gunkel, daß sich in Apk.Joh.12 eine feste nichtchristliche Tradition niedergeschlagen habe,[58] deren Herkunft Babylon sei. Diese Tradition sei parallel ins Judentum und Christentum eingedrungen und entsprechend umgedeutet worden.[59]

---

[57] Die Untersuchung von Apk.Joh.12 in oben zitiertem Buch gilt gemeinhin als die erste Anwendung der "traditionsgeschichtlichen Methode" Gunkels; doch schon vier Jahre zuvor antizipiert der Altphilologe A. Dieterich in "Abraxas" (1891) S.111-126, diese Fragestellung, indem er als Apk.Joh.12 zugrunde liegende Tradition den griechischen Leto - Mythos vorschlägt. Er rekonstruiert nach dem Maßstab dieses Mythos' den Text von Apk.Joh.12 und beurteilt die vorliegende Endgestalt von Apk.Joh.12 als "mystischer Wirrwarr" (Dieterich, 1891, S.118f., Anm.2). Die Textabfolge wird aus semantischen Gründen rekonstruiert als 1-4, 14-16, 5, (6, 17, 12^{b}?), 7-12^{a}. Die in Apk.Joh.12 vorliegende Textgestalt sei auf "Gedankensprünge des Propheten" (ebd.) zurückzuführen.

[58] Gunkel, 1895, S.261: "Wir constatieren also eine Reihe von Fällen, in denen die Erzählung so eigentümlich unanschaulich berichtet, daß die Vermutung unabweisbar erscheint, sie sei einst concreter gewesen...". In der weiteren Analyse geht es ihm darum, "die ursprüngliche Form dieser Überlieferung, soweit dies noch möglich ist, zu reconstruieren" (S.272).

[59] Die parallelen Rezensionen dieser Tradition sind nach Gunkel u.a. Dan.7, jBerak.5a, Apk.Joh.12, 13, 17.

Die These, daß hinter Apk.Joh.12 eine feste Tradition stehe, wird bis heute in modernen Varianten vertreten; als Konsequenz konkurrieren nun mehrere hypothetische Vorlagen des Kapitels in der Forschung: Seit A.Y. Collins (1976), sind es feste "myth pattern", auf deren Hintergrund das Kapitel geschrieben worden sei. Sweet (1979) nahm an, daß Apk.Joh.12 speziell als Entfaltung von Gen.3 entstanden ist. Bergmeier (1988) schlug keinen Text, sondern ein Bild als Vorlage der Szenerie von Apk.Joh.12 vor.[60]

Kritik: Alle festen traditionsgeschichtlichen Vorstufen, die seit Gunkel als traditionsgeschichtlicher Rahmen von Apk.Joh.12 vorgeschlagen worden sind, sind nur mit Zusatzannahmen aufrechtzuerhalten. Die Vergleichstexte beziehen sich auf einzelne Sequenzen von Apk.Joh.12; es ist bisher noch kein Text gefunden worden, der eine eindeutige traditionsgeschichtliche oder religionsgeschichtliche Vorstufe zur Gesamthandlung von Apk.Joh.12 darstellt.

Gegen die Annahme einer festen Tradition, die die Vorstufe des Kapitels bildet, ist es wahrscheinlicher, daß es sich in Apk.Joh.12 um eine genuine Komposition verschiedener Traditionen handelt. Es läge dann keine - literarisch oder traditionsgeschichtlich - festgefügte Struktur im Hintergrund von Apk.Joh.12 vor, sondern es ist mit der Kombination verschiedener Mythen aufgrund der eigentümlichen Intention des Autors zu rechnen. Solch ein Ansatz ist mit erheblich weniger Hypothesen verbunden.

Die Exegese von Apk.Joh.12 muß sich dann - im Unterschied zur Auslegung von Apk.Joh.11, wo eine feste Tradition angenommen werden kann - auf völlig andere Annäherungen besinnen. Es ist nach den Einzeltraditionen zu fragen, aus denen Apk.Joh.12 komponiert worden ist. Weiterhin ist zu fragen, ob die Verknüpfung dieser Einzeltraditionen schon in der Tradition vorbereitet ist, oder ob sie eine genuine Leistung des Autors darstellt. Darum soll bei der nachfolgenden traditionsgeschichtlichen Exegese des Kapitels besonders auf die Kombination der verwendeten Traditionen geachtet werden.

---

[60] Einem jüdischen Apokalyptiker habe ein konkretes Bild mit Motiven der Himmelsgöttin aus dem Isis - Horus Mythos vorgelegen (S.105f.); diesen Mythos habe er einer "interpretatio iudaica" unterworfen, die wiederum Johannes als Vorlage gedient habe (S.106ff.).

2.2. Die Übernahme paganer Mythen

Bei den methodischen Vorüberlegungen in Teil I, 2.2.2 wurde die vorbereitete jüdische Adaptation religionsgeschichtlichen Materials als wichtiges Kriterium der Transmission hervorgehoben. In ähnlicher Weise herrschte auch in der älteren religionsgeschichtlichen Forschung zu Apk.Joh.12 ein breiter Konsens, daß die paganen Mythen erst durch die Zwischenstufe einer "interpretatio iudaica" von Johannes aufgenommen worden seien.

Dagegen jedoch rechnete W. Bousset, der kurz nach Erscheinen von "Schöpfung und Chaos" die von Gunkel aufgeworfenen Thesen aufgriff, mit einer direkten Übernahme heidnischer Mythen ohne jüdische Vermittlung.[61] Mit Gunkels traditionsgeschichtlicher Methode hinterfragte er das hermeneutische Prinzip Vischers und Wellhausens, das er wie folgt charakterisiert: "Man urteilt hier wesentlich nach dem Grundsatz, daß, was in der Apok. nicht christlich sei, jüdisch sein müsse, ohne andre Eventualitäten in Betracht zu ziehen".[62] Gegen diese Alternative "christlich - jüdisch"[63] rekonstruierte er mit Bezug auf den ägyptischen Isis - Horus - Mythos einen heidnischen "alten Sonnenmythos",[64] der dem Apokalyptiker vorgelegen habe. Bousset rechnete zwar aus formalen Gründen damit, daß Johannes Apk.Joh.12 im wesentlichen als festes Fragment übernommen habe, doch sei der Autor dieses Fragments selbst Christ gewesen.[65] Die direkte Übernahme des paganen mythischen Materials

---

[61] Schon im Anhang zu "Der Antichrist" (1895) hegt er in einem Exkurs über Apk.Joh.12 Bedenken gegen Gunkels Ausführung in "Schöpfung und Chaos", "dass Kap.XII der Apocalypse an keinem wesentlichen Punkte christlicher Herkunft sei" (Bousset, 1895, S.169). Er schlägt vielmehr vor, daß Johannes eine Überlieferung von einem Drachen, der eine Frau verfolgt und eine Überlieferung vom Himmelssturm des Drachen kompiliert und den Zug der Geburt des Kindes selbst eingebracht habe. Dies jedoch bedeutet: "Dann war der Verfasser von Apok.XII ein Christ" (S.173). Diese These führte er ein Jahr später in seinem Kommentar zur Apk.Joh. aus.

[62] Bousset, 1906[6], S.347. Dieses Prinzip wird in neuerer Zeit explizit positiv rezipiert von U. Müller, 1972, S.175 (im Bereich der christologischen Texte) und bei Böcher, 1988[3], S.75.

[63] Vgl. Bousset, 1906[6], S.394: "Wir werden also die Fragestellung, jüdisch oder christlich, hinsichtlich unseres Kapitels überschreiten und die Frage nach Traditionen verwandter Art auf dem Gebiet der benachbarten Religionen erheben".

[64] Vgl. Bousset, 1906[6], S.355ff.

[65] Bousset, 1906[6], S.357, ein Christ habe einen alten Sonnenmythos umgedeutet und "Unser Apok. [sc. Apokalyptiker] letzter Hand hat dieses Stück aufgegriffen und hat es außerordentlich geschickt in das Ganze seiner Weissagung verwoben".

ins Christentum gehört für ihn zu den "allergewöhnlichsten geschichtlichen Vorgängen".[66]

Kritik: Boussets Argumentation, man könne eine Übernahme paganen Materials voraussetzen und darum ohne genauere Klärung der Transmission religionsgeschichtliche Parallelen zum Vergleich für neutestamentliche Texte heranziehen, kann hier nicht gefolgt werden. Beim religionsgeschichtlichen Vergleich ist dagegen stets die Möglichkeit der Transmission gemäß der Kriterien zu prüfen, die in Teil I vorgeschlagen worden sind.

2.3. Dogmatische Vorgaben

Bei der Frage nach den "Vorstufen" ist zu bemerken, daß diese Annahme oft von einem dogmatischen Mißtrauen gegen die genuine "Christlichkeit" des Kapitels getragen ist. Es geht stets um die Frage, ob Apk.Joh.12 wirklich "christlich" sei - oder ob es sich um genuin jüdische Aussagen mit christlicher Überarbeitung handelt.[67]

Dabei rückt besonders das Geschick des Messiaskindes in V.5 ins Zentrum der Perspektive; die christologische Reduktion auf Geburt und Entrückung gilt als Skandalon, aufgrund dessen das spezifisch "Christliche" des Kapitels angezweifelt und nach jüdischen oder heidnischen Vorlagen gefragt wird.[68] An

---

[66] Dies geschieht gegen Bedenken Gunkels: "Ich glaube nicht, daß Gunkels Bedenken zutreffen. Solche Herübernahme von Mythen, Erzählungen ... von einer Religion in die andre, gehören doch zu den allergewöhnlichsten geschichtlichen Vorgängen." (ebd., S.353).

[67] Die Beurteilung der Forschungslage von U. Müller, 1972, S.171, es werde "heute allgemein angenommen", daß Apk.Joh.12 in seinem Grundstock wirklich christlich verfaßt sei, ist zu wenig differenziert, wie die weitere Ausführung zeigen wird. Vorsichtiger urteilt Böcher, 1988[2], S.75.

[68] Schon Vischer, 1886, S.23 schreibt: "Ein Christ konnte in diesem Zusammenhange den Tod und die Auferstehung Jesu nicht verschweigen"; Gunkel, 1895, S.177 gibt zu bedenken: "Aber man übersieht, dass hier mit dem Tode auch die Auferstehung Jesu übergangen wird. Dies erste Wort aller uns bekannten urchristlichen Predigt soll hier einfach verschwiegen sein!"; ähnlich Wellhausen, 1906, S.20: "Was wäre das für ein Resumé des Lebens Jesu: geboren und entrückt!" (vgl. auch ders., 1899, S.219: "Soll das ein altchristliches Resumé vom Leben Jesu sein: geboren und entrafft! Und wolgemerkt: gleich nach der Geburt entrafft."; Bousset, 1906[6], S.347: "Es ist mit Recht hervorgehoben, daß kein Christ aus eignen Stücken, so wie es hier geschehen ist, das Leben seines Herrn gezeichnet haben würde... Wo bleibt hier das

31

den Text wird dabei ein bestimmtes urchristliches "Kerygma" herangetragen, dem er nicht gerecht wird.

Diese Argumentation, bei der die Aussagen des vorliegenden Textes an bestimmten dogmatischen Voraussetzungen gemessen werden, ist jedoch methodisch sehr fragwürdig. Sie richtet sich gerade gegen eines der Ziele religionsgeschichtlicher Exegese (s.o.), nämlich die von dogmatischen Vorgaben freie Auslegung des Textes. Gegen diese dogmatisch geprägte Argumentation kann angeführt werden, daß bei dem frühen Apologeten Justin eine Reduktion des Lebens Jesu auf Geburt und Himmelsreise durchaus nachweisbar ist. In 1.Apol.54,8 schreibt dieser in seiner Polemik gegen griechische Mythen:

> "Als sie [sc. die Dämonen] aber den Bericht von dem anderen Propheten Jesaja hörten, daß er [sc. Christus] von einer Jungfrau geboren und aus eigener Kraft in den Himmel aufsteigen werde, brachten sie die Erzählung von Perseus auf."[69]

Dieser Text ist sicher unabhängig von Apk.Joh.12 (Jungfrauengeburt, Himmelsreise statt Entrückung), ist aber parallel in der christologischen Reduktion auf Geburt und Aufstieg zum Himmel. Da es sich hierbei um eine genuin frühchristliche Aussage handelt, die aus einer Jesajaexegese erwachsen ist, kann diese "Reduktion" auf Geburt und Entrückung in Apk.Joh.12 nicht so "anormal" (A. Y. Collins) sein.

Die Anwendung der religionsgeschichtlichen Methode wird darum von dogmatischen Vorgaben absehen und den Text in seiner eigenen Entstehungswelt

---

irdische Leben und wo das Kreuz?"; Roloff, 1987², S.128: "Wer in Geburt und Entrückung des Kindes Eckdaten der irdischen Geschichte Jesu von Nazareth finden möchte, steht vor der Schwierigkeit, daß das zentrale Ereignis dieser Geschichte, nämlich das Kreuz, unerwähnt bleibt". Charles, 1920, S.299f. urteilt: "No Christian could spontaneously have depicted the life of our Lord, under the figure of a child, born of a sun-goddess, persecuted by the seven-headed dragon and rapt to the throne of God, and have suppressed every reference to His earthly life and work, His death and resurrection" (ähnlich U. Müller, 1972, S.174: "Diese seine Eigentümlichkeit, die Entrückung sofort nach der Geburt, paßt nicht zur urchristlichen Tradition."). Diesen dogmatisierenden Ansatz, der gewisse dogmatisch "wichtige" Züge bei der Zeichnung des Messias vermißt, faßt A. Yarbro Collins, 1976, S.105 sogar methodisch, um Anzeichen für eine Benutzung von Vorlagen in Apk.Joh.12 festzustellen: "Does the description of the messiah and his role in these verses conform well enough with the early Christian kerygma to make it probable that the passage was formulated by a Christian?"; sie kommt zum Ergebnis (S.105): "The anomalies are serious enough to indicate that the passage was not originally formulated by a Christian".

[69] "ὅτε δὲ ἤκουσαν διὰ τοῦ ἄλλου προφήτου 'Ησαίου λεχθέν, ὅτι διὰ παρθένου τεχθήσεται καὶ δι' ἑαυτοῦ ἀνελεύσεται εἰς τὸν οὐρανόν, τὸν Περσέα λεχθῆναι προεβάλλοντο" (Goodspeed, 1914, S.66).

auslegen müssen. Dabei wird gegen einige Stimmen, die den Autor als stilistisch unbedarft und gedanklich inkohärent diskreditieren,[70] dieser als ein eigenständiger frühchristlicher Theologe betrachtet.

Wir gehen davon aus, daß Johannes in dem 12. Kapitel theologische Aussagen trifft, die im Gesamtrahmen seiner Schrift ihre Funktion und ihren Platz haben. Darum soll im Anschluß an den traditions- und religionsgeschichtlichen Teil dieser Arbeit der theologischen Gesamtkonzeption des Autors ein eigenes Kapitel gewidmet sein.

2.4. Die Vergleichselemente

Bei den methodischen Vorüberlegungen wurden Ausführungen zu den Vergleichselementen gemacht, anhand derer zwei Texte verglichen werden können (s.o., Teil I, 2.1).

Bei kritischer Durchsicht der Forschungsgeschichte zu Apk.Joh.12 fällt in diesem Zusammenhang auf, daß der Mythenvergleich anhand sehr kleiner Einheiten vorgenommen wird. Vor allem die bildhaften Ausgestaltungen und Einzelaktionen von Handlungsträgern sind es, die als Vergleichselemente zu anderen Mythen herangezogen werden.

Gunkel ging von ganz konkreten Einzelzügen aus, um "die ursprüngliche Form der Überlieferung, soweit es noch möglich ist, zu reconstruieren".[71]

---

[70] Dieterich, 1891, S.118, verweist auf die "jeder klaren Gestaltung ausweichenden Gedankensprünge des Propheten". Gunkel, 1895, S.397 zu der in Apk.Joh.12 verwendeten Tradition: "Die christliche Deutung ist also ebenso eklektisch und unorganisch wie die jüdische. Auch auf christlichem Standpunkte ist die Tatsache, dass diese Tradition, von der man doch so wenig verstand, trotzdem weiter überliefert wurde, nur aus der heiligen Scheu vor dem tiefen Geheimnis dieser Offenbarung zu erstehen."; Boll, 1914, S.107 spricht von "Ungeschicklichkeiten" entsprechend dem Grade der literarischen Kultur, der dem Griechisch des Apokalyptikers angemessen sei; vgl. weiterhin Clemen, 1937, S.43 über den Autor der Apk.Joh.: "So kann er sich wenigstens bei den ersten sechs Versen des zwölften Kapitels *überhaupt nichts gedacht* haben...".

[71] Gunkel, 1895, S.272. Diese Einzelzüge (vgl. a.a.O., S.272f.) stammen aus dem Bereich der Einzelaktionen und der bildhaften Elemente (also Elemente der 3. und 4. Ebene). Ein derartiger Vergleich von Einzelzügen geschieht auch, wenn Gunkel sich S.286ff. auf die Suche nach zu Apk.Joh.12 "ähnlichen Stoffen aus der apokalyptischen Literatur" macht oder S.380 "parallele Züge" von Dan.7 und Apk.Joh.12 auflistet.

Auch Bousset bezog sich beim Vorhaben, "der Weissagung 12,1-5.(6).13-17.(18) durch Rückgang auf ihre Genesis ein einigermaßen hinreichendes Verständnis abzugewinnen"[72], auf Einzelzüge, die er im Isis - Mythos wiederzufinden glaubt. Es sind gerade diese Einzelzüge, die er nach einer interpretierenden Zusammenfassung des Kapitels als "bei jener Deutung einfach überschüssig"[73] bewertete. Diese Elemente haben bei Boussets Argumentationsstruktur eine besondere Funktion: Zwar fallen sie aus seiner rekonstruierten Handlung als zunächst unverständlich heraus, gleichzeitig dienen sie in der Argumentation implizit als Grundlage für eine traditionsgeschichtliche Fragestellung. Denn das Kapitel wird nur dann verständlich, wenn der "ursprüngliche Sinn" dieser Bilder erschlossen ist.[74] Es ist also gerade nicht die Struktur der Handlung, die bei Bousset die traditionsgeschichtliche Fragestellung initiiert, sondern es sind Einzelzüge der Szenerie, die von der Handlung getrennt werden.

Dieses Prinzip, aufgrund bestimmter Einzelzüge darauf zu schließen, daß in Apk.Joh.12 ein bestimmter Mythos rezipiert wird, ist besonders bei Boll[75] zu beobachten. Sein Versuch, eine astrale Konstellation als Analogie zu Apk.Joh.12 zu rekonstruieren (vgl. dort S.99ff.), geht ebenso wie der Versuch, eine Beziehung zwischen dieser astrologischen Konstellation und dem Isis - Mythos aufzuzeigen (vgl. dort S.108ff.), fast nur von einzelnen Bildelementen der Handlungsträger aus.

Die neuere Forschung übernimmt das in der älteren Forschung vorgeschlagene Vergleichsmaterial und setzt dabei auch das Prinzip fort, den Textvergleich anhand kleiner Einheiten vorzunehmen. Texten, die in größeren Strukturen - etwa in der Kombination von Traditionen - mit Apk.Joh.12 vergleichbar sind, wird dabei keine größere Bedeutung zugemessen. Dagegen sollen in der folgenden Untersuchung besonders solche Texte verstärkt zur Argumentation herangezogen werden.[76] Die folgende Prämisse soll dabei gelten: Parallelen haben dann den größten Wert zur Erklärung des Textes, wenn sie mit

---

[72] Bousset, 1906[6], S.351.
[73] Bousset, 1906[6], S.346. Diese Einzelzüge sind: "Das in die Sonne gekleidete Weib mit dem Mond unter den Füßen, die Häupter, Hörner, Diademe des Drachen, das Herabfegen der Sterne vom Himmel, die Flucht des Weibes in die Wüste, die Flügel des großen Adlers, der stromspeiende Drache, die den Strom verschlingende Erde...".
[74] Vgl. Bousset, 1906[6], S.346.
[75] Boll, 1914. Auch Bolls Kritiker Freundorfer, 1929, übernahm Argumentationsstruktur Bolls und relativierte nur die Beweiskraft der umfangreichen Belege, die Boll für seine Argumentation herangezogen hatte.
[76] Vgl. hierzu K.Müller, 1985, S.186f.

möglichst weiten Strukturen des Ausgangstextes vergleichbar sind. Diese Prämisse erlaubt es zusätzlich, angesichts der vielen Vergleichstexte, die bei der Exegese von Apk.Joh.12 vorgeschlagen worden sind, die religionsgeschichtlichen Parallelen nach ihrem Wert zur Erklärung des Textes beurteilen zu können.

Zusammenfassend lassen sich die methodischen Prämissen und Implikationen der folgenden Analyse angeben:

Apk.Joh.12 ist ein kohärenter Text, der von einem frühchristlichen Theologen verfaßt wurde. Die Konzeption der Mythen in Apk.Joh.12 gründet sich nicht auf eine feste traditionsgeschichtliche Vorlage, sondern die Mythen sind vom Autor des Textes kombiniert worden.. Nach dem Modus der Kombinationen ist stets gesondert zu fragen.

Die Annäherung an diesen Text und seine Theologie wird neben der Berücksichtigung der Textimmanenz und -kohärenz auf traditions- und religionsgeschichtlichem Wege mittels Textvergleich geleistet. Parallelen haben dann den größten Wert zur Erklärung des Textes, wenn sie

a) in möglichst weiten Strukturen mit dem Ausgangstext übereinstimmen (vergleichbare Kombination von Traditionen),

b) wenn bei religionsgeschichtlichen Vergleichstexten die Möglichkeit der Transmission gewährleistet ist.

Mit diesen methodischen Vorgaben soll nach der nun folgenden Analyse des Ausgangstextes die Annäherung an denselben erfolgen.

Teil III
Textanalyse von Apk.Joh.12

1. Apk.Joh.12 als Teil der Apk.Joh.

Kap.12 ist im Gesamtzusammenhang der Apk.Joh. dem Zyklus der sieben Posaunen (8-11) nachgestellt; von daher ergibt sich die himmlische Perspektive, denn die Vision von den sieben Posaunen wird, den beiden Zeichen in Apk.Joh.12 gleich, im Himmel geschaut (8,1f.).[77]

Nachdem die letzte Posaune geblasen ist, öffnet sich der himmlische Tempel in 11,19, aus dem in 15,5f. die schalenausgießenden Engel treten. Die Tempelöffnung und die Erscheinung der himmlischen Bundeslade (11,19) sind durch den gleichen Handlungsort "ἐν τῷ οὐρανῷ" und durch drei parallele "ὤφθη" mit den beiden "Zeichen" in 12,1; 12,3 formal verbunden.[78] Das Erscheinen der himmlischen Lade und das der beiden Zeichen am Himmel ist demnach parallel formuliert. Dieser Parallelismus unterstreicht die Gewichtung der neuen Vision in Apk.Joh.12, denn der Blick richtet sich in 11,19 ins Allerheiligste des Tempels, in dem nach Ex.26,33; Hebr.9,3 die Lade steht.[79]

---

[77] Wie das kompositorische Verhältnis von Apk.Joh.12 zum 7-Posaunen-Zyklus präzisiert werden kann, hängt mit der Frage nach dem Verhältnis der drei Siebenerzyklen (Siegel:5,1-8,1; Posaunen: 8,2-11,19; Schalen: 15,5-16,21) zusammen. Grundsätzlich bestehen die beiden Möglichkeiten, eine dreifache Rekapitulation der selben Ereignisse in jedem der Zyklen anzunehmen oder aber einen fortschreitenden Ereignisgang bei den Siebenerreihen herauszulesen (vgl. die ausführl. Diskussion hierzu bei A. Y. Collins, 1976, S.8-13). Die Beobachtung beim ersten Zyklus, daß jede Siegelöffnung eine bestimmte kosmische Konsequenz hat, die letzte Siegelöffnung (8,1) jedoch als Konsequenz die Posaunenvision initiiert, legt den Schluß nahe, daß die Zyklen fortschreitende Ereignisse schildern, wobei jeder Zyklus aus dem anderen hervorgeht (so Charles, 1920, S.XXIII; Kraft, 1974, S.12; U.Müller, 1984, S.35); Die Geschehnisse von Apk.Joh.12 sind somit sehr eng mit dem Ende der Posaunenvision verbunden. Die Rekapitulation wird vertreten von Bornkamm, 1937; A. Y. Collins, 1976, S.13ff; neuerdings Giblin, 1994).

[78] Zum mehrfachen Gebrauch von ὤφθη vgl. 1Cor.15,5-8.

[79] Zur Deutung von 11,19 wird meist die bei 2Makk.2,5-8; Vit.Proph.,Jerem.14 belegte Tradition herangezogen, daß die Lade bei der Einnahme Jerusalems verborgen worden ist und erst am Ende der Zeit wieder erscheinen wird, wenn Gott wieder kommt. 11,19 sei somit als Zeichen für die Ankunft Gottes zu deuten (vgl. Loh-

Die in Apk.Joh.12 erzählte Handlung umfaßt die Verse 1-17. Mit dem Szenenwechsel in V.18 wird zu einer neuen Handlung übergeleitet, die in Kap.13 erzählt wird.

Trotz der eben dargestellten deutlichen Abgrenzbarkeit des Kapitels hat Apk.Joh.12 vielfältige Bezüge zur Gesamtschrift des Sehers. So fegt nach V.4 der Drachenschwanz "τὸ τρίτον" der Sterne vom Himmel, ähnlich dem Posaunenzyklus in Kap.8, wo auch jeweils der dritte Teil verschiedener Bereiche vernichtet wird.

Weiterhin steht die Reminiszenz an Ps.2,9 in V.5 im Zusammenhang mit Apk.Joh.2,26 und 19,15, wo auch Ps.2,9 zitiert wird. Gerade die inhaltliche Verknüpfung mit Kap.19,11ff. ist entscheidend für die Christologie der Schrift: das in 12,5 entrückte Kind kommt in 19,11ff. als blutiger Reiter vom Himmel zurück. Weiterhin verbindet das 3 1/2 Zeiten-Schema Kap.12 mit Kap.11 und die Märtyreraussagen in 12,17 (Stichwort: μαρτυρίαν ἔχειν) hat Anklänge an Kap.6,9.

Sind die kontextuellen Bezüge des Kapitels zur gesamten Schrift also sehr vielgestaltig, bildet Apk.Joh.12,1-17 dennoch eine sinnvolle Texteinheit, die im folgenden untersucht werden soll.

---

meyer, 1953² (1926), S.96; Kraft, 1974, S.162; U. Müller, 1984, S.224; Lohse, 1988¹⁴ (1960), S.69;).
Dem steht jedoch entgegen, daß in dieser Tradition, auch in ihrer Ausgestaltung in Paralip.Jerem.3,6ff. und Apk.Bar.(syr.) 6,4ff., keineswegs von einem Erscheinen der Lade *im Tempel* die Rede ist, wie in 11,19 ausdrücklich vermerkt. In 11,19 wird gerade nicht ein geschändeter Tempel wie in obiger Tradition, sondern der intakte Tempel im Himmel vorausgesetzt, in dessen Allerheiligstem noch (mit Ex.26,33; Hebr.9,3) die Lade steht. Somit ist das Erscheinen der Lade als Blick ins Allerheiligste und somit als Gewichtung der dargestellten Visionen zu deuten.

2. Narrative Analyse von Apk.Joh.12

2.1. Zum Ansatz der "narrativen Analyse"[80]

Da Apk.Joh.12 eine Erzählung darstellt, die durch die Existenz einer "Handlung" definiert ist,[81] hat die narrative Analyse des Textes dessen Handlung als Gegenstand.

Um die Handlung zu explizieren, sollen zwei Funktionen der Handlung, Handlungsort und Handlungsträger, genauer untersucht werden. Dieses Vorgehen impliziert allerdings schon die Präferenz eines bestimmten Textmodells, das im Hintergrund dieser Untersuchung steht: des Aktantenmodells, bei dem der Text anhand seiner Handlungsteilnehmer untersucht wird.

Um dieses Modell hat sich in der Sprachwissenschaft der letzten Jahrzehnte eine weitgefächerte Diskussion entwickelt, die in systematischer Ausformung von Lucien Tesnière angeregt worden ist.[82] Tesnières Aktantenmodell, das zunächst nur für die syntagmatische Ebene entwickelt worden ist,[83] wurde im Laufe der nächsten Jahre auf satzübergreifende Einheiten übertragen und weiter differenziert.[84] Schließlich wurde dieses Modell, wenn auch nicht in der

---

[80] Vgl. zur narrativen und diskursiven Analyse von Apk.Joh.12 Calloud, 1976.

[81] Zu dieser Definition der Erzählung vgl. Egger, 1987, S.121; Egger bezieht sich dabei im wesentlichen auf die Darstellung von V.J. Propp, Morphologie des Märchens, 1972.

[82] Der französische Slavist Lucien Tesnière entwickelte in seinem Buch "Éléments de syntaxe structurale" (1959) eine Valenzgrammatik, die vom Verb ausgehend die Mitspieler einer Handlung in "actant" bzw. "circonstant" einteilt.

[83] Die Konzentration auf den "Satz" als Gegenstand der Sprachwissenschaft muß hier im Rahmen der Entwicklung der strukturalistischen Linguistik verstanden werden, deren Untersuchungen sich im Laufe der Zeit auf immer größere Einheiten richteten. Waren Sätze bei F. de Saussure noch größtenteils Elemente der "parole" - Ebene und damit von der "langue" als wissenschaftlich interessantem Untersuchungsbereich ausgeschlossen (vgl. de Saussure, 1966 [Orig.: 1916], S.172;176), so werden sie erst in den dreißiger Jahren, bei K. Bühler (vgl. ders. 1934, S.46ff.) und L. Bloomfield (vgl. ders. 1933, S.170) als zur "langue" gehörig anerkannt; "Texte" als Gegenstand der Sprachwissenschaft wurden zwar schon 1943 in der Kopenhagener Schule "entdeckt" (Hjelmslev, 1953 = 1961² erschien 1943 auf dänisch; vgl. dort S.12;16), doch erst in den sechziger Jahren bildete sich eine "Textlinguistik" heraus; vgl. hierzu Kalverkämper, 1981, S.14ff.

[84] Vgl. das Tiefen - Kasus - System von Fillmore, 1968; 1977.

Ausprägung Tesnières, von der neu entstehenden Textlinguistik der sechziger Jahre aufgenommen und fand weite Anerkennung besonders bei der Analyse narrativer Texte.[85]

Dagegen könnte sich die narrative Analyse von Texten auch auf andere Methoden gründen, die für unsere Zwecke jedoch weniger brauchbar sind:

- Hierzu gehört die Suche nach funktionalen Invarianten, wie sie der Begründer der modernen Erzähltextanalyse, Vladimir Propp, vorgeschlagen hatte.[86] Der Ansatz Propps hat sein Pendant in der amerikanischen "pattern"- Forschung, in der aufgrund der Analyse mehrerer Texte ein abstraktes Meta - Handlungsmuster analysiert wird, an dem dann konkrete Texte gemessen werden; bei der Exegese von Apk.Joh.12 ist diese Methode ausführlich von A. Y. Collins (1976) angewendet worden. Gemäß unseren methodischen Prämissen in Teil I, 2.2.1 werden in der vorliegenden Analyse konkret nachweisbare Formen oder Gattungsmerkmale verglichen; abstrakte Meta-Handlungsmuster (pattern) sind für den traditionsgeschichtlichen oder religionsgeschichtlichen Vergleich als Vergleichselemente unbrauchbar.

- Auch die Textanalyse mittels logischer Verknüpfungsmuster, wie sie T. Todorow[87] vorgeschlagen hatte, ist für den traditions- und den religionsgeschichtlichen Vergleich nicht verwendbar. Neben den strukturalen Verknüpfungsmustern müßten semantische Elemente (z.B. Wortfelder) noch zusätzlich berücksichtigt werden. Weiterhin müßten beim Textvergleich auch die Vergleichstexte in formale Muster umgesetzt werden.

- Da bei der Textanalyse an dieser Stelle die pragmatische Ebene noch nicht berücksichtigt werden soll, sind hier auch die textsemiotischen Analyseansätze nicht anwendbar, die sich auf das Interpretanten - Modell von Charles S. Peirce stützen.[88] Der dort zentrale Begriff des

---

[85] Hier sind besonders Greimas, 1971 (Orig.:1966), S.157ff.; Bremond, 1973 und Heger, 1974 zu nennen; eine Übersicht über die Aktantenmodelle bei der Analyse narrativer Texte bieten Güllich/Raible, 1977, S.202ff.; Aufnahme in die neutestamentliche Methodenlehre: vgl. Egger, 1987, S.124ff.

[86] Vgl. Propp, 1972 (Orig.: 1928), der sich bei seiner Analyse besonders auf *Funktionen* stützt, die er als Aktion einer handelnden Person... unter dem Aspekt der Bedeutung für den Gang der Handlung" (ebd., S.27) definiert. Propp gewinnt 31 invariante Funktionen aus der Analyse von vielen russischen Zaubermärchen.

[87] Vgl. Todorow, 1972; dieser lehnt sich an die logisch - formale Analyse der späteren Glossematik an.

[88] Hierzu gehört auch ein textsemiotischer Analyseansatz, wie er in neuerer Zeit von E. Güttgemanns, 1992, skizziert worden ist. Güttgemanns entwirft unter Berufung auf das "Interpretanten - Modell" von Charles Sanders Peirce ein textsemiotisches Modell zur Textinterpretation, das die herkömmlichen "metonymen" Modelle ablösen soll. Bei denen entspreche die Relation "Text" - "Textinhalt" einer metonymen

"Interpretanten"[89] ist eine pragmatische Kategorie und trägt zur Untersuchung der Textstruktur auf der Formebene, um die es bei der vorliegenden Textanalyse geht, nichts bei.

Die Präferenz des Aktantenmodells bei der Untersuchung der Handlungsstruktur von Apk.Joh.12 ist auf folgende Beobachtungen gegründet:

1. Gleich zu Beginn des Kapitels werden zwei handelnde Personen aufgeführt, deren Interaktion die Gesamtszenerie bis zum Ende bestimmt. Diese seien darum im folgenden "Haupthandlungsträger" genannt. Somit ist eine Strukturierung des Kapitels anhand dieser Aktanten sinnvoll.

2. Die Bezeichnungen für die Haupthandlungsorte, Himmel und Erde, kommen auffallend häufig in Apk.Joh.12 vor; somit ist auch eine Analyse anhand des Aktanten "Handlungsort" begründbar.[90]

"Gefäß - Inhalts - Beziehung", wobei der Inhalt bei der Interpretation einfach in ein neues Gefäß umgeschüttet werde (vgl. ebd., S.57ff.). Mit der Einführung des Interpretanten als bedeutungstragende Wirkung wird ein Bezug zum Leser geschaffen, der zur Interpretation angeleitet wird.

[89] Der Begriff "Interpretant" als Gedanke oder als bedeutungstragende Wirkung eines Zeichens (Repräsentamens) macht bei Peirce eine Entwicklung durch; vgl zur Entwicklung des Interpretanten - Begriffs bei Peirce: Eco, 1987, S.32ff.; zur modernen Diskussion: Güttgemanns, 1992, S.68 (mit Literatur).

[90] Die Ausweitung des Begriffs "Aktant" nicht nur auf die Teilnehmer der Handlung, sondern auf alle Handlungsfunktionen, wie Zeit, Ort, Mittel usw. ist in der Linguistik schon in den sechziger Jahren vorgenommen worden (vgl. Fillmore, 1968; Heger, 1976[2]). Hierbei handelt es sich im Prinzip um eine Weiterführung der mittelalterlichen modistischen Tradition, bei der aristotelische Kategorien (Zeit, Ort, Substanz...) auf Wörter und Wortarten übertragen worden sind. Im Zuge der Ausweitung des sprachwissenschaftlichen Gegenstandsbereiches (s.o.) wurden anstelle lexikalischer Funktionen (Wortarten) Handlungsfunktionen des Textes mit solchen außersprachlichen Kategorien in Beziehung gesetzt. Bei der Analyse der Handlung von Apk.Joh.12 genügt es nun, sich auf die Kategorien "Tun" und "Ort" zu beschränken und lediglich "Handlungträger" und "Handlungsort" zu berücksichtigen (in der Terminologie von Fillmore (1968) "Agentiv" und "Lokativ", in der Terminologie von Heger (1976[2]) "Aktant in Kausalfunktion" und "Aktant in Lokalfunktion". Zur Terminologie vgl. Heger, 1976[2], S.113, Anm.129).

Die Untersuchung der Handlungsfunktionen lehnt sich im übrigen an die von Morris, 1946, S.60ff. geforderte Untersuchung der "modi significandi" an. Diese werden hier in modistischer Tradition auf ontologische Kategorien bezogen, nicht auf umfassendere theologische Kategorien (vgl. Güttgemanns, 1992, S.108, der im Zuge einer Grundlegung einer Theologie des Neuen Testaments diese modi significandi viel generischer fassen und aufs "Heilsereignis" beziehen kann; bei der Untersuchung der Struktur von Apk.Joh.12 sind konkretere Kategorien notwendig).

2.2. Analyse der Handlung anhand der Haupthandlungsorte und der Haupthandlungsträger

Der Ort "Himmel" wird nur in den ersten zwölf Versen genannt (siebenmal: VV.1a, 3a, 4a, 7a, 8b, 10a, 12a). Da er in den letzten sechs Versen nicht auftaucht, liegt die Vermutung nah, daß der "Himmel" nur am Anfang des Kapitels Handlungsort ist. Dagegen spielen sich die Geschehnisse am Ende auf der Erde ab, denn der Schauplatz "Erde" wird in den letzten sechs Versen (12-17) dreimal genannt (12a, 13a, 16a).

Somit findet in der Erzählung ein Wechsel des Handlungsortes statt, der in V.9 vollzogen wird, als der Drache im Gefolge des Himmelskampfes auf die Erde geworfen wird. Dieser Wechsel ist allerdings mit der Gesamtstruktur des Kapitels so verwoben,[91] daß er als Indiz für den Handlungsverlauf gelten kann: Die Handlung nimmt Richtung vom Himmel auf die Erde.

Ein weiteres Indiz für den Verlauf der Handlung ist bei der Analyse der Handlungsträger ersichtlich. Die Haupthandlungsträger, Frau und Drache, werden in VV.1-4 vorgestellt und bildhaft charakterisiert. Ihr oppositionelles Verhältnis bleibt während des gesamten Handlungsverlaufes konstant,[92] denn die Verfolgung der Frau bzw. ihrer Nachkommen durch den Drachen geschieht in mehreren Anläufen (VV.4b, 13, 17).

Der Handlungsverlauf kann somit unter Berücksichtigung der Haupthandlungsorte und Haupthandlungsträger wie folgt angegeben werden: Die opponierenden Akteure Frau und Drache wechseln den Handlungsort und geraten vom Himmel auf die Erde.[93]

---

[91] Der Wechsel des Handlungsortes wird in V.12 mit dem Gegensatz "εὐφραίνεσθε [οἱ] οὐρανοί" - "οὐαὶ τὴν γῆν" kommentiert. Er wird weiterhin mit der Notiz V.4a (der Drache fegt mit seinem Schwanz die Sterne vom Himmel auf die Erde) schon im ersten Teil des Kapitels antizipiert.
Die Sterne, die vom Drachenschwanz auf die Erde gefegt werden (V. 4), unterstreichen das Gefälle Himmel - Erde.

[92] Die Komposition des Kapitels anhand der Opposition "Drache" (böse Mächte) gegen "Frau" (gute Mächte) wird von Gollinger, 1971, S.110ff. überzeugend dargestellt.

[93] Ähnlich deutet Kraft, 1974, S.163: "Was im Himmel außerhalb der Zeit begonnen hatte und am Himmel als zeitloses Zeichen zu sehen war, das setzt sich nun auf Erden in schneller Folge als Endgeschichte fort. Die Darstellung dieses Übergangs vom Mythos zur Geschichte war das Problem, das sich dem Verfasser in diesem Kapitel stellte".

3. Textgliederung anhand von Handlungssequenzen

Die oben beschriebene Struktur der Handlung ist nun mit zahlreichen mythischen Bildern und Anklängen semantisch gefüllt, die es im folgenden zu beschreiben gilt.

Die meisten Exegeten der älteren und der neueren Forschung zerlegen das Kapitel semantisch in Sinneinheiten, die aus dem Text herausgelesen werden können; eine Gliederung ergibt sich somit nach folgenden vier Einheiten: In die Erzählung von Frau und Drache (VV.1-6 und VV.13-17) ist ein Drachenkampfmythos (V.7-9) eingefügt, an den ein Hymnus (10-12) angehängt ist.[94] Letzterer fällt als kommentierender Teil aus dem Handlungsablauf heraus.

Die Annahme dieser Sinneinheiten kann auch hier im Rahmen eines "Aktantenmodells" im Prinzip übernommen werden, zumal das Auftreten neuer Handlungsträger (das Kind, Michael und seine Engel, die Erde, die Wasser schluckt) auf neue Sequenzen der Handlung hinweist. Diese Sinneinheiten können auch im späteren Textvergleich durchaus als Grundlage für einen thematischen Textvergleich (im Sinne von Teil I.2.1) dienen; beispielsweise können für das Thema von einer schwangeren Frau, die von einem Widersacher verfolgt wird, mehrere Texte aus verschiedenen Epochen und Kulturkreisen herangezogen werden.

Doch der religionsgeschichtliche Vergleich fragt nach den konkreten Bildern, Wortfeldern und Formulierungen, mittels derer das "Thema" dargestellt wird. Darum ist es wichtig, die Elemente genauer zu bestimmen, aus denen die einzelnen Handlungssequenzen aufgebaut sind.

a) Der Text liefert Elemente, mittels derer die Handlungsträger näher charakterisiert werden (Beschreibungen). Dies kann durch alttestamentliche Reminiszenzen (Ausgestaltung des Drachen nach Dan.7; Drachenschwanz, der Sterne vom Himmel fegt, nach Dan.8,10 usw.) oder durch andere Bildelemente geschehen (astrale Ausgestaltung der Frau).

b) In anderen Textteilen agieren die Handlungsträger (Handlungssequenzen). Solche Elemente folgen aufeinander und bilden die Haupthandlung.

Bei der nun folgenden Textgliederung werden die Beschreibungen des Textes als Teil der Handlungssequenzen gesehen:

---

[94] Vgl. z.B. Bousset, 1906[6], S.335; Wellhausen, 1907, S.18; Boll, 1914, S.106f.; Charles, 1920, S.310; Hadorn, 1928, S.127; Greßmann, 1929, S.393ff.; Wikenhauser, 1947, S.81-87; Gollinger, 1971, S.115f.; U. Müller, 1984, S.228f.

Element	Vers	Darstellung
Handlungssequenz 1		
Beschr.	1	astrale Charakterisierung der Frau
Beschr.	2	Kreißen und Qual der Frau
Beschr.	3-4a	Charakterisierung des Drachen
Beschr.	4a	Drachenschwanz fegt Sterne hinab
Handl.	4b	Drache tritt vor die gebärende Frau
Handl.	5a	Frau gebiert Kind
Handlungssequenz 2		
Handl.	5a	Frau gebiert Kind
Beschr.	5a	Charakterisierung d. Kindes
Handl.	5b	Entrückung des Kindes
Handlungssequenz 3		
Handl.	6a	Flucht der Frau in die Wüste
Beschr.	6b	Charakterisierung des Fluchtortes
Handlungssequenz 4		
Handl.	7	Michael versus Drache
Handl.	8	Satansturz
Beschr.	9a	Identifikation des Drachen
	10-12	hymnischer Kommentar
Handlungssequenz 5		
Handl.	13	Drache verfolgt Frau
Handl.	14a	Gabe der Adlerflügel
Beschr.	14b	Charakterisierung des Fluchtortes
Handlungssequenz 6		
Handl.	15	Schlange stößt Wasser aus
Handl.	16	Erde hilft Frau
Handlungssequenz 7		
Handl.	17a	Drache gegen Nachkommen
Beschr.	17b	Charakterisierung der Nachkommen

Diese Gliederung ermöglicht es, einzelne Texteinheiten nun in der Folge mit religionsgeschichtlichem Material zu vergleichen. Gemäß der methodischen Prämissen, die im vorangegangenen Teil vorgestellt worden sind, haben dann solche Parallelen einen besonders großen Wert zur Erklärung des Textes, die nicht nur mit einer, sondern auch mit mehreren Handlungssequenzen vergleichbar sind.

Teil IV

Traditions- und religionsgeschichtliche Analyse von Apk.Joh.12

1. Handlungssequenz 1: Die Frau gebiert ein Kind im Angesicht des Drachen

1.1. Die Bildelemente der Frau

1.1.1. Die astralen Elemente

Die Bilder und Motive, die das Szenario von Apk.Joh.12 eröffnen, sind in der Forschung breit diskutiert worden. Man versuchte dabei auf verschiedenen Wegen zu erklären, was die astrale Charakterisierung der Frau im Kontext des Kapitels konkret zu bedeuten habe und berief sich hierbei auf diverse Analogien aus dem weiteren traditions- und religionsgeschichtlichen Umfeld. So kam es im Laufe der letzten hundert Jahre zu einer immensen Materialfülle, die zur Erklärung dieser Bildelemente in der Forschung vorgeschlagen wurde.

Ist dabei einerseits die intensive religionsgeschichtliche Exegese und die Erklärung dieser Verse mittels paganer Quellen zu beobachten,[95] so sind andererseits auch Versuche unternommen worden, Apk.Joh.12,1-3 allein aus dem Alten Testament und dem Judentum zu begreifen. Hier sind vor allem folgende Exegeten zu nennen:

- Lohmeyer, 1953[2] (1926) reiht Apk.Joh.12 zwar in den großen Rahmen eines vorderasiatischen Erlöser- und Weltherrschermythos ein (a.a.O., S.106), doch versucht er, das Bild der gebärenden Frau ganz aus dem Judentum zu erklären, indem er aus 4Esra 5,9f; Apk.Hen.(äth.) 42,2f; Apk.Bar.(syr.)

---

[95] Vgl. in neuester Zeit v.a. Benko, 1993, S.83f.

48,36; Prov.1,20-22; Sap.Sal.7 und Philo v.A. (Ebr.30f; Agricult.51f; Fug.108f) einen Weisheitsmythos rekonstruiert, der Apk.Joh.12 zugrunde liege (a.a.O., S.104f).

- Bruns, 1964, urteilte bei der Frage nach den Quellen, aus denen der Prophet aus Patmos inspiriert worden sei:

> "So far as the heavenly woman of ch. 12 is concerned we need not seriously consider the parallels drawn from Near Eastern or Graeco-Roman mythology. These are interesting but irrelevant to a book as Hebraic as the Apocalypse".[96]

- McNamara, 1966, hält es aus psychologischen Gründen für unwahrscheinlich, daß der Autor von jüdischem zu paganem Mythenmaterial wechselt:

> "Since ist is psychologically unlikely that the author is passing in ch. 12 from biblical to pagan parallels, the context calls on us to interpret the entire chapter, in as far as possible, in the light of the OT and Jewish traditions".[97]

- Kraft, 1974, S.164f, erklärt Apk.Joh.12 als Erfüllung der Weissagungen, die aus Jes.7 und Jes.66 kombiniert seien (Stichwort: "gebären"). Sein literarkritisches Hauptargument: Kombination von υἱός (Jes.7,14 LXX) und ἄρσεν (Jes.66,8 LXX) in Apk.Joh.12,5. Zusammenhänge mit heidnischen Mythen seien "nicht zu leugnen, aber sie bedeuten wenig für die Exegese des Kapitels" (a.a.O., S.172).

Allgemein neigt man in der neueren Forschung allerdings dazu, für diese Bilder keinen exklusiven Referenzbereich zu bestimmen,[98] sondern die weitgefächerten Herkunftsmöglichkeiten wahrzunehmen. So hat sich die Interpretation der Figur mit Hilfe alttestamentlicher Reminiszenzen (Ps.104,2; Gen 37,9) und gleichzeitig als heidnische "Himmelskönigin"[99] durchgesetzt. Das Verhältnis zwischen diesen beiden Bereichen, dem (naheliegenden) alttestamentlich - jüdischen Hintergrund und der heidnischen Astralmythologie, wurde auf verschiedene Weisen bestimmt. So neigte Charles dazu, einen zeitgenössischen "mythological background" anzunehmen, aus dem diese Bilder stammen.[100]

---

[96] A.a.O., S.460.

[97] McNamara, 1966, S.223.

[98] Gunkel, 1895, S.309 betonte den exklusiven Ursprung der jüdischen kosmolog. Vorstellung aus Babylon; starke Tendenzen, Apk.Joh.12 exklusiv aus griechischer Astralmythologie zu erklären, zeigt Boll, 1914. Ausschließlich biblische Bezüge postulieren Sickenberger, 1940; Mounce, 1977, S. 236f.; Hughes, 1990, S. 135f.

[99] Vgl. A. Y. Collins, 1976, S. 71ff.; Bergmeier, 1982; U.Müller, 1984, S.232; W.Fauth, Art. "Himmelskönigin" in RAC 15,1991, Sp.228ff.

[100] Vgl. Charles, 1920, S.315; A. Y. Collins, 1976, S.75f. (mit Verweis auf Darstellun-

Weitaus verbreiteter, wenn auch nur implizit getroffen, ist die Annahme der "interpretatio judaica" heidnischer Astralmythen. Konkret bedeutet dies bei der Exegese der astralen Attribute der Frau, daß deren Entlehnung aus paganen Isismythen angenommen wird, deren Bedeutung allerdings mit Ps.104,1f.; Gen.37,9 und Test.Napht.5,4 erklärt wird.[101]

Die Himmelsfrau in Apk.Joh.12 ist in der Forschungsgeschichte, von wenigen Ausnahmen abgesehen,[102] als "die Kirche" gedeutet worden. Die neueren forschungsgeschichtlichen Darstellungen behandeln das Thema in systematisch - theologischer Manier und gliedern nach dem Kirchenbegriff, der von den einzelnen Exegeten herausgearbeitet wurde.[103] In der vorliegenden Untersuchung soll anders vorgegangen werden: es wird nach der religionsgeschichtlichen Argumentation der Exegeten gefragt. Dabei kann die Deutung der Himmelsfrau aufgrund ihrer Bildelemente als "die Kirche" auf zwei unterschiedliche religionsgeschichtliche Argumentationsreihen zurückgeführt werden:

a) Der Kranz der zwölf Sterne
Die erste Argumentation geht vom Kranz der 12 Sterne aus:
- Ansatz für die Deutung der Himmelsfrau ist der Kranz aus 12 Sternen.
- Mit Gen.37,9 oder Test. Napht.5 werden die 12 Sterne als die 12 Stämme Israels gedeutet.
- Die Deutung auf das Zwölfstämmevolk legt (unter Berücksichtigung von Apk.Joh.7,4ff.; 14,1) die Deutung auf die Heilsgemeinde und somit auf die Kirche nahe.[104]

---

gen der Artemis von Ephesos): "This typical image was undoubtedly familiar to anyone living in western Asia Minor...".

[101] Vgl. Lohmeyer, 1953², S. 98f.; Lohse, 1988¹⁴ (1960), S.70; Kraft, 1974, S.164; U. Müller, 1984, S.232f.

[102] Einen forschungsgeschichtlichen Überblick über die Deutung der Himmelsfrau als Maria bieten neben Gollinger, 1971, S.27-48 bes. Kassing, 1958, S.43-95; Fauth, 1991 (=RAC 15), Sp.227f.

[103] Vgl. die Dissertation Gollingers, 1971, S.25-72; vgl. auch für die ältere katholische Exegese: Kassing, 1958, S.29-41; ebenso die Zusammenfassung bei U. Müller, 1984, S.228-231.

[104] Auf Gen.37,9 beziehen sich in der oben angegebenen Argumentation: Roloff, 1987², S.126: "Die himmlische Frau ist vielmehr Bild der endzeitlichen Heilsgemeinde, Symbol der Kirche. Diese ist Erbin der Verheißungen des alttestamentlichen Gottesvolkes: darauf deutet die Zwölfzahl der Sterne (vgl. 1.Mose 37,9) hin, die das heilige Zwölfstämmevolk in seiner endzeitlichen Fülle und Vollendung symbolisiert (vgl. 7,4-8; 14,1)"; U. Müller, 1984, S.233: "Bei dem Kranz der zwölf Sterne dürfte sich eine weitergehendere allegorische Deutung nahelegen: Die Zwölfzahl weist auf das Gottesvolk der zwölf Stämme Israels hin (vgl. die entsprechende Symbolik in

Diese Argumentation gilt es im folgenden zu prüfen. Als erstes ist zu beobachten, daß die astralen Attribute der Frau, Sonne, Mond und Sterne, in zeitgenössischem Umfeld oft gemeinsam und ohne Rangunterschiede genannt werden. Als Beispiele seien genannt:

- In Test. Napht.3,2 wird die Ordnung von Sonne, Mond und Sternen mit der Ordnung des göttlichen Gesetzes verglichen.[105]
- In der jüdischen Angelologie sind bestimmte Engelmächte über Sonne, Mond und Sterne gesetzt; bei diesen Gestirnen zeichnen sich dann keine Rangunterschiede ab.[106]
- In Schöpfungsaussagen des antiken und frühmittelalterlichen Judentums werden die Sterne gegen Gen.1,16, wo sie keine Funktion innehaben, deutlich aufgewertet und bekommen den gleichen Rang wie Sonne und Mond.[107]

Gen 37,9)"; Giesen, 1986, S.97: "Die Zwölfzahl der Sterne ist Hinweis auf die zwölf Stämme Israels (vgl. Gen 37,9) und somit auf das Volk Gottes"; vgl. weiterhin Wikenhauser, 1947, S.82; zum gesamten Thema vgl. die Zusammenfassung bei Gollinger, 1971, S.78f - für eine Deutung der 12 Stämme auf der Basis von Test.Napht. 5 plädieren: Kraft, 1978, S.164: "Die zwölf Sterne verweisen wohl nicht mehr auf den Tierkreis, sondern auf das Zwölfstämmevolk. Man hat als biblische Parallele den Traum Josephs Gen 37,9 herangezogen. Näher kommt eine Vision im Testament Naphtalis 5: ..."; Lohmeyer, 1953² (1926), S.99: (Zitat von Test.Napht.5,3ff): "Danach mag für den Seher der Sternenkranz Symbol der '12 Stämme' sein, und `die 12 Stämme' bezeichnen ja das ideale Israel, d.h. in der Apc (cf. auch Jak 1₁ und s. zu 7₅) die Gesamtheit urchristlicher Gemeinden"; ebenso Bousset, 1906⁶, S.335f, - auf Test.Napht. und Gen.37,9 beziehen sich Charles, 1920, S.316; McNamara, 1966, S.225 (vgl. ebd. Anm.109); Ernst, 1967, S.115; - auf die Zwölfzahl der Stämme verweisen ohne Bezug zu Gen 37,9: Lohse, 1988¹⁴ (1960), S.70: "Dabei deutet die Zwölfzahl darauf hin, daß sie das Gottesvolk der zwölf Stämme symbolisiert"; Zahn, 1926, S.439 (12 Apostel); Hadorn, 1928, S.127; Kassing, 1958, S. 148; Hughes, 1990, S.135. - Eine besondere Argumentationsweise ist bei Böcher, 1983a, S.22f. zu finden. Böcher gibt eine rabbinische Parallele an, bei der in den Tierkreiszeichen die Urbilder der 12 Stämme erkannt werden und bezieht dies auf Apk.Joh.12,1. Doch in Apk.Joh.12,1 ist von Tierkreiszeichen nicht die Rede, sondern nur von 12 Sternen.

[105] "῞Ηλιος καὶ σελήνη καὶ ἀστέρες οὐκ ἀλλοιοῦσι τάξιν αὐτῶν. οὕτως καὶ ὑμεῖς μὴ ἀλλοιώσετε νόμον Θεοῦ ἐν ἀταξίᾳ πράξεων ὑμῶν" (M. de Jonge, 1964, S.54).

[106] Vgl. Apk.Hen.(äth.) 75,3 (Uriel über die Leuchten des Himmels, Sonne, Mond und Sterne); Test.Adam 4,10 (die vierte Ordnung der himmlischen Mächte leitet Sonne, Mond und Sterne); Apk.Hen.(slav.)19,2 (im 6. Himmel sorgen sieben Chöre leuchtender, herrlicher Engel für die Ordnung der Welt und den Gang der Sterne, der Sonne und des Mondes). - Nicht Engel, sondern Gott selbst über Sonne, Mond und Sterne: vgl. Jub.12,17 (Berger, 1981, S. 394): "Und eine Stimme kam in sein [des Abram] Herz: »Alle Zeichen der Sterne und die Zeichen des Mondes und der Sonne - sie alle sind in der Hand des Herrn - was soll ich (sie) erforschen?«".

[107] So schon im 2. Jahrh. v. Chr. im Jubiläenbuch Kap.2,8 (Zur Datierung von Jub: vgl.

Sonne, Mond und Sterne werden im zeitgenössischen Umfeld der Apk.Joh. demnach als gleichrangige Gestirne oft gemeinsam genannt. Damit ist eine exegetische Argumentation anfechtbar, die sich beim gemeinsamen Auftauchen dieser Gestirne auf nur ein Element, die Sterne, stützt.[108] Der Bezug von deren Zwölfzahl auf die zwölf Stämme aufgrund von Gen.37,9 (elf Brüder Josephs sind elf Sterne) oder Test.Napht. 5,3ff. (zwölf Strahlen unter den Füßen Judas) ist durch keinen weiteren Texthinweis gestützt. Zwar ist der Bezug der Zahl "Zwölf" auf die Stämme Israels in der Apk.Joh. klar erweisbar (vgl. Apk.Joh.7,4-8; 14,1; 21,12), doch kommt sie auch in anderen Kontexten vor: in 21,14 ist sie auf die 12 Apostel des Lammes bezogen, in 22,2 bringt der Baum des Lebens zwölfmal Früchte. In 21,16f.21 findet sie in der Bauanleitung für das "himmlische Jerusalem" Verwendung. Somit liegt es näher, die Zahl "Zwölf" als "vollkommene Gesamtheit" zu interpretieren, die sich auf verschiedene Dinge beziehen kann.[109]

Wenn demnach eine Deutung der Frau anhand der astralen Elemente vorgenommen werden soll, wird man sich auf die Gesamtheit der Elemente beziehen müssen. Die Zwölfzahl der Sterne, die in der oben angegebenen Argumentation als exklusives Interpretament herausragte, wird nun nur noch als Teil des Ordnungsschemas angesehen, das im folgenden dargestellt werden soll:

Berger, 1981, S.299f; folgendes Zitat a.a.O., S.326): "Am vierten Tag schuf er die Sonne, den Mond und die Sterne und setzte sie an das Feste (Firmament) des Himmels, damit sie leuchteten über der Erde und um zu beherrschen den Tag und die Nacht und zu scheiden zwischen Licht und Finsternis." (Die Aufwertung der Sonne in V.9 geschieht in Jub. aufgrund der Präferenz des Sonnenkalenders); vgl. auch Apk.Esr.(äth.) 71,3ff und Apc.Petr.(äth.) (zitiert bei Berger, ebd., Anm.8c); Jos., Ant.1,1; Apk.Hen.(sl.) 30,5; Theophilus, Autol.1,4; 2,15; Ps.-Justin, Or.ad Graec.28; Te'ez. Sanb. (ed. Leslau, 1963³, S.11; auch S.33: "And God made he [two] great lights, the greater light to rule the day and the lesser light to rule he night, together with the stars."); Abba Elijah (äth.), ed. Leslau, a.a.O., S.42 - Aufwertung der Sterne durch die Tatsache ihrer Ordnung in 4Esra 6,45f (Esra zu Gott über die Schöpfung): "Quarta autem die imperasti fieri solis splendorem, lunae lumen, stellarum dispositionem, (46) et imperasti eis, ut deservirent futuro plasmato homini"; vgl. auch 4Esra 7,39 (am Tag des Gerichtes). Ausweitung auf die Sternbilder z.B. bei bHagiga 12b: "An der Veste befinden sich Sonne, Mond, Sterne und Sternbilder, denn es heisst und Gott setzte sie an die Veste des Himmels" (Goldschmidt IV, S.272) - Gegen diese Aufwertung der Sterne steht z.B. 2Clem.14,1: Die erste Kirche, die geistliche, ist vor Sonne und Mond geschaffen "... ἐκ τῆς ἐκκλησίας ... τῆς πρὸ ἡλίου καὶ σελήνης ἐκτισμένης" (Wengst, 1984, S.256). Sterne werden dort nicht erwähnt, was die Ordnung von Gen.1,16 voraussetzt; vgl. auch Philo, Op.168.

[108] Vgl. zu dieser Argumentation die Kritik Gollingers in dies., 1971, S.77.

[109] Zu dieser Deutung vgl. Rengstorf, Art. "δώδεκα", ThWNT II, 1935, S.323: "Typische Zahl der Lückenlosigkeit" (mit Bezug auf R. Kraemer); Gollinger, 1971, S.86: "höchste Vollkommenheit".

Sonne	als Gewand angekleidet
Mond	unter den Füßen
Sterne	Kranz von 12 Sternen auf dem Kopf.

Die Ausstattung der Sonnenfrau erfolgt in Apk.Joh.12 nach dem Schema "Gewand - Füße - Haupt". Diese Technik, wichtige Aktanten mit ihrer Kleidung und ihrem Kopf- und Fußschmuck zu charakterisieren, ist im zeitgenössischen Umfeld der Apk.Joh. gängig:

Zur Ausgestaltung an Leib, Füßen und Kopf vgl. Dan.10,5f.; Judith 10,3: (Judith) "wusch sich und salbte sich mit kostbarem Balsam, flocht ihr Haar und setzte sich einen Kopfputz auf, zog ihre schönen Kleider an und tat Schuhe an ihre Füße"; - Aseneth in Jos.As.3,6 (Burchard, 1983, S.638): "Und es eilte Aseneth in ihr Gemach, woselbst lagen ihre Gewänder, und zog an ein Gewand von (weißem?) Byssus aus Hyazinth(garn) gold(durch)wirkt und gürtete (um) sich einen goldenen Gürtel, und Reifen an ihre Hände und Füße legte sie sich, und goldene Stiefelchen umlegte sie ihren Füßen, und um ihren Hals umlegte sie sich wertvollen Schmuck und köstliche Steine, welche waren herumgehängt allerenden; und es waren die Namen der Götter der Ägypter eingegraben allenthalben auf sowohl den Reifen und den Steinen, und die Angesichter der (Götzen)bilder aller waren herausgebildet an ihnen. Und sie setzte eine Tiara auf ihr Haupt, und ein Diadem schlang sie um ihre Schläfen, und (mit) einem Schleier verhüllte sie ihr Haupt". - Die Kirche in Past.Herm.,Vis.IV,2,1 (Brox, 1991, S.160; vgl. auch Dibelius, 1923, S.486): "... eine Jungfrau mit einem Schmuck, als komme sie gerade aus dem Brautgemach, ganz in Weiß und mit weißen Schuhen, bis zur Stirn verschleiert und mit einer Mitra als Kopfbedeckung. Ihr Haar war weiß" - In Sib.1,138-140 ist Gott mit kosmischen Elementen umgeben: "Ich ziehe den Himmel als Kleid an und bin mit dem Meer angetan (περιβέβλημαι); die Erde ist mir Schemel der Füße, den Körper umfließt Luft und um mich kreist der Chor zahlloser Sterne" (Text bei Geffcken, GCS 8; zur Sache: vgl. Philo v.A., der die Kleidung des Hohepriesters auf Teile des Kosmos deutet; so bes. Spec.I,84ff; auch Fug.110ff); - An dieser Stelle ist auch die vielzitierte Ausgestaltung der Isis bei Apuleius, Met.11,3f zu nennen, die nach dem Muster Kopf - Leib - Füße erfolgt (Griffiths, 1975, S.72.74): "corona multiformis variis floribus sublimem destrinxerat verticem, cuius media quidem super frontem plana rutunditas in modum speculi vel immo argumentum lunae candidum lumen emicabat, dextra laevaque sulcis insurgentium viperarum cohibita, spicis etiam Cerialibus desuper porrectis ornata. tunica multicolor, bysso tenui pertexta, nunc albo candore lucida, nunc croceo flore lutea, nunc roseo rubore flammida... palla nigerrima splendescens atro nitore... [4]per intextam extremitatem et in ipsa eius planitie stellae dispersae coruscabant earumque media semenstris luna flammeos spirabat ignes... pedes ambroseos tegebant soleae palmae victricis foliis intextae...".

Oft ist auch nur das Gewand mit dem Kopfschmuck genannt:

Zur Interpretation der Kränze und Kleider als Attribute der Vollendeten vgl. Brox, 1991, S.357f. und Dibelius 1923, S.591 (beide zu Past.Herm, Sim.VIII,2,2-4); Belege für Gewand und Kopfschmuck als Hoheitszeichen: Bar.5,1ff (von Jerusalem): "Zieh dein Trauerkleid aus, Jerusalem, und zieh den herrlichen Schmuck von Gott an für immer! [2]Zieh den Mantel der Gerechtigkeit Gottes an und setze die Krone der Herrlichkeit des Ewigen auf dein Haupt! [3]Gott wird deinen Glanz unter dem ganzen Himmel offenbaren."; zum Gegensatz Trauerkleid/Ehrenkleid vgl. Ps.Sal.2,21 über Jerusalem: "Es mußte statt des Ehrenkleids ein Trauerkleid sich anlegen und statt des Kranzes einen

Strick um seinen Kopf"; Stücke zu Esther 3, 1-3; 4Esra 9,38). - Zur Ausstattung mit priesterlichen Gewändern vgl. Arist.96f (Meisner, 1973, S.58): das Gewand des Priesters Eleasar (Ausgestaltung von Ex.28, vgl. hierzu Philo, Mos.2,109ff): "Goldene Glöckchen sind nämlich rund um den Saum des Gewandes angebracht, die ein eigenartiges Läuten ertönen ließen, an beiden Seiten von diesen aber bunt erleuchtende Granatäpfel in wunderbarer Farbenpracht. Umgürtet war er mit einem besonderen, kostbaren Gürtel, gewirkt in den schönsten Farben. Auf der Brust trägt er die sogenannte Orakeltasche, in die zwölf verschiedenartige, in Gold gefaßte Steine eingefügt sind, die die Namen der zwölf Patriarchen in ihrer ursprünglichen Reihenfolge (tragen), und jeder leuchtet unbeschreiblich in der ihm eigenen natürlichen Farbe. Auf dem Kopf trägt er den sogenannten Kopfbund, auf diesem aber die unnachahmliche Mithra, das heilige Diadem, das auf einer goldenen Platte den Namen Gottes in heiligen Buchstaben kundtut, mitten auf der Stirn"; zum Tetragramm auf dem Stirnblatt vgl. Jes.Sir. 45,14); Test.Levi 8,2. - zwölf Steine auf dem Kopfschmuck hat das Gewand des Joseph in Jos.As.5,5 (Burchard, 1983, S.643): "Und es war Joseph angezogen (mit) einem Leibrock, weiß und vornehm, und das Gewand seines Umwurfs war purpurn, aus Byssus gold(durch)wirkt. Und ein goldener Kranz (war) auf seinem Haupte, und rings um den Kranz waren zwölf auserwählte Steine, und oben auf den zwölf Steinen waren zwölf goldene Strahlen"; vgl. hierzu auch Apk.Hen.(hebr.) 12,1-5: "Rabbi Ischma'el sagte: Metatron, der Fürst des Angesichts, sagte zu mir: 1Aus Liebe, mit der mich der Heilige - gepriesen sei er - mehr liebte als alle Söhne der Höhe(n), machte er mir ein Gewand von Hoheit, auf dem alle Arten von Lichtern befestigt waren, und bekleidete mich damit. 2Und er machte mir ein Obergewand der Herrlichkeit, auf dem alle Arten von Schönheit, Glanz, Strahlen und Pracht befestigt waren. 3Und er machte mir eine Krone der Königsherrschaft, an der 49 Steine von der Schönheit wie das Licht der Sonnenscheibe befestigt waren, 4deren Glanz ausging in die vier Himmelsrichtungen (Ruchoth) von 'Aravoth Raqia und in die sieben Firmamente und die vier Himmelsrichtungen (Ruchoth) der Welt, und er band sie auf meinen Kopf. 5Und er nannte mich den "Kleinen Jahwe" in Gegenwart seiner ganzen Dienerschaft, die in der Höhe ist, weil gesagt ist: "Denn mein Name ist in ihm" (Exodus 23,21)" (Hofmann, 1985², S.12).

Das "Sonnengewand" ist Kleidung besonders Auserwählter:

Das "Sonnengewand" untersuchte in neuerer Zeit Benko, 1993, S.95ff. als Spezialfall von paganen Götterkleidern, die er mit Berufung auf Studien zur Psychologie der Bekleidung als "expression of personality" (S.101) interpretiert; da die Sonne oft als männlicher Gott verehrt worden sei und die Frau in Apk.Joh.12 ein Sonnengewand trage, sei dies nach Benko, a.a.O., S.104 "hieros gamos on the most exalted level"; sein psychologisierendes Ergebnis entbehrt jeder Textgrundlage. - Jüdische und christliche Vergleichsquellen zur Einkleidung in die Sonne: Mt.13,43: "Dann werden die Gerechten leuchten wie die Sonne in ihres Vaters Reich."; Sap.Sal.3,7 (gequälte Fromme): "Die Gerechten werden im Licht der Sonne und die Auserwählten im Lichte des ewigen Lebens sein"; Apk.Hen.(äth.) 58,3 (Übersetzung nach Uhlig, 1984, S.603: "Und die Gerechten werden im Licht der Sonne und die Auserwählten im Licht des ewigen Lebens sein"; Apk.Hen.(äth.) 14,20 (Übersetzung a.a.O., S.540): "Und die große Herrlichkeit saß darauf (sc.: auf dem Thron), und ihr Gewand war strahlender als die Sonne"; Apk.Petr.(äth.) I Kap.1 (Text nach C.D.G. Müller in Schneemelcher II, 1989⁵, S.567): "indem ich (sc.: Jesus) siebenmal so hell wie die Sonne leuchte, werde ich kommen in meiner Herrlichkeit mit allen meinen Heiligen, meinen Engeln, wenn mein Vater mir eine Krone auf das Haupt setzt, damit ich richte die Lebendigen und die Toten und jedem vergelte nach seinem Tun."; heller als das Licht der Sonne und des Mondes leuchtet Mose Antlitz nach LAB 12,1 und nach Sifre Num.140 zu Num.27,20. Vgl. auch

Sueton, Aug.94,4: Nach der wunderbaren Empfängnis des Augustus durch eine Schlange und des Augustus Geburt "somnavit et pater Octavius utero Atiae iubar solis exortum" (LCL 31).

Dabei unterstreicht die Einkleidung die Bedeutung der Figuren:[110] Die königliche Würde Josephs in Jos.As.5,5, die priesterliche Würde Aarons in Jes.Sir.45, Eleasars in Arist.96f. und Levis in Test.Levi 8,2. Ebenso unterstreicht die astrale Einkleidung der Frau in Apk.Joh.12,1 deren Bedeutung. Die Gestirne drücken ihre Ehre und Herrlichkeit aus.[111] Diese Interpretation wird durch das "Testament Abrahams" (Rec.A), Kap.7 gestützt, das hier als Vergleichstext herangezogen werden soll:[112]

---

[110] Die Bekleidung als Ausdruck für die Bedeutung der Figuren wird auch explizit gemacht; vgl. Apk.Petr.(gr.)I: "Die Bewohner jenes Ortes (sc.: des Paradieses) waren bekleidet mit einem leuchtenden Engelsgewand, und ihr Kleid paßte zu ihrem Aufenthaltsort" (griech. Lesart aus Achmim, Kap.17, zitiert nach C.D.G. Müller in Schneemelcher II, 1989[5], S.577). In Apk.Hen.(sl.)19,1 sind die Gewänder der Engel konform mit ihrer Gestalt und ihrem leuchtenden Antlitz: "Und ich sah daselbst sieben Legionen der Engel, sehr leuchtende und überaus herrliche, und ihre Angesichter glänzend, mehr als die Strahlen der Sonne strahlend, und nicht ist ein Unterschied ihres Angesichts oder der Gestalt oder der Zusammensetzung ihres Gewandes" (Bonwetsch, 1922, S.17f.). In Asc.Jes.9,9 ist von den "höheren Gewändern" der Gerechten die Rede: "Und daselbst sah ich Henoch und alle, die mit ihm waren, entkleidet des fleischlichen Gewandes, und ich sah sie in ihren höheren Gewändern, und sie waren wie die Engel, die daselbst in großer Herrlichkeit stehen" (C.D.G. Müller in Schneemelcher II, 1989[5], S.558).

[111] Vgl. zu dieser Interpretation schon Kliefoth, 1874, III,S.11; Cerfaux, 1955, S.33.

[112] Test.Abr. 7, Rec.A: "Εἶδον ἐγώ, κύριέ μου, τῇ νυκτὶ ταύτῃ τὸν ἥλιον καὶ τὴν σελήνην ὑπεράνω τῆς κεφαλῆς μου, καὶ τὰς ἀκτῖνας αὐτοῦ κυκλοῦντα καὶ φωταγωγοῦντά με. καὶ ταῦτα οὕτως ἐμοῦ θεωροῦντος καὶ ἀγαλλιωμένου, εἶδον τὸν οὐρανὸν ἀνεῳγότα, καὶ εἶδον ἄνδρα φωτοφόρον ἐκ τοῦ οὐρανοῦ κατελθόντα ὑπὲρ ἑπτὰ ἡλίους ἀστράπτοντα. καὶ ἐλθὼν ὁ ἀνὴρ ὁ ἡλιόμορφος ἐκεῖνος ἔλαβεν τὸν ἥλιον ἀπὸ τῆς κεφαλῆς μου, καὶ ἀνῆλθεν εἰς τοὺς οὐρανοὺς ὅθεν καὶ ἐξῆλθεν. ἐγὼ δὲ ἐλυπήθην μεγάλως ὅτι ἔλαβεν τὸν ἥλιον ἀπ' ἐμου. καὶ μετ' ὀλίγον ὡς ἔτι λυπουμένου καὶ ἀδημονοῦντος, εἶδον τὸν ἄνδρα ἐκεῖνον ἐκ δευτέρου ἐκ τοῦ οὐρανοῦ ἐξελθόντα. καὶ ἔλαβεν ἀπ' ἐμοῦ καὶ τὴν σελήνην ἐκ τῆς κεφαλῆς μου. ἔκλαυσα δὲ μεγάλως καὶ παρεκάλεσα τὸν ἄνδρα ἐκεῖνον τὸν φωτοφόρον καὶ εἶπον. Μή, κύριέ μου, μὴ ἄρῃς τὴν δόξαν μου ἀπ' ἐμοῦ, ἐλέησόν με καὶ εἰσάκουσόν μου." (M.R. James, 1892, S.83f.)
Test.Abr.7, Rec.B:(Isaak zu Abraham): "Ich sah in meinem Traum die Sonne und den Mond; und es war ein Kranz auf meinem Haupt. Und da war ein sehr großer Mann, stark leuchtend [, der kam] aus dem Himmel, wie Licht, genannt `Vater des Lichtes'; und er nahm die Sonne von meinem Kopf; allerdings ließ er die Strahlen in meiner Mitte. Und ich weinte und sagte: `Ich bitte dich, mein Herr, nimm nicht die Herrlichkeit meines Kopfes und das Licht meines Hauses und alle meine Herrlichkeit! Es klagten auch die Sonne und der Mond und die Sterne und sagten: Nimm nicht die Herrlichkeit unserer Macht!". "Εἶδον κατ' ὄναρ +ἐμαυτὸν+ τὸν ἥλιον καὶ τὴν σελήνην. καὶ στέφανος ἐπὶ τῆς κεφαλῆς μου ἐγένετο. καὶ ἦν ἀνὴρ παμμεγέθης λίαν λάμπων ἐκ τοῦ οὐρανοῦ, ὡς φῶς καλούμενος πατὴρ τοῦ φωτός. καὶ

(Isaak zu Abraham): "Ich schaute, mein Herr, in dieser Nacht die Sonne und den Mond über meinem Kopfe, und ihre Strahlen umgaben mich und machten mich leuchten. Und als ich mir dieses so anschaute und mich erfreute, sah ich den Himmel geöffnet und ich sah einen lichttragenden Mann aus dem Himmel herauskommen und er funkelte mehr als sieben Sonnen. Und jener sonnengestaltige Mann kam und nahm die Sonne von meinem Kopf weg und stieg hinauf in die Himmel, von woher er auch gekommen war. Ich aber war sehr betrübt, denn er nahm die Sonne von mir; und nach kurzer Zeit, als ich noch betrübt und verdrossen war, sah ich jenen Mann zum zweiten Mal aus dem Himmel herauskommen. Und er nahm von mir auch den Mond von meinem Kopf weg; Da weinte ich aber sehr und bat jenen lichttragenden Mann und sagte: Nicht, mein Herr, nimm nicht meine Herrlichkeit von mir ... erbarme dich meiner und höre auf mich"

Bei Test.Abr. sind die Fragen nach seiner Datierung und nach dem gegenseitigen Verhältnis der beiden Rezensionen A und B noch weitgehend offen.[113] Dennoch soll diese Schrift aufgrund der ähnlich dargestellten Ausgestaltung einer Figur mit astralen Elementen als wichtige Interpretationsbasis für Apk.Joh.12,1 angenommen werden. Die Gestirne werden hier als δόξα interpretiert. Dabei liegt im Blick auf Apk.Joh.12 der Gedanke nahe, daß auch hier die astralen Elemente die Herrlichkeit der damit ausgezeichneten Figur symbolisieren.

Das Muster der Ausgestaltung selbst (Gewand - Kopf - Füße) wird in der Apk.Joh. bei der Charakterisierung bestimmter Figuren öfter angewendet. Derartige Ausgestaltungen finden wir beim Menschensohn (MS) (1,13ff.), bei den 24 Ältesten (24 Ä.) (4,4), bei der großen Schar aus allen Völkern (7,9.13-15), beim Engel mit dem Büchlein (10,1-3), bei den beiden Zeugen (11,3-6), bei der Sonnenfrau am Himmel (12,1), bei der Hure (17,4), bei der Stadt (18,16) und beim Reiter (19,11ff.). Bei jeder dieser Figuren ist das Lexem περιβεβλημένος verwendet, nur bei der Menschensohnvision ἐνδεδυμένος:

ἔλαβεν τὸν ἥλιον ἐκ τῆς κεφαλῆς μου. καὶ λοιπὸν ἀφῆκεν τὰς ἀκτῖνας ἐν μέσῳ μου. καὶ ἔκλαυσα ἐγὼ καὶ εἶπον. Παρακαλῶ σε, κύριέ μου, μὴ ἐπάρῃς τὴν δόξαν τῆς κεφαλῆς μου καὶ τὸ φῶς τοῦ οἴκου μου καὶ πᾶσαν τὴν δόξαν τὴν ἐμήν. ἐπένθησε δὲ ὁ ἥλιος καὶ ἡ σελήνη καὶ οἱ ἀστέρες λέγοντες· Μὴ ἐπάρῃς τὴν δόξαν τῆς δυνάμεως ἡμῶν" (M.R. James, 1892, S.111). - Vgl. auch Sifre Num.140 zu Num.27,20: Mose Gesicht glänzt wie die Sonne, das Josuas wie der Mond (Abstufung von Sonne und Mond; vgl. LAB 12,1: Moses Gesicht besiegt den Glanz von Sonne und Mond).

[113] Man tendiert in der neueren Forschung dazu, Rec.B als die ältere (1. Jahrh.n.Chr.) anzusetzen, Rec.A ins 2. Jahrh.n.Chr.; vgl. Janssen, 1975, S.200f. (mit Berufung auf Fr. Schmidt).

Figur	Gewand	Haupt	Füße	Attribute
MS	"ἐνδεδυμένος" lang/Gürtel	weiße Wolle/Schnee	wie Golderz	7 Sterne, aus Mund Schwert, Gesicht wie Sonne
24Ä.	weiß	Goldkronen	-	beten, singen
Schar	weiß	-	-	Palmzweige in Händen, kommen aus Trübsal
Engel	*Wolke*	*Regenbogen*	*wie Feuersäulen*	*Antlitz wie Sonne, schreit*
Zeugen	σάκκοι	-	-	Macht, weissagen, Märtyrer
Frau	*Sonne*	*Kranz mit 12 Sternen*	*steht auf Mond*	*schwanger mit Kind*
Hure	*Purpur, Scharlach*	*auf Stirn: Babylon, Hure*	*(sitzt auf Tier)*	*geschmückt, Becher mit Hurerei, trunken v. Blut d. Heiligen+Zeugen Jesu*
Stadt	Leinen, Purpur, Scharlach	-	-	geschmückt mit Kostbarkeiten
Reiter	mit Blut getränkt,	viele Kronen	(sitzt auf weißem Pferd)	Augen wie Feuer flammen, geheime Namen, aus Mund Schwert, "Wort Gottes"

Wie man sieht, sind sehr viele wichtige Figuren in der Apk.Joh. nach dem Schema "Gewand - Haupt - Füße" charakterisiert. Hierbei wird deutlich, daß die Ausgestaltung die Bedeutung der Figuren erkennen läßt: So sind z.B. die weißen Gewänder der großen Schar Zeichen der Läuterung nach dem Martyrium (7,14), das auch den Christen in Sardes zugesprochen wird (3,5).

Besonders auffällig ist die Parallelität der Darstellung des Engels, der Sonnenfrau und der Hure.

Der Engel mit dem Büchlein, der im Verein mit sieben Donnern schreit (10,3), ist mit Elementen von Wetter- und Naturerscheinungen charakterisiert: Wolke, Regenbogen, Feuersäule.

Die Hure ist mit irdischen Kostbarkeiten ausgestattet, die nach 18,11-13 als nichtig und verwerflich dargestellt werden; ihre Verwerflichkeit wird im Muster "Gewand - Haupt - Füße[114]" ausgemalt.

---

[114] Die Position der Sonnenfrau, das "Stehen auf dem Monde", ist vergleichbar zur Position der Hure, dem "Sitzen auf dem Tier".

Conclusio: Die astralen Elemente, mit denen die Himmelsfrau charakterisiert wird, fügen sich in ein gängiges Schema der Ausgestaltung bedeutender Figuren mit entsprechenden Gewändern. Die Gestirne drücken dabei analog zu Test.Abr.7 die "δόξα" der Frau aus. Eine Deutung, die sich allein auf die Zwölfzahl der Sterne stützt und die Frau damit in Anlehnung an die elf Sterne von Gen.37,9 als "Kirche" deutet, ist nicht beweisbar.

b) Das Bild der "Frau"

Die zweite Argumentationsreihe zur ekklesiologischen Deutung der "Himmelsfrau" geht vom Bild einer "Frau" aus:

- Mit 4 Esra 9,38-10.24 wird die Frau als Zion oder himmlisches Jerusalem gedeutet.
- Zion oder Jerusalem werden (auf der Basis von z.B. Jes.1,8; Jer.4,31; Gal.4,26) in einem zweiten Schritt als Gemeinde oder als Heilige Gemeinschaft gesehen.[115]

Bei dieser Argumentation werden die Bildelemente der Frau nicht ausreichend berücksichtigt. Es ist zwar in der Tradition vorbereitet, Zion oder Jerusalem als Frau darzustellen. Dafür finden sich nicht nur zahlreiche alttestamentliche Belege,[116] sondern auch weite Ausgestaltungen dieser Metapher im historischen Umfeld der Apk.Joh. (hier sind besonders der Visionenteil des Pastor Hermae und 4Esra 9f. zu nennen). Doch eine Argumentation zur Deutung der Frau von Apk.Joh.12 kann sich aufgrund der Textvorgabe sinnvollerweise nur auf das Bild einer Frau beziehen, die durch astrale Elemente und durch schmerzhaftes Kreißen näher bestimmt ist. Dies ist bei der oben zusammengefaßten Argumentationsreihe nicht der Fall. Einziges Vergleichselement ist bei der Parallele 4Esra 9,38ff. eine Frau, die einen Sohn geboren hat. Die weiterführende Deutung der Frau als "Gemeinde" auf der Basis von 4Esra ist in Apk.Joh.12,1-3

---

[115] Wellhausen, 1907, S.20, interpretiert die Frau als "jüdische Gemeinde", weil er eine jüdische Vorlage zu Apk.Joh.12 annimmt; Prigent, 1959, S. 141f: Mit Test.Dan 5,12 wird dort der Sprung vom himmlischen Jerusalem auf die eschatologische Gemeinschaft der Gerechten gewagt; Bergmeier, 1982, S.107 erkennt eine Parallele von Apk.Joh.12,17 (Nachkommen der Frau = Gemeinde) und 4Esra 9,7f; auch Behm, 1949[5], S.66; Lohse, 1988[14] (1960), S.70; Müller, 1984, S.233 nehmen die o.a. Reihung als Argument für eine Interpretation der Frau als Kirche an.

[116] Im Alten Testament wird oft für Zion/Jerusalem das Bild der "Tochter Zion" gebraucht (Ps.9,15; Jes.1,8; 10,32; 12,6; 16,1; 52,2; 62,11; Jer.6,23; Thren.1,6; 2,1.4.8.10.18; 4,22; Micha 1,13; 4,13; Zeph.3.14; Sach.2,11.14; 9,9), die als Jungfrau (2 Reg.19,21; Jes.37,22; Thren.2,13) oder auch als kreißende Frau (Jes. 66,7f.; Jer.4,31; Micha 4,10) dargestellt werden kann. Das Bild von Zion als Mutter findet sich z.B. in Hos.4,5; Jes.56,1; Jer.20,12; Gal.4,26; Apk.Bar.(syr.) 3,1; 4Esra 10,7.

auf keinen weiteren Texthinweis gestützt. Lediglich die genealogische Verknüpfung der Frau mit der Gemeinde, die bei der Analyse von V.17 behandelt
wird, weist die Interpretation in diese Richtung. Doch die Bildelemente der
Himmelsfrau in den Versen 1-3 deuten nicht auf eine Interpretation als "Gemeinde" hin. Dies gilt sowohl für die astralen Elemente der Frau als auch für
die Darstellung ihres Gebärens, der wir uns nun zuwenden.

1.1.2. Bildelemente der Schwangerschaft

Das Bild der kreißenden Frau ist in der Diskussion um Apk.Joh.12 meist mit
Jes.7,14; 26,17; 66,7f. und 1QH3 auf die "Wehen" der messianischen Endzeit
(ähnlich Mk.13,8 parr.) gedeutet worden.[117] Doch ist die Metapher der "Wehen
der Endzeit" im Frühjudentum mit ganz unterschiedlichen Bezügen benutzt
worden:[118]
- Steht sie in Apk.Hen.(äth.) 62,4 für den Schmerz der Mächtigen beim jüngsten Tag,[119] so verweist sie auch auf dessen Unabänderlichkeit: In 4Esra 4,41
  (Drang der Seelen aus dem Hades vor der Auferstehung) oder 6Esra
  16,38-40.

---

[117] Auf die kommende messianische Zeit deuten Bousset, 1906[6], S.336; Lohmeyer,
1953[2], S.99; Hadorn, 1928, S.125f; Wikenhauser, 1947, S.82; Ernst, 1967, S.115;
U. Müller, 1984, S.233; Giesen, 1986, S.97; Roloff, 1987[2], S.127; auch Kraft, 1974,
S.164 deutet implizit in dieser Richtung; - eine Sonderform dieser Interpretation,
die Deutung der kreißenden Frau auf die "Nöte Israels", diskutieren gemeinsam mit
dem o.a. Verweis auf die "Wehen der Endzeit" Bousset, 1906[2], S.336 und Lohse,
1988[14](1960), S.70f; vgl. auch Sickenberger, 1940, S.114f. Zum Ganzen vgl. die
Darstellung der atl. Parallelen Kassings in ders., 1958, S.121ff und die Ergänzung
durch Gollinger, 1971, S.134ff.

[118] Vgl. Bertram, Art. ὠδίν κτλ. in ThWNT IX, 1973, S.668-675; neben den überlieferten Bedeutungen der belagerten Stadt (Babel in Jes.13,8 oder Jerusalem in Micha
4,9f) ist hier auf die Diskussion um die "Wehen des Todes" in der rabbin. Auslegung von Ps.18,5 hinzuweisen (Belege bei Strack/Billerbeck II, 1965[4], zu Acta 2,24,
S.617f). - In 4Makk.16,8 sind die Geburtswehen Teil eines Kataloges, indem die
Mühen einer Mutter aufgezählt werden; dieser Katalog steht im Zusammenhang mit
dem Märtyrium der Söhne dieser Mutter. Die Kombination von Geburtswehen und
Märtyrium ist ausgeprägt zu finden in den "lugdunensischen Akten" bei Euseb, h.e.
5,1,49 (s.u.). Ganz andere Bedeutung haben die "Wehen" in der "Passio des Andreas", 336 (in Schneemelcher II, 1989[5], S.125): Andreas begreift den Übergang
zum Glauben als schmerzhafte Geburt.

[119] Apk.Hen.(äth.) 62,4 (zitiert nach Uhlig, 1984, S.614): "Und Schmerz wird über sie
(sc. die Mächtigen) kommen, wie über eine Frau, die in den Wehen ist und der es
schwer wird zu gebären, wenn ihr Sohn in den Muttermund tritt, und die Not leidet
beim Gebären." Dieser Text kann aufgrund von Textkorruption (vgl. hierzu Uhlig,
ebd., Anm.4a) nur mit Vorbehalt zur Argumentation herangezogen werden.

- Die erschwerte Situation der Gebärenden in der Endzeit und beim Endgericht findet sich in Mk.13,17 parr.; Apk.Bar.(gr.) 3,5.

- Die Plötzlichkeit, mit der die Endzeit hereinbricht, wird mit dem Bild der Wehen erklärt: 1Thess.5,3; NHC XIII (die dreigestaltige Protennoia),43,4-10.

Durch die Bedeutungsvielfalt dieses Bildes ist es zu oberflächlich, lediglich auf das apokalyptische Motiv der "Wehen der Endzeit" hinzuweisen. Die Bedeutung dieses Bildes in Apk.Joh.12 muß näher bestimmt werden.

Hierzu gehen wir vom Text aus: Die Geburt des Messias bildet in der erzählten Handlung von Apk.Joh.12 den Auftakt zur Verfolgung der Gemeinde. Schon diese Geburt ist mit dem Bild des schmerzhaften Kreißens gezeichnet. Somit erhält das Bild der kreißenden Frau eine adressatenorientierte Interpretation: die schmerzhaften Wehen bilden die Schwierigkeiten der Gemeinde schon am Anfang der Geschehnisse ab.

Mit dieser Deutung setzen wir das Bild der schwangeren Frau in einen pragmatischen Rahmen: Die Wehen stehen im Zusammenhang mit der Situation der Gemeinde. Diese Interpretation kann an einem Text wahrscheinlich gemacht werden, der - wenn auch unter anderen Fragestellungen - schon lange zur Erklärung des Bildes von der kreißenden Frau herangezogen worden ist: 1QH 3,3-18.[120] Dieser Text ist in folgenden Strukturelementen mit Apk.Joh.12 vergleichbar:

---

[120] Nach der Erstausgabe von 1QH von E.L. Sukenik, 1954 (vgl. hierzu Lohse, 1986[4], S.109f) wurde 1QH3 m.W. zuerst von F.M. Braun, 1955, S.643f, zur Erklärung von Apk.Joh.12,2 herangezogen; seitdem ist er in den großen Monographien zum Thema (vgl. Kassing, 1958, S.138ff; Feuillet, 1963, S.93f; Gollinger, 1971, S.138ff A. Y. Collins, 1976, S.67ff) und in den neueren Kommentaren als wichtiger Vergleichstext etabliert (anders: Lohse, 1988[14] (1960), S.71, der zwar "gewisse Berührungen", aber keinen unmittelbaren Zusammenhang erkennt); forschungsgeschichtliche Darstellung des Vergleichs mit Apk.Joh.12 und Analyse bei Maier, 1960, S.72-77; die Hauptkontroversen des Vergleichs mit Apk.Joh.12 sind bei Gollinger, 1971, S.139-141 systematisch zusammengefaßt und bei A. Y. Collins, 1976, S.92, Anm.53 erweitert. Hauptvergleichspunkt in der Forschungsgeschichte ist die parallele, detaillierte Darstellung der Geburtswehen. Mit 1QH3 wird aber auch die Deutung der Gemeinde als Mutter des individuellen Messias begründet (vgl. hierzu die Darstellung bei Gollinger, 1971, S.139f). Die letzte eingehendere Untersuchung des Psalms als Vergleichstext zu Apk.Joh.12 stammt von Gollinger, 1971, S.138ff; deren eschatologische Deutung beruht jedoch auf Argumenten, die sich hauptsächlich auf das alte Forschungsparadigma einer "Qumrangemeinde" stützen. Da dieses Paradigma in neuerer Zeit jedoch immer stärker angezweifelt wird (vgl. Golb, 1980; Golb, 1994; Berger, 1993, S.40ff), wird man mit allgemeinen Messiasvorstellungen einer "Qumrangemeinde" nicht mehr argumentieren können. 1QH3 muß somit für sich interpretiert werden.

Element	1QH3 (1QH11)[121]	Apk.Joh.12
Frau in Geburtswehen	[7]Da geriet ich in Not wie eine Frau bei der Geburt ihrer Erstgeborenen, wenn [ihre] Schmerzen einsetzen [8]und tödliche Qual mit ihren Wehen zum Kreißen im Schwangerschafts-Schmelzofen geführt, weil Söhne zu Todeswehen/wellen gelangten, [9]und die ein Männliches trägt, Pein leidet in ihren Wehen, weil unter Todeswehen(/wellen) sie	(das σημεῖον μέγα): sie war schwanger und schrie beim Kreißen und litt beim Gebären
Geburt des Kindes	etwas Männliches fortbringt und es unter Höllenqualen durchdringt [10]aus dem Schwangerschafts-Schmelzofen. [(leer!)]	Und sie gebar einen männlichen Sohn
Charakterisierung des Kindes	(Jes.9,1): (Der) Wunder(bare) berät sich mit seiner Macht und ein Mann (Knabe) entkommt den Wehen, doch in seiner Schwangeren eilen (weiter) alle [11]Wehen und tödliche Qualen bei ihrer (!) Geburt und Krämpfe bei ihrem(!) Gebären.	(Ps.2,9): Völker weiden mit eisernem Stabe
Dualismus:	Bei seiner (!) Geburt setzen alle Schmerzen (wieder) ein [12]im Schwangerschafts-Schmelzofen, die Wahn-Schwangere gerät in tödliche Pein und Verderbenswehen wirken allerlei Krämpfe. Da schwanken [13]Mauerfundamente wie ein Schiff auf Gewässern und Wolkenhimmel tosen mit lautem Schall.	(das ἄλλο σημεῖον)

In 1QH 3,7-18 werden Bildelemente der Schwangerschaft als Metapher für die Situation des Beters gebraucht; dies geht aus V.7 hervor: Da geriet ich in Not wie eine Frau bei der Geburt ihrer Erstgeborenen.[122]

---

[121] Die deutsche Übersetzung stammt von Maier, 1995, Bd.1, S.68f. (vgl. dort auch die erklärenden Anmerkungen; vgl. weiterhin die ältere Übersetzung mit Textausgabe bei Lohse, 1986[4], S.121). Da Maier von einer überarbeiteten Zuordnung der Textfragmente von 1QH ausgeht (vgl. a.a.O., S.45f.), hat er eine andere Zählung: 1QH11 statt 1QH3.

Im Gegensatz zu Apk.Joh.12 geht es aber um zwei Frauen, die parallel gebären:[123] Die eine gebiert einen Sohn (V.9), das nach seiner Geburt, unter Anspielung an Jes.9,1.[124] Die andere Frau, die gleichzeitig gebiert (vgl. den Plural in V.11), ist dagegen nicht mit einem "Männlichen" schwanger, sondern ist schwanger mit Wahn (אֶפְעֶה). Die Auswirkungen sind parallel dargestellt: Während die erste Frau einen wunderbaren Ratgeber zeugt, hat die Geburt des zweiten Kindes negative Auswirkungen auf Erde und Menschen, die in den Bildern der brausenden Chaoswasser beschrieben werden (V.12-18).

Wichtig für unser Thema ist die Tatsache, daß in 1QH3 die Abfolge von Wehen, Geburt eines männlichen Kindes und dessen Charakterisierung mit einer alttestamentlichen messianischen Reminiszenz als Bild für die Gemeindesituation gebraucht ist. Es steht als Metapher für die Situation des Beters (V.7: Da geriet ich in Not wie eine Frau ...).

Die Himmelsfrau in Apk.Joh.12 ist, wie später näher ausgeführt wird,[125] durch die genealogische Verknüpfung mit der Gemeinde der Apk.Joh. in 12,17 als Bild dieser Gemeinde zu interpretieren. Die Bildelemente der Schwangerschaft weisen dann, ähnlich wie bei 1QH3, auf die Not der Gemeinde hin (in 1QH3 symbolisieren die Wehen der Frau die Not des Autors, vgl. V.7).[126] Die Bildelemente der Schwangerschaft bilden damit die Not der

---

[122] אֶהְיֶה בְצוּקָה כְּמוֹלֵשֶׁת (Lohse, a.a.O., S.120); eine wörtliche Übersetzung wäre singularisch: "von/aus ihrem Erstgeborenen"; Maier gleicht allerdings hier an Zeile 11 an, wo von einem zweiten Erstgeborenen die Rede ist (vgl. Maier, 1995, S.68, Anm.204).

[123] In der letzten detaillierten Untersuchung dieses Psalms im Vergleich zu Apk.Joh.12 von Gollinger, 1971, wurde diese Deutung von der parallelen Schwangerschaft bzw. der parallelen Geburt opponierender Gestalten nicht vertreten (vgl. dort S.142f.). A. Y. Collins, 1976, S.68, und in neuerer Zeit besonders Garcia Martinez, 1992, S.175ff. (1QH3 als Vergleichstext zu 4Q246) erkennen eine Opposition an, übersetzen allerdings אֶפְעֶה mit "Viper"; vgl. hierzu Maier, 1995, S.69, Anm.216; da hier eine "Essenergemeinschaft" als Hintergrund des Textes angenommen wird, wird die Wahn-Schwangere nicht als Geburt des Antimessias, sondern der gegnerischen Gemeinschaft verstanden.

[124] פֶּלֶא יוֹעֵץ עִם גְּבוּרָתוֹ (Lohse, ebd.). Maier, 1995, S.68, Anm.212f. lehnt einen Bezug zu Jes.9,1 ab; Lohse dagegen übersetzte noch a.a.O., S.121: "Wunder von Ratgeber mit seiner Heldenkraft", was den Bezug zu Jes.9,1 noch sinnfälliger macht.

[125] S.u., Teil IV, 7, S.186f.

[126] Ist diese Interpretation, bei der das Bild der Wehen auf die Situation der Gemeinde bezogen wird, richtig, so richtet sich Johannes damit gegen eine andere Tradition, in der die Verbindung "schwere Geburt" und "Gemeinde Israel" gerade abgelehnt wird. Es handelt sich also um die Rezeption einer Tradition mit gegenläufiger Tendenz. Als traditionsgeschichtliche Anknüpfungspunkte können hierfür einerseits Jes.66,7 LXX angeführt werden (πρὶν ἢ τὴν ὠδίνουσαν τεκεῖν, πρὶν ἐλθεῖν τὸν πόνον τῶν ὠδίνων, ἐξέφυγεν καὶ ἔτεκεν ἄρσεν), andererseits Jes.54,1-3 LXX:

Gemeinde ab. Dies wird auch ähnlich bei einem Bericht Eusebs in h.e.5,1,49 über lugdunensische Märtyrer gesehen. Ein gewisser Alexander aus Phrygien muntert die vor dem Richterstuhl Stehenden durch Zuwinken zum Bekenntnis auf und kommt diesen darum wie ein Kreißender vor.[127] Diese Metapher ist offensichtlich dadurch begründet, daß dieser Alexander in Anbetracht von Tod und Märtyrium neue Christen schafft. Auch hier bildet "ὠδίνειν" die besondere Situation der Bedrängnis ab.

Conclusio: Gegen die ältere Forschung ist die Deutung der Himmelsfrau als "Kirche", die sich auf einzelne Elemente ihrer Ausstattung bezieht (12 Sterne/Bild einer "Frau"), nicht erweisbar. Statt dessen wird man sich bei einer Interpretation der Himmelsfrau auf die Gesamtheit der Elemente stützen müssen. Einziger Anhaltspunkt für eine Interpretation der Frau als "Volk Gottes" bleibt dann ihre genealogische Verknüpfung in V.17 mit der Gemeinde. Interpretiert man somit das "große Zeichen" aus der Perspektive der Adressaten der Apk.Joh. (V.17), dann ergibt sich folgendes Bild:

In Apk.Joh.12 wird die Situation der Gemeinde (V.17) durch mythische Geschehnisse begründet, die sich im Himmel abgespielt haben und in deren Folge es zu einer Verfolgung der Gemeinde gekommen ist. Die Bildelemente, die den Auftakt zu diesen Geschehnissen darstellen, weisen auf deren große Bedeutung (astrale Elemente) und deren Schmerzhaftigkeit (die "Wehen") hin. Dies konnte durch Vergleich mit anderen Texten ermittelt werden: Die astrale Einkleidung der Frau als Hoheitszeichen ist belegbar (z.B. Test.Abr.7), ebenso wie die

---

(Εὐφράνθητι, στεῖρα ἡ οὐ τίκτουσα, ῥῆξον καὶ βόησον, ἡ οὐκ ὠδίνουσα, ὅτι πολλὰ τὰ τέκνα τῆς ἐρήμου μᾶλλον ἢ τῆς ἐχούσης τὸν ἄνδρα, εἶπεν γὰρ κύριος. (V3) ....καὶ τὸ σπέρμα σου ἔθνη κληρονομήσει, καὶ πόλεις ἠρημωμένας κατοικιεῖς). Gerade letztere Stelle, bei der es um ein Volk geht, das gerade nicht aus einer schwangeren Frau kommt, wird im frühen Christentum breit rezipiert: Paulus in Gal.4,27 und Justinus Martyr in 1.Apol.53,5f beziehen sie unter dem Stichwort "zahlreich sein" auf die christlichen Gemeinden, auch in 2Clem.2 und Ep.Ap.(kopt.)33 wird sie auf die christl. Kirche bezogen. (anders: Apk.Bar.(syr.) 10,3: auf die Not der Endzeit bezogen); in bBerak.10a geht es in diesem Zusammenhang um den Gegensatz Israel - Minim: "[Die Worte:] Unfruchtbare, die nicht geboren, sind also zu verstehen: Juble, Gemeinde Jisrael, die einer unfruchtbaren Frau gleicht, die nicht, wie ihr (sc.: die Minim), Kinder für das Fegefeuer geboren hat." (Goldschmidt I, S.39); vgl. zur Rezeption von Jes.54,1-3 Frank, 1975, S.195-210. Zur Freude der Unfruchtbaren vgl. Sap.Sal.3,13; Lk.23,29; Ev.Thom., Lg.79; Apk.Bar.(syr) 10,14f.; Apk.Elia (kopt.) 28,9ff.

[127] "... προτρέπων αὐτοὺς πρὸς τὴν ὁμολογίαν, φανερὸς ἦν τοῖς περιεστηκόσι τὸ βῆμα ὥσπερ ὠδίνων" (SC 41, S.19); vgl. hierzu auch 5.1.45: diejenigen "lapsi", die wieder Mut zum Bekenntnis finden, werden als Totgeburten der jungfräulichen Mutter (= der Kiche) bezeichnet, die nun wieder ihr Leben erhalten.

Wehen einer Frau als Symbol für die Not der Gemeinde (1QH3). Die Himmelsfrau ist nach dieser Deutung in den Farben der beiden bedeutendsten Merkmale
der Gemeinde gemalt, nämlich deren Hoheit und Bedrängnis. Die Deutung der
Frau als "Volk Gottes" selbst kann nicht aus dem Bildelementen ermittelt werden, sondern nur aus V.17 (s.u., S.186f.).

Zeichnen die Bildelemente der Frau in Apk.Joh.12 die Gemeinde nach, so
liegt es nahe, die Bildelemente des Drachen in Apk.Joh.12,3f. als mythische
Charakterisierung des Verfolgers zu interpretieren. Diesen wollen wir uns nun
zuwenden.

1.2. Die Bildelemente des Drachen

Ähnlich der Ausstattung der Himmelsfrau, lassen sich für die Bildelemente des
Drachen aus weiten Bereichen der Antike Parallelen aufweisen.[128] Dabei sind
die ersten beiden Attribute des Tieres (feurig, siebenköpfig) geläufige
Ausgestaltungen antiker Drachen:
- "πυρρός":[129] Bei Philo von Byblos ist der Drache das luft- und feuerähnlichste
  aller Tiere.[130] Typhon ist nach Plutarch, De Iside, rot.[131] In Sib.8,88 ist von
  einem "πορφύρεος δράκων" die Rede.

---

[128] Die letzte Darstellung religionsgeschichtlicher Analogien zum Thema stammt von
A. Y. Collins, 1976, S.76-79, die alttestamentliche, ugaritische, akkadische, griechische und ägyptische Parallelen für die Charakterisierung des Drachen als "chaos-
monster" sammelte. Zur Darstellung der einzelnen Attribute des Drachen: vgl. Gollinger, 1971, S-92-95.

[129] Πυρρός ist als LXX - Übersetzung des alttestamentlichen אדם auch zur Darstellung
des feuerroten Pferdes in Apk.Joh.6,4 (als Reminiszenz an Sach.1,8) gebraucht; vgl.
hierzu Lang, Art. "πυρρός", in: ThWNT VI, 1959, S.952f.

[130] Philo v. Byblos (in Euseb, P.E.1,10,46; zitiert nach Jacoby, FGH 3 C, 1958, S.814):
"τὴν μὲν οὖν τοῦ δράκοντος φύσιν καὶ τῶν ὄφεων αὐτὸς ἐξεθείασεν ὁ Τάαυτος
... πνευματικώτατον γὰρ τὸ ζῷον πάντων τῶν ἑρπετῶν καὶ πυρῶδες ὑπ' αὐτοῦ
παρεδόθη ..."; zur feuerroten Farbe des Drachen vgl. weiterhin die "rotglänzende
Schlange" musrussu, dargest. bei Schrader, 1902³, S.503; 512.

[131] Plut., Is. 22 (Moral. 359E: "ἱστοροῦσι γὰρ Αἰγύπτιοι ... τὸν δὲ Τυφῶνα τῇ χρόᾳ
πυρρόν" (LCL 306, S.54). Diese gängige Ausmalung eines Drachen steht m.E. eher
im Hintergrund von Apk.Joh.12,3 als die konkrete Reminiszenz auf Jes.14,29 (vgl.
Kraft, ebd.; Lohse, 1988¹⁴, S.71). Dort ist das Drachenattribut "feurig" nur in der
masoretischen Lesart überliefert und in der LXX nicht aufgenommen worden. Da
der Autor der Apk.Joh. sich jedoch, wie an anderen Stellen deutlich geworden ist

61

- sieben Köpfe: Die Vorstellung von Drachengestalten mit mehreren Köpfen ist vielfältig belegbar.[132] Sieben Köpfe haben die Ungeheuer in: Test.Abr.(Rec.A), 17: "καὶ ἐπέδειξεν τῷ ᾿Αβραάμ κεφαλὰς δρακόντων πυρίνους ἑπτά";[133] Pist.Soph.66: "eine (sc. Emanation) von ihnen verwandelte sich in eine Gestalt (μορφή) einer großen Schlange, eine andere wiederum verwandelte sich in eine Gestalt (μορφή) eines Basilisken, der sieben Köpfe hat, eine andere wiederum verwandelte sich in eine Gestalt (μορφή) eines Drachen (δράκων)";[134] Od.Sal.22,5: "er, welcher durch meine Hände den siebenköpfigen Drachen stürzte";[135] bQid. 29b: "[Der Dämon] erschien ihm (sc. Rabbi Abajje) dann als Drache mit sieben Köpfen...";[136] Ginza li,852f.: "Ein böser Drache ist er (sc. der Körper), der sieben Köpfe hat. Sieben Köpfe hat er, er ist ohne Verstand und Sinn".[137]

Die Elemente "feuerrot" und "siebenköpfig" erschließen uns das "ἄλλο σημεῖον" (V.3) als mythologischen Drachen, wie er im zeitgenössischen Umfeld gängigerweise dargestellt wurde. Die weitere Darstellung des Drachen mit 10 Hörnern konkretisiert den Drachen, denn sie kann mit der des "Tieres aus dem Meer" (Apk.Joh.13,1) und dem Tier der Dirne (Apk.Joh.17,3) als

---

(vgl. die Diskussion um die Rezeption von Ps.2,9 in V.5), nach der LXX richtet, erscheint mir ein Rückgriff auf diese masoretische Lesart als nicht wahrscheinlich. - Die Deutung von "πυρρός" als gängiges Motiv bei der antiken Zeichnung von Drachen sollte auch vor eher allegorisierenden Deutungen, etwa als Hinweis auf den mörderischen Charakter des Drachen (vgl. Bousset, 1906[6] [1896], S.337; Mounce, 1977, S.237; Lohse, 1988[14], S.71; Roloff, 1987[2], S.127; dies ist schon in der altkirchl. Auslegung vorbereitet, vgl. Ambrosius, Expositio in Apocal.12,3 in: Migne PL 17, Sp.959: color mortis) oder als verbreitetes Bild für böse Machthaber (vgl. Sickenberger, 1940, S.115) bevorzugt werden.

[132] Vgl. Ps.73,14 LXX: "σὺ συνέθλασας τὰς κεφαλὰς τοῦ δράκοντος..." (Mehrzahl!); von einem zweiköpfigen Drachen berichtet Athenagoras, Apol.18 bei der Darstellung der Kosmogonie des Orpheus; auch Berossos berichtet von einem zweiköpfigen Wesen im Roten Meer (vgl. Jacoby, Frgm.Hist. 3C, S.369). Ein Drache mit drei Köpfen kommt vor in Test.Abr. (Rec.A), 17,27 (Zählung nach James, 1892, S.99): "Ἔδειξεν ... δράκοντα τρικέφαλον φοβερόν ..."; Test.Sal.12 (McCown, 1922, S.41): "καὶ ἦλθε πρὸ προσώπου μου δράκων τρικέφαλος φοβερόχροος"; ein hundertköpfiger Drache ist Typhon nach Hygin, Fab.152.

[133] James, 1892, S.99; im Paralleltext der Rec.B hat der Tod zwei Köpfe, deren erster wie ein Drache aussieht; vgl. die Synopse der beiden Rezensionen von Janssen, JSHRZ 3,2, 1975, S.247.

[134] Schmidt, 1925, S.101; vgl. auch Schmidt/MacDermot, 1978, S.137.

[135] Lattke, 1995, S.160. Die koptische Version lautet (a.a.O., S.161): "der, welcher die siebenköpfige Schlange mit meinen Händen erschlagen hat...", die Verson aus Pist.Soph.71 (Lattke, 1979, S.137): "Und du hast die Basiliskenschlange erschlagen - den (sc. Basil.) von 7 Köpfen ...".

[136] Goldschmidt VI, S.603.

[137] Lidzbarski, 1925, S.520.

Reminiszenz zu Dan.7,7 interpretiert werden: "εἶχε δὲ κέρατα δέκα" (Theodotion - Übersetzung: "καὶ κέρατα δέκα αὐτῷ"). Damit wird der Drache von Apk.Joh.12,3 mit den Farben des schrecklichen vierten Tieres aus dem Buch Daniel gemalt und wird dadurch an die prophetische Weissagung geknüpft.[138] Die Hörner des Tieres symbolisieren ähnlich den Diademen, die allgemein Symbole der Königswürde sind,[139] die Macht des Tieres.[140]

Es bleibt noch das Element von V.4 "καὶ ἡ οὐρὰ αὐτοῦ σύρει τὸ τρίτον τῶν ἀστέρων τοῦ οὐρανοῦ καὶ ἔβαλεν αὐτοὺς εἰς τὴν γῆν" zu klären. Dies wird in der Forschung zumeist als Reminiszenz zu Dan.8,10 gedeutet;[141] dort wirft das zuletzt gewachsene Horn des Ziegenbockes als Zeichen seiner Macht einige Sterne des Himmels auf die Erde. Eine diesbezügliche Anspielung liegt sicher motivgeschichtlich nahe. Auch die eschatologische Stoßrichtung ist durchaus mit Apk.Joh.12 vergleichbar.[142] Weiterhin ist die Verbindung vom endzeitlichen Fall der Sterne, der mit dem Auftreten eines Drachen verbunden ist, unabhängig von Apk.Joh.12 nachweisbar. In der "Paraphrase des Seem" (NHC VII,1) ist in 44,30-45,32 eine kleine Apokalypse eingefügt, die die

---

[138] Als Zeuge für die Bekanntheit des vierten Tieres der Menschensohnvision kann 4 Esra 12,11 angeführt werden; dort wird der Inhalt dieser Vision als bekannt vorausgesetzt.

[139] Vgl. Fitzer, Art. "σύνδεσμος", ThWNT VII, S.854, Anm.1; Aus den vielfältigen Belegen für Diademe als Zeichen der Herrschaft seien als Beispiele genannt: Jos.As.29,8f.; in Apk.Hen.(hebr.)18,3: Abnehmen der "Krone der Königsherrschaft" als Zeichen der Unterwürfigkeit, vgl. Test.Abr.7, Rec.A.

[140] Diese These ist in der Forschung weithin anerkannt, vgl. Hughes, 1990, S.136; anders U. Müller, 1984, S.234 (Gefährlichkeit der Gestalt). Für das Horn als Zeichen von Macht: vgl. Ps.-Philo, LAB 51,3.6; Apk.Hen.(äth.) 90,9ff.

[141] Vgl. Bousset, 1906⁶, (1896), S.337; Charles, 1920, S.319; Zahn, 1926, S.435, Anm.2; Sickenberger, 1940, S.115; Wikenhauser, 1947, S.83; Lohmeyer, 1953² (1926), S.99; Gollinger, 1971, S.96; Lohse, 1988¹⁴ (1960), S.71; Kraft, 1974, S.165; Mounce, 1977, S.237); U.Müller, 1984, S.234; Giesen, 1986, S.97f.; andere Interpretationen: Gunkel, 1895, S.387f.: Grundlage dieser Notiz sei ein ätiologischer Mythos aus Babylon, nach dem man die Lücke im Sternenhimmel zu erklären sucht. Auch Boll, 1914, S.104, bezieht die Notiz in Apk.Joh.12,4a nicht auf Dan.8,10, sondern auf einen allgemeinen Topos vom Weltuntergang. In der neueren Forschung bestreiten eine Reminiszenz an Dan.8,10: A. Y. Collins, 1976, S.76-79 (mit Gunkel: es liegt hier ein älterer Traditionsteil vor); Hughes, 1990, S.136 (die Notiz vom Herabfegen der Sterne beziehe sich auf die Engel, die sich dem Satan angeschlossen haben; dabei kein Verweis auf Origenes, Com.in Mt.24, der die gleiche Meinung vertrat!); Court, 1979, S.114 erkennt in dem Motiv V.4a einen ironischen Zug, da der Drache seinen eigenen Fall antizipiere.

[142] Ein ähnliches Motiv mit eschatologischer Ausrichtung findet sich auch in Apk.Hen.(äth.) 83,3f.: (ich sah) "in der Vision den Himmel zusammenstürzen, fortgerissen werden und auf die Erde fallen" (Uhlig, 1984, S.675).

Tradition vom Antichrist aufnimmt: Ein Dämon wird aus einem Drachen entstehen, Wunder tun und über die ganze Welt herrschen:

> "Dann (τότε) wird eine letzte Zeit (καιρός) für die Natur (φύσις) kommen. Und die Sterne werden den Himmel verlassen".[143]

Der kosmische Fall der Sterne vom Himmel ist hier durch das Auftreten eines Drachen-Dämon bedingt. In diesem Zusammenhang kann auch ein kurzes apokalyptisches Stück der "Epistula Apostolorum" herangezogen werden:

> Ep.Ap.34:[144] "Und er (sc. Jesus) sprach zu uns (sc. den Jüngern): `Da werden die Gläubigen und auch die, welche nicht glauben werden, ein Horn am Himmel sehen und das Gesicht großer Sterne, die, während es Tag ist, sichtbar sind, und einen Drachen ..., indem er vom Himmel bis zur Erde reicht und indem Sterne, die wie Feuer sind, herabfallen und große Hagelschlossen von starkem Feuer, und wie Sonne und Mond miteinander streiten, und beständig der Schrecken von Donner und Blitzen, Donnerkrachen und Erdbeben, wie Städte einstürzen und bei ihrer Zerstörung Menschen sterben, ...'".

Auch hier ist das eschatologische Auftreten eines Drachen mit dem Fall der Sterne verbunden. Der Drache wirft in Ep.Ap.34 zwar nicht die Sterne herab, doch ist die Vision eines Drachen mit dem endzeitlichen Sternenfall verbunden.

Man kann somit mit Berufung auf Dan.8,10, Paraphr.Seem und Ep.Ap.34 auf eine feste Tradition schließen, bei der ein endzeitlicher Fall der Sterne und das Auftreten eines Drachen verbunden werden. In diesem Sinne ist der Sternenfall auch in Apk.Joh.12 rezipiert. Doch schafft der in Apk.Joh.12,4 auftretende Schwanz des Drachen weitere Interpretationsprobleme; im Rahmen dieser oben dargestellten Tradition ist er sicherlich redaktionell.

Sein Vorkommen erschließt sich jedoch, wenn wir die Beschreibung des Drachen als Parallelgestaltung zur Beschreibung der Frau interpretieren. Letztere ist, wie oben belegt wurde, im durchaus gängigen Muster "Gewand - Kopf - Füße" dargestellt.[145] Die Blickrichtung der Ausgestaltung erstreckt sich vom Leib zum Kopf und dann hinab zu den Füßen. Dies ist beim Drachen genau gleich: Seine feurige Farbe ist zum leuchtenden Gewand der Frau parallel und

---

[143] Krause, in: Altheim/Stiehl II, 1973, S.97; zur "Paraphrase des Seem" vgl. Pearson, 1996, S.17-23 bzw. S.119 (engl. Übersetzung des oben zitierten Teils).

[144] Der folgende Text wird nach der kopt. Zählung zitiert nach Duensing, in: Schneemelcher I, 1990⁶, S.224. Die Datierung von Ep.Ap. wird meist mit Berufung auf das Parusiedatum in Kap.17 auf Mitte 2. Jahrhundert angesetzt (vgl. a.a.O., S.207). Zum Entstehungsort vgl. die Diskussion bei Hornschuh, 1965, S.99-116; Ergänzungen aus jüngerer Zeit bei C.D.G. Müller, in: Schneemelcher I, 1990⁶, S.206f.

[145] S.o.,S.50ff.

seine sieben Köpfe und zehn Diademe ihrer Sternenkrone. Des Drachen letztes Bildelement, der sternefegende Schwanz, ist als kompositorische Parallele zu den Füßen der Frau zu sehen.

Conclusio: Das Herabfegen der Sterne ist ein Bildelement, das im Rahmen einer tradierten Verbindung vom endzeitlichen Sternenfall und dem Auftreten eines Drachen zu lesen ist. Der "Drachenschwanz" ist eine kompositorische Parallele zu den Füßen der Frau.

Interessant ist die Rezeption dieser Notiz in der weiteren Kirchengeschichte. Irenäus von Lyon gebraucht in a.h.2,31,3 das Bild vom Drachen, der die Sterne vom Himmel fegt, im Rahmen der Ketzerpolemik. Der die Sterne herabfegende Drachenschwanz ist hier als Bild für Betrügereien der Häretiker gebraucht.[146] In der kleinasiatischen "Passio Pionii" ist das Bild aus Apk.Joh.12,4 im Kontext der Verfolgung der Gemeinde benutzt worden: Kostbares wird unwürdig behandelt.[147] Aus dem Apokalypsekommentar Victorins (gest.304) geht hervor, daß sich eine kontroverse Diskussion um die Notiz vom sternefegenden Drachenschwanz entfaltet hat; sind mit den vom Drachen herabgeworfenen Sternen Gläubige oder böse Engel gemeint?

> "Was er aber sagt, daß der Schwanz des Drachen den dritten Teil der Sterne fegt, so wird dies zweifach angenommen (verstanden). Viele nämlich sind der Meinung, daß er den dritten Teil der gläubigen Menschen verführen kann; aber als wahrscheinlicher ist damit (der dritte Teil) der ihm untergebenen Engel zu verstehen, da er bis zu dieser Zeit ihr Fürst ist, als er `herabstieg von der Ordnung´".[148]

Zusammenfassung zu den Bildelementen des Drachen: Mit seinen Bildelementen wird der Drache in doppelter Weise gezeichnet. Zum einen durch die rote Farbe und die sieben Köpfe als Untier, ganz im Rahmen gängiger Beschreibungen antiker Drachen. Zum anderen, mit den Hörnern und Diademen, als Machtträger. Diese Darstellung ist parallel zur Charakterisierung der Frau zu sehen: während diese mit himmlischen Attributen der "δόξα" vorgeführt wird, ist der Drache mit den Elementen irdischer Macht bezeichnet.[149] Zusätzlich

---

[146] Zum Text und seiner theologiegeschichtl. Einordnung vgl. Teil VI,3.1.2, S.215f.
[147] Zum Text vgl. Teil VI, 2.4, S.208f.
[148] "Quod autem dicit draconis caudam traxisse tertiam partem stellarum, bifarie hoc accipitur. multi autem hoc arbitrantur, tertiam partem hominum credentium posse eum seducere; sed quod uerius intellegi debet, angelorum sibi subditorum, cum adhuc princeps esset, cum `descenderet a constitutione´". (Ed. Victorini, CSEL 49, S.116).
[149] So besonders nach Ps.-Philo, LAB 51,3.6.

lassen die zehn Hörner und das Herabfegen der Sterne Anspielungen auf die Visionen des Danielbuches erkennen. Der Verfolger der Frau wird somit als mächtiges Untier gezeichnet, von dem schon bei Daniel die Rede war.

1.3. Analyse der Handlungssequenz

Bei der folgenden Besprechung der ersten größeren Handlungssequenz soll nochmals auf die methodischen Reflexionen in Teil I verwiesen werden. Wie in Teil I, 2.1 dargestellt, kann ein Textvergleich anhand thematischer Ähnlichkeit erfolgen. Der Vergleich von Past.Herm., Vis.IV mit Apk.Joh.12 ist ein Beispiel hierfür.

Geraten jedoch - beim traditions- oder religionsgeschichtlichen Vergleich - die rhematischen Elemente des Ausgangstextes ins Blickfeld, so gibt dessen Handlungssequenz die Kriterien für eine Engführung der Vergleichselemente an: Apk.Joh.12,1-6 schildert die Nachstellung einer kreißenden Heilsfigur und ihres Kindes durch einen Widersacher. Für diese Handlungssequenz sind enge Parallelen aus dem jüdisch-christlichen und aus dem paganen Traditionsraum aufweisbar.

Wenn im folgenden diese Parallelen besprochen werden, so soll die Orientierung an den Ausgangstext in Apk.Joh.12 stets im Vordergrund stehen. Anders gesagt: Es geht nicht allein um die Bedrohung eines jungen Gottes, sondern darum, daß dieser schon im Mutterleib bedroht wird. Es geht weiterhin nicht nur um die Verfolgung einer Göttin, sondern darum, daß eine Göttin im Zusammenhang mit ihrer aktuellen Geburt verfolgt wird.

Erst wenn mit dieser durch den Ausgangstext vorgegebenen Verengung Parallelen gefunden werden, könnte man eine traditions- oder religionsgeschichtliche Abhängigkeit postulieren (beispielsweise bei dem Vergleich von Apk.Joh.12 mit Test.Jos.19).

1.3.1. Thematischer und Traditionsgeschichtlicher Vergleich

1.3.1.1. Bedrohung der Gemeinde durch ein Untier: Past.Herm., Vis.IV

Past.Herm., Vis.IV ist mit Apk.Joh.12 aufgrund einer ähnlichen Thematik vergleichbar. Es geht um die Verfolgung der Gemeinde, die demnächst akut werden wird. Die konkrete Ausgestaltung des Themas erfolgt jedoch mit Rückgriff auf völlig differentes Bildmaterial: Past.Herm., Vis.IV erzählt dies nicht mit dem Bild einer kreißenden Frau, die durch einen Drachen verfolgt wird, sondern mit dem einer Jungfrau, die durch ein Untier bedroht wird.[150] Der Autor wird als Repräsentant eines gläubigen Christen zuerst mit diesem feindlichen Untier (der kommenden Bedrängnis) konfrontiert. Durch die Hilfe eines Engels geschieht ihm jedoch nichts. Seine anschließende Begegnung mit der als Jungfrau allegorisierten Kirche weist auf die kommende Bedrängnis der Kirche hin, die der Visionär schon überwunden hat. Soweit ist die Thematik durchaus mit Apk.Joh.12 vergleichbar: kommende Verfolgung, dargestellt durch ein Untier, Allegorie der Kirche, Hilfe durch Engel und visionäre Vorwegnahme der Überwindung des Bösen.

Völlig unabhängig von Apk.Joh.12 ist jedoch die bildhafte Ausgestaltung dieser Handlung. Das Untier wird nicht mit Rückgriff auf Dan.7, sondern auf die Vierfarben-Tradition aus Sach.1 bzw. Sach.6 dargestellt.[151] Trotz gleichen Ausgestaltungsschemas der Frau (Kopf-Leib-Füße) sind keine astralen Elemente verwendet worden, sondern der Verfasser bedient sich der Brautsymbolik. Die Vorwegnahme der Überwindung des Tieres ist nicht im Schema "himmlisches Geschehen und irdischer Vollzug" dargestellt, sondern literarisch durch die spätere Begegnung des Visionärs mit der "Kirche" vermittelt: Nachdem dieser schon unbeschadet am Tier vorbeigekommen ist, muß dies die Frau in naher Zukunft erst noch tun.

In Past.Herm., Vis.IV liegt demnach eine von Apk.Joh.12 unabhängige Paralleltradition vor. Wie Brox (1991) z.B. am Verhältnis des Past.Herm. zum Jakobusbrief verdeutlicht hatte, beruhen die deutlichen Überschneidungen der

---

[150] Zu Past.Herm., Vis.IV vgl. Dibelius, 1923, S.482ff.; Brox, 1991, S.160ff. (Überblick über die neuere Forschungsgeschichte).

[151] Vgl. Dibelius, 1923, S.484: "Es handelt sich offenbar um die alte Vierfarben-Tradition, die sich bei den verschiedensten Völkern findet, aus Sach 1_8 6_1 ff. Apc 6_1ff...".

beiden frühchristlichen Schriften weniger auf gegenseitiger Benutzung, sondern eher auf gemeinsamer Überlieferung.[152] So dürfte auch das Verhältnis von Past.Herm. zur Apk.Joh. zu bestimmen sein, wie es anhand der Texte Past.Herm., Vis.IV und Apk.Joh.12 deutlich wird. Verwandtschaft aufgrund eines apokalyptischen Milieus bzw. aufgrund der gleichen Prolematik besteht durchaus, doch hat der Verfasser sicherlich nicht auf Apk.Joh.12 zurückgegriffen, sondern eine ähnliche Thematik unabhängig und auf seine Weise ausgestaltet.[153] Der thematische Vergleich zeigt, daß das Thema "Bedrohung der Gemeinde durch ein Untier" zur Zeit des frühen Christentums unabhängig von Apk.Joh.12 erzählerisch entfaltet wurde.

1.3.1.2. Bedrohung und Rettung eines Neugeborenen: Test.Jos.19

Die Bedrohung und Errettung eines Neugeborenen ist ein bekanntes Motiv in der jüdisch - frühchristlichen Tradition, zu dem sich mehrere Texte für einen thematischen Vergleich anbieten. Hier ist zu erinnern an die Geschichte von 2Reg.11,1-3[154] oder an die bekannte Kindheitsgeschichte von Mose in Ex.2, die auch - in zeitgenössischer Interpretation - für die Kindheitslegende Jesu nach Mt.2 Pate gestanden haben dürfte.

Doch geht es im Unterschied hierzu nicht um ein bedrohtes Neugeborenes, sondern um die Geburt eines Kindes selbst, das dabei von einem Widersacher bedroht wird. Ein Anknüpfungspunkt hier ist die Vorstellung, daß sich bei der Geburt Dämonen bei der Gebärenden aufhalten, wie wir es etwa in Num.R 5,1 zu Num.5,3 finden:

> "Eine Frau war des Nachts niedergekommen und sprach zu ihrem Sohn: Geh zünde ein Licht an, ich will dir deine Nabelschnur abschneiden. Er ging und zündete ein Licht an, da begegnete ihm der Hauptanführer der bösen Geister und während sie miteinander zu thun hatten, krähte der Hahn. Geh, erzähle es deiner Mutter, sagte der Dämon, und sage ihr, wenn nicht der Hahn gekräht hätte, hätte ich dich umgebracht. Geh erzähle es deiner Großmutter, sagte die Mutter, dass meine Mutter meine Nabelschnur nicht abgeschnitten hat, denn hätte sie es gethan, so hätte es dir das Leben gekostet ...".[155]

---

[152] Vgl. Brox, 1991, S.46-49.
[153] Vgl. Brox, 1991, S.161f.; le Frois, 1954, S.13f.
[154] Dies schlugen vor Farrer, 1964, S.141 und Bruns, 1964, S.460f.
[155] Wünsche, 1884, S.31f. Zu Dämonen bei einer Gebärenden: vgl. Apk.Hen.(äth.) 69,12: (der 5. gefallene Engel, Kasdeja, lehrt die Menschen allerlei böse Schläge, darunter auch:) "die Schläge des Embryo im Mutterleib, daß er abgehe..."; Palladi-

Bei der Geburt dieses männlichen Kindes sind Dämonen anwesend, und nur durch das Krähen des Hahnes bzw. die Verbindung zur Mutter (Nabelschnur) wird das Neugeborene von der Bedrohung gerettet.

Ein wichtiger Vergleichstext zu Apk.Joh.12 handelt von einem messianischen Kind, das bei seiner Geburt von Tieren bedroht wird: Test.Jos.19

a) Analyse des Textes

> Test.Jos.19,8ff.:[156] "Und ich sah, daß aus Juda eine Jungfrau geboren wurde, die hatte einen leinernen Überwurf an; und aus ihr kam hervor ein unbeflecktes Lamm, und an seiner linken Seite war es wie ein Löwe. Und alle Tiere fielen es an und das Lamm besiegte sie und vernichtete sie, bis sie darniederlagen. 9 Und es freuten sich über es die Engel und die Menschen und die ganze Erde".

Bei Test.Jos.19,3ff. handelt es sich wahrscheinlich um eine christliche Interpolation in den Patriarchentestamenten. Eine Datierung ist nicht genau zu geben, man wird von der allgemeinen Datierung der Endgestalt der Test.XII. ausgehen müssen. Danach liegen die Test. XII um 200 n.Chr. als christliche Schrift vor.[157]

---

us, Laus.78 (Leben des Posidonius) "Eine schwangere Frau hatte einen unreinen Geist; als sie gebären sollte, litt sie furchtbare Wehen, weil der Geist ihr zusetzte. Als die Frau also von Dämonen besessen war, war ihr Mann da und rief den heiligen Poseidonios ..." ("Γυνή τις ἐγκύμων εἶχεν πνεῦμα ἀκαθάρτον, καὶ ἐν αὐτῷ τῷ μέλλειν τίκτειν αὐτὴν ἐδυστόκει, τοῦ πνεύματος αὐτὴν συντρίβοντος. Δαιμονιζομένης οὖν τῆς γυναικός, ὁ ἀνὴρ ταύτης ἐπέστη, καὶ παρεκάλει τὸν ἅγιον Ποσειδώνιος"; Migne PG 34, 1179D).

[156] Text von V.8-10 nach de Jonge, 1964, S.78 (dort wird die längere armen. Version von V.1f im krit. Apparat bei der Verszählung mitberücksichtigt): "8 Καὶ εἶδον, ὅτι ἐκ τοῦ Ἰούδα ἐγεννήθη παρθένος, ἔχουσα στολὴν βυσσίνην. καὶ ἐξ αὐτῆς προῆλθεν ἀμνὸς ἄμωμος, καὶ ἐξ ἀριστερῶν αὐτοῦ, ὡς λέων. καὶ πάντα τὰ θηρία ὥρμουν κατ' αὐτοῦ, καὶ ἐνίκησεν αὐτὰ ὁ ἀμνός, καὶ ἀπώλεσεν εἰς καταπάτησιν. 9 Καὶ ἔχαιρον ἐπ' αὐτῷ οἱ ἄγγελοι, καὶ οἱ ἄνθρωποι, καὶ πᾶσα ἡ γῆ". Zur Auslegung vgl. Koch, 1966; Jeremias, 1966; Murmelstein, 1967; Becker, 1974, S.129f; Hollander/de Jonge, 1985, S.407-409.

[157] Bei der Datierung von Test.Jos. wird man als Terminus a quo mit Jervell, 1969, S.54, die Tempelzerstörung 70 n.Chr. annehmen können. Als Terminus ad quem ist Origenes, Hom. in Jos.15,6 (PG 12,1, 435: "...(libellum), qui appellatur testamentum duodecim patriarchorum, quamvis non habeatur in canone...") anzusetzen. Diese Schrift des Origenes ist während der decischen Verfolgung (249-252n.Chr.) entstanden (vgl. Bardenhewer, 1914², S.129). Zur genaueren Datierung grenzte zunächst M. de Jonge die Entstehung der Test.XII in ders., 1953, S.125, aufgrund der Nähe zu Hippolyt, Irenäus und Tertullian zwischen 190 und 225 n.Chr. ein, datierte aber in ders., 1959, S.556, wegen der Nähe zu Past.Herm. früher auf 190 und nimmt heute eine Entstehung der vorliegenden Form der Test.XII grob um 200 n.Chr. an (vgl. ders. in: ABD 5, S.183).

In Test. Jos.19 wird eine Vision Josephs über die letzte Zeit geschildert. Nach der kommenden Zerstreuung Israels (V.1f.) wird der Messias geboren, der zur Freude der Welt die Feinde besiegt. Die meistdiskutierte Fragestellung bei diesem Text dreht sich um die Herkunft der Traditionen in Test.Jos.19. Handelt es sich um jüdisches Traditionsgut, das später christlich umgedeutet wurde, oder um christliches? Charles ging von ersterem Modell aus und klammerte in seiner Textausgabe (1908) die christlichen Interpolationen der jüdischen Grundschrift ein; ebenso Koch (1966): Test.Jos.19 stehe im Zusammenhang mit einem Motiv aus dem antiken Judentum vom "Lamm, das Ägypten vernichtet"; dies sei in Tg.Ps.-Jonathan zu Ex.1,15 auf Mose, in Test.Jos.19 auf den Erlöser übertragen worden. Die Reaktionen herauf erfolgten prompt: Burchard nannte die Tradition vom "Lamm, das Ägypten vernichtet" im vorliegenden Zusammenhang ein exegetisches Mißverständnis;[158] Jeremias (1966) fand keinen Beleg, daß das antike Judentum den Erlöser als Lamm bezeichnet hätte und trat für eine komplett christliche Verfasserschaft von Test.Jos.19 ein.

Die Blickrichtung auf Ägypten, auf die Koch (1966) aufmerksam gemacht hatte, wurde von Murmelstein (1967) aufgegriffen, der mit einer Vielzahl von ägyptischen Parallelen zu zeigen versuchte, daß die ägyptischen Motive der armenischen Fassung von Test.Jos.19 von einem christlichen Interpolator der griechischen Fassung ausgemerzt worden seien.

Bei der traditionsgeschichtlichen Einordnung von Test.Jos.19 soll hier ein anderer Weg beschritten werden:

1. In Test.Jos.19 ist die Geburt des Messias mit der Überwindung der Widersacher verbunden. Diese Konzeption ist in mehreren frühchristlichen Texten nachweisbar. Als Beispiele seien genannt:

> Justin, Dial.78,9:[159] "Denn wenn Jesaja sagt (Jes.8,4): 'Er wird die Macht von Damaskus und die Beute von Samaria empfangen', so meinte er damit, daß die Macht des bösen Dämons, der in Damaskus haust, durch Christus gleichzeitig mit seiner Geburt besiegt wird".

> Act.Petr.7:[160] "Warum hat Gott seinen Sohn in die Welt gesandt, oder warum hat er (ihn) durch die Jungfrau Maria hervorgebracht, wenn er nicht

---

Ähnlich tendiert Becker, 1970, S.375f dazu, Test.Jos.19 aufgrund seiner Nähe zum Johanneischen Schrifttum (Lammeschristologie) ins 2. Jahrhundert zu datieren, weil das Ev.Joh. und die Joh.-Briefe erst um diese Zeit weitere Verbreitung fanden (vgl. auch Becker, 1974, S.23f).

[158] Burchard, 1966, S.220.

[159] "Καὶ γὰρ τὸ εἰπεῖν τὸν 'Ησαίαν· Λήψεται δύναμιν Δαμασκοῦ καὶ σκῦλα Σαμαρείας, τὴν τοῦ πονηροῦ δαίμονος, τοῦ ἐν Δαμασκῷ οἰκοῦντος, δύναμιν ἐσήμαινε νικηθήσεσθαι τῷ Χριστῷ ἅμα τῷ γεννηθῆναι" (Goodspeed, 1914).

irgendeine Gnade und einen Heilsweg schaffen wollte? Denn er wollte beseitigen alles Ärgernis, alle Unwissenheit und alle Macht des Teufels, (seine) Anschläge und Kräfte unwirksam machen, durch welche er einst die Oberhand hatte, bevor unser Gott in der Welt als Licht erstrahlte".

Ign.Eph.19:[161] "[1]Und es blieb dem Fürsten dieser Welt die Jungfrauschaft Marias und ihre Niederkunft verborgen, ebenso auch der Tod des Herrn - drei laut rufende Geheimnisse, die in Gottes Stille vollbracht wurden. [2]Wie wurden sie nun den Äonen offenbar? Ein Stern erstrahlte am Himmel, heller als alle Sterne, und sein Licht war unaussprechlich und seine Neuheit erregte Befremden; alle übrigen Sterne aber samt Sonne und Mond umgaben den Stern im Reigen, er selber übertraf durch sein Licht alle; und Verwirrung herrschte, woher die neue, ihnen ungleichartige Verwirrung wäre. [3]Die Folge war die Auflösung aller Zauberei und das Verschwinden jeglicher Fessel der Bosheit; die Unwissenheit wurde beseitigt, die alte Herrschaft ausgerottet, als Gott in Menschengestalt erschien zu neuem, ewigem Leben; seinen Anfang nahm, was bei Gott bereitet war. Von da an war alles zumal in Bewegung, weil die Vernichtung des Todes betrieben wurde".

Bei all diesen zitierten Texten ist die Geburt des Messias Voraussetzung für die Überwindung des Bösen. Dies ist ebenso in Test.Jos.19 der Fall.

2. Für Test.Jos.19 kann noch ein engerer traditionsgeschichtlicher Rahmen angegeben werden. These: Bei Test.Jos.19 handelt es sich um eine bestimmte Ausprägung der oben angegebenen Tradition (Geburt des Messias als Voraussetzung für die Überwindung des Widersachers), bei der die erzählerischen Elemente auf einer Ausgestaltung von Daviderzählungen beruhen. Als Seitenstück hierzu finden wir diese Tradition bei Hippolyt, "Erklärung über David und Goliath", Kap.11:

"Einige Schriften vermögen von dir (sc. David) Zeugnis zu geben, weil nämlich alles dies mit dir Geschehene nichts anderes ist, als er hat es (?) vorbildlich vorbereitet für ihre Herzen (so). Ich weiß, daß du weissagst und nicht lügst. Denn gekommen ist der wahrhaftige David. Er nämlich ward aus deiner Nachkommenschaft zuvor von der Jungfrau geboren; er weidete die Schafe seines Vaters und hat den Tod wie einen Löwen vernichtet und den Bären wie die Sünde dieser Welt losgekauft, und den Wolf, den Verführer, vertrieben und den wie ein Schaf getöteten Menschen auferweckt, und durch das Holz das Haupt der Schlange zerrieben und Adam aus dem Untersten das Hades wie ein getötetes Schaf vom Tode errettet".[162]

David, von einer Jungfrau geboren, weidet Schafe und vernichtet die Tiere, die als Widersacher dargestellt sind. Das Weiden der Schafe (vgl.1Sam.16,11), das hier zwischen die Geburt und die Vernichtung der Tiere eingefügt ist, kann

---

[160]   Schneemelcher II,1989[5], S.265.
[161]   Fischer, 1986[9], S.157.159.
[162]   Aus dem Georgischen übersetzt von Bonwetsch, TU 26,1, S.88.

durchaus in Test.Jos.19 mit dem Bild des Christus als Lamm umgeprägt sein.[163] Da hier von "einigen Schriften" die Rede ist, bezieht sich dieses Traditionsstück auf schon literarisch gefaßte Vorlagen.[164] Eine dieser Ausprägungen kann in Justin, Dial.45,4 vorliegen:

> "(Christus), der vor dem Lichtbringer und dem Monde war und der es zuließ, durch diese Jungfrau aus dem Geschlechte Davids geboren und fleischlich zu werden, damit durch diesen Heilsplan die Erzmissetäterin, die Schlange und die mit ihr (gesinnungs-)ähnlichen Engel niedergeschlagen werden ...".[165]

Daß der Messias hier im Unterschied zu Test.Jos.19 nicht aus Juda, sondern aus dem Geschlecht Davids geboren worden ist, ist für die Interpretation nicht relevant; schließlich wird Christus bei Justin nach Dial.43,1 aus dem Stamm Juda und aus Davids Geschlecht geboren. Wichtig ist, daß der Messias geboren wird und den als Tier dargestellten Widersacher ("Schlange" nach Gen.3) vernichtet. Die Notiz "aus dem Geschlecht Davids" zeigt die Verbindung zu oben genannter Davidtradition.

Ergebnis: Durch traditionsgeschichtlichen Vergleich mit anderen Texten konnte Test.Jos.19 in einen konkreten traditionsgeschichtlichen Rahmen gestellt werden. Es handelt sich dabei um eine bestimmte, mit Elementen der Daviderzählungen ausgestaltete Tradition, bei der die Geburt des Messias die Voraussetzung zur Überwindung des Bösen darstellt.

b) Vergleich mit Apk.Joh.12

Die folgende Analyse geht hier von der Endgestalt des vorliegenden Textes aus; dieser bietet überraschende Parallelen zu Apk.Joh.12:

---

[163] Das Lamm als Handlungsträger ist dann in Test.Jos.19 redaktionell; ein ähnlicher Vorgang könnte in Apk.Joh.5 vorliegen, wo das Lamm als Mittler für die folgenden Offenbarungen vorgestellt wird; im parallelen Bericht in Ps.-Apk.Joh.I, 3-5, wurde auf das Lamm verzichtet - dabei kann eine ältere Tradition (ohne Lamm) vorliegen. vgl. hierzu: Berger, 1991³, S.173.

[164] Ob eine dieser Vorlagen Test.Jos.19 selbst sein könnte, ist eine rein spekulative Annahme; Hippolyt kennt zwar Patriarchentraditionen, wie aus der "Erklärung über David und Goliath", Kap.3 hervorgeht: "Somit wer preist nicht die gerechten Patriarchen, die nicht nur das Wort im voraus weissagten, in betreff dessen, was geschehen sollte, sondern auch durch die Tat, was sich an Christus erfüllte, durch Leiden ergänzten" (Bonwetsch, TU 26,1, S.80), aber damit müssen nicht die Test.XII gemeint sein.

[165] (Christus,) "ὃς καὶ πρὸ ἑωσφόρου καὶ σελήνης ἦν, καὶ διὰ τῆς παρθένου ταύτης τῆς ἀπὸ τοῦ γένους τοῦ Δαυεὶδ γεννηθῆναι σαρκοποιηθεὶς ὑπέμεινεν, ἵνα διὰ τῆς οἰκονομίας ταύτης ὁ πονηρευσάμενος τὴν ἀρχὴν ὄφις καὶ οἱ ἐξομοιωθέντες αὐτῷ ἄγγελοι καταλυθῶσι" (Goodspeed, 1914, S.142f.).

Test.Jos.19	Apk.Joh.12
und aus Juda ging hervor	ein großes Zeichen erschien
eine Jungfrau (παρθένος)	am Himmel, eine Frau
die hatte an (ἐχουσα)	mit der Sonne bekleidet und
ein leinernes Gewand	den Mond unter ihren Füßen
(στολὴν βυσσίνην)	und auf ihrem Kopf eine
	Krone mit zwölf Sternen
und aus ihr ging hervor	und sie war schwanger und
	schrie beim Kreißen und litt
	große Qual beim Gebären
	Und ein großer, roter Drache
	erschien am Himmel, der sie-
	ben Köpfe und zehn Hörner
	hatte und auf seinen Köp-
	fen sieben Diademe...
(und alle Tiere fielen es an)	Und der Drache stellte sich
	vor die Frau, die im Begriff zu
	gebären war, um ihr Kind zu
	fressen, wenn sie es gebiert.
ein unbeflecktes Lamm,	Und sie gebar ein männliches
und zu seiner Linken war es wie	Kind, das soll alle Völker wei-
ein Löwe;	den mit eisernem Stabe
und alle Tiere fielen es an	
und das Lamm besiegte sie und	und ihr Kind wurde
vernichtete sie, daß sie zertreten wurden	weggenommen
	zu Gott und zu seinem Thron...
Darüber freuten sich die Engel und	Darum freut euch, ihr Himmel
die Menschen und die ganze Erde	und die ihr darin wohnt
	Weh aber der Erde und dem
	Meer, denn der Teufel ist zu
	euch herabgekommen, hat
	großen Zorn und weiß, daß er
	wenig Zeit hat.

Neben einer thematischen Ähnlichkeit sind hier auch Parallelen zu verzeichnen, mit denen das Thema behandelt wird. In beiden Texten wird eine Frau

vorgestellt, die mit Elementen charakterisiert wird, die sie als jüdische Hoheits-
figur erkennen lassen.

Diese Frau gebiert ein Kind, das als messianische Figur gekennzeichnet ist.

Dieses Kind wird bei seiner Geburt von tierhaften Widersachern bedroht; die
Bedrohungssituation wird abgewendet.

Dieser Vorgang wird von himmlischen und irdischen Wesen mit Interesse
aufgenommen.

Diese Strukturgleichheit läßt sich folgendermaßen darstellen.

Test. Jos. 19	*Apk.Joh. 12*
Frau als Jungfrau	Frau als Hoheitsfigur
Geburt eines Sohnes	Geburt eines Sohnes
messian. Charakterisierung	messian. Charakterisierung
des Kindes (Gen.49,9f.)	des Kindes (Ps.2,9)
Bedrohung des Kindes	Bedrohung des Kindes
Freude (narrativ)	Freude (adhortativ)

Test.Jos.19 stellt demnach eine wichtige Parallele zu Apk.Joh.12 dar, die auch
bei größeren Handlungssequenzen zum Vergleich herangezogen werden kann.
Der wichtigste inhaltliche Unterschied besteht in der Art, wie sich die Bedrohungssituation ändert. In Test.Jos.19 werden die Widersacher durch das Kind
besiegt. Dies schließt sich an die Tradition an, daß die Geburt des Messias die
Voraussetzung für die Überwindung der Widersacher darstellt.

In Apk.Joh.12 wird das Kind dem Widersacher durch Entrückung entzogen.
Durch dieses redaktionelle Konzept wird die Auseinandersetzung des Messias
mit dem Drachen auf den eschatologischen Endkampf in Apk.Joh.20 verscho-
ben. Der Grund dieser Verzögerung des Endkampfes wird in der unterschiedlichen Fassung der Schlußdoxologie deutlich: In Apk.Joh.12 sollen sich nur die
Himmel freuen, der Erde wird aber "Weh" verkündet. Somit dienen im Unterschied zu Test.Jos. die Geschehnisse in Apk.Joh.12 dazu, die Bedrängnisse der
Erde zu begründen.

Mit diesem traditionsgeschichtlichen Hintergrund wird ein Mechanismus
der Rezeption in Apk.Joh. erkennbar: Die Tradition von der Geburt des Messias als Überwindung des Widersachers wird aufgenommen: Christus wird geboren (V.5), im Anschluß daran wird der Drache in V.7-9 von Michael besiegt.
Doch wird diese Tradition dabei umgeprägt: der Drache wird lediglich auf die
Erde geworfen, wo er noch kurze Zeit sein Unwesen treiben kann. Der endgültige Sieg wird dann erst in Apk.Joh.20 geschildert. Als Skopus von Apk.Joh.12

ist das Böse trotz der Geburt des Messias und des anschließenden Sieges über den Drachen nicht vernichtet, sondern umso wirksamer. Es handelt sich also um eine Rezeption der Tradition mit gegenläufiger Tendenz (vgl. hierzu den methodischen Teil I, 2.2.1.b).

1.3.2. Religionsgeschichtlicher Vergleich

Der traditionsgeschichtliche Vergleich hat gezeigt, daß Apk.Joh.12 im Wirkungsbereich des AT nicht alleinstehend ist, sondern daß Texte mit ähnlichen Verknüpfungen von Traditionen existieren. Besonders wichtig war der Vergleich mit Test.Jos.19, einem Text, der die Abfolge von der Geburt des Messias, dessen messianischer Charakterisierung und seiner Bedrohung bei der Geburt parallel zu Apk.Joh.12 schildert.

Im folgenden geht es um entsprechende Vergleichstexte im paganen Bereich.

1.3.2.1. Der Isismythos

Seit 1896, dem Erscheinungsjahr des Apokalypsekommentars von W. Bousset, wurde die ägyptische Mythologie, besonders der Isis - Mythos zur Erklärung von Apk.Joh.12 fruchtbar gemacht. Bousset beruft sich bei der Darstellung seiner Quellen ausschließlich auf das acht Jahre zuvor erschienene Monumentalwerk des Ägyptologen Heinrich Brugsch, der die "Religion und Mythologie der alten Ägypter nach den Denkmälern" systematisch darzustellen versuchte.[166] Dabei werden von Bousset aus dem Gesamtschatz der von Brugsch skizzierten ägyptischen Mythologie einzelne Züge, jedoch keine größeren Handlungsabläufe, zum Vergleich herangezogen.[167] Als (angeblich) besonders aufschlußreiche Parallele wird ein Osirishymnus aus der 18. ägyptischen Dynastie zitiert,

---

[166] Ein erster Teil des Gesamtwerkes von Brugsch "Religion und Mythologie der alten Ägypter. Nach den Denkmälern", Leipzig 1888 wurde schon vier Jahre vorher veröffentlicht. Dieses Werk nimmt bei der Diskussion um die ägyptischen Quellen von Apk.Joh.12 eine fundamentale Position ein: Die älteren Kommentare beziehen sich, außer bei Zitaten aus Plutarch, Is. und Diodor I, ausschließlich auf die zitierten Quellen bei Brugsch; vgl. Bousset, 1896 (1906⁶), S.354f; Charles, 1920, S.313.

[167] Vgl. Bousset, 1896 (1906⁶), S. 354f.

der in Form einer Doxologie diverse mythische Züge aus dem Osiris- und Isismythos aneinanderreiht. Das Problem der zeitlichen und räumlichen Transmission des altägyptischen Materials zum Seher aus Patmos stellt sich für Bousset nicht, da er die Vorstellungen aus Apk.Joh.12 und der ägyptischen und griechischen Mythologie als unabhängigen Niederschlag eines alten Sonnenmythos begreift.[168]

In der Diskussion nach Bousset werden die Isismythen meistens nur noch (mit Apuleius, Met.11) zur Erklärung der astralen Bildelemente der Frau herangezogen. Nach A. Y. Collins beispielsweise entsprechen allein die Bildelemente der Frau dem typischen Bild der Isis.[169] Ähnliches setzt auch Bergmeier voraus, der die Zeichnung der Sonnenfrau auf ein konkretes Bild zurückzuführen versucht.[170]

Isis ist aber nicht nur wegen ihrer oftmals belegten astralen Ausgestaltung als Parallele für die "Sonnenfrau" in Apk.Joh.12 heranzuziehen. Darüber hinaus finden sich in den komplexen Mythen um die Göttin ferner das Motiv ihrer Verfolgung und das ihrer Schwangerschaft, das bei unserer Vorgehensweise viel interessanter ist. Diesem gilt es nun nachzugehen.

Die ägyptische Göttin Isis, mit Namen erst in der V. ägypt. Dynastie belegt,[171] gewinnt in ihrer Funktion als Mutter- und Vegetationsgöttin immer mehr an Bedeutung in der antiken Welt, bis sie in der Spätantike als die meistbekannte ägyptische Göttin gefeiert wird. Den kultischen Feiern und Mysterienspielen um Isis liegen zahlreiche Mythen zugrunde, die vom Alten Ägypten lediglich in einzelnen Fragmenten und erst in den beiden Jahrhunderten um die Zeitenwende in zusammenfassenden Darstellungen überliefert sind: bei Diodorus Siculus 1, 13-27 und bei Plutarch, "De Iside et Osiride".

Isis wird als Mutter des Horus, den sie in Chemnis gebiert, schon in den Pyramidentexten des Alten Reiches erwähnt[172]. Doch der Mythos von ihrer

---

[168] Ebd.; vgl. die methodischen Vorüberlegungen in Teil I, 2.2.1.

[169] A. Y. Collins, 1976, S.76: "The narrative of ch. 12 reflects the pattern of these myths, particulary the pattern of the Leto myth. The description of the woman reflects the typical image of Isis." Dagegen erkennt Benko, 1993, S.106, besondere Nähe zu Kybele.

[170] Bergmeier, 1982, S.105ff.

[171] Vgl. Bergmann, 1980, Sp.186.

[172] Vgl. folgende Pyramidentexte (Übers. nach Faulkner, 1973): 1703: "Oh King, your mother Nut has born you in the West; go down to the West as a possessor of honour. Your mother Isis has born you in Chemnis"; (Faulkner, Pyramid Texts, S.252).
1214: (Isis the Great), who tied on the fillet in Chemnis when she brought her loincloth and burnt incense before her son Horus the young child..." (Faulkner, S.193); zu Horus, der von Chemnis kommt: vgl. die Texte 2190 und 1877.

Verfolgung durch Seth tritt uns erst in einem Sargtext des Mittleren Reiches entgegen:

Sargspruch 148:[173]

"Sie sagt: 'O Götter, ich bin Isis, die Schwester des Osiris, die über den Vater der Götter weint, Osiris, der den Kampf der beiden Länder schlichtete. Sein Same ist in meinem Leib. (Ich) habe die Gestalt eines Gottes gebildet im Ei als Sohn dessen, der an der Spitze der Neunheit ist, (als den,) der diese Erde beherrschen wird, der Geb beerben wird, der Fürsprache einlegen wird für seinen Vater, der Seth töten wird, den Feind seines Vaters Osiris. Kommt Götter, macht seinen Schutz in meiner Vulva! ...' Da sagte Re-Atum: 'Dein Empfangener, dein Verborgener (im Leib), Jungfrau, ist es, den du empfingst (eigentlich: mit dem du schwanger bist) und gebären wirst den Göttern. Denn der Same des Osiris ist er. Nicht soll kommen dieser Feind, der seinen (Horus') Vater getötet hat. Er wird sonst das Ei zerstören in seinem Kindesstadium. Erschrecken soll der Große-an-Zaubern (=Seth).' 'Hört dies, Götter', sagt Isis, 'was Re-Atum, der Herr des Hauses der chmw gesagt hat: Er hat für mich den Schutz meines Sohnes in meinem Leib befohlen. Er hat Schutzgötter um ihn gebildet in dieser meiner Vulva (...) Es kommt hervor die Wut in meinem Leib, die Kraft in meinem Leib ist ans Ziel gelangt, die Kraft hat sein ... erreicht. Der den Sonnenglanz befährt, er hat seinen Platz selbst gemacht, indem er an der Spitze der Götter sitzt im Hofstaat des Whc. (...)'.

Dieser Text ist folgendermaßen mit Apk.Joh.12 vergleichbar: Isis ist mit einem Sohn schwanger (vgl. Apk.Joh.12,5: der "männliche Sohn"); dieser wird mit mehreren Attributen als Gott bezeichnet: Er wird die Erde beherrschen, Geb beerben usw. (vgl. die Reminiszenz an Ps.2,9 in 12,5). Der Sohn wird schon im

---

[173] Dieser Spruch ist auf Särgen der 10-12 ägyptischen Dynastie belegt (nach Griffiths, 1960, S.53, Anm.4), also zwischen 2100-1786 v.Chr. und wurde 1938 von De Buck, Coffin Texts II, 209c ff ediert. Die folgende Übersetzung folgt Münster, 1968, S.6ff; zu den Editionen vgl. ebd., S.6, Anm.101 und zusätzlich Faulkner, Coffin Texts I, 1973, S.125-127 (die Zeilennummern von Münster wurden bei der folgenden Zitierung weggelassen). - Um die Übersetzung dieses Textes entwickelte sich Ende der sechziger Jahre, nach Abschluß der Untersuchung von M. Münster, 1968, eine ausführliche Diskussion, deren kurze Darstellung die Schwierigkeiten bei der Übersetzung deutlich machen soll. Dabei drehen sich die Hauptstreitpunkte um die Übersetzung der Empfängnis der Isis (Faulkner: durch einen Blitz) und berühren die uns interessierenden Passagen von der Verfolgung der schwangeren Isis nicht. Der Übersetzungsvorschlag von Griffiths, 1960, S.52f, der dem oben angeführten von M. Münster ähnlich ist, wurde von Faulkner, 1968, kritisiert, doch Griffiths, 1970, beharrte auf seiner Lesart. Gilula, 1971, setzte sich mit einem neuen Vorschlag von den Vorherigen ab, so daß er nun eine vierte Übersetzungsvariante der strittigen Stellen neben Griffiths, Faulkner und Drioton (1957, S.273ff) stellte. Faulkner bestand daraufhin in seiner Zusammenfassung der Diskussion (vgl. Faulkner, 1973) auf seine Interpretation und behielt diese auch bei der Herausgabe der Sargtexte, 1973-78, bei.

Mutterleib bedroht (vgl. 12,4b: der Drache stellt sich vor die Frau). Darum bilden die Götter einen Schutz darum (vgl. die Entrückung in 12,5b). Die engen Parallelen dieser Isis-Horus- Tradition zu Apk.Joh.12 sind offensichtlich. Auch eine Analogie zu der beim traditionsgeschichtlichen Vergleich ermittelten Tradition von der Geburt des Messias als Voraussetzung für die Überwindung des Widersachers ist vorhanden: Nach der Geburt wird Horus Seth töten.

Bei einer zeitlich und räumlich so weit entfernten religionsgeschichtlichen Parallele stellt sich die Frage nach der Transmission besonders dringlich. Kann man eine historische Vermittlung dieser Isistraditionen aus dem mittleren Reich Ägyptens in den Kulturraum der Apk.Joh. nachweisen? Dieser Frage soll im folgenden nachgegangen werden:

Die Adaptation des Mythos von der durch Seth bedrohten schwangeren Isis ist etwa anderthalb Jahrtausende später im Neuen Reich auf der Metternichstele[174] belegbar:

> (Rückseite): "Rede. Ich Isis floh aus dem Gefängnis, in das mein Bruder Seth mich geworfen hatte ... Ich floh zur Abendzeit und sieben Skorpione flohen hinter mir und halfen mir."[175]

> (Oberseite des Sockels): "Ich bin Isis, die von ihrem Gatten empfangen hat und den göttlichen Horus trägt. Ich gebar Horus, den Sohn des Osiris, im Papyrusdickicht und jauchzte darüber sehr, als ich ihn sah, der für seinen Vater eintritt. Ich verbarg ihn, ich versteckte ihn aus Furcht, er möchte in eine feindliche Stadt (??) laufen, und aus Furcht vor dem Mörder (?). Ich verbrachte den Tag damit, dem Knaben zu warten und seinen Unterhalt zu besorgen."[176]

Die Abfolge von Schwangerschaft, Geburt des Gottes (+ Charakterisierung als Gott), Bedrohung und Rettung des Neugeborenen in diesem Text ist mit Apk.Joh.12 vergleichbar. Man kann weiterhin davon ausgehen, daß die Isistraditionen aus oben zitiertem Sargspruch aufgegriffen worden sind. Isis verbirgt den gerade geborenen Knaben aus Furcht vor Mördern - dabei dürfte das Motiv von der Bedrohung des Neugeborenen im Hintergrund stehen, das im o.a. Sargspruch entfaltet worden ist. Doch sind dabei auch neue Traditionen verwendet worden, so beispielsweise die Flucht der Isis vor Seth, die vor der Geburt erfolgt (in Apk.Joh.12: die Frau flieht nach der Geburt).

---

[174] Aus der Inschrift der zu Beginn des 19. Jahrh. in Alexandria gefundenen Stele geht hervor, daß diese in der 30. ägypt. Dynastie unter Pharao Necht-har-heb (378-360 v.Chr.) angefertigt worden ist. Die im folgenden zitierte Übersetzung stammt von Roeder, 1915, S.82ff.

[175] A.a.O., S.87f.

[176] A.a.O., S.93.

Untersucht man nun die weitere Rezeption des Mythos von der Bedrohung und Flucht der schwangeren Isis im zeitgenössischen Umfeld der Apk.Joh., so ist es sehr auffällig, daß in den beiden uns erhaltenen Darstellungen der Isismythen in den beiden Jahrhunderten um die Zeitenwende, bei Diodorus Siculus, Buch 1 und bei Plutarch, De Iside et Osiride, dieser Mythos mit keinem Wort erwähnt ist. Die Sage von Isis und dem sterbenden und wiedererstehenden Osiris und die von Horus und seinem Kampf mit Seth / Typhon sind hier breit ausgemalt, die Geburtsgeschichte des Horus fehlt. Dieser Befund hat Konsequenzen für die Beurteilung der Transmission des Mythos. Wäre der Geburtsmythos des Horus im 1. Jahrh. vor und nach Chr. nicht belegbar, so könnte dies auch durch die Überlieferungslücke begründet sein. Doch die Tatsache, daß gerade die Geburtsgeschichte des Horus in den beiden detaillierten Darstellungen der Isismythen nicht anklingt, muß hier als wichtige Beobachtung festgehalten werden. Möglicherweise hatte man sich bei der Wiedergabe der Isismythen in hellenistisch - römischer Zeit an den entsprechenden Mysterien orientiert und darum gewisse Elemente des Mythos (wie die Verfolgung der schwangeren Isis) selektiert. So wäre es zu erklären, daß der im vorliegenden Zusammenhang interessierende Mythos bei umfangreichen Darstellungen der Isismythen nicht zur Sprache kommt. Die historische Vermittlung dieses Mythos ist damit wenig wahrscheinlich.

Auch in der weiteren christlichen Rezeption der Isismythen im zweiten Jahrhundert, in den apologetischen Auseinandersetzungen mit den heidnischen Kulten, vermißt man weitgehend eine Anspielung an den Geburtsmythos der Isis. In der Ende des 2. Jahrhundert entstandenen Apologie des Athenagoras von Athen wird in Kap.22 nur die Sage von Isis und Osiris, nicht der Geburtsmythos des Horus referiert; dies gilt auch für den Ende 2./ Anfang 3. Jahrhundert entstandenen Dialog "Octavius" von Minucius Felix, in dem in Kap.22 der Isismythos kurz umrissen wird. Auch Firmicus Maternus erwähnt in seiner ca. Mitte 4. Jahrh. entstandenen Schrift "De errore profanorum religionum", Kap.2, bei der Darstellung der Isismythen den Geburtsmythos nicht. Aristides spielt in seiner Apologie an Hadrian (117-138 n.Chr.) zwar darauf an, doch wird das für Apk.Joh.12 entscheidende Motiv von der Bedrohung der kreißenden Isis bzw. des Horus bei seiner Geburt nicht berücksichtigt:

> Aristides, Apol. 12,2:[177] "Von altersher nämlich verehrten sie die Isis und sagten, daß sie eine Göttin sei, welche ihren Bruder Osiris zum Gemahl

---

[177] Die durch Euseb (Chron. a.Abr. 2140 und h.e.4,3,3) bekannte Apologie des Aristides von Athen an Kaiser Antoninus Pius (138-161) liegt seit dem 19. Jahrhundert in

hatte. Als aber Osiris von seinem Bruder Typhon getötet worden war, floh Isis mit ihrem Sohne Horos nach Byblos in Syrien und war daselbst eine bestimmte Zeit, bis ihr Sohn groß geworden war. Und er kämpfte mit seinem Oheim Typhon und tötete ihn. Darauf kehrte Isis zurück und ging mit ihrem Sohne Horos umher und suchte den Leichnam ihres Gatten Osiris und beklagte bitterlich seinen Tod."

Zwischen die Geschichte von der Tötung des Osiris und dessen Auffindung durch Isis und der Tötung des Seth durch Horus ist hier noch eine Reminiszenz an die Fluchtgeschichte eingefügt. Im Unterschied zu Apk.Joh.12 flieht hier allerdings Isis mit Horus vor Typhon, sie wird also nicht als Schwangere bedroht.

Conclusio: Die Geburtsgeschichte des Isis-Sohnes Horus, seiner Bedrohung durch Seth und seiner Rettung ist seit dem 2.vorchristlichen Jahrtausend in Ägypten belegbar. Der oben angeführte Sargspruch stellt eine bedeutende religionsgeschichtliche Parallele zu der Tradition der Geburt des Messias (des Gottes Horus) und der Vernichtung des Widersachers (Seth) dar.

Doch konnte die historische Vermittlung dieses Mythos in den Kulturraum der Apk.Joh. nicht festgestellt werden. Sicherlich ist die Rezeption der Isismythen in neutestamentlicher Zeit wahrscheinlich - die Gestalt der Isis ist durch Kult und Mysterium sehr verbreitet und attraktiv;[178] weiterhin berichtet Plutarch in De Iside 31 davon, daß Teile dieses Mythos ins Judentum Eingang gefunden hatten.[179] Doch die Geburtsgeschichte des Horus, die in o.a.

(fragmentarisch) armenischer, syrischer und griechischer Fassung vor; zur interessanten Geschichte der Textfunde vgl. Bardenhewer I, 1913², S.188f. - Das Zitat der syrischen Version stammt von Hopfner, 1922, S.330; zum Vergleich sei noch die griechische Version (ebd.) dargestellt: "ἀρχῆθεν γὰρ ἐσέβοντο τὴν ῎Ισιν ἔχουσαν ἀδελφὸν καὶ ἄνδρα τὸν ῎Οσιριν τὸν σφαγέντα ὑπὸ τοῦ ἀδελφοῦ αὐτοῦ Τυφῶνος καὶ διὰ τοῦτο φεύγει ἡ ῎Ισις μετὰ ῎Ωρου τοῦ υἱοῦ αὐτῆς εἰς Βύβλον τῆς Συρίας ζητοῦσα τὸν ῎Οσιριν ....". Zum Textvergleich der beiden Fassungen vgl. die Edition der syr. Fassung von Raabe, 1893, bes. S.51f (mit den Anmerkungen zum Text, ebd. S.88ff) bzw. die Rekonstruktion des griech. Textes von E. Hennecke, 1893.

[178] Die Verbreitung des Isis- und Sarapiskultes in Kleinasien, dem Adressatengebiet der Apk.Joh., kann mit dem Datum 309 v.Chr., dem Einfall von Ptolemaios I. Soter in Karien, Lycien und Kos während des 3. Diadochenkrieges, angesetzt werden (vgl. Magie, 1953, S.163f). Zur Forschungsgeschichte: Den Spuren der Verbreitung ist schon, nach einer vorangegangenen ausführlichen Untersuchung von Lafaye, 1884, Drexler, 1889, anhand einer umfassenden Studie über Münzen und Inschriften nachgegangen (zur Forschungsgeschichte bis 1953 vgl. die wichtige Studie von Magie, 1953, S.163). Nach der umfangreichen Sammlung der Isis- und Sarapisinschriften von Vidman, 1969 (SIRIS), die dem Raum Kleinasien einen großen Abschnitt widmet, stellte F. Dunand, 1973, Vol.III, den entsprechenden Kult in neuerer Zeit dar. Beim Überblick über die Isis- und Sarapisheiligtümer in römischer Zeit berücksichtigt Wild, 1984, Kleinasien mit.

Sargspruch enge Parallelen zu Apk.Joh.12 aufweist, wird bei den zeitgenössischen Isisdarstellung des 1. Jahrh. vor und nach Chr. nicht mehr rezipiert. Hier hat eine Selektion zugunsten anderer Teile des Mythenkreises stattgefunden. Die historische Vermittlung dieses Mythos zu Apk.Joh.12 ist damit wenig wahrscheinlich. Die seit Bousset (1894) in der Forschung vertretene These, daß hinter der Sonnenfrau in Apk.Joh.12 vornehmlich die ägyptische Göttin Isis stehe, ist darum - was die Handlungsstrukturen anbetrifft - nicht erweisbar.

1.3.2.2. Der Letomythos

Seit den Forschungen von A. Dieterich in "Abraxas" (1891) wird in der Forschung zu Apk.Joh.12 der griechische Letomythos als religionsgeschichtliche Parallele diskutiert. A.Y. Collins urteilt: "... we must conclude that Revelation 12, at least in part, is an adaptation of the myth of the birth of Apollo"[180]. Diese Behauptungen sollen im folgenden nachgeprüft werden.

Die Geburt des Apollon durch Leto ist ein bevorzugtes Thema unter den vielen Mythen um die Göttin.[181] Leto irrt, von Zeus schwanger, auf der Erde herum und sucht eine Stätte, auf der sie gebären könnte.[182] Die schwangere Leto wird dabei von einem Drachen (Python) verfolgt. Nachdem Leto auf der Insel Delos, die sie aufgenommen hatte, Apoll und Artemis geboren hat, tötet Apoll den (delphischen) Drachen Python.[183]

---

[179] S.u., Teil IV, 3.4.3.4.

[180] A.Y. Collins, 1976, S.67.

[181] Bei den Mythen um Leto sind v.a. zu nennen: Die Niobesage (vgl. Hom.,Il.24,602ff; Sophokles, Antig., V,831ff; Apollod., Bibl.2,2; 3,45ff; Diodor 4,14; Schol.Stat.Theb.1,230; 4,589; Ovid, Met.6,146ff; Hyg.,Fab.9; Paus.9,5,8), die Sage von Leto und Tityos (Hom., Od.11,578; Pind., Pyth.4,90; Apollon.Rhod. 1,759; Apollod., Bibl.1,23; Verg., Aen. 6,597; Lukrez, Rer.nat. 3,990f) und die Sage von der dürstenden Leto an der lykischen Quelle Melita (Antonin.Lib.35; Ovid., Met. 6,337).

[182] Die Länder nehmen Leto nicht auf : 1. Aus Furcht vor dem mächtigen Gott (Apoll), der geboren werden soll (so Hymn.Hom. auf den delischen Apoll, 30ff); 2. aus Furcht vor der Zeusgattin Hera, die den Ländern die Aufnahme Letos untersagt (Kallim., Hymn.Del. 57ff.).

[183] Die Verbindung von Geburt Apolls und dem Drachenkampfmythos ist umstritten; während in der älteren Forschung durchgehend angenommen wurde, daß die Drachensage an Delphi und die Geburtssage an Delos gebunden gewesen und erst nachträglich verknüpft worden sei (vgl. Enmann, Art. "Leto", in: Roscher, 1959ff.), ist in neuerer Zeit von Otto, 1962, die These aufgestellt worden, daß beides zusammen gehöre: Ein ursprünglicher Mythos handle von der schwangeren, verfolgten Leto, die eine Bleibe auf Delos findet und dort Apoll gebiert, der den Drachen anschließend tötet. Die delphische Version dieses Mythos werde von den Hymn.Hom.

Interessant bei diesem Mythos der verfolgten Gebärenden ist, daß die Verfolger wechseln. Einmal ist es Hera, die aufgrund ihrer Eifersucht Leto verfolgt:

> Apoll.Bibl.2,21f.:[184] "... Leto wurde wegen ihres Umganges mit Zeus von Hera über die ganze Erde verfolgt, bis sie endlich nach Delos kam, wo sie zuerst die Artemis, sodann von dieser bei der Geburtsarbeit unterstützt, den Apollon gebar. 22Artemis blieb als Liebhaberin der Jagd Jungfrau. Apollon, von Pan, einem Sohn des Zeus und der Thymbris, in der Wahrsagekunst unterrichtet, kam nach Delphoi, wo damals Themis weissagte. Hier wollte der Wächter des Orakels, die Schlange Python, nicht gestatten, daß er sich der Kluft der Weissagungen näherte; doch Apoll tötete ihn und übernahm selbst das Orakel."

Dieser Text ist im Motiv der Verfolgung der schwangeren Frau mit Apk.Joh.12 vergleichbar. Weiterhin liegt eine Analogie zur Tradition der Geburt des Messias als Voraussetzung für den Sieg über den Widersacher vor. Doch im Gegensatz zu Apk.Joh.12 ist vom Motiv der Bedrohung Letos bei der Geburt und von dem der Rettung der Kinder nichts zu finden.

In einer anderen Version des Mythos verfolgt ein Drache Leto:

> Hygin, Fab.140:[185] "Python, der Sohn der Ge, war ein Drache von ungeheurer Größe. Vor Apollon pflegt er auf dem Parnaß Orakelsprüche zu verkünden, doch war ihm vom Schicksal bestimmt, durch einen Sohn der Leto den Untergang zu finden. Um diese Zeit hielt Zeus Beilager mit Leto, der Tochter des Polus. Als Hera das erfuhr, sollte nach ihrem Willen Leto dort gebären, wo die Sonne niemals hinkommt. Von dem Augenblick an, da Python gewahrte, daß Leto von Zeus schwanger war, verfolgte er sie beharrlich, um sie zu töten. Auf des Zeus Geheiß indes hob der Windgott Boreas Leto auf und trug sie zu Poseidon; dieser nahm sie in seinen Schutz, um aber die Entscheidung der Hera nicht zu durchkreuzen, verbrachte er sie auf die Insel Ortygia, die er dann mit seinen Fluten bedeckte. Als Python sie nicht fand, kehrte er zum Parnaß zurück. Poseidon aber ließ die Insel Ortygia wieder an die Oberfläche kommen; sie wurde nachher Delos genannt. Dort gebar Leto, indem sie sich an einem Ölbaum festhielt, Apollon und Artemis, denen Hephaistos Pfeile zum Geschenk gab. Am vierten Tag nach ihrer Geburt vollzog Apollon die Rache für seine Mutter: er begab sich zum Parnaß, erlegte den Python mit seinen Pfeilen - danach hieß er dann Pythios - und sammelte die Gebeine in einem Kessel, den er in seinem Tempel aufstellte. Dann veranstaltete er Leichenspiele für ihn, die bis heute die Pythischen Spiele heißen".

---

geschildert, die delische von Kallimachos.

[184] Übersetzung nach Moser / Vollbach, 1988, S. 12; zur Verfolgung durch Hera vgl. Kallimachos, Delos, 60ff (Howald / Staiger, S.107ff): "Mächtig, ja unaussprechlich bewegt verfolgte sie [Hera] Leto, die sich in Wehen verzehrte. Und über die Erde zu sähen, waren zwei Wächter bestellt; der eine, der über das Festland wachte [Ares]... Aber die steilen Inseln behielt der andere Wächter, Thaumas' Tochter, im Blick... Und sämtliche Städte, die Leto anging, verhinderten sie, die Drohenden, sie zu empfangen...".

[185] Mader, S.314f.

Dieser Mythos ist mit Apk.Joh.12 darin vergleichbar, daß die Schwangere von einem Drachen verfolgt wird. Weiterhin liegt auch hier eine Analogie zu der Tradition vor, die bei der Analyse von Test.Jos.19 dargestellt wurde. Doch von einer Bedrohung der Kreißenden ist hier nichts zu finden: Wie Isis gebiert Leto erst nach ihrer Flucht, als sie in Delos in Sicherheit ist. Es finden sich also bei genauerer Analyse der zeitgenössischen Ausprägungen des Letomythos wenige Vergleichselemente zu Apk.Joh.12. Dennoch ist dieser Mythos für die Exegese von Apk.Joh.12 von Bedeutung; es sind hierbei religionsgeschichtliche Parallelen zu der beim traditionsgeschichtlichen Analyse ermittelten Tradition erweisbar, die von der Geburt des Messias als Voraussetzung für die Überwindung des Widersacher handelt. Nach seiner Geburt tötet Apoll stets Typhon. Eine Transmission dieses Mythos ist dabei im Gegensatz zu den Isismythen wahrscheinlich: Die Rezeption im zeitlichen Umfeld der Apk.Joh., z.B. in der (pseudepigraphischen) "Bibliothek" des Apollodor im 1./2. Jahrh. n. Chr. oder in den (ebenso pseudepigraphischen) "Fabeln" Hygins im 2. Jahrh. n.Chr. und die geographische Verortung des Mythenkreises im Einflußgebiet Kleinasiens (griechische Mythen) lassen auf Kontakte der Trägergruppen schließen. Damit ist, gemäß unserer methodischen Prämissen in Teil I, ein wichtiges Kriterium der Transmission erfüllt.

1.3.2.3. Die Geburt des Zeus

Eine weitere religionsgeschichtliche Analogie ist beim Mythos der Geburt des Zeus durch Rhea zu finden. Nach Hesiod, Theogon.453ff. verschlingt Kronos bekanntlich seine Kinder, sobald Rhea sie geboren hat. Gaia und Uranos senden ihre Tochter Rhea daraufhin nach Kreta; dort gebiert sie Zeus, den Gaia sogleich schützend in sich aufnimmt und ihn so dem Zugriff des Kronos entzieht. Auch in den späteren Ausprägungen des Mythos wird Zeus vor der Bedrohung gerettet, indem Rhea mit ihm flieht und ihn fern von Kronos gebiert (Apollodor, Bibl.2,4; bei Hygin, Fab.139 täuscht Rhea zuerst Kronos mit einem Stein). Die direkte Bedrohung bei der Geburt ist also nicht zu finden. Doch in jüdischer Rezeption dieses Mythos bei den Sibyllinen ist eine Version überliefert, die Apk.Joh.12 ähnlich ist:

> Sib.3,132-141:[186] "Wenn dann Rhea gebar, saßen bei ihr die Titanen und alle männlichen Kinder zerrissen sie, die weiblichen ließen sie lebend bei der

---

[186] Zitiert nach Berger / Colpe, 1987, S.323.

Mutter genährt werden. Aber als zum dritten Mal die erhabene Rhea gebar, gebar sie als erste die Hera. Und als sie das weibliche Geschlecht gesehen hatten mit ihren Augen, kehrten die Titanen, die wilden Männer, heim. Und dann gebar Rhea ein männliches Kind, dies schickte sie schnell fort, daß es heimlich ernährt werde, nach Phrygien ..."

Das Motiv von der Bedrohung des Kindes direkt bei der Geburt ist hier aufgenommen. Die Geburt der Hera täuscht die Titanen, so daß eine akute Bedrohung des Zeus nicht mehr stattfindet. Auch ist hier die Geburt des Zeus Voraussetzung für die Überwindung des Kronos und der Titanen (vgl. Sib.3,157f.).

Diese pagane Geburtsgeschichte zeigt eng verwandte Züge mit Apk.Joh.12: die Geburt vor dem Angesicht der Widersacher, trotzdem kommt der männliche Gott unbeschadet auf die Welt und wird an einen sicheren Ort gebracht. Da dieser Text schon weit vor dem ersten nachchristlichen Jahrhundert in das ägyptische Judentum eingegangen ist, ist auch das Kriterium der Transmission erfüllt. Seine Aufnahme im hellenistischen Judentum zeigt, daß der für die Exegese von Apk.Joh.12 wichtige Mythos der Bedrohung eines Gottes bei seiner Geburt in heidnischer Ausprägung in den Wirkungsbereich des AT Eingang findet. Die Bedeutung dieses Befundes soll im folgenden Abschnitt zur Sprache kommen.

1.3.2.4. Ergebnis des religionsgeschichtlichen Vergleichs

Am Beispiel des religionsgeschichtlichen Vergleichs von paganen Geburtsmythen mit Apk.Joh.12 konnte die Bedeutung der "Transmission", der historischen Vermittlung von Traditionen, demonstriert werden. Bei den vorgestellten Mythenkränzen fanden sich vergleichbare Elemente mit Apk.Joh.12. Die Tradition der Geburt des Messias als Voraussetzung für die Besiegung des Widersachers war jeweils nachweisbar.

Doch nur für den Zeus- und den Apollmythos konnten entprechende Kriterien für die historische Vermittlung gefunden werden. Diese Mythen bilden dann wichtige Analogien zu Apk.Joh.12. Folglich sind die Aussagen, die in diesem Kapitel von Johannes getroffen werden, auch für Adressaten in einem weiteren religionsgeschichtlichen Rahmen nachvollziehbar. Wie schon bei den methodischen Vorüberlegungen in Teil I (2.1.1.a) erwähnt wurde, hatte Karrer (1986) bei der Analyse der Kommunikationssituation der Apk.Joh. überzeugend die Rolle der griechisch-hellenistischen Rezipienten hervorgehoben.[187]

---

[187] Vgl. Karrer, 1986, S.258ff.

Seine Aussage, daß Apk.Joh.12 den "alttestamentlich-jüdische Traditionsraum" "sprengt"[188] dürfte zwar aufgrund der traditionsgeschichtlichen Nähe zu Test.Jos.19 überzogen sein; doch kann in der vorliegenden Untersuchung aufgrund der religionsgeschichtlichen Parallelen bestätigt werden, daß Apk.Joh.12 in "kulturübergreifender Weise ausgestaltet" worden ist. Das Kapitel ist mittels der darin verwendeten Traditionen so angelegt, daß auch Leser außerhalb des Wirkungsbereichs des AT ihre eigenen Mythen wiederfinden. Es kann als Ergebnis der religionsgeschichtlichen Analyse festgehalten werden, daß bei der Erzählung der "Sonnenfrau" in Apk.Joh.12,1-6 eine breite Leserschaft unterschiedlichen religiösen Genres Vertrautes wiederfinden konnte.

---

[188] A.a.O., S.261.

2. Handlungssequenz 2: Geburt und Entrückung des Kindes

2.1. Die Charakterisierung des Kindes nach Ps.2,9

Das von der Frau geborene Kind wird durch das beschreibende Textelement in V.5a genauer charakterisiert. Der Ausdruck ὃς μέλλει ποιμαίνειν πάντα τὰ ἔθνη ἐν ῥάβδῳ σιδηρᾷ ist als alttestamentliche Reminiszenz an Ps.2,9 zu werten,[189] die in der Apk.Joh. an zwei weiteren Stellen anklingt:

1. In Apk.Joh.2,27f. wird im Rahmen der Überwindersprüche an die Gemeinde von Thyatira eine Szenerie aus Attributen messianischer Macht entworfen; neben dem Morgenstern zählt das Bild vom Zerschmettern der Töpfergefäße und vom Weiden mit eisernem Stabe dazu.[190]

---

[189] Dies wird in der Forschung durchgängig angenommen; vgl. die Untersuchungen von Gollinger, 1971, S.97ff.; Kraft, 1974, S.166; U. Müller, 1984, S.234.

[190] Das Wort "Stab" (ῥάβδος) hat im Griechisch neutestamentlicher Zeit viele metaphorische Konnotationen (vgl. Schneider, Art. "ῥάβδος" in ThWNT, Bd.6, S.966ff.); über die dort dargestellten Bedeutungselemente hinaus kann auf eine allegorisierende Deutung bei Philo v.A. hingewiesen werden, der in Leg.2,88-90 den Stab des Mose von Ex.4 als pädagogisches Instrument Gottes deutet (vgl. auch Post.97, Congr.94; Fug.150); auch der "eiserne Stab" von Ps.2,9 kann, wie unten in Abschnitt 2.1.1.1. deutlich wird, bei den Kirchenvätern als pädagogisches Instrument gedeutet werden. Weiterhin kann ῥάβδος ähnlich zu Apk.Joh.12 auch eschatologisch als "Stab des Zornes" (vgl. Apk.Hen.(äth.) 90,18) oder als "Stab des Gerichtes" interpretiert werden (vgl. Apk.Pls.(kopt.) NHC 5,2,22,4: vier Strafengel, einer mit "eisernem Stab" und drei mit Peitschen, treiben die Seelen zum Gericht; ähnl. Test.Levi 8,4, wo der Stab, der eigentlich in Verbindung mit priesterlichen Attributen genannt ist, in einigen Handschriften als "Stab des Gerichtes" identifiziert wird (nur in der armen. Version und den griechischen Handschriften b,d,g); Becker, 1974, S.52, führt diese als sekundäre Angleichung an 8,2 nicht als urspr. Lesart auf; dagegen: M.de Jonge, 1964, S.15). - Eine weitere Konnotation, die speziell das gemeinsame Vorkommen von ῥάβδος und ἀστήρ als messianische Attribute von Apk.Joh.2,27f. erklären soll (vgl. hierzu Holtz, 1962, S.157): Die Verbindung des hebr. Wortes für ῥάβδος, שֵׁבֶט mit כּוֹכָב (Stern) ist im Bileamspruch von Num.24,17b belegt. Ein Verweis auf Num.24,17 soll somit unter der Voraussetzung, daß das hebr. Äquivalent beim geriechisch schreibenden Autor noch mitassoziiert wird, das gemeinsame Auftauchen von ῥάβδος und ἀστήρ in Apk.Joh.2,27f. erklären. - Zur Kritik: Zwar ist, gerade im Rahmen einer Zwei-Messias-Lehre, Num.24,17 im Frühjudentum messianisch gedeutet worden (vgl. CD 7,18-20;

2. In Apk.Joh.19,15 wird der aus dem Himmel kommende Reiter auf dem weißen Pferd mit mehreren messianischen Attributen gezeichnet, die schon von
vorangegangenen Kapiteln bekannt sind: das Schwert, das aus dem Mund
ragt, erinnert an die Zeichnung des Menschensohnes in Kap. 1,16; der von
Jes.63,3; Joel 4,13 entlehnte Zug vom Treten der Kelter war schon in 14,19f.
im Rahmen der Menschensohnvision von 14,14-20 Ausdruck des Zornes
Gottes. In 19,15 wird dieses forensische Bild des Keltertreters auf den Reiter
bezogen, dem gleichzeitig das messianische Machtattribut von Apk.Joh.2,27
und 12,5 zugesprochen wird.

In der Apk.Joh. wird also jenes Bild aus Psalm 2,9 in messianischer Deutung
benutzt; ist dies nun Neuinterpretation des Sehers Johannes oder ist es in der
Tradition vorgegeben?

Ob Psalm 2 ursprünglich schon messianische Bedeutung hatte, wird in der
Forschung unterschiedlich beurteilt. Die messianische bzw. nichtmessianische
Deutung des Psalms läßt sich in drei Modelle fassen, die jeweils eng mit der
Datierung zusammenhängen: Wird der Psalm vorexilisch gedeutet, so ist er als
Teil der Jerusalemer Königsideologie anzusehen.[191] Nicht der Messias wird
dann besungen, sondern der König. Ein zweites, literarkritisches Modell
seziert einen vorexilischen Grundstock (1-4.6-9), der in hellenistischer Zeit
messianisch gelesen und um die Verse 5.10-12 erweitert wurde.[192] Ein dritter
Versuch schließlich datiert Ps.2 ganz in die nachexilische Zeit und sieht somit,
da es keinen König mehr gibt, seinen Sitz im Leben in der lebendigen
Messiaserwartung der nachexilischen Gemeinde.[193]

Wichtig in diesem Zusammenhang sind nun die Indizien für eine
messianische Deutung des Psalms im antiken Judentum. Dabei fällt auf, daß
bei einer Benutzung von Ps.2 relativ selten auf V.9 zurückgegriffen wird.[194]

4Qpatr., 4Qtest.12ff. und 1QM 11,16); auch in den Test.XII findet sich die messian.
Interpretation von Num.24,17 in Test. Jud.24,1; (s.a. Test.Levi 18,3); vgl. hierzu
Schubert, 1957, S.181ff. Der Messias aus Israel wird als שבט, der aus Jakob als
Stern gedeutet (dies wirkt noch bei R. Aqiba nach, der Bar Kochba als "Sternen-
sohn" mit Num.24,17 deutet; vgl. jTa`an.4,2,67d). Doch von einer Zwei-Messias-
Lehre ist in Apk.Joh. nichts zu finden. Außerdem ist in Num.24,17 LXX ῥάβδος
durch ἄνθρωπος ersetzt. Da Johannes, wie bei der Diskussion um die Rezeption von
Ps.2,9 im Vergleich zu Ps.Sal.17,26 ersichtlich, eher auf die LXX - Version zurück-
greift, ist diese Rezeption der masoretischen Lesart eher unwahrscheinlich.

[191] Vgl. hierzu Kraus,1986, S.145ff.
[192] Vgl. Zenger, 1986.
[193] Vgl. Deissler, 1981.
[194] Die Bedeutung von Ps.2,9 für das spätantike Judentum wird in der christlichen
Exegese kontrovers beurteilt. Während für Holtz, 1962, S.179, die Aussage vom
Weiden der Völker mit eisernem Stabe zu den "traditionellen Zügen am Messias-

Häufigere Belege finden sich zu V.1, wie z.B. in 4Qflor.18 (Deutung als eschatologischer Endkampf). Rabbinische Belege für die Deutung von Ps.2,1 sind als Kampf mit Gog und Magog aufweisbar (Ex.R 1,1 und bBerak.7b). Doch wird dort eine Deutung von V.9 oder gar vom Eisernen Stab nicht gegeben. Auch in Midr. Tehillim zu Ps.2,9 wird nur das Zerschlagen der Töpfe, nicht aber der Eiserne Stab thematisiert. Allerdings wird in Midr. Tehillim zu Ps.120,7 auf Ps.2,9 zurückgegriffen:

> "Ich bin für den Frieden, und ob ich auch rede, sie wollen Krieg. Was heisst:
> 'שלום אני?' Der Heilige, geb. sei er! sprach zum Messias: 'Zerschmettere sie
> mit eisernem Scepter' u.s.w. (Ps.2,9). Herr der Welt! gab dieser zur Ant
> wort, nein, ich will in Frieden mit den Völkern zu reden anfangen. Daher
> heisst es: 'Ich bin für den Frieden, und ob ich auch rede, sie wollen
> Krieg".[195]

Die messianische Deutung der Stelle kommt hier klar zum Ausdruck und macht ihre messianische Verwendung in der Apk.Joh. plausibel.

Doch gibt die Feststellung, daß der Psalm messianisch gelesen werden kann, noch keine Antwort auf die Fragen nach der Bedeutung und der Funktion des Ausdruckes "Weiden mit eisernem Stab" in der Apk.Joh. Ebensowenig wird dadurch geklärt, daß dieses Bild dabei nicht nur den messianischen Gestalten (12,5; 19,15) zukommt, sondern auch den Gemeinden (2,27).[196] Weiterhin wird die Frage beantwortet werden müssen, warum in Apk.Joh.12,5 gerade Ps.2,9 herangezogen wird, um den Messias zu charakterisieren; dem Autor der Apk.Joh. steht ein nahezu unerschöpfliches Reservoir von messianischen Reminiszenzen und Anspielungen zur Verfügung - warum ist es gerade das

---

bild" gehört, fiel Dalman, 1889, S.223 auf, "dass Psalm 2 nicht von wesentlicher Bedeutung für die jüdische Vorstellung vom Messias gewesen ist". Hierbei ist zu erwähnen, daß es im spätantiken Judentum tatsächlich Diskussionen um die Eigenständigkeit des Ps.2 gab, wie folgendes Zitat aus jBerak. 7d-8a belegt: "Warum (haben die Männer der großen Versammlung) achtzehn (Benediktionen angeordnet)? R. Jehoschua b. Levi sagte: Entsprechend den achtzehn Psalmen, die geschrieben wurden am Anfang /8a/ des Psalmbuches bis zu (den Worten): Gott erhöre sich am Tage der Not (Ps.20,2). Sollte dir jemand sagen, daß es doch neunzehn Psalmen sind, so antworte ihm: Der (Psalm, der mit den Worten) Warum toben die Heidenvölker (Ps.2,1) beginnt, zählt nicht zu ihnen (die Psalmen 1 und 2 zählen als ein Psalm)" (Horowitz, 1975, S.123). Diese Diskussion ist allerdings noch kein Argument für oder gegen eine breite Rezeption des einschlägigen Bildes von V.9; dieses wird, auch gemessen an der Rezeption des gesamten Psalms, allerdings auffallend selten benutzt. In diesem Zusammenhang ist erwähnenswert, daß Vers 9 des 2. Psalms bei den in Qumran gefundenen Texten nicht enthalten ist, jedenfalls wenn man von der von Gleßmer, 1993, zusammengestellten Liste der biblischen Texte aus Qumran ausgeht.

[195] Wünsche, 1967, Teil II, S.200.
[196] Hierauf wies besonders Gollinger, 1971, S.98 hin.

"Weiden mit eisernem Stabe", das innerhalb der Erzählstruktur von Apk.Joh.12 das Neugeborene zum Messias macht?

Um diese Fragen zu klären, wenden wir uns dem Verständnis des Verses in der religionsgeschichtlichen Umgebung der Apk.Joh. zu. Die Analyse der Rezeption von Ps.2,9 stellt womöglich Traditionslinien heraus, in die Apk.Joh.12 eingeordnet werden kann. Dabei ergibt allerdings eine erste Sichtung des Materials zwei unterschiedliche Weisen, wie der Vers benutzt worden ist:

1. Zum einen wird der Vers herangezogen, um die Bedeutung des Eisernen Stabes zu entfalten; dieser wird hier als Machtmittel Gottes oder als pädagogisches Instrument interpretiert. Die Frage lautet: Was ist der Eiserne Stab?
2. In einer zweiten Linie stehen die Gegner im Vordergrund, gegen die der Eiserne Stab gerichtet ist. Die Frage lautet: Wen weidet der Eiserne Stab?

2.1.1. Was ist der Eiserne Stab?

2.1.1.1. Der Eiserne Stab als Machtsymbol

Das Bild vom Eisernen Stab kann in seiner Rezeptionsgeschichte von den "Völkern", gegen die der Stab gerichtet ist, getrennt werden. Es nimmt dann die Bedeutung eines Symbols göttlicher Macht an. Dies ist bei Hippolyt ersichtlich, der in Refut.5,7,31f. Ps.2,9 und Od.Sal.24,2ff. kombiniert, um Christi Gewalt über Leben und Tod darzulegen:

> "Er hält mit der Rechten den Stab, / den schönen, goldenen, mit dem er die Augen der Menschen zuschließt, / welche er will, und sie wieder aus dem Schlafe erweckt. / Dieser, heißt es, ist es, der über Leben und Tod allein Gewalt hat. Über diesen, heißt es, steht geschrieben: "Du wirst sie mit eisernem Stabe weiden. Aber der Dichter, heißt es, der die Unbegreiflichkeit der seligen Natur des Logos schmücken wollte, gab ihm keinen eisernen, sondern einen goldenen Stab."[197]

Die Kompilation von Ps.2,9 und Od.Sal.24,2ff. geschieht anhand des Stichwortes "Stab". Dieser Stab ist hier Instrument der Macht über Leben und Tod;

---

[197] "Ἔχε δὲ ῥάβδον μετὰ χερσὶ | χαλήν, χρυσείην τῇ τ᾽ ἀνδρῶν ὄμματα θέλγει | ὧν ἐθέλει, τοὺς δ᾽ αὖτε καὶ ὑπνώοντας ἐγείρει. οὗτος, φησίν, ἐστὶν ὁ τῆς ζωῆς καὶ τοῦ θανάτου μόνος ἔχων ἐξουσίαν. περὶ τούτου, φησί, γέγραπται· »ποιμανεῖς αὐτοὺς ἐν ῥάβδῳ σιδηρᾷ«. ὁ δὲ ποιητής, φησί, κοσμῆσαι βουλόμενος τὸ ἀνερινόητον τῆς μακαρίας φύσεως τοῦ λόγου, οὐ σιδηρᾶν, ἀλλὰ χρυσῆν περιέθηκε τὴν ῥάβδον αὐτῷ" (GCS 26, S.86f.).

dabei wird Od.Sal.24 als dichterische Verfeinerung von Ps.2,9 gesehen (goldener statt eiserner Stab).

Die Interpretation des Stabes als Machtattribut dürfte auch bei Gregor von Nazianz, In inscript. Psalm.8 vorliegen; dort ist der Eiserne Stab unveränderliche Macht Gottes (ἄτρεπτος δύναμις).[198]

Johannes Chrysostomos geht bei seiner Rezeption von Ps.2,9 in der ersten Catechesis ad illuminandos primär auf das Bild der zerschlagenen Tontöpfe ein, um die Qualität der βασιλεία Χριστοῦ zu beschreiben; das Bild vom Eisernen Stab bildet dabei ein Qualitätselement: οὐ φορτική, ἀλλ' ἰσχυρᾷ.[199] Auch hier ist es also nicht wichtig, gegen wen der Eiserne Stab gerichtet ist, sondern er hat symbolischen Gehalt.

In diesem Zusammenhang ist auch auf die Rezeption der Stelle in der koptischen Geschichte von Joseph dem Zimmermann hinzuweisen. Diese Schrift ist in ihrer heute vorliegenden Gestalt wohl eine Kombination von zwei unterschiedlichen Blöcken: Der Geschichte von Josephs Krankheit, Tod und Begräbnis (Kap.12-29) wird ein Block von Kindheitsgeschichten Jesu vorangestellt (Kap.2-11). Kapitel 1 und 30-32 bilden als dritte Schicht den Rahmen der Blöcke.[200] Die älteste Schicht, Kap.2-11, wird allgemein in das 4. bis 5. Jahrhundert datiert.[201]

In der Geschichte von Joseph dem Zimmermann werden mehrere andere christliche Schriften benutzt; gerade die Kindheitsgeschichten dürften literarisch von den kanonischen Evangelien und vom Protev.Jak. abhängig sein.[202] Das Urteil von Morenz, daß auch die Apk.Joh. eine "besondere Wertschätzung"[203] genieße, erscheint mir angesichts der Vagheit der Einzelbelege als überzogen.[204] Eine Benutzung der Apk.Joh. ist nicht beweisbar. Somit kann

---

[198] McDonough / Alexander, 1962, S.93.
[199] Migne, PG 49,227, Z.52.
[200] Vgl. Schneider, 1995, S.71.
[201] Vgl. Schneider, 1995, S.73; Morenz, 1951, S.107f.
[202] Vgl. Schneider, 1995, S.71; Morenz, 1951, S.36.
[203] A.a.O., S.114.
[204] Indizien für eine Benutzung der Apk.Joh. durch die Geschichte von Joseph dem Zimmermann sind (vgl. a.a.O., S.114f.): 1. in 30,7 ist die Konstruktion "wegnehmen - oder hinzufügen" parallel zu Apk.Joh.22,18f.; 2. in 26,1 kann das Mahl der 1000 Jahre als Verbindung von Apk.Joh.19,9.17f.; 20,2-7 angesehen werden. Diese Belege sprechen beide nicht zwingend für eine Benutzung der Apk.Joh. Morenz Hauptargument schließlich (a.a.O., S.86): 31,9ff. (Tod oder Entrückung von Henoch und Elia) wird als Exegese von Apk.Joh.11,3ff. interpretiert. Auch dies ist nicht überzeugend: Es kann sich dabei, wie bei Apk.Elia (kopt.), auch um ein unabhängiges Seitenstück der gleichen Tradition handeln.

folgender Text als Beleg für eine von Apk.Joh. unabhängige Reminiszenz an Ps.2,9 gewertet werden:

> (Geschichte von Joseph dem Zimmermann 6,1f.): "In der Mitternacht aber, siehe, (da) kam Gabriel, der Erzengel der Freude, zu ihm in einem Gesicht (ὅραμα) nach dem Gebot (κέλευσις) meines guten (ἀγαθός) Vaters (und) sprach zu ihm: 'Josef, Sohn Davids, fürchte dich nicht, Maria, dein Weib, zu dir zu nehmen. Denn der, den sie gebären wird, ist einer aus dem Heiligen Geist (πνεῦμα). 2. Sie wird einen Sohn gebären, (und) du sollst seinen Namen Jesus nennen. Er wird alle Völker (ἔθνος) mit einem eisernen Stab weiden'".[205]

Vorlagen für diesen Text dürften Mt.1,20f. und, davon abhängig, Protev.Jak.14,2 sein; doch ist dabei in der matthäischen Engelrede das Zitat aus Ps.130,8 (er wird sein Volk retten von ihren Sünden) in unserem Text durch Ps.2,9 vertauscht. Unabhängig von Apk.Joh.12,5 wird auch hier der neugeborene Christus mit Ps.2,9 charakterisiert.

2.1.1.2. Der Eiserne Stab als pädagogisches Instrument

In vielen Texten wird der Eiserne Stab als Zuchtinstrument Christi interpretiert; dabei ist allerdings seine Bedeutung als Machtsymbol oft angeknüpft, wie es z.B. bei Origenes, Sel. in Ps.2,9, der Fall ist. Mit der Kombination Ps.2,9, 1Cor.4,21 und Ps.89,33f. (Stichwort "ῥάβδος") wird der Stab als Zuchtinstrument interpretiert, mit Jes.11,1ff. wird er auf den Stab Christi bezogen.[206] Als Resümee wird dieses Bild als gute Regentschaft Christi gedeutet.[207] Wie bei Hippolyt, Ref.5,7 gibt es auch eine Reflexion über das Material des Stabes; dabei wird der eiserne Stab in Zusammenhang mit dem hölzernen Kreuz gesehen.[208]

---

[205] Die Übersetzung von Morenz wurde von Schneider übernommen (zur Stelle: vgl. Schneider, 1995, S.277 und Morenz, 1951, S.4). Die griechischen Termini sind bei Schneider im Apparat.

[206] "Διὰ τοῦτο καὶ αὐτὸς ὁ Χριστὸς ῥάβδος εἶναι παρὰ τῷ 'Ησαΐᾳ λέγεται" (es folgt Jes.11,1; Migne, PG 12,1109A).

[207] "Εἰ ποιμαίνει κατ' ἐπαγγελίαν Θεοῦ, ποιμὴν οὖν ὁ Χριστός. Ποιμὴν δέ ἐστι ποιμαίνων ἐν ῥάβδῳ σιδηρᾷ, καὶ ποιμὴν καλός" (Migne PG 12,1112A).

[208] "' Ῥάβδος Θεοῦ ἡ ἐξουσία, ἡ κατὰ τῶν ἀπειθούντων τιμωρία, τουτέστιν ἐν τῷ σταυρῷ. ἡ μὲν γὰρ ὕλη ξύλου, ἡ δὲ ἰσχὺς σιδηρᾶ" (Migne PG 12,1112A). Interessant ist, daß bei Origenes' Rezeption von Ps.89,33 in der Homilia in Exodum 8,6 ein Einfluß aus Ps.2,9 vorzuliegen scheint. Diese Homilie ist nur in der lateinischen Übersetzung Rufins überliefert. An der entscheidenden Stelle heißt es: "Visitabo in

In diesem Zusammenhang ist auch Eusebius v. Caesarea, Comm. in Ps.119,3 zu nennen. Dort wird die "ῥάβδος δυνάμεως" mit der "ῥάβδος σιδηρᾶ" aus Ps.2,9 gleichgesetzt und als "παιδευτικὴ καὶ σωτήριος"[209] interpretiert. Der Zusammenhang von Machtsymbol und Zuchtinstrument kommt dabei deutlich zum Ausdruck.

Auch Clemens von Alexandrien kennt diesen Zusammenhang bei der Interpretation von Ps.2,9. In Paid.1,7,61,3 heißt es:

> "Denn vom Herrn erzogen und gezüchtigt zu werden, ist Errettung vom Tod. ³Und durch denselben Propheten sagt er: Mit eisernem Stabe wirst du sie weiden".[210]

Ein Stab zum Erziehen wird schon in 61,1 angesprochen:

> "Deswegen verleiht die Prophetie ihm einen Stab, einen Stab zur Erziehung, zum Herrschen, zur Gewaltausübung...".[211]

Dies wird mit einer Verknüpfung von Jes.11,1.3f.; Ps.118,18; Ps.2,9; 1Cor.4,21; Ps.110,2; 23,4 (Stichwort: ῥάβδος) untermauert.

Als weiterer Beleg für dieses Zusammenspiel von Macht und Pädagogik Gottes bei der Interpretation von Ps.2,9 finden wir bei Basilius in der Hom. in Ps.45,7f.; dort zieht er mit Ps.89,31.33; 23,4 auch Ps.2,9 heran, um die ῥάβδος εὐθύτητος von Ps.45,7 als pädagogisches Mittel Gottes zu interpretieren.[212]

Vielfältige Interpretationen der ῥάβδος als Macht- und Heilsmittel liefert endlich Johannes Chrysostomos in der "Expositio in Ps.CIX".[213] Ausgangspunkt ist Ps.110,2, die Rezeption in Hebr.12,22 wird angeführt. Die Kombination von Ps.23,4 und Ps.2,9, unterstützt von 1Cor.4,21, ermöglicht eine Deutung des Stabes als gleichzeitiges Zucht- und Trostmittel Gottes. Die königliche Bedeutung wird durch Jes.11,1 und Ps.45,7 gewährleistet. Eine originelle Deutung als "Zauberstab" (τὴν μὲν δύναμιν ἐνθαῦτα ῥάβδον ἐκάλεσε), mit dem die Jünger gemäß des Missionsauftrages durch die Welt ziehen (hier wird

---

virga ferrea facinora eorum" (Migne, PG 12, 360B), wobei "ferrea" einen Zusatz zu Ps.89,33 darstellt, der sich nur als Reminiszenz zu Ps.2,9 erklären läßt - zumal die Kombination von Ps.2,9 und 89,33 schon in Sel.in Ps.2,9 belegt ist.

[209] Migne PG 23,1341C.

[210] "Τὸ γὰρ ὑπὸ κυρίου παιδευθῆναι καὶ παιδαγωγηθῆναι θανάτου ἐστὶν ἀπαλλαγή. καὶ διὰ τοῦ αὐτοῦ προφήτου φησίν. ἐν ῥάβδῳ σιδηρᾷ ποιμανεῖς αὐτούς'" (GCS 12, S.126).

[211] "Διὰ τοῦτο αὐτῷ ῥάβδον περιτίθησιν ἡ προφητεία, ῥάβδον παιδευτικήν, ἀρχικήν, κατεξουσιαστικήν". (GCS 12, S.126).

[212] "Παιδευτικὴ τίς ἐστιν ἡ ῥάβδος τοῦ θεοῦ ..." (Migne PG 29, 404C).

[213] Auslegung von Ps.110 in Migne PG 55,264ff.

Mt.28,19 angeführt), wird mit Rückgriff auf den "Stab des Mose" von Ex.7,8ff. gegeben.

An dieser Stelle kann eine Verbindung zu Apk.Joh.2,26-28 gezogen werden: Hier wie dort geht es um Übergabe von Macht an Menschen, die mit dem betreffenden Bild aus Ps.2,9 genauer bestimmt wird. Hier wie dort wird auch Wert darauf gelegt, daß das Machtmittel von Gott gegeben worden ist: In Apk.Joh.2,28 durch die Einhaltung der Hierarchie Vater-Christus-Überwinder (vgl.1,1); bei Johannes Chrysostomos in der Konzeption, daß auch Mose vieles bewirkte, die Kraft dazu aber von Gott kam.[214] Hier ist auch Origenes, Sel.in Ps.2,9 zu nennen, der das Weiden mit eisernem Stab als Apostelamt (mit 2Tess.2,16) und als Amt Christi (mit Jes.11) deutet. Es ist also auch in weiterer Rezeption möglich, Ps.2,9 im Rahmen der Übergabe von Macht auf Menschen zu beziehen. Die Interpretation des "eisernen Stabes" als Machtinstrument ist dabei Voraussetzung.

Am Schluß dieses Kapitels ist noch die fünfte Rede des Gregor von Nazianz (gegen Kaiser Julian), Kap.29, anzuführen. Hier geht es um Gott, der die Gefesselten befreit und dabei die eiserne Rute beiseite legt und zum Hirtenstab greift.[215] Der Eiserne Stab, so die Voraussetzung dieser Aussage, ist auch hier Mittel der harten Zucht Gottes.

Conclusio: Die Bedeutung des "eisernen Stabes" von Ps.2,9 ist - unabhängig von der Frage, gegen wen dieser eingesetzt wird - in der frühen christlichen Rezeptionsgeschichte vielfältig; die Interpretationen als Symbol für göttliche Macht und als Zuchtinstrument Gottes liegen dabei, wie es in den oben vorgestellten Belegen zum Ausdruck kommt, vielfach differenziert vor. Eine besondere Ausprägung dabei war bei Johannes Chrysostomos zu finden, der, ähnlich wie bei Apk.Joh.2,26-28, das betreffende Bild auf Menschen beziehen konnte. Hier wie da, so konnte festgestellt werden, geht es um Übergabe von göttlicher Macht an Menschen. Die Interpretation das "eisernen Stabes" als Machtsymbol ist dabei Voraussetzung.

---

[214] "Εἶχε καὶ Μουσῆς ῥάβδον, ἀλλ' ἐνέργειαν Θεοῦ δεξάμενος, δι' ἧς ἐνήργει ἐν ἅπασι" (Migne PG 55,269, Z.26f.).

[215] "Τίς οἶδεν εἰ ὁ λύων τοὺς πεπεδημένους Θεός ... καὶ τούτους ποτὲ ἀναλήψεται καὶ ποιμανεῖ τῇ ποιμαντικῇ ῥάβδῳ, τὴν βαρεῖαν καὶ σιδηρᾶν καταθέμενος" (SC 309, S.350).

2.1.2. Wer wird mit dem Eisernen Stab geweidet?

In dieser zweiten Traditionslinie der Rezeption von Ps.2,9 steht nicht die Interpretation des "eisernen Stabes" im Vordergrund; vielmehr ist die Interpretation der "Völker" entscheidend, gegen die dieser gerichtet ist. Dabei können zwei große Bereiche unterschieden werden:
1. Der Stab richtet sich gegen theologische Gegner und Häretiker; Ps.2,9 fungiert damit im Rahmen frühchristlicher Ketzerpolemik.
2. Der Stab richtet sich gegen die Herrschenden; Ps.2,9 nimmt damit eine politische Aussage an.

2.1.2.1. Ps.2,9 im Rahmen der antijüdischen Polemik

Wenden wir uns zunächst dem ersten Punkt zu. Teil frühchristlicher Ketzerpolemik ist die Auseinandersetzung mit dem "ungläubigen Israel" - und so verwundert es nicht, Ps.2,9 auch in diesem Umfeld vorzufinden. So bezieht Gregor von Nazianz in Oratio VI (De pace), 17 Ps.2,9 auf die Juden:

> (nach der Gesetzesgabe am Sinai): "Danach aber begannen die Israeliten, krank zu werden und gegeneinander zu wüten und sich in viele Teile zu spalten (durch das Kreuz wurden sie ins letzte Verderben gestürzt, auch durch die Ignoranz, die sie gegen Gott und unseren Erlöser hegten, indem sie den im Menschen einwohnenden Gott nicht anerkannten) und lenkten den ihnen vor Zeiten angedrohten eisernen Stab auf sich".[216]

Die "Völker" von Ps.2,9 scheinen hier also die Juden zu sein, denen der Eiserne Stab schon vom Psalmisten angedroht wurde; die Dekadenz des jüdischen Volkes vom Sinai bis zum Kreuz ist der Grund, warum sich dieser Stab nun gegen sie richtet.

Auch bei Didymus dem Blinden wird Ps.2,9 im Zusammenhang antijüdischer Polemik gebraucht. Im Com. in Eccl.12,3a, interpretiert er (unter Anführung von 2Tim.2,20f.) "Haus" mit "Gefäß". Mit Lam.4,2 wird ein Umschwung (μετάπτωσις) von ehrenhaften Gefäßen zu unehrenhaften eintreten. Dann

---

[216] " Ἐπεὶ δὲ νοσεῖν ἤρξαντο, καὶ κατ᾽ ἀλλήλων ἐμάνησαν καὶ διέστησαν εἰς μέρη πολλὰ [τοῦ σταυροῦ πρὸς τὴν ἐσχάτην ἀπώλειαν αὐτοὺς συνελαύνοντος, καὶ τῆς ἀπονοίας ἣν κατὰ τοῦ Θεοῦ καὶ Σωτῆρος ἡμῶν ἀπενοήθησαν, τὸν ἐν ἀνθρώπῳ Θεὸν ἀγνοήσαντες], καὶ τὴν ῥάβδον τὴν σιδηρᾶν πόρρωθεν ἀπειλουμένην αὐτοῖς ἐφ᾽ ἑαυτοὺς εἵλκυσαν ..." (Migne, PG 35, 744C).

wird mit Ps.2,9 das Volk Israel mit den irdenen Gefäßen identifiziert, "weil es dem Heiland nicht glaubte":

> "Als sie Schafe waren, waren sie 'goldene' (Gefäße) und wurden vom 'Stab' des Hirten geführt, jetzt aber (werden sie) 'mit eisernem Stab' (geweidet) und 'werden wie Töpfergeschirr zerbrochen'".[217]

Diese Argumentation (Ps.2,9 + 2Tim.2,20) dürfte traditionell vorgeprägt sein; wir finden sie auch bei Cyprians 54. Brief aus dem Jahre 251 - nur dient sie dort nicht antijüdischer Polemik, sondern christlicher Paränese:

> "Der Apostel sagt in seinem Briefe: 'In einem großen Hause aber sind nicht nur goldene und silberne Gefäße, sondern auch hölzerne und irdene, wobei einige zur Ehre, andere zur Unehre sind'. Wir wollen uns Mühe geben und soviel wir können daran arbeiten, daß wir ein goldenes oder silbernes Gefäß sind. Im übrigen steht es allein dem Herrn zu, irdene Gefäße zu zerbrechen, ihm ist auch ein eiserner Stab gegeben".[218]

Der Umschwung von den wertvollen zu den wertlosen Gefäßen, der nach Didymus bei den Juden erfolgt ist, wird hier bei Cyprian als Möglichkeit angesehen, der man sich durch den christlichen Lebenswandel zu entziehen hat. Insofern dürfte diese Stelle hier formgeschichtlich durchaus als ein "logos protreptikos" angesehen werden, zumal hier die Kombination von "operam demus" und "laboremus" ähnlich im "logos protreptikos" von 1Tim.4,10 vorkommt (κοπιῶμεν - ἀγωνιζόμεθα).[219] Der Eiserne Stab ist hier Machtmittel Gottes, das dieser gegen Christen gebrauchen kann, die sich in Fragen der Lebensführung als "irdene Gefäße" erwiesen haben .Ähnlich zu Gregor von Nazianz, Orat.5,29 (s.o.) wird hier vorausgesetzt, daß der Eiserne Stab auch gegen Christen gerichtet werden kann. Didymus hingegen benutzt die Kombination von Ps.2,9 und 2Tim.2,20 losgelöst von der Gattung des "logos protreptikos" im Rahmen der antijüdischen Polemik..

Schließlich kann hier noch die Interpretation des "eisernen Stabes" als Waffe Christi gegen den Satan angesprochen werden. Basilius gebraucht in den "Orationes sive Exorcismi", wohl als Reminiszenz zu Ps.2,9, das Bild vom Eisernen Stab als Zuchtmittel Christi gegen den Satan:

---

[217] Binder/Liesenborghs, 1969, S.141.

[218] "Apostolus in epistula sua dicit: in domo autem magna non solum uasa sunt aurea et argentea, sed et lignea et fictilia, et quaedam quidem honorata, quaedam inhonorata. nos operam demus et quantum possumus laboremus ut uas aureum uel argenteum simus. ceterum fictilia uasa confringere Domino soli concessum est cui et uirga ferrea data est" (CSEL 3,2, S.622f., zitiert ohne Sperrdruck). In der gleichen Kombination wird Ps.2,9 in Brief 55,25 bei der Polemik gegen Novatian verwendet.

[219] Vgl. auch Kol.1,29: "κοπιῶ ἀγωνιζόμενος".

"Fürchte das Abbild des fleischgewordenen Gottes, und du mögest dich nicht vor diesem Knecht Gottes verstecken, sondern es bleibt dir der eiserne Stab und die Feuerglut und der Tartarus und das Knirschen der Zähne als Vergeltung für den Ungehorsam."[220]

2.1.2.2. Die politische Verwendung von Ps.2,9

Diese besondere Rezeption von Ps.2,9 bildet einen breiten Traditionsstrom, der im folgenden dargestellt werden soll. Die "Völker" des Verses werden dabei mit politischen Repressoren identifiziert. Diese können allgemein die "Herrschenden" sein; so findet sich in großer zeitlicher Nähe zur Apk.Joh. ein Beleg in Justins erster Apologie, Kap.40, in dem Ps.1 und 2 als Schriftbeweise für die Unterwerfung aller Feinde des Gottessohnes, selbst der Dämonen, angeführt werden. Die politische Stoßrichtung des Psalms gegen die Herrschenden ist dort aufweisbar. Ebenso interpretiert Didymus der Blinde im Comm.in Ps.2,12 das "Weiden mit eisernem Stab" als Züchtigung der Herrschenden.[221]

Sind hier die Herrschenden allgemein angesprochen, so finden wir bei der Rezeptionsgeschichte von Ps.2,9 eine breite Linie, in der diese mit den jeweiligen Machthabern, konkret den Römern, identifiziert werden. In diesem Zusammenhang ist als bislang frühster Beleg Ps.Sal.17,21ff. zu nennen:

"21 Sieh zu, Herr, und richte ihnen [sc.: diejenigen von V.16, die die Versammlungen der Frommen lieben] auf ihren König, den Sohn Davids, zu der Zeit, die du <(auser)sehen>, oh Gott, über Israel, deinen Knecht, zu herrschen.
22 und umgürte ihn mit Stärke, zu zermalmen ungerechte Fürsten, zu reinigen Jerusalem von Heidenvölkern, die vernichtend zertreten,
23 in Weisheit (und) in Gerechtigkeit die Sünder vom Erbe zu verstoßen, des Sünders Übermut zu zerschlagen wie des Töpfers Geschirr,
24 mit eisernem Stabe zu zerschlagen all ihren Bestand, zu vernichten gesetzlose Völkerschaften durch das Wort seines Mundes,
25 durch seine Drohung den Feind in die Flucht zu schlagen fort von seinem Angesicht, und die Sünder zu züchtigen in ihres Herzens Wort".[222]

Dieser Text ist der bislang frühste Beleg für eine Benutzung von Ps.2,9; er soll im folgenden ausführlich besprochen werden.

---

[220] "Φοβήθητι τοῦ σαρκωθέντος Θεοῦ τὸ ὁμοίωμα, καὶ μὴ ἐγκρυβῇς εἰς τὸν δοῦλον τοῦ θεοῦ τόνδε, ἀλλὰ ῥάβδος σιδηρᾶ καὶ κάμινος πυρός, καὶ τάρταρος, καὶ ὀδόντων βρυγμός, ἄμυνα τῆς παρακούς [sic! lies: παρακοῆς] σε περιμένει" (Migne PG 31, 1681 C).

[221] "Διδασκαλίαν ἐπιτίθεται [ὁ λόγος] τοῖς ἄρχουσιν καὶ τοῖς βασιλεῦσιν τοῖς ὑπὸ τῇ σιδηρᾷ ῥάβδῳ ποιμανθησομένοις" (Migne PG 39,1161C).

[222] Holm-Nielsen, 1977, S.101f.

2.1.3. Exkurs: Ps.2,9 in Ps.Sal.17,24

2.1.3.1. Die Lesarten von Ps.2,9

Zunächst ist wichtig festzustellen, daß dieser Text bei der Benutzung von Ps.2,9 einer anderen Lesart folgt als die Apk.Joh.. Die Unterschiede sind darin begründet, daß Psalm 2,9 im masoretischen Text und in der LXX in zwei unterschiedlichen Textvarianten vorliegt.[223]

Die masoretische Fassung lautet:	*Die LXX-Fassung lautet:*
Du sollst sie mit eisernem Stab **zerschmettern,**	Du sollst sie mit eisernem Stabe **weiden,**
wie Töpfergeschirr sollst du sie zerschlagen	wie Töpfergeschirr sollst du sie zerschlagen.

Der Grund für diese unterschiedlichen Fassungen ist in der differenten Vokalisation der hebr. Buchstabenfolge "תרעם" zu suchen. Wird aramäisch "תְּרֹעֵם" vokalisiert, so erhält man die masoretische Lesart; in der Fassung der Septuaginta wird hebräisch "תִּרְעֵם" gelesen.[224]

Die Frage, welche Fassung die ursprüngliche ist, kann nicht mit Sicherheit entschieden werden.[225] Die Apk.Joh. ist ein frühes Zeugnis für die Verbreitung der LXX - Version, die der Autor an allen drei Stellen, in denen er Ps.2,9 anklingen läßt (2,27; 12,5; 19,15), benutzt. Dennoch ist zu seiner Zeit die masoretische Lesart schon belegt, denn Ps.Sal.17,26 orientiert sich klar an der masoretischen Tradition, wie die folgende Übersicht zeigt (für die Apk.Joh. wurde Apk.Joh.2,27 als Beispiel genommen, weil in diesem Vers Ps.2,9 am ausführlichsten zitiert ist):

---

[223] Vgl. die ausführl. Darstellung der Textbezüge von Ps.2,9 in Apk.Joh.2,27; 19,15 bei Trudinger, 1963, S.56-58; seiner Argumentation, das Verb "ποιμαίνει" sei zu wenig signifikant, um einen Bezug zur LXX zu begründen, kann hier nicht gefolgt werden.

[224] Vgl. hierzu Wilhelmi, 1977, S.196ff.

[225] Die Ursprünglichkeit der LXX - Fassung erscheint in der neueren Forschung als wahrscheinlich; vgl. Wilhelmi, 1977.

Apk.Joh.2,26f.:	*Ps.2,9 LXX:*	*Ps.Sal.17,23f. LXX:*
δώσω αὐτῷ ἐξουσίαν	καὶ δώσω σοὶ ἔθνη	ἐξῶσαι ἁμαρτωλοὺς ἀπὸ
ἐπὶ τῶν ἐθνῶν.	τὴν κληρονομίαν σου...	κληρονομίας, ἐκτρῖψαι
Καὶ ποιμανεῖ αὐτοὺς	ποιμανεῖς αὐτοὺς	ὑπερηφανίαν ἁμαρτωλοῦ
		ὡς σκεύη κεραμέως,
ἐν ῥάβδῳ σιδηρᾷ	ἐν ῥάβδῳ σιδηρᾷ,	ἐν ῥάβδῳ σιδηρᾷ
		συντρῖψαι
ὡς τὰ σκεύη τὰ κερα-	ὡς σκεῦος κεραμέως	πᾶσαν ὑπόστασιν αὐτῶν.
μικὰ συντρίβεται.	συντρίψεις αὐτούς.	

Als Ergebnis kann aufgrund der verschiedenartigen Textbezüge mit Sicherheit angenommen werden, daß Ps.Sal.17,24 und Apk.Joh. unabhängig voneinander auf Ps.2,9 zurückgreifen. Apk.Joh. und Ps.Sal.17 sind damit frühe Zeugen für eine parallele, unabhängige Rezeption der gleichen Schriftstelle.

2.1.3.2. Auslegung von Ps.Sal.17,21-25

Der 17. "Psalm Salomos" wird, gemeinsam mit Ps.Sal.2 und 8, in der Forschung zumeist als literarischer Reflex auf die Eroberung Palästinas durch Pompejus ins erste vorchristliche Jahrhundert datiert.[226] Nimmt man die historischen Vorgänge dieser Zeit als Hintergrund des Psalms an, so können diejenigen von Ps.Sal.17,6, die als Pendant des Davidsthrones "einen Thron ihres Hochmuts"[227] errichteten, als die Hasmonäer interpretiert werden. Der "Mensch, der unserem Geschlecht fremd ist" von V.7, der diese bestraft, ist dann Pompejus. Die Notiz in V.19 von den Feinden, die in Jerusalem tun, "wie es auch die Heiden in ihren Städten den Göttern tun", könnte sich dann im Rahmen dieses zeitgeschichtlichen Kolorits auf das Betreten des Tempels durch Pompejus (Josephus, Ant.14,4,4; Bel.1,7,6) beziehen.

Mit Ps.Sal.17,21 beginnt dann ein Bittgebet an Gott, er möge den Messias senden. Der Sohn Davids soll darin Jerusalem reinigen und die fremden Völker überwinden; seine Tätigkeit wird dabei in traditionellen Bildern geschildert: das "Schlagen" mit Anlehnungen an Ps.2,9 und die Vernichtung durch das "Wort" mit Reminiszenzen an Jes.11,4.

---

[226] Vgl. Holm-Nielsen, 1977, S.51.57f.; Schüpphaus, 1977, S.64-73 (Exegese von Ps.Sal.17 mit Lit.); Wright, in: Charlesworth II, 1985, S.640f.

[227] Holm-Nielsen, 1977, S.98; nach diesem auch sämtliche folgenden Zitate von Ps.Sal.17.

Die Funktion dieses Messias ist hier klar die Vernichtung äußerer politischer Feinde, konkret Rom. Interessant ist dabei, daß Ps.2,9 im Rahmen dieser antirömischen Polemik fungiert. In ähnlicher Richtung ist auch Sib.8,248 zu interpretieren:

> "Eiserner Weidestab wird herrschen. Dieser ist unser in Versen vorangekündigte Gott, Retter, unsterblicher, König, der um unseretwillen gelitten hat"[228].

Wenn auch hier eine von Apk.Joh.12 unabhängige Tradition nicht vorausgesetzt werden kann,[229] so ist doch der mit den Elementen aus Ps.2,9 charakterisierte Messias, der in diesem "Haßgesang gegen Rom"[230] die neue Zeit einleitet, durchaus im Rahmen antirömischer Polemik zu verstehen. Die Beliebtheit der Stelle in der Apk.Joh. dürfte hiermit in Zusammenhang stehen, wie am Ende des Kapitels noch genauer ausgeführt wird. Dieser "antirömische" Gebrauch von Ps.2,9 ist in der urchristlichen Rezeptionsgeschichte dieser Stelle vielfach differenziert. Der Zusammenhang zwischen Rom und dem Eisernen Stab wird oft mit Rückgriff auf Dan.2,43f. (Stichwort: "eisern") gesehen. So deutet Cyrill von Jerusalem den Eisernen Stab in der Catechesis XII,18 als die Herrschaft der Römer.[231] Der Machtwechsel zur Herrschaft Christi wird mit dem Bild vom Monument und dem Stein aus Dan.2 belegt und Dan.2,44 zitiert. Auch Theodoret, In Ps.2,9, setzt diese Interpretation voraus:

> "Du weidest sie mit eisernem Stabe. Wie irdene Gefäße wirst du sie zerschlagen. - Offenbar (weidest du) mit dem Römischen Reich, das figürlich 'eisern' ist, wegen der Stärke und Unzerbrechlichkeit, die die Weissagung Daniels nennt".[232]

Wohl auf der Grundlage dieser Interpretation, aber stark allegorisierend, greift Athanasius, Expositio in Psalmos, auf Ps.2,9 zurück:

> "Und deinen Besitz, die Grenzen der Erde, weidest du mit eisernem Stab. Das bedeutet: mit dem Kreuz. Dies ist zwar aus hölzernem Stoff, aber die Kraft ist eisern. Einige aber deuten es auf die Herrschaft der Römer".[233]

---

[228] Sib.8,248-250: " Ῥάβδος ποιμαίνουσα σιδηρείη γε κρατήσει. [249]Οὗτος ὁ νῦν προγραφεὶς ἐν ἀκροστιχίοις θεὸς ἡμῶν [250]Σωτὴρ ἀθάνατος βασιλεύς, ὁ παθὼν ἐνεχ' ἡμῶν." (GCS 8).

[229] Eine Abhängigkeit von Sib.8 von der Apk.Joh. wird diskutiert, vgl. Treu, in: Schneemelcher II, S.593.

[230] Ebd.

[231] "Εἴρηταί μοι καὶ πρότερον ὅτι ῥάβδος σιδηρᾶ καλεῖται σαφῶς ἡ ' Ρωμαίων βασιλεία." (Reischl/Rupp, Band II, 1967² (1860), S.24).

[232] "«Ποιμανεῖς αὐτοὺς ἐν ῥάβδῳ σιδηρᾷ. ὡς σκεύη κεραμέως συντρίψεις αὐτούς.» Τῇ ' Ρωμαικῇ δηλονότι βασιλείᾳ, ἣν σίδηρον τροπικῶς, διὰ τὸ ἰσχυρόν τε καὶ ἄῤῥαγὲς, ἡ τοῦ Δανιὴλ προφητεία καλεῖ." (Migne PG 80, 881C).

Eine andere Weise, Ps.2,9 mit der Herrschaft der Römer zu verbinden, ist die Deutung des Imperium Romanum als "eisernes Reich" im Rahmen des Schemas der " vier Weltreiche", das in Dan.2 entfaltet ist. Dabei ist zunächst Euseb v. Caesarea, Comm. in Ps.2,9, zu nennen. Hier wird der Eiserne Stab zunächst als römische Herrschermacht, der die Herrschaft Christi folgt,[234] interpretiert. Wie bei Cyrill dient Dan.2 als Bild des Herrschaftswechsels. Die Abfolge der vier Weltreiche, die zusätzlich im Blickfeld steht, wird durch eine Kombination von Dan.2,44 und 7,7 gestützt.

Diese Argumentation begegnet uns ähnlich im Dialog des Adamantius, De recta in deum fide. Megethius vertritt dort die Auffassung, daß die Völker, wenn Christus zum 2. Mal kommt, sich nicht gegen ihn auflehnen und darum nicht mit eisernem Stabe geweidet werden. Dagegen setzt Adamantius, daß die Völker natürlich mit eisernem Stabe geweidet werden; dies wird aus Dan.2,40 bewiesen: das eiserne Zeitalter ist das der Römer, die sich gegen Christus auflehnen und geweidet werden:[235]

> "Adamantius: 'Diejenigen, die in Israel König zu sein meinen und zu herrschen und Gewalt zu haben über Töten und Lebenlassen, sind alle gegen Christus aufgekommen. Und es ist offensichtlich, daß sie mit eisernem Stabe geweidet worden sind, gemäß dem Propheten Daniel, der sagt: ... (es folgt Dan.2,40)'".[236]

Eine interessante Verwendung von Ps.2,9 liefert Johannes Chrysostomos. In der "Homilia in illud" zu Lk.2,1 deutet er den Eisernen Stab politisch auf die Macht Roms. Als Begründung, warum Christus unter dem Kaiser Augustus geboren ist, wird die Gleichzeitigkeit von der Regentschaft unter eisernem Stab und der Geburt dessen, der die Völker mit "eisernem Stab" weiden wird, gegeben. Auch hier wird, wie bei Euseb, Com.in Ps.2,9, die vier Reiche-Lehre rezipiert:

---

[233] "Καὶ τὴν κατάσχεσίν σου τὰ πέρατα τῆς γῆς, ποιμανεῖς αὐτοὺς ἐν ῥάβδῳ σιδηρᾷ. Τουτέστιν ἐν τῷ σταυρῷ. ἡ μὲν γὰρ ὕλη ξύλου, ἡ δὲ ἰσχὺς σιδήρου. Τινὲς δὲ τὴν τῶν ᾽ Ρωμαίων ἀρχὴν δηλοῦσιν." (Migne PG 27, 68B).

[234] "᾽ Ράβδον δὲ σιδηρᾶν τὴν ᾽ Ρωμαίων ἀρχὴν εἶναί φησιν, ἐπικρατεστέραν γενομένην μετὰ τὴν τοῦ Σωτῆρος ἡμῶν ἐπιφάνειαν" (Migne PG 23, 89A).

[235] Dan.2, 40 wird paraphrasiert: "... βασιλεία σιδηρᾶ, ἥτις δέδεικται οὖσα τῶν ᾽ Ρωμαίων, δι᾽ ἧς ἐποιμάνθησαν οἱ κατὰ Χριστοῦ γεγονότες" (GCS 4, S.46 [Schrift nach 400, vgl. a.a.O. S.XIII]).

[236] "Οἱ βασιλεύειν δοκοῦντες ἐν τῷ ᾽ Ισραὴλ καὶ ἄρχειν καὶ ἔχοντες ἐξουσίαν θανατοῦν καὶ σώζειν πάντες κατὰ τοῦ Χριστοῦ παρεγένοντο. καὶ ὅτι ῥάβδῳ σιδηρᾷ ἐποιμάνθησαν ἀποδεικτέον κατὰ τὴν προφητείαν τοῦ Δανιήλ, λέγοντος ..." (GCS 4, S.46).

"Als darum der eiserne Stab den Anfang nahm unter der Herrschaft des Augustus, ist dann auch Christus geboren. Der Beginn der Römer ist der Beginn der Verkündigung, das vierte Reich der Zeiten".[237]

Diese Abfolge von den vier Weltzeitaltern wird mit der Kombination von Dan.2,40 und Ps.2,9 (Stichwort: "σιδηρᾶ") ausgeführt.

Mit den oben angeführten Belegen kann eine breite Tradition aufgezeigt werden, in der die "Völker", die in Ps.2,9 mit dem Eisernen Stab geweidet werden, mit den Römern identifiziert werden. Der Psalm gewinnt dadurch eine antirömische bzw. romkritische Stoßrichtung.

2.1.4. Die Rezeption von Ps.2,9 in der Apk.Joh.

Wie oben schon angesprochen wurde, wird Ps.2,9 in der Apk.Joh. dreimal benutzt. Besonders auffällig dabei ist die Verwendung in Apk.Joh.2,28, wo die Überwinder, also Menschen, die Völker mit eisernem Stabe weiden sollen. Dies konnte im Zusammenhang mit der Deutung des Bildes als Symbol der Macht Gottes geklärt werden: Wie bei Johannes Chrysostomos, Exp.in Ps.CIX, geht es dabei um die Übergabe von göttlicher Macht an Menschen.[238]
    Die antirömische Verwendung des Bildes ist nun für die anderen Stellen von größter Bedeutung. Mit Ps.2,9 wird im zeitgenössischen Umfeld des Sehers gegen Rom polemisiert, wie in Ps.Sal.17, Sib.8 und der weiteren Rezeptionsgeschichte nachweisbar. Was liegt näher, als zum Ausdruck antirömischer Haltung auf diese Interpretation zurückzugreifen?
    An diesem Beispiel wird besonders deutlich, daß auch direkte Reminiszenzen an alttestamentliche Stellen - wie schon bei den methodischen Vorüberlegungen in Teil I dargelegt - Reflex des zeitgenössischen Interpretationsrahmens sind. Die polemische Funktion von Ps.2,9 im Umfeld des Johannes gibt Einblick in seine Motivation, auf gerade diesen Psalm bei der Abfassung seines insgesamt romkritischen Buches zurückzugreifen. Hier ist ganz besonders

---

[237] " ῞Οτε τοίνυν ἡ σιδηρᾶ ῥάβδος ἀρχὴν ἔλαβε τοῦ κρατεῖν ἐπὶ Αὐγούστου, τότε δὴ καὶ ὁ Χριστὸς ἐτέχθη. ᾽Αρχὴ ᾽Ρωμαίων ἀρχὴ κηρύγματος, ἡ τετάρτη τῶν χρόνων βασιλεία." (Migne PG 50, 796, Z.49ff.); bei Hippolyt, Kommentar zu Dan.4,9, wird Christus auch im Zeitalter des Augustus geboren, bei dem das Reich der Römer wuchs. Die Nation der Christen wächst so gegen die sich sammelnde Nation der Römer (vgl. GCS 1, S.207ff.).
[238] S.o., IV, 2.1.1.2, S.91ff.

Apk.Joh.19,11ff. zu nennen. Der Reiter auf dem weißen Pferd, der nach V.19-21 die feindliche Heeresmacht der politischen Machthaber vernichtet.

In Apk.Joh.12 bündeln sich die Konnotationen: Wie in Apk.Joh.2,28 wird damit die zukünftige Macht des Messiaskindes dargelegt, wie in Apk.Joh.19,11 geht es um die zukünftige Überwindung der herrschenden politischen Verhältnisse.

2.2. Die Entrückung des Kindes

2.2.1. Die Menachemlegende

Seit Vischer[239] wird immer wieder die Menachemlegende zur Erklärung von Apk.Joh.12,5 herangezogen.[240] Nach dieser Legende wird der Messias zeitgleich mit der Zerstörung des Tempels geboren und kurz nach der Geburt entrückt. Vergleichbar mit Apk.Joh.12 ist somit die zeitliche Nähe von Entrückung und Geburt des Messiaskindes.

Dennoch besteht ein großer Unterschied: In Apk.Joh.12 handelt es sich im Gegensatz zur Menachemlegende um die Entrückung des bedrohten Messiaskindes. Somit scheint das theologische Konzept der Entrückung[241] in unterschiedlichen Funktionen verwendet worden zu sein. Im folgenden soll die Funktion des Entrückungsmotivs bei der Menachemlegende untersucht werden. Dabei wird gezeigt, daß in der Menachemlegende zwei unterschiedliche

---

[239] Vgl. Vischer, 1886, S.27f.

[240] Vgl den forschungsgeschichtl. Überblick bei U. Müller, 1972, S.172f. - Die Legende liegt in mehreren unterschiedlichen Fassungen vor; zu den bei Greßmann, 1929, S.449-452 vorgelegten vier Varianten ist noch Threni R 1,16 zu ergänzen; bei der folgenden Untersuchung sind allerdings nur diejenigen Fassungen der Menachem - Legende berücksichtigt worden, bei denen, ähnlich Apk.Joh.12, die Entrückung des Kindes eng an die Geburt des Kindes gebunden ist: Threni R 1 und jBerak.5a; zu den Ausgaben: vgl. Hengel,1976², S.301, Anm.3.

[241] Zum biblischen und frühjüdischen Konzept der Entrückung: vgl. Betz, Art."Entrückung II", in TRE 9, 1982, S.684-690; detaillierte Untersuchungen zum Entrückungsmotiv im Judentum und der heidn. Umwelt: vgl. Lohfink, 1971, S.32-73. Zur Kompilation der Entrückung Jesu mit verschiedenen Gestalten der griechischen Mythologie vgl. Justin, 1.Apol.21.

Auffassungen von dem Zusammenhang "Tempelzerstörung - Geburt des Messias" durch das Entrückungsmotiv kompiliert werden.

Hierzu gehen wir zunächst von der Beobachtung aus, daß die Synchronie von Messiasgeburt und Tempelzerstörung von der Mutter des Kindes und von dem jüdischen Händler unterschiedlich interpretiert werden:

> jBerak.5a[242]: "Darauf sagte sie [=die Mutter]: Ich möchte alle Feinde Israels erwürgen, denn an dem Tage, an dem er zur Welt kam, wurde der Tempel zerstört.
> Darauf sagte er (der Händler) zu ihr: Wir sind dessen sicher, wenn er die Zerstörung des Tempels verursacht hatte, so wird er ihn auch wieder aufbauen."

Ähnlich Threni R 1:[243]

> "[20]Sie sagt zu ihm: Sein Omen ist unheilbringend; denn an dem Tage, da er geboren wurde, ist der Tempel zerstört worden. [21]Er erwiderte ihr: Wir glauben, daß, wie um seinetwillen (der Tempel) zerstört wurde, er auch um seinetwillen wieder aufgebaut wird."

Die Mutter verflucht ihr Kind, weil es synchron zur Tempelzerstörung geboren ist.[244]

Doch neben diesem Zusammenhang von messianischem Ereignis (Geburt) und weltlichem Ereignis (Tempelzerstörung), den die Mutter Menachems darstellt, bekommen wir aus dem Munde des Protagonisten der Menachemlegende, des jüdischen Händlers, eine andere Verbindung mitgeteilt:

Der Messias verursacht den Abriß des Tempels, um ihn wieder neu errichten zu können. Hier fließt die in frühjüdischen Texten belegbare Tradition von der Erneuerung Jerusalems bzw. des Tempels durch den Messias mit ein (TgJes.53,5; Lev R 9,6), die in der vorliegenden Tradition durch deren Zerstörung vorbereitet wird.

Diese Verbindung des Schemas Tempel abreißen - aufbauen ist hier in verschiedener Weise mit dem Messias verbunden: In Threni R 1 ist es mit unbekanntem Subjekt formuliert (im Deutschen passivisch wiederzugeben) und geschieht um des Messias Willen. In jBerak.5a ist das Subjekt der Messias, der

---

[242] Zitiert nach Horowitz, 1974, S.65.

[243] Zitiert nach Berger/Colpe, 1987, S.130.

[244] Dies wird auch von dem Zitat des R. Bun im Anschluß an die Menachemlegende aufgenommen, und zwar in der Anspielung auf die Abfolge der Verse Jes.10,34 (wobei "Libanon" mit "Tempel" gleichgesetzt wird) und Jes.11,1; vgl. zur Geburt des Messias bei der Zerstörung des 2. Tempels auch Pesiqta R 20a; Est R 1,1; zur Geburt bei der Zerstörung des 1. Tempels vgl. Aggadat Bereshit 46a.

den Tempel zerstört und wieder aufbaut. Das Schema hat hier die Funktion, messianisches Handeln auszudrücken.

Diese Verbindung von Abriß und Aufbau des Tempels mit dem Messias, die der jüdische Händler der Menachemlegende nahelegt, ist auch in der Jesus-überlieferung belegbar. In Joh.2,19 finden wir eine vermittelnde Position: andere brechen auf Aufforderung Jesu den Tempel ab (vgl. Threni R1: "Um des Messias Willen"), Jesus baut ihn wieder auf (vgl. jBerak.5a: der Messias selbst handelt).

Mk.14,58parr. dagegen ist gänzlich Zeuge für die in jBerak.5a verwendete Tradition, in der der Messias den Tempel selbst zerstört und wieder aufbaut. Der Unterschied zu jBerak.5a ist allerdings die polemische Verwendung der Tradition, die Jesus als Pseudomessias entlarven soll:

> (Die Zeugen vor dem Synhedrion:) "Denn wir hörten ihn sagen: 'Ich werde diesen mit Händen gemachten Tempel zerstören und nach drei Tagen einen anderen errichten, der nicht mit Händen gemacht ist'".

Das Schema Tempel niederreißen - aufbauen wird hier polemisch an Jesus herangetragen. Ganz ähnlich verhält es sich in einer rabbinischen Tradition über Herodes in bBaba Bathra 4a:

> (Herodes unterhält sich mit R.Baba b.Buta, den er vorher geblendet hatte, und bereut seine Tat; der Rabbi sagt zu ihm:) "Du hast das Auge der Welt geblendet, wie es heißt: Wenn von den Augen der Gemeinde [Num.15,24], geh nun, befasse dich mit dem Auge der Welt, wie es heißt: fürwahr, ich entweihe mein Heiligtum, den Gegenstand eurer stolzen Hoffart, die Lust eurer Augen [Ez.24,21]. Hierauf sprach jener: Ich fürchte mich vor der Regierung. Dieser erwiderte: Sende einen Boten; dieser wird ein Jahr hingehen, sich ein Jahr da aufhalten und ein Jahr zurückkehren; währenddessen hast du [den Tempel] niedergerissen und wieder aufgebaut. Da tat er dies. Hierauf erwiderte man ihm: Hast du ihn noch nicht niedergerissen, so reiße ihn nicht nieder; hast du ihn bereits niedergerissen, so baue ihn nicht wieder auf; hast du ihn bereits niedergerissen und wieder aufgebaut, so sind es schlechte Sklaven, die erst dann um Rat fragen, nachdem sie etwas bereits getan hatten. Wenn du auch deine Waffen hast, so liegt die Matrikel hier: Herodes ist weder Rakha noch Sohn eines Rakha; er hat sich selber zum Freien gemacht".[245]

Diese Parallele bezieht sich ganz offensichtlich auf das historische Vorbild des herodianischen Tempelbaus; Herodes, wie wir von Josephus in Ant.15,380ff. wissen, hatte im Jahr 20/19 v.Chr. den Tempel des Serubbabel niederreißen und neu aufbauen lassen. Dies dürfte der geschichtliche Hintergrund für das vorliegende Schema "abreißen - aufbauen des Tempels" sein.[246] Ob die

---

[245] Goldschmidt VIII, S.10f.

Kombination dieses Schemas mit der Figur Menachems ebenso auf einem historischen Ereignis beruht (ein Menachem ben Hiskia hat nach Josephus Bel.2,433ff. vier Jahre vor der Tempelzerstörung den ersten Aufstand in Jerusalem angezettelt und vier Wochen dort geherrscht), ist durchaus möglich.[247]

R.Baba rät nun im vorliegenden Text dem Herodes, da dieser die Augen der Gemeinde (= der Ältesten) geblendet hat, sich mit dem Tempel als Auge der Welt zu befassen. Dieser erweist sich aber als von den Römern abhängig und fragt darum zögernd an. Die Antwort: Zwar ist er stolz und siegesbewußt, doch kein König (Rakha = Rex), sondern macht sich selbst zum Freien; dabei wird seine unfreie Geburt pointiert.

Das Schema Tempel niederreißen - aufbauen wird hier ganz ähnlich wie bei der Jesusüberlieferung in Mk.14,58 verwendet. Es wird bei beiden Texten in polemischer Weise auf einen Unfreien und Unfähigen übertragen. Die Pointe beider Texte: Beide Figuren, an die das Schema angelegt wird, haben nicht die vorausgesetzte Qualifikation. Jesus kommt durch das o.a. Schema nach Aussage der Zeugen messianische Qualität zu, die angesichts der bestehenden Situation (Machtlosigkeit / Gefangenschaft) als pseudomessianische Verstiegenheit gesehen wird (vgl. die folgenden Verse Mk.14, 61ff.).

Herodes kommt mit besagtem Schema königliche Macht zu, der er durch seine Abhängigkeit von den Römern nicht gerecht wird.

Ergebnis: Das Schema Tempel niederreißen - aufbauen ist sowohl in der Jesusüberlieferung als auch in der Menachemlegende als Ausdruck messianischen Handelns verwendet.[248] Der polemische Gebrauch bei Mk. zeigt, daß es auch als Prüfstein für Messianität gelten kann. Die Verbindung mit Herodes in bBaba Batra ist durch historische Reminiszenzen motiviert und ist auch hier zunächst Ausdruck von Herodes' Hoheit. Diese wird allerdings durch die pointierte Abhängigkeit von den Römern ins Gegenteil verkehrt. Ähnlich der Jesusüberlieferung bei Mk ist dann das Schema Tempel niederreißen - aufbauen Ausdruck der Verstiegenheit.

Bisher sind also zwei unterschiedliche Motive analysiert worden, die in der Menachemlegende aufeinander bezogen sind:

---

[246] Vgl. hierzu Theißen, 1976, S.142f.
[247] Vgl. Greßmann, 1929, S.460ff.; zur Diskussion (mit Lit.) Hengel, 1976[2], S.301f.; K. Müller, 1991, S.318f.
[248] Der Zusammenhang von Tempelzerstörung und messianischem Wirken ist dann auch, gegen Lührmann, 1981, S.465, in jüdischen Texten belegt.

1. Das Motiv von der durch messianisches Handeln begleiteten Tempelzerstörung (Trägerin: die Mutter)
2. Dieses interpretierend das Motiv von der Zerstörung des Tempels durch den
   Messias zum Zweck des Wiederaufbaus (Träger: der jüdische Händler).

Die Entrückung bildet nun das dritte Glied in der Kette: Die Wegnahme Menachems geschieht, um der Hoffnung auf den Wiederaufbau des Tempels gerecht
zu werden, die aufgrund der Entrückung des Kindes noch aussteht. Damit hat
die Entrückung in der Menachemlegende die Funktion, die "Verborgenheit"
des Messias bis zur Erneuerung des Tempels zu initiieren.[249]

Für die Exegese von Apk.Joh.12 hat dieser Befund folgende Konsequenzen:

- Die Entrückung des Kindes in der Menachem - Legende steht ganz im Zusammenhang mit Motiven messianischer Zerstörung und Wiedererrichtung
  des Tempels in der Endzeit. Damit ist auch die Funktion des Motivs verknüpft: ähnlich wie bei Henoch und Elias dient die Entrückung dazu, die
  Zeit bis zur Wiedererrichtung des Tempels in einem "himmlischen Wartestand" zu überbrücken.

  Dabei werden allerdings Unterschiede zu Apk.Joh.12 deutlich: Der Zusammenhang mit dem Tempel ist in Apk.Joh.12 nicht zu finden. Zwar sind die
  Geschehnisse von Apk.Joh.12 im Rahmen der Öffnung des himmlischen
  Tempels in 11,19 zu sehen, doch von einer Zerstörung und einem Wiederaufbau des Tempels ist nicht die Rede, zumal die Szenerie des eschatologischen Jerusalem in der Apk.Joh. explizit nicht mit einem neuen Tempel verknüpft ist (Apk.Joh.21,22). Die Entrückung in Apk.Joh.12 steht dagegen
  ganz in engem Zusammenhang mit der Bedrohung des Kindes, die mit der
  Geburt erfolgt. Dadurch ist die Entrückung eng an die Geburt gekoppelt.

- Was die Verknüpfung von Geburt und Entrückung anbelangt, so ist hier auf
  einen weiteren Unterschied aufmerksam zu machen, der formal durch einen
  Vergleich der Handlungsstruktur dargestellt werden kann; die Gliederung
  unserer Textsequenz lautet bekanntermaßen:

  Frau gebiert Kind - Charakterisierung des Kindes - Entrückung des Kindes.

Diese Einheiten sind tatsächlich alle in gleicher Abfolge in der Menachemlegende vorhanden. Doch im Unterschied zu Apk.Joh.12 erfolgt die Entrückung

---

[249] Müller, 1991, S.316, zieht jBerak.5a als Deutung der Geburt des Messias heran, der
hinfort bis zur Erlösung Israels verborgen lebt; die Entrückung deutet er a.a.O.,
S.318f. mit Hengel, Zeloten, als Reminiszenz auf den von Jos. Bell. 2,17,8f., beschriebenen Menachem. - Dagegen wird in der hier vorliegenden Untersuchung die
Entrückung als ein zur Tradition der Synchronie von Messiasgeburt und Tempelzerstörung redaktionelles Konzept verstanden, das die Verborgenheit des Messias bis
zum Wiederaufbau des Tempels initiiert.

nicht sofort nach der Geburt.[250] Sie ist nur in jBerak. an eine bestimmte Zeit gebunden, nämlich an das erste Treffen des Juden mit der Frau. Somit ist der hier relevante Handlungsteil von jBerak. 5a so zu umschreiben:

Frau gebiert Kind - Händler trifft Frau - Kind wird entrückt.

Zwischen Geburt und Entrückung ist hier noch ein Handlungsblock gesetzt. Damit ist ein direkter Vergleich mit der Handlung von Apk.Joh.12, bei der die Entrückung direkt der Geburt folgt, nicht gegeben. Damit kommen wir zur Frage, welche Funktion die Entrückung in Apk.Joh.12 hat.

2.2.2. Die Entrückung in Apk.Joh.12,5

Man hat die Entrückung in Apk.Joh.12,5 im Zusammenhang mit ihrer eschatologischen Funktion gedeutet.[251] Dies ist im Rahmen der gesamten Schrift sicher zutreffend, zumal, wie oben beschrieben, das mit Ps.2,9 charakterisierte Messiaskind in 19,15 in eschatologischer Funktion wiederkehrt.

Doch abgesehen vom Rahmen der gesamten Apk.Joh. kommt der Entrückung beim speziellen Gang der Handlung von Apk.Joh.12 noch eine andere Funktion zu, der wir uns nun zuwenden wollen.

Ausgangspunkt der Untersuchung ist die Beobachtung, daß die Entrückung ganz eng an die Geburt geknüpft ist. Da das Kind schon während seiner Geburt von dem Drachen bedroht wird, liegt die Vermutung nahe, in Apk.Joh.12 handle es sich um die Entrückung des verfolgten Messias. Die Entrückung hat demnach Schutzfunktion; dies ist im zeitgenössischen Judentum schon vorbereitet. Die folgenden Beispiele stellen Belege für die Entrückung dar, die zum Schutz des/der Protagonisten geschieht:

a) In Sap.Sal.4,10 ist von der Entrückung des Gerechten die Rede, der vom Bösen umgeben ist.[252]

---

[250] Zur verzögerten Entrückung vgl. die Entrückungen Esras in 4Esra 12 und Baruchs in Apk.Bar.(syr.) 76; zwischen der Verheißung der Entrückung und der eigentlichen Entrückung liegen 40 Tage, in denen das Volk noch belehrt werden soll; vgl. auch Apk.Hen.(äth.)81,5f. (Henoch).

[251] Vgl. U.Müller, 1972, S.184-187 (zahlreiche Belege aus der Henoch- und Eliatradition). Entrückung wird hier parallel zu Jes.Sir.48,9f. als Versetzung in den Wartestand bis zum Tag Jahwes verstanden; zu dieser "eschatologischen Funktion" vgl. Haufe, 1961, S.105ff.

[252] Sap.Sal.4,10f.: "εὐάρεστος θεῷ γενόμενος ἠγαπήθη καὶ ζῶν μεταξὺ ἁμαρτωλῶν μετετέθη. ἡρπάγη, μὴ κακία ἀλλάξῃ σύνεσιν αὐτοῦ, ἢ δόλος ἀπατήσῃ ψυχὴν αὐτοῦ". Interessant ist, daß die schützende Entrückung in V.11 hier auch mit dem

Ein exemplarischer Gerechter (Henoch) wurde entrückt, weil er nicht vom Bösen verführt werden soll.[253]

b) Auch bei den Traditionen um Elia fand das Motiv von der schützenden Entrückung Eingang. Elias Verfolgung und Einsamkeit in 1Reg.19,19 und seine Entrückung in 2Reg.2,11 werden in der Schafvision Apk.Hen.(äth.) 89,52 zusammengebracht.

c) Am Ende der Apk.Hen.(sl.) wird in Kap.68-73 die Begründung des priesterlichen Kultes mit Bezugnahme auf die Mythen um Methusalem gegeben. Dabei wird in Kap.71,17ff. auch eine Geburtsgeschichte des Methusalem erzählt:[254]

> (Noahs Frau Sopanima ist wunderhaft schwanger geworden und kurz vor ihrer Entbindung plötzlich gestorben): "17 Und es kam ein Knabe aus der toten Sopanima hervor und setzte sich auf das Bett zu ihrer Rechten. Und Noah und Nir kamen herein, um Sopanima zu begraben. Und sie sahen den Knaben bei der toten Sopanima sitzen und seine Kleidung abwischen. 18 Und Noah und Nir erschraken sehr mit großer Furcht, denn der Knabe war am Körper vollkommen wie ein Dreijähriger, und er redete mit seinem Mund und pries den Herrn. 19 Und Noah und Nir betrachteten ihn, und siehe, das Siegel des Priestertums war auf seiner Brust, und er war herrlich von Anblick. ... 27 Und der Herr erhörte Nir und erschien ihm in einer nächtlichen Erscheinung, und sagte zu ihm: 'Nir! Die großen Gesetzlosigkeiten, die auf Erden zahlreich geschehen sind, will ich nicht länger dulden. Und siehe, ich will nun eine große Vernichtung auf die Erde schicken, und der ganze Bestand der Erde wird verderben. 28 Aber über den Knaben betrübe dich nicht, Nir, denn in Kürze werde ich dir meinen Archistrategen Michael senden. Und er wird den Knaben nehmen und in das Paradies Eden

---

Verb ἁρπάζειν beschrieben wird. Dies ist allerdings kein Terminus Technicus für die schützende Entrückung, wie z.B. Plutarch, De genio Socratis 591C beweist: Der Hades entrückt (=entführt) die Seelen (ὁ ῞Αιδης ἀφαρπάζει). Zum Terminus "ἁρπάζειν" für Entrückung, besonders im Zusammenhang mit 2Cor.2,2 vgl. Bosenius, 1994, S.177ff. (mehrere religionsgeschichtliche Parallelen); bei Lukian in bezug zum Neuen Testament: Betz in TU 76, 1961, S.168f.

[253] Die Entrückung Henochs wurde auch anders gedeutet: Philo, Abr.17f. mit dem Stichwort μετατιθέναι als Entrückung aufgrund Henochs Reue über sein früheres schlechtes Leben; ähnl. Jes.Sir.44,16:᾽Ενὼχ εὐηρέστησεν κυρίῳ καὶ μετετέθη ὑπόδειγμα μετανοίας ταῖς γενεαῖς. Dagegen deuten die Rabbinen in Gen. R 25 die Entrückung Henochs im Zusammenhang mit dessen ambivalenter Frömmigkeit.

[254] Zitiert nach Böttrich, 1995, S.1022-1027; vgl. auch Bonwetsch, 1922, S.115f.; die neuere engl. Übersetzung von Andersen bei Charlesworth, 1983, Vol.I, S.91ff. hat bei dem zitierten Stück eine andere Zählung. - Die 1882 von Sokolov entdeckten Handschriften der Apk.Hen.(sl.) beinhalteten bis dato unbekannte Textteile, darunter auch der oben wiedergegebene Methusalemmythos (vgl. Böttrich, 1995, S.786f.). diese Passagen wurden bei den Textausgaben von Charles,1886 (vgl. dort S.xiii) und Bonwetsch, 1922 (vgl. dort S.VII; vgl. auch Vaillant, 1952, S.VII) als späterer Appendix gewertet. Die neuere Ausgabe von Böttrich, 1995, geht allerdings von einer Einheitlichkeit der Apk.Hen.(sl.) aus und zählt die Kap.68-73 als originär hinzu (vgl. a.a.O., S.807).

setzen, in das Paradies, in dem Adam vormals 7 Jahre war, während er den Himmel immer offen hatte bis zur Versündigung. 29 Und dieser Knabe wird nicht umkommen mit denen, die in diesem Geschlecht umkommen. ...'".

Um bei der Sintflut nicht umzukommen, soll das neugeborene Wunderkind Methusalem ins Paradies entrückt werden.[255] Dieser Mythos ist auch in weiteren Zügen mit Apk.Joh.12 vergleichbar: Die Entrückung kurz nach der Geburt, die Charakterisierung des neugeborenen Kindes (als Priester, dagegen Apk.Joh.12,5: als Messias) und das Auftreten des Erzengels Michael stellen mit der schützenden Entrückung vergleichbare Bezugspunkte dar.

d) In Ass.Mose 10,8f. wird eine Erhöhung Israels aus der Reihe der Feinde geschildert. Gott greift hier in die Geschichte ein und trägt Israel durch einen Adler aus den endzeitlichen Kämpfen heraus. Israel wird dann vom Himmel aus auf seine Feinde auf der Erde hinabschauen.

---

[255] Zwei Handschriften lesen hier Gabriel statt Michael (vgl. Böttrich, 1995, S.1026, Anm.28a); die folgende Variante ist zitiert nach Bonwetsch, 1922, S.114, im Apparat zu Zeile 12, weil in der Textausgabe von Böttrich nicht mit aufgenommen: "Und es erschien dem Nir der Erzengel Gabriel und sprach zu ihm: 'Meine nicht, daß dein Weib Sophanima einer Schuld halber gestorben ist, und dieses von ihr geborene Knäblein ist gerechte Frucht, und ich werde es aufnehmen in das Paradies, damit du nicht wirst der Gabe Gottes Vater'". - Zur Entrückung ins Paradies vgl. 2Cor.12,2-4 (Rezeption bei Hippolyt, Ref.V,8); weiterhin die Vulgata - Interpretation der Henochtradition von Sir.44,16: "Enoch placuit deo et translatus est in paradiso..."; armen. Evangelium des Seth, Kap.4 (ed. Preuschen, 1900, S.38): "Aber Gott befahl seinen Engeln, daß sie ihn [den Henoch] mit dem Leibe emportrügen und ihn in den Garten versetzten. Und er ist dort bis heute."; vgl. auch Apk.Hen.(äth.) 70; - für Henoch und Elia (im Rahmen der Antichrist-Tradition): Apk.Petr.(äth.)II (ed. E.Bratke, 1893, S.483): "Alsbald werden sie (sc. Henoch und Elia) enthauptet werden, und Michael und Gabriel werden sie auferwecken und in den Garten der Freude bringen ..."; Ephraem der Syrer, Hymn.de ecclesia 49,9: "Henoch und Elias haben zuerst das Leben gefunden durch die Symbole (Christi), - indem sie zum Paradies entführt und entrückt wurden" (CSCO 85, S.122) u.ö. - Für Elia: Ps.Titus (de Santos Otero in: Schneemelcher II, 1989[5], S.59: Elia wurde "von dem Feuerwagen in das Paradies emporgefahren"); für Sedrach: Apk.Sedr.15,9 (Denis, 1987, S.874): "καὶ ἔλαβεν αὐτὸν ὁ θεὸς καὶ ἔθηκεν αὐτὸν ἐν τῷ παραδείσῳ μετὰ τῶν ἁγίων ἀπάντων". Nach Tertullian, Apol.47,13 ist das Paradies allgemein zur Aufnahme der Geister der Heiligen bestimmt ("recipiendis sanctorum spiritibus destinatum"; Becker, 1992[4], S.210); ebenso in Ps.-Apk.Joh.I, Kap.25 (nach dem jüngsten Tag werden Kosmos und Paradies eins, die Gerechten wohnen darin). Bei Palladius v. Helenopolis, Laus.7, wird die Entrückung ins Paradies als feste Tradition vorausgesetzt: "Um die neunte Stunde hört man aus allen Klöstern Psalmengesang erschallen, so daß man glaubt, in das Paradies entrückt zu sein." ("... ἐν τῷ τῆς τρυφῆς παραδείσῳ μετοικισθῆναι" [Migne PG 34, 1020 C]). - Im weiteren Umfeld ist hier auch die Entrückung zum dritten Himmel zu erwähnen in 2Cor.12,2, Apk.Pls.(kopt.) in NHC V,2,19,21, Apk.Pls.(lat.) (Übers. Duensing / de Santos Otero, in: Schneemelcher II, 1989[5], S.644ff.), Kap.1; 11), da sich das Paradies nach geläufiger Vorstellung im dritten Himmel befindet, vgl. Apk.Hen.(sl.)8,1.

Conclusio: Eine Analyse der Entrückungsaussagen in der Menachemlegende und Apk.Joh.12 macht deutlich, daß das theologische Konzept der Entrückung des Messias zu verschiedenen Zwecken verwendet worden ist; in der Menachemlegende diente es dazu, die Voraussetzung der Wiederkunft des Messias und somit der Errichtung des neuen Tempels zu schaffen; in Apk.Joh.12 dient es dazu, dem Kind im Gang der Handlung Schutz vor dem Drachen zu gewährleisten.

Diese These setzt voraus, daß mit dem Konzept der Entrückung zur Zeit der Johannesoffenbarung frei umgegangen werden konnte; nur unter dieser Bedingung kann angenommen werden, daß es wie ein Baustein in die Handlung von Apk.Joh.12 eingepaßt werden konnte.

Diese Voraussetzung kann durch einen Text wahrscheinlich gemacht werden, der den "Baustein Entrückung" in einer Liste anderer konzeptueller "Bausteine" aufzählt, die wir in Apk.Joh.12 zu einer Handlung verknüpft wiederfinden: in den ersten vier der "vierzehn Aussagen über den Phoster" der koptischen Adam-Apokalypse.

> Apok.Ad. (NHC V,5), 77,27ff.:[256] "Das erste Reich [28]nun [sagt von ihm]: [29][Er ist entstanden aus] [30][...] [31][... es trug ihn] [78,1]zum Himmel ein Geist. Er wurde in den [2]Himmeln genährt (und) empfing die [3]Herrlichkeit und Kraft von jenem. Er [4]kam in den Schoß seiner Mutter. [5]Und so kam er auf das Wasser. [6]Das zweite Reich aber sagt [7]über ihn [=den Phoster]: Er entstand von einem großen [8]Propheten. [9]Und ein Vogel kam, nahm [10]den Knaben, der geboren war (und) führte ihn [11]zu einem hohen Berg. [12]Und er wurde ernährt von [13]dem Vogel des Himmels. Ein [14]Engel erschien dort (und) sprach zu ihm: [15]'Steh auf! Gott hat dich [16]verherrlicht.' (Da) empfing er Herrlichkeit und Kraft, [17]und so kam er auf das Wasser.
> [18]Das dritte Reich sagt [19]von ihm (sc.: dem Phoster): Er entstand aus [20]einem jungfräulichen Mutterleibe, [21]wurde aus seiner Stadt vertrieben, [22]er und seine Mutter, (und) an einem wüsten [23]Ort geführt. Er ernährte [24]sich dort. Er kam, empfing Herrlichkeit [25]und Kraft. Und so [26]kam er auf das Wasser.
> [27][Das vierte] Reich sagt [28][von ihm]: Er entstand [29][...] Jungfrau [] [30][... sie (pl.)...]
> 79 [1][verfolgten] sie (fem.sg.), er und ... [2]und ... und seinen Heere, [3]die sie ausgesandt hatten. Salomon [4]aber sandte sein Heer der [5]Dämonen, um die Jungfrau [6]zu verfolgen. Und nicht fanden sie [7]die, welcher sie nachstellten, sondern [8]die Jungfrau, die ihnen gegeben wurde. [9]Sie brachten sie. Salomon

---

[256] Böhlig/Labib, 1963, S.110f.; Apk.Ad.(kopt.) 78, 6-26, wurde zuerst von A. Y. Collins, 1976, S.69 (vgl. auch ebd. Anm. 57, S.93) als Parallele zu Apk.Joh.12 herangezogen, um das parallele Auftreten der Motive Schwangerschaft, Geburt, Entrückung und Ernährung zu zeigen. Dabei wird die "4. Aussage" unberücksichtigt gelassen. Weiterhin vermerkt MacRae, 1983, S.716 in einer Randnotiz der engl. Ausgabe der Apk.Ad.(kopt.) eine Parallele zu Apk.Joh.12. Ein solcher Bezug wird abgelehnt von Welburn, 1988, S.47-67.

¹⁰nahm sie. Es wurde schwanger ¹¹die Jungfrau (und) gebar ¹²den Knaben an jenem Ort. ¹³Sie ernährte ihn in einer Schlucht ¹⁴in der Wüste. Als ¹⁵er ernährt worden war, empfing er ¹⁶Herrlichkeit und Kraft von dem Samen, ¹⁷durch den er erzeugt war.
¹⁸Und so kam er auf das Wasser".

Die vorliegende Sequenz ist Teil der dreizehn bzw. vierzehn Aussagen über die Entstehung des Phoster (77,27-83,4), die im Rahmen des eigentlichen apokalyptischen Teils der Schrift (67,14-85,18) als Exkurs zur Erzählung über die Rettung der Noahsöhne durch den Phoster (76,8-83,4) zu werten ist.[257]

Der Phoster ist nach der Sintflut und dem Sintbrand gekommen, um einen Rest der Noachiten zu retten, die als Geschöpfe des Demiurgen in Opposition zu den gnostischen Sethianern stehen. Er zeichnet sich dadurch aus, daß er höher ist als der Demiurg und von dessen "Kräften" nicht erkannt werden kann.[258]

Die Aussagenreihe über den Phoster in Apk.Ad.(kopt.) stellt eine Liste unterschiedlicher Auffassungen zur Geburt des Phoster dar.[259] Die Herkunft der Traditionen, die diesen Aussagen zugrunde liegen, ist in der Forschung umstritten.[260] Auch die Funktion dieser vierzehn Aussagen über den Phoster in der Apk.Ad.(kopt.) wird seit der Erstedition des Textes kontrovers diskutiert; die

---

[257] Vgl zu dieser Gliederung Böhlig/Labib, 1963, S.87. Zur neueren Forschungsgeschichte dieser Aussagenreihe vgl. Parrott, 1989, S.67-75.

[258] Vgl.77,4-15.

[259] Zur Form "Katalog" oder "Liste": vgl. Hedrick, 1980, S.130; Parrott, 1989, S.72.

[260] Die Ersteditoren erkennen viele iranische und manichäische Parallelen; vgl. Böhlig/Labib, 1963, S.90f. - Parrott, 1989, betont den ägyptischen Ursprung der Aussagen. Es handle sich um dreizehn separate Phostergestalten, die synkretistisch verbunden worden seien; gegen die ausschließlich ägyptische Herleitung Parrotts ist einzuwenden: 1. Parrotts Hauptargument für einen typisch ägyptischen Synkretismus, der Vergleich mit der Isis-Beschreibung in Apuleius, Met. 11,5, ist nicht haltbar. Apuleius' synkretistische Beschreibung hat Namen und wenige Prädikationen zum Gegenstand, die Phosteraussage narrative Elemente; ein Vergleich ist somit formgeschichtlich fragwürdig. Dagegen ist ein Vergleich mit Listen dogmatisch unzutreffender Äußerungen bei Hippolyt, Ref. 5.7.2-6 und dem Kommentar von Isho'dad zu Mt.3,1, den Hedrick, 1980, S.130f. vorschlägt, formgeschichtlich zutreffender. - 2. Auch das Argument, daß bei Apuleius und bei der Phosterreihe genau dreizehn Aussagen gemacht werden, ist nicht als tragfähig zu werten, da Apuleius diese Zahl nicht thematisiert. - 3. Die Wertung des Satzes "Und so kam er auf das Wasser" als typisch ägyptische Redewendung ist formgeschichtlich anfechtbar; als Zusatzhypothese muß den hierfür herangezogenen Belegen gegenüber eine Sprachentwicklung angenommen werden, die Parrott nicht belegen kann, wie er selbst zugibt (S.79). - Auch nach Parrotts Exegese der Phosterreihe bleibt also bestehen, was er selbst vorher als Resümee seines forschungsgeschichtlichen Überblicks angegeben hatte (S.75): "The review thus far indicates that 13 Kingdoms remains almost as much of a puzzle as when research began".

neuere Forschung tendiert dazu, die ersten dreizehn Aussagen von der vierzehnten Aussage der "königslosen Generation" (82,19-28) zu trennen. Nur die vierzehnte Aussage treffe für die Trägerkreise der Apk.Ad.(kopt.) zu, die dreizehn anderen seien häretische Alternativen.[261] Geht man von dieser These des häretischen Charakters der Aussagen aus, so ist es als Konsequenz legitim, darin nicht-gnostische jüdische Traditionen verarbeitet zu sehen, die mit Apk.Joh.12 traditionsgeschichtlich vergleichbar sind:

Konzept	Apk.Ad.	Apk.Joh.
1.Entrückung zum Himmel	78,2	12,5b
2.Geburt und Entrückung eines Knaben	78,10,12	12,5ab
3.Mutter vertrieben, geht in die Wüste	78,20-23/+Kind	12,6
4.Verfolgungssituation vor Geburt	79,1ff./+Zeugung	12,4b

Die deutlichste Parallele ist in der 2. Aussage über den Phoster in 78,9-11 zu sehen. Die Entrückung nach der Geburt ist hier eine mythische Aussage einer Erlösergestalt, die neben anderen Aussagen aufgezählt wird. Diese Konzeption liegt in Apk.Ad.(kopt.) isoliert vor und ist als ein eigenes Traditionsstück anzusehen, das sich schon vor Abfassung der Apk.Ad.(kopt.) ausgebildet hat. Es ist gut möglich, daß die Kombination von Geburt und Entrückung in Apk.Joh.12 von dieser Tradition geprägt ist. Dies bedeutet dann, daß diese Kombination keine Eigenleistung des Johannes darstellt, sondern traditionell vorbereitet sein kann.

Zusammenfassung: Bei der Analyse der Handlungssequenz "Geburt und Entrückung des Kindes" konnte festgestellt werden, daß die Kombination der Elemente - ein Kind wird geboren und wird danach entrückt - als Muster im Umfeld der Apk.Joh. belegbar ist. Die Funktion des Motivs "Entrückung" ist - im Rahmen des Kapitels - der Schutz des Kindes vor dem Drachen; die "eschatologische Funktion" der Entrückung, wie man sie in den Traditionen um

---

[261] Böhlig/Labib, 1963, S.92f. erkennen in ihrer editio princeps in den Phosteraussagen eine aszendente Linie, die alle vierzehn Aussagen durchzieht; die vierzehn Aussagen haben ihren Sitz somit in den gnostischen Trägerkreisen der Apk.Ad. - Dagegen schlägt 1972 McRae eine Opposition der ersten dreizehn Phosteraussagen zur letzten vor. Diese These wird in der Folgezeit durchaus positiv rezipiert; vgl. zur Forschungsgeschichte bis 1980 die Monographie von Hedrick, 1980, S.115-119; bes. ebd. Anm.50, S.169; zur weiteren Forschung (bis 1989) vgl. Parrott, 1989, S.67ff. (mit Lit.). Zur Stützung dieser These ist in diesem Zusammenhang auch als engere Parallele Act.Petri 24 (Schneemelcher II, 1989[5], S.278f.) heranzuziehen. Dort reiht Petrus mehrere, meist atl., Zitate zur Herkunft und Geburt Christi als Argumentation gegen Simon Magus aneinander.

Henoch und Elia kennt, ist wohl im Hinblick auf Apk.Joh.19 erwägenswert, spielt aber innerhalb der Handlungsstruktur von Apk.Joh.12 keine Rolle.

Parallel zur Entrückung des Kindes entzieht sich die himmlische Frau durch Flucht dem Zugriff des Drachen. Da diese Handlungssequenz wiederholt mit ähnlichen Bildelementen (3 1/2 Tage, bereiteter Ort, Wüste, Ernährung) erzählt wird, soll hier eine gemeinsame Analyse der beiden Sequenzen im Anschluß an die Exegese von Apk.Joh.12,7-12 erfolgen.

3. Handlungssequenz 4: Der Sturz Satans

3.1. Analyse

Der Abschnitt 7-12 ist einteilbar in die Erzählung vom Sturz des Drachen (7-9) und dem hymnischen Kommentar der "lauten Stimme im Himmel" (10-12). Der plötzliche Wechsel der Aktanten und der Handlungsstruktur in V.7 gab seit jeher Anlaß, das in den V.7-12 behandelte Thema des Kampfes mit dem Drachen und seines Sturzes auf die Erde aus dem Gesamtkapitel abzutrennen. Dabei ist bis heute mit literarkritischen Methoden gearbeitet worden.[262] Doch auch traditionsgeschichtliche Verfahren sind angewendet worden, um die Existenz dieses thematisch geschlossenen Teils in Apk.Joh.12 zu begründen.[263] In der neueren Forschung werden - abgesehen von den durch Charles geprägten amerikanischen Ansätzen[264] - kaum noch schriftliche Quellen als Vorlagen für die Verse 7-12 angenommen.[265] Die traditionsgeschichtliche Auslegung der

---

[262] Wellhausen, 1899, S.215ff. entwarf eine These zur literarkritischen Analyse von Apk.Joh.12, die er später (1907, S.18) präzisierte: Er kombinierte V.7-9 mit 13f. zu einer "Quelle B", die parallel zur "Quelle A" (1-6) in einen gemeinsamen Schluß C münde (15-17). Hierbei wird das Stück 7-12 in den Rahmen einer best. Quelle gesetzt; als eigenständige Tradition völlig herausgelöst wird es jedoch erst von Weiss, 1904, S.87-91. - Ähnlich postuliert Charles, 1920, S.307f. die Verse 7-10.12 als original jüdische Quelle (V.11 ist redaktionell). Darauf aufbauend scheidet A. Y. Collins, 1976, S.101ff. 7-9 als "source II" von "source I" (1-6.13-17); der Hymnus 10-12 sei redaktionell. - Neuere literarkritische Analysen der VV.7-12 bietet Bergmeier, 1982, S.98.

[263] Als fest zum umgebenden Traditionskreis gehörig interpretieren: Dieterich, 1891, S.118; dieser sieht in Apk.Joh.12,7-12 Anleihen an des in Tanz und Mimik oft dargestellte Drama der Λητοῦς πλάνη und der δράκοντος ἀναίρησις. Mit dieser Deutung des Drachenkampfes auf die pythischen Spiele koppelt er 7-12 inhaltlich eng an die Verse 1-6.13-17, denen der Mythos von der Verfolgung Letos zugrunde liege. Weiterhin stellt Gunkel, 1895, den Mythos hinter V.7-12, wie auch die anderen in Apk.Joh.12 verwendeten Mythen, als "ein zum Cyclus der babylonischen Schöpfungserzählung zugehöriger Mythos" (S.384) dar. - Freieren Umgang mit der Tradition nimmt Bousset, 1906⁶ (1896), S.353 an; eine alte, noch in Apk.Hen.(sl.).29,4f. erkennbare Tradition vom Sturz eines Erzengels sei unter dem Einfluß von Hiob 1f. und Sach.3,1ff. eschatologisiert worden und habe sich dann in Apk.Joh.12 niedergeschlagen (S.351); dem folgt Boll, 1914, S.114.

[264] Vgl. hierzu den Überblick zur neueren literarkritischen Forschung an Apk.Joh. von Mazzaferri, 1989; zur Stelle: bes. S.18f.; 52-56; 351f.

Verse ist allerdings keineswegs einheitlich; während einerseits die Kombination zweier Mythen in Apk.Joh.12 (Himmelskampf und Drachensturz) postuliert wird,[266] weisen andere Forscher auf eine einzige verwendete Tradition hin.[267] Diese Kontroverse soll beim religionsgeschichtlichen Vergleich genauer zur Sprache kommen, der sich an die folgende Analyse anschließt.

V.7a gibt das Thema des Abschnittes an und kann somit als Überschrift von der Handlungsstruktur separiert werden. Die Handlung setzt mit dem Auftreten des neuen Aktanten, Michael, in V.7b ein.

Der Abschnitt 7-9 ist von traditionellen Formen geprägt, die sich lexikalisch als Reminiszenzen an die Septuaginta nachweisen lassen.[268]

- der Ausdruck "τοῦ πολεμῆσαι μετὰ τοῦ ..." ist genauso als LXX (θ) Übersetzung von Dan.10,20 belegt (...עם להלחם). Eine lexikalische Anleihe an die Szenerie von Dan.10,20 wird dadurch wahrscheinlich, daß auch dort von einem Himmelskampf die Rede ist, bei dem auch Michael eine Rolle spielt (vgl. Dan.10,13).

- der Ausdruck "οὐδὲ τόπος εὑρέθη αὐτῶν" erklärt sich als Reminiszenz an die eschatologische Vision der vier Weltreiche in Dan.2; in Dan.2,35 findet sich: "καὶ τόπος οὐχ εὑρέθη αὐτοῖς". Dieser Ausdruck ist in Apk.Joh.20,11 wörtlich mit forensischer Bedeutung übernommen worden; in gleicher Funktion klingt er in Apk.Joh.12,8 an.[269]

---

[265] Vgl. Gollinger, 1971, S.116f.; Kraft, 1974, S.167f.; U. Müller, 1984, S.243 (gegen A. Y. Collins, 1976).

[266] Bousset, 1906[6], S. 351, weist auf persische Parallelen von "Himmelssturm und Sturz" (vgl.ebd., Anm.1) hin und erkennt in Apk.Joh.12 eine Verschmelzung der Traditionen von Satan als Mitglied im Thronrat Gottes (Sach.3; Hi.1f.) und dem urzeitlichen Engelfall. Kraft, 1974, S.167 sieht in Apk.Joh.12 einen Zusammenfluß von der "Geschichte vom Aufruhr der Engel und vom Kampfe Gottes gegen die Chaosmacht." Auch A. Y. Collins, 1976, S.80, erkennt die Verwendung von zwei Kampfmythen-Pattern in V.7-9.

[267] Ein fortlaufendes Ereignis ohne Rückgriff auf zwei verschiedene Traditionen sehen Hadorn, 1928, S.133f.; Sickenberger, 1940, S.117; Wikenhauser, 1947, S.87; auch Müller, 1984, S.236f. sieht in der vorliegenden Perikope nur die Tradition von Michael als dem endzeitlichen Retter verwendet; ähnl. Lohse, 1988[14] (1960), S.74; auch Roloff,1987[2], S.123f. nimmt den "Mythos vom Himmelkampf und Satanssturz" als einen einzigen Mythos an.

[268] Zur sprachl. Analyse vgl. bes. die Auslegung von Charles, 1920, S. 301f.; 321ff.; Gollinger, 1971, S.106ff.; - Zur Anlehnung an die Septuaginta und die neuere Diskussion um die "Septuagintismen" in der Apk.Joh. vgl. D.D.Schmidt, 1991.

[269] Zum Ausdruck "οὐδὲ τόπος εὑρέθη": Vgl. Lk.11, 24-26 par. Josephus benutzt ihn in Bel.2,397 im Sinne von Zufluchtsort: "οὐδὲ γὰρ περιλειφθέντες φυγῆς εὑρήσετε τόπον" (Michel / Bauernfeind, Band I, 1982[3], S.260). Analog zu Apk.Joh.12, 8 wird er auch in der Dämonologie verwendet, vgl. die Notiz über die bösen Engel im Himmel in Apk.Pauli (gr.) 15 (Tischendorf, 1886, S.43): οὐχ εὗρον τόπον ἐν αὐτῷ. Allerdings gibt es verschiedene Ausagen über Dämonen und ihren "τόπος".

- als weitere alttestamentliche Reminiszenzen lassen sich die Identifikationen des Drachen mit alttestamentlichen Unheilsgestalten erklären: ὁ ὄφις ὁ ἀρχαῖος - διάβολος - ὁ σατανᾶς - ὁ πλανῶν (v.9); κατήγωρ (V.11). Diesen wollen wir uns im folgenden zuwenden.

3.2. Die Identifikationen des Drachen

Die Herkunft der mythischen Einzelgestalten, wie Satan, Diabolos, ist schon mehrfach untersucht worden.[270] Im folgenden geht es darum, die wechselseitigen Identifikationen der verschiedenen diabolischen Gestalten zu untersuchen. Dabei soll die Reihenfolge der Teufelsnamen im Text gewahrt werden:

1. Die Gleichsetzung von δράκων und ὄφις, in der Antike häufig belegt,[271] ist durch die Septuaginta-Übersetzung von נחש mit δράκων (an der Stelle von ὄφις) bei Am.9,3 und Hiob 26,13 in jüdischer Tradition lexikalisch vorbereitet. Diese Schlange wird allerdings durch das Attribut ἀρχαῖος eindeutig auf eine spezielle mythische Schlange bezogen: Der Haupthandlungsträger des Textes, der für "das Böse" schlechthin steht, wird mit der Paradiesschlange von Gen.3

Nach Origenes, Cels.3,34 haben sich die Dämonen ihren Ort selbst gewählt oder sind durch Riten oder Zauberkunststücke dorthin gekommen (ἁρμοζόντων μᾶλλον δαιμονίοις ... ἱδρυμένοις ἔν τινι τόπῳ, ὃν ἤτοι προκαταλαμβάνουσιν ἢ διά τινων τελετῶν ἀχθέντες καὶ μαγγανειῶν ὡσπερεὶ οἰκοῦσιν; SC 136, S.80); nach Cels. 3,35 haben Dämonen auf der Erde Orte besetzt, nachdem sie die reineren und göttlichen Plätze nicht berühren konnten (ὡς μοχθηρῶν δαιμόνων καὶ τόπους ἐπὶ γῆς προκατειληφότων, ἐπεὶ τῆς καθαρωτέρας οὐ δύνανται ἐφάψασθαι χώρας καὶ θειοτέρας, a.a.O., S.82).

[270] Überblick über frühjüdische und neutestamentliche Satans- und Teufelsvorstellungen bietet Foerster, Art. διάβολος, ThWNT 2, S.74ff. und Art. σατανᾶς, ThWNT 7, S.151ff.; McNamara, 1966, S.224 (zum Drachen); Ernst, 1967, S.269ff.; speziell zum rabbin. Verständnis vgl. Strack/Billerbeck I (zu Mt.4,1), S. 136-149; zur Entwicklung der Satansvorstellung bis zu Augustin vgl. Forsyth, 1987; neuere Literatur berücksichtigt Hamilton, Art. "Satan" in ABD 5, 1992, S.985ff.

[271] Vgl. z.B. Servius zu Verg., Aen.II,204; auch der Drache Python (vgl. Hygin, Fab.140) wird bei Ovid, Metam.I,438ff.; Apollodor, Bibl.1,22 als Schlange bezeichnet; dies ist für Apk.Joh.12 besonders interessant, weil beim Leto-Apollon-Pytho - Mythos ein ähnlicher Sagenkreis von der Verfolgung der schwangeren Göttin durch einen Drachen vorliegt. Vgl. weiterhin Firm.Matern., Err.21,2. - Für das Judentum: vgl. Test.Hi.43,8 (Text nach Brock, 1967, S.52): Eliphas sagt über Elihu: "ἠγάπησεν τὸ τοῦ ὄφεως κάλλος, καὶ τὰς λεπίδας τοῦ δράκοντος".

gleichgesetzt;[272] die Wendung "ὁ ὄφις ὁ ἀρχαῖος" ist bei den Rabbinen in der Form "הנחש הקדמוני" oft zur Bezeichnung der Schlange von Gen.3 belegt.[273]

Diese Schlange hat jedoch im Frühjudentum und in der Antike allgemein viele verschiedene Konnotationen.[274] Diese Tatsache bedeutet konkret für die Exegese von Apk.Joh.12, daß mit der Gleichsetzung von "Drache" und "Schlange" noch keine eindeutige Interpretationsrichtung vorgegeben ist: Die Gleichsetzung dieser Begriffe ist dem antiken Menschen in sehr vielen verschiedenen Zusammenhängen geläufig.

Als Beispiel hierfür sei eine mythische Ausgestaltung von Laktanz in den Div.inst.2,16 angeführt. Die Vorstellung vom drachengestaltigen Dämonenfürsten wird dort mit der Asklepiussage verknüpft. Am Ende einer Reihe von Beispielen für vermeintliche Orakel, die eigentlich von dämonischen Mächten verursacht worden sind, wird auch der Mythos von der Schlange aufgegriffen, die Rom von der Pest befreit hat. Hierzu bemerkt Laktanz:

"Denn der Dämonenfürst wurde selbst, in seiner eigenen Gestalt, ohne jegliche Verkleidung dorthin gebracht, als nämlich die Gesandten, die in dieser

---

[272] Zur besonderen Würdigung von Gen.3 bei der Auslegung von Apk.Joh.12 vgl. Ellul, 1981, S.76; Morgen, 1981.

[273] Z.B. Sif.Dtn. zu Dtn.32,32f. (323); Gen.R zu Gen.28,26; vgl. Foerster, Art. "ὄφις" in ThWNT V, S.578, Z.4f.; weitere Belege bei Strack/Billerbeck, I, S.138f. - Bei den Kirchenvätern: vgl. Hippolyt, Frgm. in Gen.49,16f.: "ἐν τούτῳ γὰρ ἐγκρυβεὶς ὁ ἀρχαῖος ὄφις παρέδωκε τὸν κύριον" (GCS 1,2, S.65); Commodian, Carmen de duobus populis, 207 redet von dem "alten Verführer", der den Luxus bringt (Seductor antiquus per talia decipit omnes:| Inmittit luxurias, per quas perdat filios Alti; CCL 128, S.81); Ps-Cyprian, De aleatoribus 5, redet von dem "hostis ille antiquus": "Er befahl, wachsam zu sein, auch umsichtig und aufgeklärt, denn jener alte Feind treibt sich umher und versucht die Knechte Gottes nicht nur auf eine Weise" (sollicitos esse iussit et prouidos adque cruditos, quoniam hostis ille antiquus circuit pulsans Dei seruos non uno genere temptans; CSEL 3,3, S.97). In frühjüd. Zeit: vgl. zusätzlich Apk.Bar.(gr.) 4.3f.; dort wird die Schlange mit dem Unterweltsdrachen gleichgesetzt; vgl. auch Test.Hiob 43,8. Die Wendung "serpens antiquus" ist auch als Agraphon überliefert: Old English Homilies: "Estote fortes in bello et pugnate cum antiquo serpente" (zitiert nach Resch, 1906², S.211).

[274] Zu den Konnotationen Neid, Machtwille, Schädigung, sexuelle Begierde vgl. Foerster, Art. "ὄφις" in ThWNT V, S. 577f.; als rabbinische Entfaltungen der verführenden Paradiesschlange können folgende Beispiele genannt werden: In bSabbath 55b heißt es, daß durch die Verleitung der Schlange vier gestorben seien: Benjamin, Amram, Jesse und Kaleb, Davids Sohn. bJabmuth 103b: "Als die Schlange der Hava beiwohnte, impfte sie ihr einen Unflat ein. Bei den Jisraeliten, die am Berge Sinai standen, verlor sich der Unflat, bei den Nichtjuden, die nicht am Berge Sianj standen, verlor sich der Unflat nicht." (Goldschmidt IV, S.683f.). bSota 9b: "Dies finden wir auch bei der Urschlange, die ihr Auge warf auf das, was nicht ihr zukam; was sie wünschte, wurde ihr nicht gewährt, und auch das, was sie hatte, ward ihr genommen" (Goldschmidt VI, S.30).

117

Angelegenheit geschickt worden sind, einen Drachen von erstaunlicher Größe herbeibrachten [advehere]".[275]

Die Reihung "Schlange - Drache - Dämonenfürst" wird hier also nicht auf einen christlich-jüdischen Mythos, sondern auf einen heidnischen bezogen. An
diesem Beispiel sieht man, wie frei die Ausgestaltung des als Schlange - Drachen dargestellten Dämonenfürsten ist. Sie kann sich auf verschiedene Mythenkreise berufen und muß sich nicht in jüdisch-christlichem Umfeld bewegen. Somit besteht für den Autor der Apk.Joh. die Notwendigkeit, die Interpretation des Drachen eindeutig zu machen; dies wird einerseits mit dem Verweis
auf die "alte Schlange", andererseits mit den folgenden Gleichsetzungen geleistet, die den Haupthandlungsträger von Apk.Joh.12 mit ganz bestimmten diabolischen Gestalten identifizieren und damit eindeutig machen.

2. Die Identifikation des Drachen mit dem Teufel ist im Umfeld der Apk.Joh.
nachweisbar. Bei Hippolyt, Refut.4,47 z.B. wird das Sternbild des kreisenden
Drachen, von dem Aratus in den Phain.45f. berichtet, auf dem Hintergrund
von Hiob 1,7 mit dem Teufel identifiziert.

Im Kontext von Apk.Joh.12,9 ist allerdings die Gleichsetzung der als
verführende Schlange aus Gen.3 bezeichneten Gestalt mit dem "Teufel" und
"Satan" interessant.[276] Auch die Identifikation der Paradiesschlange mit dem
Teufel ist im Frühjudentum belegbar.[277] Die Tatsache, daß diese Gleichsetzung
sich allerdings nicht exklusiv etabliert hatte, zeigt Apk.Mose; dort treten
"ὄφις" und "διάβολος" als zwei getrennte Gestalten auf.[278] Dennoch zeigen

---

[275] "Nam illuc daemoniarches ipse in figura sua sine ulla dissimulatione perlatus est,
siquidem legati ad eam rem missi draconem secum mirae magnitudinis aduexerunt"
(CSEL 19, S.169f.).

[276] Eine Synonymie der beiden Begriffe "Teufel" und Satan" kann hier vorausgesetzt
werden. Διάβολος ist in Hiob 1f. und Sach.3 die LXX - Übersetzung von "שטן"; zur
Synonymie der Begriffe vgl. Foerster, Art. "διάβολος" in ThWNT II, S.78.

[277] Zu den o.a. Stellen vgl Lohmeyer, 1953² (1926), S.101 (mit zahlreichen Belegen);
Strack/Billerbeck I, S.138f.. Zur christl. Rezeption: vgl. die lat. Act.Joh.
(Schneemelcher II, 1989⁵, S.147), zitiert in Ps.Tit., Z.460ff (in Junod/Kaestli, 1983,
S.139f.); Justin, 1.Apol.,28; Theophilus, Autol.2,28; Epiphanius berichtet in
Pan.37,2 im Zusammenhang mit der ophitischen Häresie, daß die göttliche Schrift
die Schlange auch Teufel nennt: "ὄφιν δὲ δῆθεν ἡ θεία γραφὴ καλεῖ τὸν διάβολον
..." (GCS 31, S.52; eine direkte Reminiszenz zu Apk.Joh.12,9 braucht hier aufgrund
der vielfältigen Belege für "Schlange = Teufel" nicht angenommen zu werden); vgl.
weiterhin Kebra Nagast, Kap.3: Adam wurde vertrieben "durch den Betrug der
Schlange, durch den Anschlag des Teufels" (Bezold, 1905, S.2).

[278] Vgl.z.B. Apk.Mose 16,1: καὶ ἐλάλησε τῷ ὄφει ὁ διάβολος...; bei Irenäus, Dem.16
hat sich der Satan in die Schlange eingenistet: "Indem also zuerst der Engel in seiner Falschheit Haupt und Führer der Sünde wurde, wurde er einmal selbst geschla-

folgende Texte, daß die von Johannes in Apk.Joh.12,9 vorgenommene Identifikation von Schlange und Teufel eine durchaus gängige Kategorie ist:

- In Apk.Bar.(gr.) 9,7 bedient sich Sammael der Schlangengestalt, um Adam zu verführen. Eine ähnliche Verbindung Semaels mit der Schlange findet sich auch in PRE 13f.
- Diese Tradition liegt auch im "Testamentum Veritatis" 47,6 vor, wird aber dort polemisch umgedeutet.[279]
- In jBerak.9a wird die Schlange mit dem "Bösewicht" gleichgesetzt.[280]
- Eine weitere Nahtstelle für die Verbindung von "Schlange", "Drache" und "Teufel" ist die Rezeption von Ps.90,13 LXX (ἐπ᾽ ἀσπίδα καὶ βασιλίσκον ἐπιβήσῃ καὶ καταπατήσεις λέοντα καὶ δράκοντα).

Als Beispiel dafür kann die "Apologia pro Origene" des Pamphilus, Kap. 10, genannt werden:

> (Origenes spricht über die Gestaltveränderungen von Tieren): "... der Teufel, der in den Schriften "Löwe" genannt wird, bedient sich des Leibes des

---

[279] gen, nachdem er sich gegen Gott vergangen hatte, und ließ auch den Menschen des Paradieses verlustig gehen. Und weil er, durch seinen Charakter verführt, sich empörte und sich von Gott trennte, wurde er Satan genannt nach der hebräischen Sprache, das ist Widersacher; derselbe wird aber auch Ankläger genannt. Nun hat Gott die Schlange, die den Widersacher in sich trug, verflucht. Dieser Fluch traf sowohl das Tier selbst als auch den in ihm eingenisteten versteckten Engel, den Satan" (Brox 1993, S.43).

[279] In Test.Ver. werden Traditionen aus dem Judentum oft polemisch umgedeutet, da man sich gegen das kirchl. Christentum wendet (vgl. dazu: Einleitung zu Test.Ver. von Pearson, in: Robinson, 1988³, S.448f.); in unserem Zusammenhang sind folgende Umdeutungen wichtig: 1. die Schlange wird in Test.Ver. als weise angesehen (vgl. 45,31ff.; auch Hypost. d. Archonten, NHC II,4,90,5; die Weisheit der Schlange dürfte in der Rezeption von Gen.3,1 angelegt sein: Im Targum Neofiti zu Gen.3,1 wird das hebr. "arum" = listig mit dem aramäischen "hakim" = klug wiedergegeben; ebenso ist in Targum Ps.-Jonathan zu Gen.3,1 die Schlange klug in bezug auf das Böse. R.Meir nennt die Schlange in Gen R zu Gen.3,1 klüger als alle anderen Tiere, was ebenso in der LXX zu Gen.3,1 belegbar ist: " Ο δὲ ὄφις ἦν φρονιμώτατος πάντων τῶν θηρίων..."); vgl. dagegen: Gegensatz von Schlange und Weisheit in Ps.Sal.4,9; 2. Die Tat der Schlange wird als berechtigte Auflehnung gegen den eifersüchtigen Schöpfergott angesehen (vgl. 44,14ff.). 3. Die Gleichsetzung der Schlange mit dem Teufel (47,5f.) wird diesem eifersüchtigen Gott zugeschrieben und zugunsten einer Identifikation Schlange = Christus verworfen (vgl. 49,7ff.); in diesem Rahmen argumentiert auch Celsus bei Origenes, Cels.6,28: Die Schlange, die dem Menschen die Kenntnis von Gut und Böse vermittelte, ist von Gott verflucht worden, der darum selbst verflucht werden müsse.

[280] "R.Judan b. R. Jischmael war einst dermaßen mit dem Torah-Studium beschäftigt, daß er nicht merkte, wie ihm der Mantel von den Schultern herabfiel; eine Schlange legte sich auf den (Mantel). Da sagten die Schüler zu ihm: Rabbi, du hast doch den Mantel herabfallen lassen; darauf entgegnete er ihnen: Wird denn dieser (Mantel) nicht von diesem Bösewicht (=von der Schlange) bewacht, (damit er nicht entwendet wird)?" (Horowitz, 1975, S.143).

Löwen oder des Fleisches des Drachen, da er "Drache" genannt wird. So wird es sein, daß diesem gemäß diese Veränderung der Seelen sich auch in der dämonischen Natur vollzieht, daß der Teufel also entweder die Seele des Löwen oder des Drachen haben kann".[281]

Hier sind Reminiszenzen an Ps.90,13 (Löwe + Drache) oder an 1Petr.5,8 (Teufel + Löwe) möglich. Der Rückgriff auf Ps.90,13 kann aber auch ohne Nennung des Löwen geschehen, wie es bei Lk.10,19 belegt ist (ὄφις + σκορπίος).

Auch Tertullian greift in "De cultu feminarum" 1,6,2f. auf Ps.90,13 zurück, ohne den "Löwen" zu erwähnen; er nennt nur "Drache", "Teufel" und "Schlange" zusammen und benutzt zusätzlich die Tradition des Drachensteines:

> "Man sagt, daß auch aus den Stirnen der Drachen Edelsteine kämen, sowie auch in den Gehirnen der Fische etwas Steinernes ist. Dies fehlt noch für eine Christin, daß sie durch die Schlange gepflegter werde! Sie zertritt wohl das Haupt des Teufels, während sie aus seinem Kopf für ihren Nacken oder für ihren kopf ein Schmuckstück herstellt!"[282]

Da hier Drache-Schlange-Teufel in gleicher Abfolge wie Apk.Joh.12,9 genannt werden, ist zusätzlich eine Reminiszenz an diese Stelle möglich. Doch der direkte Verweis auf Ps.90,13 sowie auf die fremde Tradition des Drachensteines machen dies wenig wahrscheinlich; ein Rückgriff auf Apk.Joh.12,9 wäre deutlicher zum Ausdruck gekommen. Eng im Zusammenhang mit dieser zitierten Stelle aus "De cultu feminarum" kann für die Rezeption von Ps.90,13 die "Passio Perpetuae et Felicitatis", Kap.4 herangezogen werden, die wie das oben zitierte Werk Tertullians in Karthago entstanden ist.[283]

Im Tagebuch der Perpetua berichtet diese in Kap.4 von einer Vision:

---

[281] "... diabolus, qui leo in Scripturis dicitur, corpore leonis utatur, aut draconis carnibus, cum draco nominatur. Ita erit ut secundum illos transmutatio ista animarum perveniat et in daemonum naturam, ut sit aliquando vel leo vel draco animam habens diabolum" (Migne PG 17, 615A).

[282] "Aiunt et de frontibus draconum gemmas erui, sicut et in piscium cerebris lapidositas quaedam est. 3. Hoc quoque deerat Christianae, ut de serpente cultior fiat. Sic calcabit diaboli caput, dum de capite eius ceruicibus suis aut et ipsi capiti ornamentum struit?" (CCL 1, S.349).

[283] "De cultu feminarum" ist in der Zeit von 197-201 n.Chr. entstanden (vgl. Altaner/Stuiber, 1993, S.157), also einige Jahre nach Tertullians Heimkehr aus Rom und ein knappes Jahrzehnt vor seinem Übertritt zu den Montanisten. Die Passio Perpetuae, kurz nach den in ihr berichteten Geschehnissen vom 20. März 203 herausgegeben, ist wohl montanistisch gefärbt (vgl. Habermehl, 1992, S.1-4) und ist dem montanistischen Tertullian bekannt (vgl. De anima 55,4). Die von Habermehl vorgelegten Parallelen zu dem räumlich und zeitlich nahen Apuleius (a.a.O., S.85f.) sind ebenso zutreffend wie die Parallelen zu Apk.Joh.12 und Past.Herm, Vis.IV (a.a.O., S.80ff.). Nicht erweisbar ist jedoch eine postulierte Abhängigkeit von Apk.Joh.12 oder Past.Herm.

"Ich sehe eine eherne Leiter von wundersamer Größe, die an den Himmel rührt und so schmal ist, daß man nur einzeln auf ihr hinaufsteigen kann; und an den Holmen der Leiter ist allerlei Eisengerät befestigt: Da gab es Schwerter, Lanzen, Haken, Dolche, Spieße, so daß einer, der unvorsichtig oder ohne nach oben achtzugeben emporstiege, zerrissen würde und sein Fleisch vom Eisen hinge. Und unter jener Leiter lag ein Drache von wundersamer Größe, der den Aufsteigenden auflauerte und sie davon abschrecken wollte hinaufzusteigen. Als erster aber stieg Saturnus hinauf, der sich im Nachhinein unseretwegen freiwillig gestellt hatte; er selbst hatte uns ja unterwiesen; damals, als wir verhaftet wurden, war er nicht dabeigewesen. Und er gelangte ans Ende der Leiter, wandte sich um und sagte zu mir: 'Perpetua, ich warte auf dich; doch gib acht, daß der Drache dich nicht beißt.' Und ich sagte: 'Er wird mir nichts tun, im Namen Jesu Christi.' Und von unter der Leiter her streckte er langsam, als fürchte er mich, den Kopf hervor. Und als träte ich auf die erste Sprosse, so trat ich ihm auf den Kopf und stieg empor. ...".[284]

Der durch das Martyrium beschwerlich gemachte Weg zum Paradies wird hier als mit Eisengeräten beschlagene Leiter dargestellt, die von einem Drachen bewacht wird. Die Reminiszenz an Ps.90,13 LXX (dem Drachen auf den Kopf treten) beim Gang Perpetuas ist nicht zu übersehen. Damit wird diese Stelle, im engen historischen Kontext zu Tertullian, im Rahmen der Märtyrertradition verwendet.

Die Identifikation von Schlange und Drache wird von Tertullian auch in Adv.Marc.4,24,9f. vollzogen. In diesem Buch beweist Tertullian, daß das gekürzte Lukasevangelium Marcions sehr wohl mit dem Alten Testament harmoniert.[285] Lk.10,19 (Macht, auf Schlangen und Skorpione zu treten) wird mit Jes.11,8f. kombiniert. Hier handle es sich um die gleiche Weissagung. Schlangen und Skorpione stünden für die bösen Geister, deren Fürst selbst beschrieben werde mit dem Namen der Schlange und des Drachen und jeder herausragenden Bestie unter der Gewalt des Schöpfers.[286] Diese Reihung wird dann mit Ps.90,13 LXX gestützt.

Diese Texte zeigen, daß die Gleichsetzung von Schlange, Teufel und / oder Drache im Umfeld des Apokalyptikers etabliert war. Ein weiteres Element spezifiziert den Drachen noch mehr: der Verführer.

---

[284] Habermehl, 1992 (TU 140), S.11.
[285] Zur o.a. Stelle im Evangelium Marcions vgl. v.Harnack, 1924², Beilage IV, S.205. Zur Disposition der fünf Bücher gegen Marcion vgl. Kellner, 1915, S.286-296.
[286] "Et utique scimus ... figurate scorpios et colubros portendi spiritalia malitiae, quorum ipse quoque princeps in serpentis et draconis et eminentissimae cuiusque bestiae nomine deputetur penes creatorem ..." (CCL 1, S.609).

3. Die Charakterisierung als ὁ πλανῶν deutet den Drachen als den Verführer des Erdkreises. Die Verführung der Welt durch den Satan ist zwar in der Septuaginta noch nicht belegt,[287] doch ist es in der zwischentestamentlichen Literatur eine geläufige Vorstellung, daß Geister oder Dämonen die Menschen verführen.[288] Dabei ist die Funktion des Verführers ausschließlich auf die "οἰκουμένη", die Erde, beschränkt und wird in Apk.Joh.13,14 als eine dem 2. Tier übereignete Macht ausgeübt.

4. Zu dieser Funktion des Verführers tritt im hymnischen Teil in V.10 noch die des Anklägers. Sie ist ausschließlich auf das Wirken des Teufels im Himmel beschränkt. Das Wort "κατήγωρ", neutestamentliches Hapaxlegomenon,[289] ist allerdings in der Mischna als Terminus für den himmlischen Ankläger belegbar: Die Verbindung von Fürsprecher (Paraklet) und Ankläger (Kategor) findet sich in mPirqe Abot 4,11a: "Rabbi ʾEliʿezer, Sohn des Jaʿakobh, sagte: 'Wer ein Gebot erfüllt, erwirbt sich einen Fürsprecher (פְּרַקְלִיט). Wer eine Übertretung begeht, erwirbt sich einen Ankläger (קַטֵגוֹר)'".[290]

Die Vorstellung vom Satan, der die Menschen vor Gott anklagt, ist im zeitgenössischen Judentum geläufig. Dies hat schon alttestamentliche Vorbilder, wenn man die Tradition in Sach.3,1ff. (Satan klagt Jeschua an) oder Hiob 1.6ff.[291] heranzieht. Die rabbinische Entfaltung ist sehr vielschichtig. Folgende Texte sind hierbei zu nennen:
- jBerak.2d: "Und ein jeder, der gleich nach der "Erlösung" das (Achzehn)Gebet folgen läßt, kann dessen sicher sein, daß der Satan während des ganzen Tages keine Anklage (gegen ihn) erheben wird".[292] Bei diesem Text ist die apotropäische Handlung wichtig, mittels derer man sich vor der Anklage schützen kann.

---

[287] Selbst in 1Chron.21,1 LXX wird die Verführung Davids durch Satan mit "ἐπισείειν" beschrieben.

[288] Vgl. Test.XII: in Test.Levi 3,3; Test.Jud.25,3; Test.Seb.9,8; Test.Benj.6,1 wird das πνεῦμα πλάνης Beliars genannt (auch in Sib.III, 63-69 ist vom πλανᾶν Beliars die Rede); vgl. weiterhin Jub.10,1f.; 11,4f. (+ Mastema); 19,28.; zur Verführung Evas vgl. Apk.Hen.(äth.) 69,6; zum Ganzen: H. Braun, Art. "πλανάω κτλ.", ThWNT VI, S.239ff.

[289] Zur textkritischen und lexikalischen Diskussion um κατήγωρ vgl. Büchsel, Art. "κατήγορος, κατήγωρ", in: ThWNT III, S.637f.; Jörns, 1971, S.113f.

[290] Marti, 1927, S.101. Wichtige Parallele hierzu (Kategor und Paraklet) bildet die weiter unten zitierte Stelle bei Irenäus, a.h.3,17,3.

[291] Hierzu ist auch die Entfaltung von Hiob 1,6ff. in bBaba Bathra 15b-16 hinzuzuziehen.

[292] Horowitz, 1975, S.16f.

- Lev. R. zu Lev.21,3: "Das Wort ` הַשָּׂטָן ´ hat 364 an der Zahl, denn alle Tage des Jahres klagt der Satan an, nur am Versöhnungstage nicht".[293] Der Versöhnungstag ist also Freiraum vor den Anklagen Satans; vgl. hierzu auch bJoma 20a: "Am Versöhnungstag hat der Satan keine Macht anzuklagen".[294] bNedarim 32b: "Ferner sagte R.Ami b.Abba: [Das Wort] ha-Satan beträgt in seinem Zahlenwerte dreihundertvierundsechzig".[295]

Diese Texte zeigen, daß die Anklage des Satans stets vorausgesetzt wird, allerdings gibt es bestimmt Freiräume (Versöhnungstag, apotropäische Handlungen).

Auch bei den Kirchenvätern ist eine breite Rezeption der Identifikation des Teufels mit dem Ankläger belegbar. Wichtiges Thema dabei ist, den Beschuldigungen des Anklägers zu entkommen. Für Irenäus von Lyon spielt dabei der johanneische Paraklet eine zentrale Rolle. In a.h.3,17,3ff. führt er aus, daß Gottes Geist auf die ganze Erde gekommen sei und deutet dabei den Tau auf der Wolle Gideons in Jdc.6,37 zusammen mit Jes.5,6 auf den Geist Gottes; dieser wird durch die Prophetie in Jes.11,2f., nach der der "Geist der Weisheit" kommen solle, genauer spezifiziert und als Hinweis auf das Kommen des Parakleten gedeutet. Dieser ist als Gegengewicht zum Wirken des Satans wichtig:

> Irenäus, a.h. 3,18,2:[296] "Eben diesen [Geist der Wahrheit aus Jes.11] gab er wiederum der Kirche, indem er den Parakleten auf die ganze Erde vom Himmel herab sandte, von wo auch der Teufel wie ein Blitz herabgestürzt war, sagt der Herr. Deswegen ist für uns der Tau Gottes notwendig, daß wir

---

[293] Wünsche, 1884, S.140.
[294] Goldschmidt III, S.49. Zum Ankläger vgl. weiterhin bBaba Qamma 93a: "R.Hanan sagte: Wer seinen Nächsten [bei Gott] anklagt, wird zuerst bestraft, denn es heißt: und Saraj sprach zu Abraham: Meine Kränkung fällt dir zur Last [Gen.16,5], und es heißt: und Abraham ging hin, um wegen Sara zu klagen und sie zu beweinen [Gen.23,2]. Dies jedoch nur dann, wenn er ein irdisches Gericht hat. R.Jichaq sagte: Schlimmer ergeht es dem Ankläger als dem Angeklagten. Ebenso wird auch gelehrt: Sowohl der Ankläger als auch der Angeklagte ist einbegriffen (sc.: in die Strafe von Ex.22,22f.), doch wendet man sich an den Ankläger früher als an den Angeklagten" (Goldschmidt VII, S.319f.); Jub.1,20 (Geist Beliars klagt an); 43,15 (Mastema wird gefesselt, daß er die Israeliten nicht anklage); Apk.Hen.(äth.) 40,7 (der vierte Erzengel = Fanuel wehrt die Satane ab, daß sie die auf dem Festland Wohnenden nicht anklagen können); Apk.Hen.(hebr.) 4,6; 5,10 (die Dienstengel klagen an), 14,2 (Sammael als Fürst aller Ankläger); Apk.Zephan. 4,2: Die Engel des Anklägers sitzen an der Himmelsfeste und schreiben die Sünden der Menschen in ihr Buch, um dies dem Ankläger zu melden; "Worte von Gad, dem Seher", Kap.14 (vgl. Bar-Ilan, 1990, S.477).
[295] Goldschmidt V, S.431.
[296] "...quem ipsum iterum dedit Ecclesiae, in omnem terram mittens de coelis Paracletum, ubi et diabolum tamquam fulgur projectum ait Dominus. Quapropter necessarius nobis est ros Dei, ut non comburamur, neque infructuosi efficiamur, et ubi accusatorem habemus, illic habeamus et Paracletum." (Harvey II, 1857, S. 93).

nicht verbrannt werden und nicht unfruchtbar gemacht werden, und wo wir den Ankläger haben, dort sollen wir auch den Parakleten haben".

Der Satansfall wird hier mit dem Auftreten des Anklägers verbunden. Dies ist sicherlich nicht von Apk.Joh.12 abhängig, da dort der Ankläger nur im Himmel sein Amt ausübt. Auf der Erde ist er Schlange, Satan, Teufel, Verführer. Dagegen ist bei Irenäus im Zusammenhang dieser Rezeption von Lk.10,18 eine Theologie gezeichnet, die vom irdischen Auftreten eines satanischen Anklägers ausgeht; der Paraklet hat die Aufgabe, diesem Widerpart zu bieten. Dies ist eine interessante Parallele zur oben zitierten Stelle aus mPirqe Abot 4,11a, wo "Kategor" und "Paraklet" auch zusammen genannt werden.

Während bei Irenäus die Rettung des Menschen vor dem Ankläger vom Auftreten des Parakleten abhängig ist, kann dies bei Origenes, Hom. in Lev.3,4 der Mensch selbst leisten:

> "Wenn wir ihm also in diesem Leben zuvorkommen und unsere eigenen Ankläger sind, entkommen wir der Nichtsnutzigkeit des Teufels, unseres Feindes und Anklägers".[297]

Die Selbstanklage kommt hier den Anschuldigungen des Anklägers zuvor.

Beim späten Tertullian entgeht der Mensch dem Ankläger durch Hinwendung zum Christentum. Die Absage vom Teufel beim Übertritt zum Christentum wird in "De anima" 35,3 in juristischen Kategorien gefaßt; als Konsequenz ist eine spätere Liaison mit dem Teufel ein vor Gott einklagbarer Vertragsbruch. Von dem Teufel hat man sich also zu distanzieren,

> "damit er dich nicht als Betrüger, als Vertragsbrecher vor den richtenden Gott führt, sowie wir anderswo über ihn lesen, daß er der Ankläger der Heiligen ist und selbst schon durch den Namen 'Diabolus' Anzeiger ist".[298]

Da Apk.Joh.12,10 für diese Vorstellung allerdings eine exponierte Stellung im Corpus der normativen Schriften einnimmt, ist eine Reminiszenz auf diesen Vers jeweils nicht auszuschließen. Die Stelle, an der "anderswo" mehr zu lesen ist, dürfte Apk.Joh.12,10 sein (Ankläger und Heilige). Zusätzlich wird hier noch ein weiteres Element ausgeführt: Der Teufel klagt Menschen der Untaten

---

[297] "Si ergo in hac vita praeveniamus eum et ipsi nostri accusatores simus, nequitiam diaboli inimici nostri et accusatoris effugimus" (SC 286, S.140). Zum Teufel als Ankläger bei Origenes vgl. auch Hom. in Ps.38 (Migne PG12, 1405A). - Eine zu Hom.in Lev.3,4 ähnliche Struktur findet sich auch bei Paulus in 1Cor.11,30 (sich selbst richten: nicht gerichtet werden; vom Herrn gerichtet werden: gezüchtigt werden).

[298] "... ne te ut fraudatorem, ut pacti transgressorem iudici deo obiciat, sicut eum legimus alibi sanctorum criminatorem et de ipso etiam nomine diaboli delatorem..." (CCL 2, S.837).

an, zu denen er sie selbst verführt hat. Dies ist auch bei Laktanz aufgenommen: In Div.inst.2,8 berichtet über die Erschaffung der Welt und die Entstehung des Bösen. Dabei wird der gefallene Engel mit dem Ankläger verbunden:

> "Diesen also, der vom Guten durch sich selbst zum Bösen geworden ist, nennen die Griechen diabolos, wir nennen ihn Ankläger, weil er die Verbrechen, zu denen er selbst anleitet, Gott vorträgt".[299]

In der "Kurzfassung" dieser Vorstellung in Epitome 22 ist dies (ähnlich Div.inst. 2, 12) auf den Sündenfall bezogen: Der Teufel betrügt den Menschen von Anfang an und klagt ihn zusätzlich noch an:

> "Jene Schlange aber, die den Taten gemäß den Namen Teufel (das heißt Ankläger oder Anzeiger) annimmt, läßt nicht ab, den Samen des Menschen, den er von Anfang an betrogen hatte, zu verfolgen".[300]

3.3. Zur Kombination der Satansnamen

Die Identifikation des Drachen mit den anderen diabolischen Gestalten ist mit zahlreichen Anspielungen an vorgegebene Traditionen verbunden. Die Reminiszenz an Gen.3 spielt auf das Wirken des Drachen im Paradies an, die Deutung als Verführer und Ankläger weist auf vielfältige bekannte Traditionen hin, in denen dem Teufel diese Funktionen zugeschrieben wurden.

Eine Parallele zu dieser Häufung von Anspielungen auf verschiedene Situationen, in denen der Satan sein Unwesen getrieben hatte, ist in der dritten πρᾶξις des Thomas in den Thomasakten zu finden:

> "Und er [sc. der Drache; cf.31] sprach zu ihm: "Ich bin eine Schlange, ein Sproß der Schlangennatur und ein Schädiger, der Sohn eines Schädigers ... ich bin der, welcher durch den Zaun ins Paradies eingegangen und mit Eva alles geredet hat, was mir mein Vater auftrug, zu ihr zu reden....".[301]

---

[299] "Hunc ergo ex bono per se malum effectum Graeci διάβολον appellant, nos criminatorem uocamus, quod crimina in quae ipse inlicit ad deum deferat" (CSEL 19, S.130).

[300] "Serpens uero ille, qui de factis diabolus id est criminator siue delator nomen accepit, non destitit semen hominis, quem a principio deceperat, persequi" (CSEL 19, S.695).

[301] Act.Thom., 32; zitiert nach Schneemelcher, Bd.II, 1989⁵, S.316.

Das Wortfeld δράκων - ὄφις - πλανᾶν ist hier allerdings durch das Äquivalent δράκων - ἑρπυστής - βλάπτειν ersetzt; dennoch bestehen inhaltliche Analogien, die auch in Act. Phil.111 zu lesen sind:

"Τὸ πονηρὸν σύστημα... τοῦτ' ἔστιν τὰς κακίας ἐπιθυμίας, δι' ὧν ἐγέννησεν ὁ ὄφις ὁ πονηρὸς δράκων ὁ ἀρχέκακος νομὴν ἀπωλείας...".[302]

Justin bringt in seinem Dialog mit Tryphon (Dial. 103,5) von Apk.Joh.12 unabhängige Identifikationen von Teufelsnamen:

"Oder er nennt den in anbrüllenden Löwen den Teufel, den Moses Schlange nennt, der von Hiob und Sacharia Teufel genannt wird und von Jesus mit Satan angeredet wird ...".[303]

Eine weitere Reihung verschiedener Satansnamen liegt bei Origenes in Hom. in Lev.16,6 vor. Zur Auslegung von Lev.26,6 (... ihr werdet schlafen, und es wird keinen geben, der euch aufschreckt ...) bemerkt er:

"Wenn ich mich nämlich als Gerechter erweise, kann mich niemand aufschrecken; nichts anderes fürchte ich, wenn ich Gott fürchte. »Der Gerechte nämlich«, so sagt man, »ist furchtlos wie ein Löwe« [Prov.28,1], und demnach fürchtet er nicht den Löwen, den Teufel, noch den Drachen, den Satan, noch seine Engel".[304]

Eine wichtige Parallele stellt auch in diesem Zusammenhang das "Gebet des Kyriakos"[305] dar. Dabei begegnet der Protagonist einem Drachen, der als "König der Kriechtiere der Erde" (βασιλεὺς τοῦ ἑρπετοῦ τῆς γῆς) bezeichnet wird. Dieser Drache wird, ähnlich Act. Thom., mit prominenten Verfehlungen aus der Geschichte Israels in Zusammenhang gebracht (8ff.). Wichtig für den Vergleich mit Apk.Joh.12 sind folgende Punkte:

1. Der Drache ist Verfolger des Helden und wird, vergleichbar mit Apk.Joh.12,3f., mit vielerlei Bildelementen ausgestattet, die seine Körperteile betreffen.[306]

---

[302] Zitiert nach Bonnet, 1969, S.43; vgl. auch die ebd. angegebene Variante, die den Drachen mit dem Satan identifiziert: "φεύγετε ἀπὸ τοῦ δράκοντος τοῦ Σατανᾶ..." (vgl. auch Ev.Barthol.46).

[303] "Ἢ λέοντα τὸν ὠρυόμενον ἐπ' αὐτὸν ἔλεγε τὸν διάβολον, ὃν Μωυσῆς μὲν ὄφιν καλεῖ, ἐν δὲ τῷ 'Ιὼβ καὶ τῷ Ζαχαρία διάβολος κέκληται, καὶ ὑπὸ τοῦ 'Ιησοῦ σατανᾶς προσηγόρευται..." (Goodspeed, 1914, S.219); zu den Identifikationen vgl auch Dial.125,4.

[304] "Si enim iustus efficiar, nemo me exterrere potest; nihil timeo aliud, si Deum timeam; *Iustus* enim, inquit *confidit ut leo* et ideo non timet leonem diabolum nec *draconem* Satanam nec *angelos eius*" (SC 287, S.286).

[305] Ed. Greßmann, 1921.

126

2. Auch das Wort καταπιεῖν (Apk.Joh.12,16), ist in 9 verwendet: der Drache kann den Jordan sieben Tage lang in sein Maul fließen lassen.

3. Auch er wird als Verführer im Paradies angesehen: οὗτός ἐστιν ὁ δράκων, ὃς τὸν πρῶτον Αδὰμ ἐπλάνησεν καὶ ἐκ τοῦ παραδείσου ἐξέβαλεν (8). Die Konnotation mit der Schlange ist schon mit dem Attribut "König der Kriechtiere" beigegeben.[307]

Eine ähnliche Reihung satanischer Namen wie in Apk.Joh.12,9, aber aufgrund der völlig anderen Bildelemente wohl unabhängig davon, ist bei Gregor von Nazianz, Carmen 55 erhalten.[308]

Als rabbinischer Beleg dafür, daß die Reihung der Satansnamen, wie sie in Apk.Joh.12,9 vorliegt, eine durchaus gängige Praxis im Umfeld des Apokalyptikers war, ist bSukka 52a zu nennen:

> "R.Ezra, nach anderen R.Jehošua b.Levi, trug vor: Der böse Trieb hat sieben Namen. Der Heilige, gepriesen sei er, nannte ihn *Böser*, wie es heißt: denn böse ist der Trieb des menschlichen Herzens von Jugend auf [Gen.8,21]. Mose nannte ihn *Vorhaut*, wie es heißt: beschneidet die Vorhaut eures Herzens [Dtn.10,16]. David nannte ihn *Unreiner*, denn heißt: schaffe mir, o Gott, ein reines Herz [Ps.51,12], demnach gibt es ja ein unreines. Salomo nannte ihn *Feind*, wie es heißt: hungert dein Feind, so speise ihn mit Brot, und dürstet ihn, so tränke ihn mit Wasser, denn damit häufst du feurige Kohlen auf sein Haupt, und der Herr wird dirs vergelten [Prov.25,21f.]. ... Jesaja nannte ihn *Anstoß*, wie es heißt: macht Bahn, macht Bahn, richtet her den Weg, räumet meinem Volke den Anstoß aus dem Wege [Jes.57,14]. Jehezqel nannte ihn *Stein*, wie es heißt: ich werde das steinerne Herz aus eurem Leibe entfernen und euch ein fleischernes Herz geben [Ez.36,26]. Joel nannte ihn *Versteckter*, wie es heißt: den Versteckten werde ich von euch entfernen [Jo.2,20]".[309]

---

[306] Vers 7: ἡ οὐρά - οἱ ὀδόντες - αἱ πλευραί - ἡ ῥάχις - οἱ ὄνυχες - ἡ στρωμνή - τὸ βρῶμα. Eine ähnliche Reihung, allerdings verknüpft mit der Antichristtradition, finden wir auch in Ps.- Apk.Joh.I, 7 (Ed. Tischendorf, 1866, S.74f.).

[307] Vgl. hierzu das in vielen Zügen ähnliche Perlenlied, ed. K. Beyer, 1990; vgl. weiterhin Ambr., Sermo XLVI (De Salomone; Migne, PL17, 719A): "Et ut aquila serpentes devorat, et eorum venena calore coquit interno, ita et Christus Dominus noster, percusso dracone, id est, diabolo lacerato, quod humanum sibi corpus assumit, peccatum illud quod hominem tenebat obnoxium, tanquam perniciosum virus exstinxit..."; vgl. weiterhin Ginza re.,280,1ff.: "(Jener) König der Finsternis nahm alle Gestalten der Kinder der Welt an: den Kopf des Adlers, den Körper des Drachen, ..." (zitiert nach Lidzbarski, 1925, S.278).

[308] "Κλώψ, ὄφι, πῦρ, Βελίη, κακίη, μόρε, χάσμα, δράκων, θήρ, Νύξ, λόχε, λύσσα, χάος, βάσκανε, ἀνδροφόνε" (nach Migne PG 37, Sp.1399).

[309] Goldschmidt III, S.399f. Ein weiterer rabbinischer Beleg zu Identifikationen des Satans mit anderen Gestalten ist bBaba Batra 16a: "Reš Laqiš sagte: Der Satan, der böse Trieb und der Todesengel sind identisch" (Goldschmidt VIII, S.61).

Dieser Text ist für die traditionsgeschichtliche Exegese von Apk.Joh.12,9 aus folgenden Gründen von Bedeutung:

1. Bei beiden Texten handelt es sich um eine Liste von Satansnamen.
2. Die Satansnamen verweisen hier wie dort auf alttestamentliche Traditionen.
3. Im Unterschied zu Apk.Joh.12 handelt es sich bei bSukka 52a um Schrift-auslegung. Die Anknüpfungsstellen der Tradition werden explizit genannt, man hat es also bei dieser Reihung von Satansnamen mit literarischen Reminiszenzen zu tun.

Dagegen sind die Verweise auf die Tradition in Apk.Joh.12,9 assoziativ: Die entsprechenden Belegstellen werden nicht zitiert, sondern sie werden vorausgesetzt. Es ist hier eine andere Form verwendet worden, mit traditionellem Material umzugehen. Dieses Beispiel bestätigt den weitgefaßten Begriff der "Tradition" in unserer Untersuchung (vgl. die methodischen Vorüberlegungen in Teil I). "Traditionsgeschichte" untersucht nicht nur literarische Reminiszenzen, sondern darüber hinaus assoziative Verweise, sofern diese durch semantische Felder belegbar sind.

3.4. Die Handlungsstruktur in Apk.Joh.12,7-9

Die Verse 7-9 bilden im Ereignisablauf von Apk.Joh.12 eine wichtige Schaltstelle. Der himmlische Kampf Michaels und seiner Anhänger mit dem Drachen und seinen Engeln endet mit dem Sturz des letzteren auf die Erde. Damit kann sich die Verfolgung der Frau, die im Himmel begonnen hatte, auf der Erde fortsetzen. In textpragmatischer Hinsicht bedeutet dies, daß die mythisch erzählte Verfolgung durch den Ortswechsel auf die Erde zur realen Situation der Adressaten überleitet: Die Konfrontation der Gemeinde mit dem Bösen wird initiiert.

Der Himmelskampf hat damit weniger die (im zeitgenössischen Umfeld der Apk.Joh. häufig belegbare) Funktion der himmlischen Vorzeichen irdischer Kämpfe.[310] Denn der Krieg gegen den Drachen wird auf der Erde ja nicht

---

[310] Belege für eine Vorzeichen irdischer Kämpfe im Himmel finden sich reichlich; vgl. Dan.10,13.20; 2Makk.5,1-4; Sib.3,796ff.; Josephus, Bell.6,5,3; Test.Sal.20,15f.; Apk.Thom. (zitiert nach de Santos Otero in: Schneemelcher II, S.679): (Am siebenten Tag der Endzeit) "Das All wird sich in Bewegung setzen und von heiligen En-

fortgesetzt, sondern erst in Apk.Joh.20 endgültig vom Messias entschieden.[311] Fortgesetzt wird dagegen die Verfolgung durch den Drachen, also die in den Versen 4-6 dargestellte Situation, die sich dann in den Versen 13ff. auf der Erde weiterentwickelt.

Die Überleitung vom himmlischen zum irdischen Geschehen wird in V.7-9 mit einem eigentümlichen Mythenkompendium geleistet. Hierzu wurden mehrere Traditionsstränge miteinander verwoben, die von einem himmlischen Kampf, vom Sturz Satans und vom Fall bzw. vom Abstieg der Engel handeln. Die folgende Analyse fragt zunächst nach möglichen Schaltstellen für diese Traditionen: Aus welchen verschiedenen Bereichen kann der Apokalyptiker sein Material entnommen haben? Hierbei kommt neben dem breiten Strom der frühjüdischen Mythologie auch viel paganes Material infrage, besonders aus der reichentfalteten Dämonologie des Mittelplatonismus.

3.4.1. Der Satan

3.4.1.1. Der himmlische Kampf Michaels mit Satan

a) Die Rolle Michaels als Gegner des Satan
Die Rolle Michaels als Gegner Satans ist in der Tradition vorbereitet:[312] Michael tritt für Israel ein (Apk.Hen.(äth.) 20,5; Dan.10,13; 12,1). Dies kann in der Funktion als Fürsprecher sein (wie in Apk.Pl.43; in Test.Dan 6,2; Test.Levi 5,5f. ohne Namensnennung) oder kriegerisch, wie bei Dan.10, Ass.Mos.10,2 (ohne direkte Namensnennung) oder in Apk.Joh.12. In dieser Hinsicht gewinnt er auch politische Bedeutung als Kämpfer Israels gegen das römische Reich: Mit den "Heeren Edoms", gegen die er in Ex.R 18,5 antrat, wird auf Rom angespielt; in 1QM 9,14-16 wird sein Name mit den Namen der anderen

---

geln wimmeln. Diese werden den ganzen Tag hindurch gegeneinander kämpfen. An jenem Tage werden die Auserwählten durch die heiligen Engel vom Weltuntergang errettet werden" (während der Himmelskampf in Apk.Joh.12 als Auftakt zur Verfolgung der Gemeinde dient, bezweckt er in Apk.Thom. deren Rettung).
[311] Zu dieser Ereignislinie im Rahmen der Makrostruktur der Apk.Joh. vgl. die eschatologische Deutung als "endgültige Vertreibung Satans aus seinem Machtbereich": Gollinger, 1971, S.108 (vgl. auch den Überblick über die neuere kathol. Exegese).
[312] Grundlegend zu Michael ist immer noch die Monographie von Lueken, 1898. Neuere Gesamtdarstellung der verschiedenen Rollen Michaels (mit zahlreichen Belegen): Watson, ABD 4, 1992, S.811; Rohland, 1977.

Erzengel auf die Schilde der Türme geschrieben, mit denen man sich gegen den Feind aus Kittim (=Rom) gewappnet hat. Dies unterstreicht seine politische Bedeutung im Kampf.

In Apk.Joh.12 ist diese Rolle Michaels sicher mitassoziiert: Michael, der traditionell für das Volk eintritt, streitet hier für die christliche Gemeinde, die fliehende Frau. Aus diesem Grunde kämpft er gegen den Drachen, was in folgenden Bereichen Parallelen hat:

- *Der Streit um den Leichnam.* Diese Tradition ist im Neuen Testament in Jud.9 erwähnt. Hier rechten Michael und Satan um den Leichnam Moses. Diese Notiz geht wohl auf eine Tradition vom Streit Michaels und Satans um die Seele zurück, deren frühester Beleg in 4QAmr. zu finden ist.[313] Michael hat in dieser mehrfach belegbaren Tradition die Funktion eines Totenwächters, in der er mit dem Teufel kämpfen muß.[314]
  Diese Vorstellung vom Kampf um die Seele des Menschen ist nicht nur auf die herausragenden Vertreter des Guten und des Bösen, Michael und Sammael, beschränkt; wie z.B. in Apk.Pls.14 ersichtlich, können auch die guten und die bösen Engel um die Seele des Menschen streiten.

- *Himmlischer Kampf Michaels gegen Satan.* Zum Streit Sammaels gegen Michael ist hier die Schrift "Worte von Gad, dem Seher", Kap.2 zu erwähnen: "Michael, the high prince, fights against Samael, minister of the world".[315] Die Nähe zu Apk.Joh.12,7 ist hier offensichtlich. Setzt man diese Schrift, wie es neuerdings getan wird, als recht früh an,[316] so ist sie ein wichtiger Vergleichstext zu Apk.Joh.12,7.

---

[313] Vgl. zur Darstellung dieser Tradition Berger, JSJ IV, 1973, S.1-19 (mit zahlreichen traditionsgeschichtlichen Belegen, bes. S.16f.); zur neueren Diskussion dieser Tradition vgl. Heiligenthal, 1992, S.28-32.

[314] Weitere Belege: zu den bei Heiligenthal, ebd. angegebenen Parallelen ist noch auf die "Geschichte von Joseph dem Zimmermann" hinzuweisen, bei der Michael und Gabriel den Leichnam des Joseph bewachen müssen: Kap. 23,4: "Und ich ließ Michael und Gabriel seine Seele (ψυχή) bewachen wegen der Mächte (ἐξουσία), die auf dem Wege sind..." (Morenz, 1951, S.19); die sahid. Rezension Kap.23,13: "Und ich ließ Michael und Gabriel die Seele (ψυχή) meines geliebten Vaters Joseph bewachen wegen der Räuber, die auf den Wegen sind ..." (a.a.O., S.20).

[315] Bar-Ilan, 1990, S.488.

[316] Die Schrift "Worte von Gad, dem Seher" ist nur durch eine einzige Handschrift aus Cochin, Indien erhalten. Zur Datierung vgl.Bar-Ilan, 1990, S.477ff.: Während S. Schechter die Schrift ins 10. Jahrhundert datiert hatte, setzt Bar-Ilan sie nach ausführlicher Diskussion wesentlich früher ("in one of the early centuries of this era", S.491) an. Dabei weist er besonders auf die enge Verbindung zur Apk.Joh. hin: "I know of no book that is closer to The Words of Gad the Seer than the book of Revelation ...", S.488).

Ähnlich ist es in der koptischen "Einsetzung des Erzengels Michael" (Inst.Mich.[kopt.]), die zwar Apk.Joh.12 benutzt,[317] aber oft eigenen Traditionen folgt. Hier vermag es allein Michael, gegen den Teufel zu kämpfen.[318]

b) der himmlische Kampf gegen Satan

Bei Asc.Jes.7,9-12 ist die Tradition von himmlischen Kampf gegen Sammael (=Satan) ausführlich erhalten:

> "[9]Und wir stiegen hinauf zum Firmament, ich (sc.: Jesaja) und er (sc.: der Engel), und daselbst sah ich den Sammael und seine Heerscharen, und ein großer Kampf fand gegen ihn statt, und die Engel Satans waren aufeinander neidisch. [10]Und so wie droben, also ist es auch auf der Erde, denn das Abbild dessen, was hier in dem Firmament ist, ist hier auf Erden. [11]Und ich sprach zu dem Engel: `(Was ist es mit diesem Kampf) und was ist es mit diesem Neide?' [12]Und er sprach zu mir: `So geht es, seitdem diese Welt besteht, bis jetzt, und dieser Kampf [wird dauern], bis der kommen wird, den du sehen sollst und ihn [Satan] vernichten wird'".[319]

Vergleich mit Apk.Joh.12:

1. Bei diesem Text findet nur ein himmlischer Kampf statt, der Satan wird nicht auf die Erde gestürzt. Die Überwindung Satans wird also noch nicht vollzogen, sondern eschatologisch verlagert (vgl. das Verhältnis Apk.Joh.12 zu Apk.Joh.20: auch hier wird der Drachenkampf eschatologisch verlagert).

2. In Asc.Jes.7 sind Streit und Neid himmlische Urbilder für irdische Geschehnisse.[320] Ist Asc.Jes.7 zwar nicht in der Urbild-Abbild- Relation mit Apk.Joh.12 vergleichbar, so doch in der Vorstellung, daß ein Kampf im Himmel etwas mit den Geschehnissen auf Erden zu tun hat Dies wird in Asc.Jes.7 mit der Urbild-Abbild-Relation geleistet, in Apk.Joh.12 mit der Konzeption des Satanssturzes (der Satan fällt auf die Erde und verfolgt die Menschen). Mit diesem wollen wir uns im folgenden beschäftigen.

---

[317] S.o., Teil VI, 5.

[318] So die sahid. Fassung, zitiert nach C.D.G. Müller, 1962, S.33f.; zwar wirft hier, ähnlich Ev.Bartholomäus 55f., Gott selbst den Teufel aus dem Himmel, aber Michael kämpft mit ihm. Geht aus dieser Fassung zwar nicht klar hervor, daß Michael tatsächlich kämpft (er ist nur fähig dazu), ist dagegen die fajjum. Fassung eindeutiger: "Niemand von den Engeln führte mit dem Teufel Krieg; außer Michael" (ebd., S.34). Zu weiteren (späteren) kopt. Quellen, die auf diesen Stoff anspielen, vgl. a.a.O., S.162-164; 240.

[319] Zitiert (ohne textkrit. Anmerkungen) nach C.D.G. Müller in: Schneemelcher, 1989[5], S.555. Zum Satan als Herr über seine Engel vgl. 2Cor.12,7; Mt.25,41; Test.Ass.6,4; Barn.18,1; Act.Petr.17f.32; Vit.Ad.16,1.

[320] Traditionsgeschichtliches Vergleichsmaterial zu Asc.Jes.7,10 bei B. Ego, 1989, S.111ff. Diese sieht a.a.O., S.113 die Formel "alles was es oben gibt, gibt es auch unten" als selbständiges Traditionselement.

3.4.1.2. Der Satanssturz

Zum Sturz Satans in Apk.Joh.12 lassen sich einige thematisch vergleichbare Vorstellungskreise finden:

a) Der Fall des Fürsten der Welt nach Ev.Joh.12,31
Die Verherrlichung Jesu in Ev.Joh.12,28 hat laut Jesusrede in Ev.Joh.12,31f. folgende Konsequenz für die Welt:

> "Nun findet das Gericht dieser Welt statt, nun wird der Fürst dieser Welt hinausgeworfen werden. [32]Und ich, so ich erhöht werde von der Erde, werde alle zu mir ziehen".

Dieser Text, obwohl in den Kommentaren zu Apk.Joh.12 nicht oft erwähnt, wird bei der Exegese des Ev.Joh. schon lange in Zusammenhang zu Apk.Joh.12,9 und Lk.10,18 gebracht.[321]

Die Erhöhung Christi in Joh.12,31 hat die Unterwerfung der bösen Mächte zur Folge;[322] dies ist ein gängiges Bild im Neuen Testament, z.B. bei 1Petr.3,23 (Jesus fährt zum Himmel und Engel, Gewalten und Mächte sind ihm untertan); Eph.1,20-22 (Christus ist zur Rechten Gottes eingesetzt und hat über alle möglichen Mächte Gewalt); 1Cor.15,20-27 (der auferstandene Christus vernichtet Herrschaft, Macht, Gewalt, schließlich den Tod); Phil.2,9-11 (Christus wird erhöht, aller Knie beugen sich).

Ist Apk.Joh.12 im Rahmen dieser Tradition deutbar? Tatsächlich bestehen große Übereinstimmungen. Deutet man 12,5 als Erhöhung Jesu, so ist die Kombination "Erhöhung Jesu und Hinauswerfen Satans" durchaus mit Ev.Joh.12,31f. vergleichbar. Auch die Zielrichtung der Tradition "Erhöhung Jesu und Depotenzierung der Mächte" als Ausschaltung des Anklägers, die Berger kürzlich vorgeschlagen hatte,[323] wäre in Apk.Joh.12,10 belegbar. Die

---

[321] Percy, 1939, S. 141-143, fragt v.a. nach dem Ort, aus dem der Teufel ausgestoßen werde; dies müsse nach Lk.10,18 und Apk.Joh.12,9 der Himmel sein; dagegen: Brown, 1966, S.477: Kein Hinauswurf aus dem Himmel, sondern Autoritätsverlust in der Welt; Verzicht auf die Ortsbestimmung bei Preiss, 1951, S.54f. auf. Zusammenfassung der Diskussion bei Blank, 1964, S.282-284 und bei Frey, in: Hengel, 1993, S.387, Anm.366. Einen gnostischen Mythos vermutete Bultmann, 1952[12], S.330f. hinter der Notiz von Joh.12,31. Der mythologische Gehalt sei aber schon verloren und "vergeschichtlicht". Ähnlich Schnackenburg, 1971, Teil 2, S.492: es ginge um "abgeblaßte mythologische Vorstellungen" von einem Kampf im Himmel.

[322] Vgl. Berger, 1995[2], S.210; S.242f.

[323] A.a.O., S.242f.

Gemeinsamkeiten mit der Ev.Joh.12,31f. zugrundeliegenden Tradition sprechen dafür, daß diese in Apk.Joh.12 anklingt.

Doch wird gleichzeitig dieser Sinnzusammenhang von Erhöhung und Sieg über die Widersacher überlagert von einem anderen Sinnzusammenhang, der ein gleiches Element aufweist: Die Tradition der Geburt als Voraussetzung für den Sieg über den Widersacher hat die Depotenzierung Satans mit der oben genannten Tradition gemeinsam. Man kann hier, wie bei den methodischen Vorüberlegungen in Teil I angeklungen, von einer "Überlagerung von Sinnzusammenhängen mit gleichem Element" sprechen.

Folgen für den Gang der Handlung in Apk.Joh.12:

- das gemeinsame Element der Sinnzusammenhänge, der "Sieg über den Widersacher", wird doppelt hervorgehoben, da sowohl die Geburt eines bedrohten Kindes als auch die Erhöhung Christi jeweils im Rahmen einer eigenen Tradition darauf hinzielen. Dieses Element steht auch formal an exponierter Stelle im Gang der Handlung und markiert zudem eine wichtige Schaltstelle: Den Ortswechsel vom Himmel zur Erde.

- das Motiv der Erhöhung Christi verliert an Relevanz. Zentral ist der Sinnzusammenhang von Geburt des Messias und Sieg über den Widersacher. Mit dem Geburtsmotiv wird die Szenerie in Apk.Joh.12 eröffnet, und die Mutter des Kindes spielt eine Hauptrolle in der weiteren Handlung. Dagegen ist das Motiv der Entrückung auf eine kurze Notiz beschränkt und hat im weiteren Handlungsverlauf keine Bezugspunkte mehr. Ihm kommt die Funktion der "Entrückung als Schutz" zu, eine im Umfeld des Textes nachweisbare Kategorie.[324]

Ergebnis: Die in Ev.Joh.12,31f. vorliegende Tradition der Erhöhung Christi als Sieg über die Widersacher ist auch in Apk.Joh.12 zu finden. Doch durch Überlagerung eines anderen Sinnzusammenhangs mit gleichem Element (Sieg über den Widersacher) ist das Motiv der Erhöhung Christi in seiner Bedeutung zurückgetreten.

---

[324] S.o., Teil IV, 2.2.2, S.107ff.

b) Satan fällt als feurige Lichterscheinung vom Himmel

Eine neutestamentliche thematische Parallele zum Fall Satans, die bei der Exegese von Apk.Joh.12,7-9 oft herangezogen wird, ist Lk.10,18 (Ich sah den Satan wie einen Blitz aus dem Himmel fallen).[325] Zur traditionsgeschichtlichen Einordnung von Lk.10,18 wird seit Origenes, Princ.1,5,5 auf Jes.14,12-15 verwiesen.

Für diese Deutung spricht, daß Jes.14,12 in der weiteren Wirkungsgeschichte nachweisbar als Satanssturz interpretiert worden ist. In diesem Zusammenhang sei vor allem auf einen Komplex verwiesen, der seit W. Bousset als die Tradition vom "Antichrist" bezeichnet wird. Hier kämpfen die beiden endzeitlichen Zeugen gegen den Antichrist, aber im Unterschied zu Apk.Joh.12 siegt dieser zunächst und verfolgt die Heiligen. Nachdem die beiden Zeugen dreieinhalb Tage tot gewesen sind, erfolgt ihre Auferstehung als Auftakt zu der endgültigen Vernichtung des Antichrist.[326] In Apk.Elia (kopt.) 34,7,13ff. ist Jes.14,12 in die Tradition vom Antichrist integriert: Dieser wurde den Himmlischen, Irdischen, Thronen und Engeln feind und ist wie die Morgensterne vom Himmel gefallen. Diese Verbindung weist auf die Kombination des Satanskampfes mit dem Satansfall hin, auf die wir später ausführlich zu sprechen kommen. Ähnlich stürzt der Antichrist - mit Anlehnung an Jes.14,12 - bei Hippolyt, "De Antichristo" 17 wie ein Morgenstern hinab. Es ist also deutlich, daß der Satanssturz Bestandteil der weiteren Wirkungsgeschichte von Jes.14,12 ist.

Gegen eine Erklärung von Lk.10,18 aus Jes.14,12 sperrt sich die Tatsache, dann den "Stern" von Jes.14 mit dem "Blitz" von Lk.10 gleichsetzen zu müssen. Dies versuchte Wellhausen in seinem Lukaskommentar (1904) mit einem Verweis auf islamische Traditionen zu lösen, in denen Meteore als Dämonen interpretiert werden. Diese These findet in neuerer Zeit wieder Beachtung.[327]

---

[325] Vgl. zur traditionsgeschichtlichen Auslegung von Lk.10,18 und speziell zur Verbindung mit Apk.Joh.12,7ff.: U.Müller, 1977, S.417-422.

[326] Zu dieser Tradition vgl. Bousset, 1895; Berger, 1976. Als Beispiel für den endzeitlichen Drachenkampf im Rahmen dieser Tradition sei auf Apk.Elia (kopt.) 43,2ff. hingewiesen: "Er (sc. der Sohn der Gesetzlosigkeit) wird vernichtet werden wie ein Drache, in dem kein Hauch ist. Man wird zu ihm sprechen: Deine Zeit ist vorübergegangen an dir. Jetzt nun wirst du vernichtet werden mit denen, die dir glauben" (Schrage, 1980, S.272f.).

[327] Vgl. Vollenweider, 1988, S.192ff.; dieser macht zusätzlich zu den Parallelen im Koran auf die "Märchen aus 1001 Nacht" aufmerksam und postuliert als "missing link" zwischen Lk. und diesem Traditionskomplex das Test.Sal., bes.Kap.20,16. Vgl. zu Wellhausens These auch Spitta, 1908.

Zur Erklärung des Bildes in Lk.10,18 ist anzumerken, daß der Fall Satans "wie ein Blitz" in der Tradition vorbereitet ist. Zu den Voraussetzungen dazu ist die Vorstellung zu zählen, daß der Satan wie Feuer auf die Erde herabkommt und Schaden anrichtet. Hier ist als Beispiel die Rezeption von Hiob 1,16 (πῦρ ἐπεσεν ἐκ τοῦ οὐρανοῦ καὶ κατέκαυσεν τὰ πρόβατα καὶ τοὺς ποιμένας κατέφαγεν ὁμοίως) in Test.Hiob 16,3 zu nennen: καὶ ἐφλόγισεν (sc.: ὁ Σατανᾶς) τὰς ἑπτὰ χιλιάδας τῶν προβάτων ...).[328] Fiel im kanonischen Hiobbuch Feuer vom Himmel, so ist es in der späteren Rezeption Satan selbst, der vom Himmel kommt und die Erde verbrennt. Vergleichbar hierzu sind die Dämonen in Test.Sal.20, die wie Blitze vom Himmel fallen und die Erde verbrennen.

Diese Vorstellung ist in der ersten Vision des Visionenpaares in Apk.Hen.(äth.) 86 mit dem Bild vom herabfallenden Stern (ähnlich Jes.14) verbunden: "siehe, ein Stern fiel vom Himmel, fraß und weidete inmitten jener Bullen".[329] In der direkt anschließenden Vision werden viele Sterne vom Himmel gestürzt, die sich zum ersten Stern gesellen und anschließend die Erde verheeren. Der Sturz Satans, der in der "Berufungsvision Jesu" (Lk.10,18) isoliert überliefert ist, ist hier ebenfalls isoliert belegt (erste Vision) und wird dann mit dem Fall der Dämonen verbunden (zweite Vision).

Ergebnis: In der zwischentestamentlichen Literatur ist ein Vorstellungskreis nachweisbar, bei dem Satan wie eine feurige Lichterscheinung vom Himmel fällt und Unheil anrichtet. Während in Test.Hiob 16,3 Satan die Erde verbrennt und in Apk.Hen.(äth.) 86 von einem Stern die Rede ist, wird in Lk.10,18 auf einen Blitz verwiesen. All diesen thematisch eng verwandten Stellen ist gemeinsam, daß als Konsequenz auf der Erde Unheil entsteht. Dies verbindet den oben genannten Vorstellungskreis mit Apk.Joh.12: Der Satan fällt vom Himmel - und verfolgt auf der Erde die Frau. Es geht nun im weiteren darum, die einzelnen Elemente, mit denen das Thema in Apk.Joh.12 ausgestaltet ist, traditions- und religionsgeschichtlich zu vergleichen.

---

[328] Brock, 1967, S.29f.
[329] Uhlig, 1984, S.680.

3.4.2. Die Engel: traditionsgeschichtliche Analyse

Zu den Handlungsträgern Drache und Michael treten in Apk.Joh.12,7-9 jeweils noch die Engel als Akteure hinzu. Diese werden mit Satan überwunden und aus dem Himmel gestürzt. Im folgenden geht es darum, Anknüpfungspunkte für die Überwindung und den Fall der Engel zu finden.

3.4.2.1. Die Rezeption von Gen.6,1-4

In Gen.6,1-4 kommen die "Söhne Gottes" vom Himmel, um sich mit menschlichen Frauen zu vermischen. Diese "υἱοὶ τοῦ θεοῦ" werden in der weiteren Rezeption mit Engeln identifiziert, so z.B. bei Philo v.A., Gig. 2 und Josephus, Ant.1,3,1: "ἄγγελοι τοῦ θεοῦ".[330] In Apk.Hen.(sl.) 18,4f. steigen drei Engel von Gottes Thron herab auf den Berg Hermon und vermischen sich mit Menschentöchtern. Im Unterschied zu Apk.Joh.12 geschieht der Abstieg der Engel freiwillig, die Engel werden nicht mit Gewalt aus dem Himmel entfernt.

Es finden sich in der Rezeptionsgeschichte von Gen.6,1-4 mehrere Deutungen. So ist diese Tradition beispielsweise mit der Überwindung bzw. Fesselung der Engel verbunden: In Jub.5,1ff. nehmen sich die "Engel des Herrn" die Menschentöchter und werden deswegen in V.6 ihrer Herrschaft enthoben und gefesselt. Diese Vorstellung ist auch in der Visionsdeutung in Apk.Bar.(syr.) 56,12-14 erhalten: Hier vermischen sich "einige Engel" mit Frauen und werden gefesselt. In 2Petr.2,4 hat Gott selbst die Engel, die gesündigt haben, mit Ketten gefesselt.

Es lassen sich auch in der späteren Ausprägung dieser Tradition Anknüpfungspunkte an Apk.Joh.12 erkennen:

1. Der Sturz der Engel, also deren unfreiwilliger Abstieg, wird mit diesem Mythos verbunden, so z.B. bei Athenagoras von Athen, Apol.24f. Die Engel haben sich mit Jungfrauen eingelassen, daraus entstanden die Giganten. Die Engel wurden aus den Himmel gestürzt und wohnen in der Luft und auf die Erde, die Seelen der Giganten sind die in der Welt umherirrenden Dämonen.
2. Weiterhin wird mit dem Abstieg der Engel nach Gen.6,1-4 das Böse auf Erden begründet. Dabei kann inhaltlich daran angeknüpft werden, daß Gen.6,4

---

[330] Zur Rezeption von Gen.6,1-4 vgl. Dexinger, 1966; die altkirchl. Deutung von Gen.6,2f. ist bei ihm S.97-101 dargelegt; auf den traditionsgeschichtlichen Unterschied zwischen Engeln, die (freiwillig) herabsteigen und Engeln, die herabgestoßen werden, verweist ders. in a.a.O., S.91f.

den Auftakt zur Sintflut darstellt, die die Menschheit bis auf Noahs Familie vernichtet. In der weiteren Entfaltung werden alle möglichen Übel darauf zurückgeführt: Das Philosophengezänk wird von Hermias in seinem Diasyrmos, Kap.1 mit dem Mythos vom Fall der Engel begründet. Auch die Entstehung der Dämonen wird mit dem Mythos von Gen.6,1-4 in Zusammenhang gebracht. Hier ist neben Tertullian, Apol.22,3 als Beispiel Justin, 2.Apol.4(5)f.[331] zu nennen. In diesem Text geht Justin von der Frage aus, warum Christen Unrecht erleiden müssen, obwohl sie sich zu einem hilfreichen (βοηθόν) Gott bekennen. Antwort: Nach der Schöpfung übertrug Gott die πρόνοια über die Menschen und für alles unter dem Himmel ἀγγέλοις, οὓς ἐπὶ τούτοις ἔταξε. Dabei übernimmt Justin die Tradition von der τάξις der Engel.[332] Diese sind über die Menschen gesetzt.[333] Diese Engel aber übertraten die Ordnung (παραβάντες τήνδε τὴν τάξιν), indem sie sich mit den menschlichen Frauen einlassen und die Dämonen zeugen. Diese bewirken das Böse auf der Erde.

---

[331] Textgrundlage für meine folgende Zusammenfassung ist Krüger, 1904³, S.64.

[332] Im zeitlichen Umfeld der Apk.Joh. kann durch mehrere Texte die Vorstellung belegt werden, daß Engel bzw. (in paganer Mythologie) Dämonen eine "Ordnung" haben. Dies hängt mit den Vorstellungen über die Ordnung des Kosmos zusammen, vgl. Apk.Hen.(äth.) 69,25 u.ö.; Apk.Hen.(gr.) 2,1 (τάξις); Test.Napht.3,2-5 (τάξις); 1QH 12,4-11; Jub.6,4; Apk.Bar.(syr.) 48,9; 1Clem.20,1-4 (διαταγή) in diese werden die Engel / Dämonen eingegliedert. - Zur Vorstellung von der "τάξις" der Engel sind folgende Texte wichtig: Von Papias ist in einem Fragment im Comm in Apocal. des Andreas von Caesarea ein Fragment überliefert, das sich auf die Ordnung der Engel bezieht; vgl. Körtner, 1983, S.64; in Test.Napht.3,5 verändern die Wächter ihre natürliche τάξις. Nach Apk.Mose 38 (=gr. Vita Adae) ordnet Gott an, daß alle Engel sich vor ihm versammeln, ein jeder nach seiner τάξις (Tischendorf, 1866, S.20). Die Ordnung von Dämonen klingt, womöglich unter Bezugnahme einer Dämonenordnung, wie sie bei Apuleius, De deo Socr.14ff. zum Ausdruck kommt, bei Clemens v.A. in seiner Rede an die Griechen in Prot.2,40 an: "Nachdem mir scheint, daß ich geprüft habe, daß es keine Götter sind, die ihr verehrt, gibt es nun Dämonen, die in die zweite (wie ihr es nennt) Ordnung hineingerechnet werden?" ("Ἐπειδὴ οὐ θεοί, οὓς θρησκεύετε, αὖθις ἐπισκέψασθαί μοι δοκεῖ εἰ ὄντως εἶεν δαίμονες, δευτέρᾳ ταύτῃ, ὡς ὑμεῖς φατέ, ἐγκαταλεγόμενοι τάξει"; GCS 12, S.30). Auch Origenes spielt mehrmals auf die Ordnung der Dämonen an, wie in Hom. in Jerem.10,7 (Zu Jer.11,7:) "Das war sein Erbteil: Der Platz mit den Engeln, die Ordnung bei den heiligen Mächten" ("ἐκείνη γὰρ ἦν ἡ κληρονομία αὐτοῦ, τὰ χωρία τὰ μετὰ τῶν ἀγγέλων, ἡ τάξις ἡ μετὰ τῶν ἁγίων δυνάμεων"; GCS 6, S.77). In Sel. in Ps.IV ist Gott nicht nur bei den Menschen, sondern auch "ἐπὶ τῆς ἀγγελικῆς τάξεως" (Migne PG 12, 1161B). In den Expos. in Prov.XXX folgen "αἱ τῶν ἀγγέλων τάξεις" (Migne PG 17, 232D) Gott nicht aus Furcht, sondern aus Liebe. Diese Vorstellung von der Ordnung der Engel / Dämonen geht auch in die späteren Johannesapokalypsen ein: In der apokryphen Ps.-Apk.Joh.III umringeln "αἱ τάξεις τῶν δαιμόνων" (Vassiliev 1893, S.317) die Seelen der Sünder.

[333] Im Gegensatz zu diesem Text, in dem Engel als Verwalter der Erde von Gott eingesetzt sind, vgl. Apk.Bar.(syr.) 14,18: Menschen; 4Esra 6,54: Adam.

Die Struktur, daß die Bewegung der Engel vom Himmel auf die Erde das Böse bewirkt, ist mit Apk.Joh.12 vergleichbar, obwohl dort der Drache der Haupthandlungsträger ist. Dennoch ist die Begründung für das Böse auf der Erde in Apk.Joh.12 auch mit der Tradition des Engelfalls verbunden. Justin, 2.Apol.4(5)f. ist hierzu eine wichtige Parallele.

3.4.2.2. Engel / Dämonen fallen

Gen.6,1-4 ist nicht die einzige Nahtstelle zur Vorstellung, daß Dämonen bzw. Engel vom Himmel auf die Erde gelangen. In Test.Sal.20,16f. fallen Dämonen aufgrund ihrer Schwäche:

> "[16]Wir Dämonen aber werden kraftlos, weil wir keine Stätte zum Draufgehen oder Ausruhen haben, und (so) fallen wir herab wie Blätter von den Bäumen; es meinen dann die Menschen, die dies sehen, daß es Sterne wären, die vom Himmel fielen. [17]So ist es nicht, König, sondern wir fallen wegen unserer Schwäche - und weil wir nirgendwo Halt finden, fallen wir wie Blitze auf die Erde herab; und wir zünden Städte an und stecken Felder in Brand. Die Sterne des Himmels aber sind am Firmament befestigt".[334]

Test.Sal.20 ist nun in zwei Punkten für die Exegese von Apk.Joh.12 wichtig:
1. Engel fallen herab, weil sie wie in Apk.Joh.12,8 keine Stätte im Himmel haben.[335]
2. Der Herabfall der Dämonen hat wie in Apk.Joh.12 negative Auswirkungen: es werden Ortschaften und Felder in Brand gesteckt (Test.Sal.20,17: ... καὶ πόλεις καταφλέγομεν καὶ ἀγροὺς ἐμπυρίζομεν...).

Weiterhin interessant bei diesem Abschnitt ist die Metaphorik des Dämonenfalls.
1. Was in Lk.10,18 vom Satan ausgesagt wurde, daß er nämlich "wie ein Blitz" auf die Erde fällt, ist ähnlich auch von Engeln / Dämonen aussagbar. In Mt.28,3 wird die Gestalt des Engels, der vom Himmel auf die Erde

---

[334] "[16]ʿΗμεῖς δὲ οἱ δαίμονες ἀτονοῦμεν μὴ ἔχοντες βάσιν ἀναβάσεως ἢ ἀναπαύσεως, καὶ ἐκπίπτομεν ὥσπερ φύλλα ἀπὸ τῶν δένδρων καὶ δοκοῦσιν οἱ θεωροῦντες ἄνθρωποι ὅτι ἀστέρες εἰσὶν οἱ πίπτοντες ἀπὸ τοῦ οὐρανοῦ. [17]οὐχ οὕτως ἐστί, βασιλεῦ, ἀλλὰ πίπτομεν διὰ τὴν ἀσθένειαν ἡμῶν καὶ ἐν τῷ μηδαμόθεν ἔχειν ἀντίληψιν καταπίπτομεν ὡς ἀστραπαὶ ἐπὶ τὴν γῆν, καὶ πόλεις καταφλέγομεν καὶ ἀγροὺς ἐμπυρίζομεν. οἱ δὲ ἀστέρες τοῦ οὐρανοῦ τεθεμελιωμένοι εἰσὶν ἐν τῷ στερεώματι" (McCown, 1922, S.62f.).

[335] Zum Ausdruck "οὐδὲ τόπος εὑρέθη αὐτῶν ἔτι ἐν τῷ οὐρανῷ": s.o., S.115.

138

herabgefahren ist, mit dem Vergleich "ὡς ἀστραπή" charakterisiert. Dies ist sehr ausführlich in Test.Sal.20, 16f. bewahrt.

2. Die andere Metapher, in der die Dämonen selbst ihren Fall deuten, lautet: Dämonen fallen "wie Blätter von den Bäumen". Diese Metapher soll im folgenden ausführlich in einem Exkurs behandelt werden:

3.4.2.3. Exkurs: Dämonen fallen wie Blätter von Bäumen

Die pejorative Verwendung der Metapher "etwas fällt wie Blätter" ist schon in der Septuaginta zu finden. Hier ist v.a. Prov.11,14 zu nennen. Aus dem hebräischen Text:

> "Wenn keine kluge Lenkung da ist, fällt das Volk; wo aber Ratgeber in Mengen sind, ist Hilfe".[336]

wird in der Septuagintaübersetzung:

> "Denen keine Lenkung zuteil wird, die fallen wie Blätter; Heil wird aber zuteil in vielerlei Rat".[337]

Das "Fallen wie Blätter" wird hier als Metapher für ratlose Menschen gebraucht. In dieser Weise wird diese Stelle auch später bei den Kirchenvätern rezipiert.[338]

---

[336] בְּאֵין תַּחְבֻּלוֹת יִפָּל־עָם וּתְשׁוּעָה בְּרֹב יוֹעֵץ :

[337] "Οἷς μὴ ὑπάρχει κυβέρνησις, πίπτουσιν ὥσπερ φύλλα, σωτηρία δὲ ὑπάρχει ἐν πολλῇ βουλῇ".

[338] So bei Clemens Alexandrinus, Strom.2,51,5f: "Der aber glaubt, weise zu sein, will von vorne herein nicht auf die göttlichen Gebote hören, sondern als ein aus eigenem Antrieb Handelnder steift er die Zügel ab und begibt sich freiwillig in die schwankende Woge; er steigt dabei aus der Kenntnis dessen, was ungezeugt ist, in die Sterblichkeit und in das Gezeugtsein hinab und ist dabei bald dieser, bald jener Meinung. 'Denen aber keine Lenkung zueigen ist, die fallen wie Blätter'" ("ὁ δὲ οἰησίσοφος τὴν ἀρχὴν οὐδὲ ἐπαίειν βούλεται τῶν θείων ἐντολῶν, ἀλλ' οἷον αὐτομαθὴς ἀφηνιάσας εἰς σάλον κυμαινόμενον ἑκὼν μεθίσταται, εἰς τὰ θνητά τε καὶ γεννητὰ καταβαίνων ἐκ τῆς τοῦ ἀγεννήτου γνώσεως, ἄλλοτε ἀλλοῖα δοξάζων. 'οἷς δὲ μὴ ὑπάρχει κυβέρνησις, πίπτουσιν ὥσπερ φύλλα'"; GCS 15² (52), S.140f.). Weiterhin bei Origenes, Expos. in Prov. XI: "Die nämlich von jedem Wind umhergetrieben werden, erleiden Schiffbruch, was das Leben und den Glauben angeht; und wie Blätter eines Baumes fallen sie ab von Gott, denen die Weisheit Gottes nicht zueigen ist" ("οἱ τοιοῦτοι γὰρ παντὶ ἀνέμῳ περιφερόμενοι ναυαγοῦσι περὶ τὸν βίον ἢ τὴν πίστιν, καὶ ὡς φύλλα δένδρου πίπτουσιν ἀπὸ τοῦ Θεοῦ, οἷς μὴ ὑπάρχει σοφία Θεοῦ"; Migne PG 17, 189 D). Interessant ist hierbei die nautische Terminologie, die durch die Interpretation von κυβέρνησις als Schiffssteuerung ermöglicht wird.

Wie ist nun diese unterschiedliche Lesart zwischen der Septuaginta und der masoretischen Rezension zu erklären? Setzen wir eine Priorität des masoretischen Textes voraus, so könnte man folgendermaßen rekonstruieren: Das hebräische עם wurde im Griechischen mit φῦλα übertragen und in weiterer Tradierung mit φύλλα, also "Blätter", wiedergegeben. Diese Deutung der unterschiedlichen Lesart wird dadurch gestützt, daß das Bild von den "fallenden Blättern" im Zusammenhang mit "Völkern" an anderer Stelle, wohl unabhängig von der Septuaginta belegbar ist; es begegnet in apokalyptischer Ausprägung schon im "Töpferorakel", Prophezeiungen des als Töpfer inkarnierten ägyptischen Gottes Chnum.[339] Eine Unglückszeit, gezeichnet in den Farben apokalyptischer Chaosschilderungen, wird über Ägypten in Gestalt der ζωνοφόροι (= Griechen) einbrechen. Hauptstadt dieser "Gürtelträger" ist Alexandrien. Die Wende der Chaoszeit geschieht folgendermaßen:

"Und dann wird der Gute Dämon die gegründete Stadt verlassen und wird ins gottesgebärende Memphis weggehen; und sie wird verwüstet werden, die Stadt, in der sich die Fremden ausbreiten. Dies aber wird am Ende der bösen Zeit geschehen, wenn die Fremdlinge (wie) Blätter auf Ägypten fallen. Die Stadt der Gürtelträger wird dann auf die gleiche Weise wie mein Töpferofen verwüstet werden wegen des Unrechts, das sie Ägypten angetan haben".[340]

Am Ende der Zeit fallen die fremden Völker wie Blätter.[341] Diese Apokalypse liefert einen wichtigen Vergleichstext zu Prov.11,14 in der Septuagintafassung, da unabhängig davon, aber doch in verwandtem (ägyptischem) Milieu die pejorative Verwendung der Metapher von den "fallenden Blättern" für "Volk"

---

[339] Ed. Koenen, 1968; zur Datierung: die Orakel sind in der zweiten Hälfte des zweiten vorchristlichen Jahrhunderts entstanden (vgl. Koenen, a.a.O., S.192) und in späterer Zeit womöglich mit Interpolationen versehen worden (vgl. a.a.O., S.186ff.).

[340] P.Oxy 2332 (nach Koenen, S.205 und 207): "καὶ τότε ὁ Ἀγαθὸς Δαίμων καταλείψει τὴν κτιζομένην πόλιν καὶ ἀπελεύσεται εἰς τὴν θεοτόκον Μέμφιν. καὶ ἐξερημω- θήσεται, ἡ ξένων πόλις ἐνκτισθήσεται. ταῦτα δὲ ἔσται ἐπὶ τέλει τῶν κακῶν, ἐπὰν φυλλόροια παραγένηται εἰς Αἴγυπ- τον ξένων ἀνδρῶν. ἥ τε τῶν ζωνοφόρων πόλις ἐρημωθήσε- ται ὃν τρόπον ὡς ἡ ἐμὴ κάμινος διὰ τὰς ἀνομίας, ἃς ἐποιήσαν τοι". Die Parallelrezension aus P. Roberts hat als einzige nennenswerte unterschiedliche Lesart nur "εἰς Μέμφιν" statt "εἰς θεοτόκον Μέμπην" (zum Ausdruck "θεοτόκος" in bezug zu einer Stadt: vgl. Koenen, a.a.O., S.178, Anm.1; dieser interpretiert es als Ausdruck des ägyptischen Terminus "Geburtsstätte eines jeden Gottes". Dies mag später der Hintergrund für Alexander von Alexandrien sein, wenn er den Terminus in bezug zu Maria gebraucht, vgl. seinen Brief an Alexander v. Konstantinopel, überliefert bei Theodoret, h.e. 1,4).

[341] Auf das Wortspiel "φῦλα - φύλλα" in diesem Zusammenhang wies, unter Heranziehung der Apk.Asclep.(kopt.) in NHC 6,8 bzw. Corp.Hermet.24 (=lateinische Version), Koenen, 1968, S.181, Anm.6 hin.

140

belegbar ist. Daß die unterschiedlichen Lesarten in Prov.11,14 auf diesen Zusammenhang zurückführbar ist, ist damit wahrscheinlich gemacht worden.

Ist hier schon das Bild von fallenden Blättern in seiner pejorativen Verwendung belegt, so steht es in Prov.11,14 LXX und beim Töpferorakel nur in Verbindung mit Völkern. Aber wie ist der Zusammenhang mit den Dämonen religionsgeschichtlich einzuordnen? Einen ersten Anhaltspunkt hierzu liefert wieder die griechische Rezension des AT, nämlich die Septuagintalesart von Jes.34,4:

> "Und der Himmel wird zusammengerollt wie ein Buch, und alle Sterne fallen wie Blätter vom Weinstock und wie Blätter von einem Feigenbaum fallen".[342]

Die masoretische Lesart dagegen lautet:

> "Und es wird hinschwinden das ganze Heer des Himmels und der Himmel wird wie eine Buchrolle aufgerollt werden. Und sein ganzes Heer wird fallen, wie wenn Blätter vom Weinstock fallen und wie das Abfallende vom Feigenbaum".[343]

Unterschied: Während das Subjekt der masoretischen Rezension des "Heer des Himmels" ist, sind es in der Septuaginta die Sterne, die wie Blätter vom Himmel fallen; der Zusammenhang von "Heer des Himmels" und "Sternen" ist schon im masoretischen Text angelegt[344] und wurde im Zusammenhang mit dem Himmelskampf in Apk.Joh.12,7-9 schon besprochen.[345] Durch die griechische Übersetzung der Jesajastelle in der Septuaginta ist die Interpretationsrichtung vorgegeben: Das Himmelsheer, das hier wie Blätter von Bäumen fällt, wird als "Sterne" begriffen. Dies wurde dann auch in Apk.Joh.6,13 als apokalyptischer Topos rezipiert (vgl. Apk.Joh.12,5), als nach der Öffnung des sechsten Siegels die Sterne des Himmels vom Himmel fallen, "wie wenn der Feigenbaum seine Blätter abwirft".

---

[342] "...καὶ ἑλιγήσεται ὁ οὐρανὸς ὡς βιβλίον, καὶ πάντα τὰ ἄστρα πεσεῖται ὡς φύλλα ἐξ ἀμπέλου καὶ ὡς πίπτει φύλλα ἀπὸ συκῆς".

[343] "וְנָמַקּוּ כָּל־צְבָא הַשָּׁמַיִם וְנָגֹלּוּ כַסֵּפֶר הַשָּׁמָיִם וְכָל־צְבָאָם יִבּוֹל כִּנְבֹל עָלֶה מִגֶּפֶן וּכְנֹבֶלֶת מִתְּאֵנָה:".

[344] Schon in Jdc.5,20 kämpfen "Sterne des Himmels" miteinander. In Dtn.4,19 ist das "Heer des Himmels" in "κόσμος τοῦ οὐρανοῦ" übertragen - als Zusammenfassung von Sonne, Mond und Sternen. In Apk.Hen.(äth.) 18,13-16 werden Sterne und Heer des Himmels parallel genannt. - Zur Verbindung des himmlischen Hofstaates mit Sternen bzw. der Engel mit Sternen vgl. Mach, 1992, S.25ff.;84f. und S.173ff. Dieser sieht die Verbindung zwischen Himmelsheer und Hofstaat über Texte, die mit Boten (Engeln) verbunden sind (vgl. a.a.O., S.26).

[345] S.o., 3.4.1.2.b, S.134f.

Wichtig in unserem Zusammenhang ist, daß diese Vorstellung aus der LXX - Version von Jes.34,4 von den Sternen, die wie Blätter herabfallen, als Basis für herabfallende Engelsmächte oder Dämonen gelten kann. Dies kommt in Test.Sal.20 recht deutlich zum Ausdruck: Die vermeintlichen Sterne, die vom Himmel fallen, sind eigentlich Dämonen.

Eine wichtige Parallele hierzu finden wir in der persischen "Apokalypse des Zamasp-Namak":

> "Les pervers, les démons, les Xyonites iront ainsi disparaissant comme, par un rigoureux hiver, les feuilles des arbres se flétrissent".[346]

Am Ende der Zeiten verschwinden die angesprochenen Subjekte, wie wenn in einem strengen Winter die Blätter auf den Bäumen welken.

Conclusio: Ausgehend von Test.Sal.20 wurde in diesem Exkurs die pejorative Verwendung der Metapher "Fallen wie Blätter" besprochen. Konnte diese Metapher anhand von Prov.11,14 LXX und dem Töpferorakel im Zusammenhang mit "Völkern" nachgewiesen werden, so lieferte Jes.34,4 LXX den Zusammenhang der Metapher mit fallenden Sternen, der wiederum in Test.Sal.20 mit "Dämonen" verbunden ist. Eine persische Apokalypse, die "Zamasp Namak", belegt die Verbindung unserer Metapher mit "Dämonen" gleichermaßen.

Im vorangegangenen Abschnitt wurde von den "Engeln" in Apk.Joh.12,7-12 ausgegangen, die mit Michael und dem Drachen plötzlich als Nebenakteure auftauchen. Die traditionsgeschichtliche Exegese ergab, daß bei der Weiterentwicklung des Mythos von Gen.6,1-4 mehrere Anknüpfungspunkte an Apk.Joh.12 vorliegen. Auch Test.Sal.20 und das Motiv der "Schwäche der Dämonen" konnte als traditionsgeschichtliche Parallele herangezogen werden.

Im Anschluß daran soll nun eine religionsgeschichtliche Analyse erfolgen. Können für den "Fall der Engel" in Apk.Joh.12 auch Parallelen aus dem weiteren religionsgeschichtlichen Umfeld ermittelt werden?

---

[346] Zamasp-Namak 104 (Benveniste, 1932, S.365). Bei der pahlavischen Zamasp-Namak ("Buch des Zamasp") handelt es sich um Prophezeihungen des Ministers Zamasp an seinen König Vistasp. Literatur: H.W. Bailey, 1930/31; Benveniste, 1932; J.J. Collins, 1979, S.110f.. - Der oben zitierte Text wurde schon von Koenen, 1968, S.181, als Parallele zum o.a. Töpferorakel vorgeschlagen.

3.4.3. Religionsgeschichtliche Analyse: Die Dämonologie des Mittelplatonismus

Im Verlauf der Forschung zu Apk.Joh.12,7ff. wurde eine Menge paganer Mythen als Parallelen herangezogen, denn ein Mythos vom himmlischen Kampf Gottes mit einem Widersacher und dessen Sturz aus den himmlischen Sphären ist in vielen altorientalischen Kulturen belegbar.[347] Doch ist gemäß unserer methodischen Prämissen in Teil I bei solchen Versuchen stets zu fragen, wie diese zeitlich und räumlich oft weit entfernt stehenden orientalischen Mythen im näheren Umfeld des Apokalyptikers tatsächlich rezipiert werden konnten. Neben den Parallelen ist also deren Transmission mitzuberücksichtigen. Erst wenn nachgewiesen werden kann, daß solche Mythen im nahen Umfeld der Apk.Joh. tatsächlich aufgenommen werden, kann man methodisch mit einer Verbindung dieses paganen Materials mit der Apk.Joh. rechnen.

Einen wichtigen Anknüpfungspunkt für eine Rezeption paganer Mythen vom Sturz des Bösen und dem Fall der Dämonen bietet der "mittlere Platonismus". Damit wird gemeinhin die Ausprägung der platonischen Akademie von der Mitte des ersten Jahrhunderts vor Christus bis zum Beginn des 3. Jahrh. n.Chr. bezeichnet.[348] Der Beginn wird mit Antiochos von Askalon angesetzt, der eine grundsätzliche Übereinstimmung der aristotelischen, stoischen und platonischen Lehre vertrat[349] und damit die Voraussetzungen zum platonischen Eklektizismus schuf. Dieser wurde in der älteren Forschung, besonders durch Praechter (1916) auf eine bestimmte Strömung des Mittelplatonismus, vor allem die Gaios-Schule (Apuleius, Albinus) eingeschränkt; dieser eklektischen Richtung stehe, so Praechter, eine "orthodoxe" (Plutarch, Attikos, Celsus, Kalvisios Tauros) gegenüber. Diese Einteilung in zwei Hauptströmungen blieb nicht unangefochten,[350] ist allerdings noch communis opinio.[351]

---

[347] A. Y. Collins, 1978, S.79-85, zog eine Reihe von akkadischen, griechischen, hethitischen, ugaritischen und israelitisch - jüdischen Parallelen zu Apk.Joh.12,7-9 heran, um das "combat-myth-pattern" dort zu belegen. Da wir in der vorliegenden Untersuchung nicht von einem Kampfmythenmuster ausgehen, werden wir uns im weiteren auf Texte beschränken, die mit Apk.Joh. in einem engeren zeitlichen und kulturellen Rahmen stehen. Einer Transmission der verwendeten Traditionen kann dann größere Wahrscheinlichkeit zugemessen werden.

[348] Vgl. zu dieser Definition Zintzen, 1981, S.IX.

[349] Vgl. hierzu das charakterisierende Zitat aus Sextus Empiricus, Pyrrh. hypotyposeis 1,235 bei Zintzen, 1981, S.XXIII, Anm.2.

[350] Vgl. Moreschini, 1964.

[351] Vgl. Zintzen, 1981, S.XIV.

Eine Verbindung des Mittelplatonismus mit dem Judentum wird spätestens bei Philo von Alexandrien deutlich; doch schon vor ihm belegen die Fragmente von Aristobul, daß die platonische Philosophie mit alttestamentlichen Traditionen kompiliert werden konnte.[352] Der mittlere Platonismus kann also durchaus als ein Verbindungsglied zwischen paganen und jüdischen Traditionen gesehen werden.

Wichtig in unserem Zusammenhang ist die mittelplatonische Dämonologie; sie wurzelt in der Gotteslehre, in der Gott als besonders transzendent gedacht wird.[353] Die Konsequenz ist die verstärkte theologische Konzentration auf Mittlerwesen zwischen Menschen und Gott. Als Beispiel betrachte man das Problem, das Apuleius in De deo Socratis, 132ff. anführt, um von der allgemeinen (dreigeteilten) Klassifizierung der Welt auf die Dämonenlehre überzuleiten: Wie werden die Gebete der Menschen von dem transzendenten Gott erhört? Seine Antwort ist Vorstellungen ähnlich, die wir auch in Apk.Joh.8,3 finden: Zwischenwesen, nach Apuleius Dämonen, sorgen dafür, daß die menschlichen Anliegen Gott erreichen. Die Dämonen erhalten damit als "Mittelwesen" einen festen Platz im philosophischen System des Mittelplatonismus. Dies ist bei Apuleius De Platone et eius dogmate und der in der gleichen Schultradition entstandenen Didaskalia des Albinus erkennbar:[354] Bei Apuleius werden in De Platone 11 die "medioximi" als dritte Gattung der Götter in eine Hierarchie eingegliedert.[355] Albinus gliedert die Dämonen in Anlehnung an Platos

---

[352] So hat sich nach Aristobul Platon auf das mosaische Gesetz bezogen (Euseb, p.e.13,12,1); Pythagoras, Sokrates und Plato hören bei der Betrachtung des Kosmos Gottes Stimme und haben sich damit Mose angeschlossen (Euseb, p.e.13,12,3). Als Textgrundlage vgl. Walter, JSHRZ 3,2, 1975, S.274f.; zu Aristobul insgesamt: die Einleitung a.a.O., S.261ff.; Walter, 1986, S.79ff. - Die Einordnung Aristobuls als "Mittelplatoniker" ist m.E. allerdings nicht möglich, weil der dort wichtige Gedanke der Mittler zwischen Gott und Mensch (als Ausdruck eines transzendenten Gottesbildes) fehlt. Gott kann somit nach Aristobul in Euseb, p.e.8,10,12ff. direkt auf den Sinai herabsteigen, was bei Philo nur mithilfe von Mittlerfiguren gedacht ist (vgl. Philo, Quaest.Ex.2,45 zu Ex.24,16). Aristobul ist in unserem Zusammenhang allerdings als Beleg dafür wichtig, daß Plato schon früh in jüdisches Gedankengut Eingang findet.

[353] Als neuere Darstellung der mittelplatonischen Gotteslehre und ihrer Entwicklung aus Platos "Timaios" vgl. Bingenheimer, 1993, S.28ff.; vielfältige Textbelege für das "Gottesbild der absoluten Transzendenz" bei den Mittelplatonikern vgl. a.a.O., S.31ff.

[354] Zur Albinus und Apuleius als Vertreter der Gaius - Schule vgl. Praechter, 1916; Moreschini, 1964.

[355] Zum Text: Siniscalco, 1981, S.37. Zur Identifikation von medioximi und Dämonen vgl. Martianus Capella I, 154. Die Aufgabe der Dämonen wird bei Apuleius, De Platone, Kap.12 ganz im Sinne der Mittlerfiguren bestimmt: Sie seien Diener der Götter und Beschützer der Menschen und ihre Dolmetscher, wenn sie etwas von

---

Timaios, 40 D ff. in Didaskalia 15 in eine Schöpfungshierarchie hinter die Erschaffung der Sterne. Die Dämonen erhalten damit in beiden Schriften ihren festen Platz im philosophischen System.

In unserem Zusammenhang interessieren besonders die Vorstellungen böser Dämonen bzw. von Dämonenkämpfen, die strukturparallel zu Apk.Joh.12 sind.[356] Hier sollen einige Texte thematisch und religionsgeschichtlich mit Apk.Joh.12 verglichen werden.

Zu verweisen ist als Quellengrundlage zunächst auf Plutarch, dessen unsystematisierte Dämonenlehre sich uns aus verschiedenen Schriften (besonders De genio Socratis, De Iside et Osiride, De defectu oraculorum) erschließt.[357] Eine erste systematische Zusammenfassung der mittelplatonischen Dämonologie liefert Apuleius in De deo Socratis, eine Kompilation der mittelplatonischen Dämonologie mit christlichen Mythen verfaßt Celsus, dessen Werk in Auszügen in der Erwiderung des Origenes überliefert ist. Besonders die beiden letzten Werke sind interessant, weil sie eine breite christliche Wirkungsgeschichte haben: Das Schreiben des Celsus ist nur durch die berühmte Entgegnung des Origenes (Contra Celsum) erhalten, und Augustinus setzt sich in den Büchern 8-10 seines "Gottesstaates" besonders mit Apuleius auseinander.

3.4.3.1. Die "bösen Dämonen"

In der ersten systematischen Dämonologie der Antike, Apuleius' De deo Socratis, wird uns nichts über die "bösen Dämonen" berichtet, sondern die Dämonen werden als göttliche Wesenheiten vorgestellt. Dies bedeutet aber nicht, daß es keine Vorstellungen über böse Dämonen im Mittelplatonismus gegeben hat.

In diesem Zusammenhang ist als prominentester Zeuge Plutarch zu nennen. Dieser beruft sich in seinen verschiedenen und wenig systematisierten Ausführungen über Dämonen häufig auf Vorbilder, besonders auf die Aussagen von Xenokrates, dem dritten Leiter der Akademie in Athen im ausgehenden vierten Jahrhundert vor Christus. So weist er etwa bei einer Diskussion um die Existenz böser Dämonen in Def.orac.17 darauf hin, daß diese neben Empedokles auch Platon, Xenokrates und Chrysippos, ebenso Demokrit, hätten gelten

---

den Göttern wünschen (ministros deorum arbitra[n]tur custodesque hominum et interpretes, si quid a diis uelint; Siniscalco, 1981, S.39).

[356] Zur gesamten mittelplatonischen Dämonenlehre vgl. die Einleitung zu "De deo Socratis" von Bingenheimer, 1993, S.35-66.

[357] Vgl. zur Dämonenlehre Plutarchs Brenk, 1987, S.275-294.

lassen. Dies Thema wird, ebenso mit Berufung auf frühere Autoritäten, in De Iside 26 (Moral.361 B ff.) genauer ausgeführt:

> (Plutarch referiert Xenokrates Deutung von der Herkunft von Unglückstagen oder -festen:) "vielmehr gebe es Wesen in den umgebenden Bereichen, große und mächtige, aber bösartig und finster, die sich an solchem erfreuen, und wenn es eintrifft, sich nichts anderem, Schlimmerem zuwenden".[358]

Weiterhin begegnet uns die Vorstellung von der sexuellen Lust der Dämonen, die wir auch bei der späteren Rezeption von Gen.6,1-4 finden,[359] in mittelplatonischer Tradition bei der Auslegung des Xenokrates durch Plutarch in Def.orac.14 (Moral. 417 D): Xenokrates redet vom

> "rasenden und tyrannischen Begehren der Dämonen, die sich mit Körpern und durch Körper weder vereinigen können noch wollen".[360]

Ähnlich betont Philo in Gig.17f. bei der Auslegung von Gen.6,2, die Dämonen (=Engel) gingen der Lust nach. Clemens v.A. behandelt schließlich im zweiten Kapitel seines "Protreptikos" ausführlich die begehrliche Lust der heidnischen Götter, die er in Prot.2,40 mit Dämonen identifiziert.

Die Existenz böser Dämonen, so ersehen wir aus den angeführten Belegen, wird also in der paganen Philosophie der beiden Jahrhunderte um die Zeitenwende durchaus diskutiert. Diese bösen Dämonen, die besiegt oder gerichtet werden, sind durchaus als zeitgeschichtliche Parallele zu den Engeln des Drachen, die besiegt und aus dem Himmel gestürzt werden, zu sehen. Die Identifikation der Engel aus Gen.6,1-4 nämlich mit den Dämonen ist im zeitgeschichtlichen Umfeld der Apk.Joh. häufig belegt, so bei Philo v.A. bei der Auslegung von Gen.6,1-4 in Gig.6: "(Die Wesen), die andere Philosophen (als) Dämonen (bezeichnen), pflegt Mose Engel zu nennen".[361]

---

[358] "᾿Αλλ᾿ εἶναι φύσεις ἐν τῷ περιέχοντι μεγάλας μὲν καὶ ἰσχυράς, δυστρόπους δὲ καὶ σκυθρωπάς, αἳ χαίρουσι τοῖς τοιούτοις, καὶ τυγχάνουσαι πρὸς οὐθὲν ἄλλο χεῖρον τρέπονται". (Nachstädt u.a., 1971, S.3/25. LCL 306, S.62 liest πρὸς οὐδὲν ἄλλο statt πρὸς οὐθὲν ἄλλο).

[359] Bei Clemens v.A.: s.u., S.236; vgl. weiterhin Test.Ver. NHC 9,3,29,15-18: (zu Mt.16,11b): Der Sauerteig der Pharisäer ist die Lust der Engel / Dämonen / Sterne. Apoc.Joh. NHC 2,1,29,17-30,9. Expos.Valent. NHC 9,2,38,34f.

[360] "Μανικοὺς καὶ τυραννικοὺς ἔρωτας οὐ δυναμένων οὐδὲ βουλομένων σώμασι καὶ διὰ σωμάτων ὁμιλεῖν" (LCL 306, S.390.392).

[361] Cohn u.a., 1962², S.58f.

3.4.3.2. Die mittelplatonische Interpretation der Gigantomachien: Dämonenkämpfe

Ein weiteres Verbindungsglied zu Apk.Joh.12 ist die mittelplatonische Neuinterpretation der Mythen von Gigantomachien. Diese werden als Kämpfe von Dämonen gedeutet, wobei die bösen Dämonen unterliegen:

> Plutarch, Def.orac.21: "So verhält es sich auch mit den Geschichten von Typhon und den Titanen: Dämonen seien mit Dämonen in den Kampf geraten, und entweder seien die Besiegten geflohen oder die Frevler seien von Gott gerichtet worden".[362]

Die alten Gigantomachien werden also von Plutarch zeitgenössisch mit Dämonenkämpfen identifiziert. In ähnlicher Weise argumentiert auch Origenes gegen Celsus: er nennt in Contra Celsum 4,92 die bösen Dämonen "titanisch und gigantisch" und spielt damit auf diese Gigantenkämpfe an.

Celsus selbst kann in diesem Zusammenhang als Gewährsmann für eine dämonologische Deutung der alten Gigantomachien herangezogen werden; Paradestelle hierfür ist Origenes, Cels.6,42. Dieser Text ist leider zu umfangreich, um hier vollständig zitiert zu werden;[363] doch die komplizierte Argumentationsstruktur des Celsus kann in fünf Schritten nachgezeichnet werden. Ausgangspunkt für die Argumentation ist wohl die christliche Erzählung vom Geschick Jesu:

1. (Ausgangspunkt): Der Sohn Gottes ist dem Teufel erlegen. Von ihm gebändigt lehrt er die Menschen, die vom Teufel auferlegten Zwänge zu verachten: Ὁ τοῦ θεοῦ παῖς ἄρα ἡττᾶται ὑπὸ τοῦ διαβόλου, καὶ κολαζόμενος ὑπ' αὐτοῦ διδάσκει καὶ ἡμᾶς τῶν ὑπὸ τούτῳ κολάσεων καταφρονεῖν. Dies könne aus den Aussagen von den endzeitlichen Wundern des Satans und den Verführungen, denen man widerstehen müsse (Bezugnahme auf die apokalyptischen Teile der Evangelien, bes. Mk.13 und Mt.24), ersehen werden.

2. Dabei fingieren die Christen für Gott einen Gegner, den sie Teufel oder Satan nennen (ποιοῦντες τῷ θεῷ ἐναντίον τινά, διάβολόν τε καὶ γλώττῃ ἑβραίᾳ Σατανᾶν ὀνομάζοντες τὸν αὐτόν).

3. Woher sind solche Gedanken entnommen? Von den Erzählungen der Alten von einem gewissen göttlichen Krieg (φησὶ θεῖόν τινα πόλεμον αἰνίττεσθαι τοὺς παλαιούς) und von geheimnisvollen Berichten von

---

[362] "Οὕτως δ' ἔχειν καὶ τὰ Τυφωνικὰ καὶ τὰ Τιτανικά. δαιμόνων μάχας γεγονέναι πρὸς δαίμονας, εἶτα φυγὰς τῶν κρατηθέντων ἢ δίκας ὑπὸ θεοῦ τῶν ἐξαμαρτόντων" (LCL 306, S.412).

[363] Als Textgrundlage sei auf SC 147, S.278ff. verwiesen.

Titanen und Giganten und in Berichten der Ägypter von Typhon, Horus und Osiris (τὰ περὶ τοὺς Τιτᾶνας καὶ Γίγαντας μυστήρια, θεομαχεῖν ἀπαγγελλομένους, καὶ τὰ παρ' Αἰγυπτίοις περὶ Τυφῶνος καὶ Ὥρου καὶ Ὀσίριδος).

4. In diesen Mythen geht es aber nicht um die Auseinandersetzung zwischen einem Teufel und einem besonderen Menschen, der eine Lehre verkündet (also um den Konflikt Teufel - Christus).

5. Es geht im Gegenteil (dies beweist Celsus mittels Homerexegese) um die Materie und um frevlerische Dämonen, die Zeus zur Strafe von sich warf (...δαίμονας, ὅσοι ὑβρισταί, τούτους ἀπορριπτεῖ κολάζων αὐτοὺς ...).

Diese Argumentation gewährt Einblick in die Art und Weise, wie Celsus Religionsgeschichte betreibt. Die Auseinandersetzung Christi mit Satan ist Voraussetzung; als religionsgeschichtliche Parallele werden alte Mythen über vorzeitliche Kämpfe herangezogen. Diese werden von Celsus dann ganz in der Mode der Zeit gedeutet: Es handelt sich um Dämonenkämpfe; die mittelplatonische Deutung, wie sie uns bei Plutarch überliefert ist, wird dabei wohl vorausgesetzt. Die Tatsache, daß die Christen diese alten Mythen in ganz anderer Weise gebrauchen, entlarvt sie letztendlich in ihrem Irrtum und Mißverstehen.

Sowohl bei Plutarch als auch bei Celsus ist die Deutung der Gigantomachien als Dämonenkämpfe belegbar. Die Tatsache, daß Celsus vom "Wegwerfen" der Dämonen spricht, zeigt das Verbindungsglied dieser mittelplatonischen Denkweise zu Apk.Joh.12 auf: Die dämonologische Interpretation der Gigantomachien ist eine Verbindungsstelle zum Sturz der Dämonen. Origenes kompiliert in seiner Entgegnung in Cels.6,43 die dämonologische Argumentation des Celsus mit dem Mythos vom Fall der Engel in Gen.6,1-4. Dies zeigt zusätzlich, daß die mittelplatonische Deutung vom Kampf bzw. Sturz der Dämonen eine Nahtstelle zur Vorstellung vom Kampf bzw. Sturz der Engel ist, wie sie in Apk.Joh.12 vorliegt.

Dies kann auch bei Mythen aufgezeigt werden, die in ihrer Struktur Apk.Joh.12 sehr nahe stehen, wie z.B. beim Python / Apoll- oder beim Typhon / Horus - Mythos: Wie oben bei der Dämonologie des Celsus deutlich wurde, interpretiert dieser in Cels.6,42 diesen Mythenkreis dämonisch. Auch schon Plutarch vermerkt in Def.orac.15, die Auseinandersetzung von Python und Apoll sei von Xenokrates als Kampf der Dämonen gedeutet worden. In De Iside 25 ff. wird die dämonologische Interpretation des Isis-Osiris-Typhon - Mythenkreises diskutiert; dieser ist nach Plutarch weder auf Götter noch auf

Menschen, sondern auf Dämonen zu beziehen, die, wie schon Platon, Pythagoras, Xenokrates und Chrysipp vermerkt hätten, mächtiger als Menschen seien.

Ergebnis: Die alten Mythen über Gigantomachien werden als Auseinandersetzungen von Dämonen gedeutet. Hier kann ein Anknüpfungspunkt dafür vorliegen, daß in Apk.Joh.12 nicht nur Michael und der Drache kämpfen (ganz nach der Art der Gigantomachien), sondern daß jeder der beiden noch seine "Engel" zur Unterstützung hat. Parallel zu Plutarchs Ausweitung dieser Himmelskämpfe auf mehrere Mitspieler kommen in Apk.Joh.12 noch Aktanten hinzu (die "Engel").

3.4.3.3. Die Schwäche der Dämonen

Eine Verbindungsstelle zum Fall der Dämonen ist die Vorstellung, daß Dämonen "schwach" werden und somit aus dem Himmel fallen können.

Die Kraftlosigkeit der Dämonen wird bei Plutarch in Def.orac.15 (Moral.418D) erwähnt: Dämonen "fliehen, begeben sich hinweg oder verlieren ihre Kraft".[364] Auch die Notiz, daß die Dämonen keinen Halt finden und darum herabfallen, begegnet in Def.orac.10 (Moral. 415C):

> "Einigen aber geschieht es, daß sie sich nicht halten, sondern sie sinken herab und kleiden sich wieder mit sterblichen Leibern ...".[365]

Bei diesen Aussagen dürfte es sich um hellenistische, womöglich mittelplatonische Vorstellungen handeln. Deutliches Indiz hierfür ist Origenes, der in Cels.1,60 hierauf bezug nimmt:

> "Wenn es aber zu einer göttlichen Erscheinung kommt, schwinden die Kräfte der Dämonen, da sie dem göttlichen Licht nicht entgegensehen können. Wahrscheinlich wurden auch bei Jesu Geburt, - als die "Menge des himmlischen Heeres", wie Lukas beschrieb und wie auch ich glaube, Gott lobte und sprach: "Ehre sei Gott in der Höhe und Friede auf Erden, bei den Menschen Wohlgefallen [Lk.2,13f.]"; - deswegen die Dämonen schwach und ohnmächtig, ihr Trug wurde aufgedeckt und ihre Kraft vernichtet; nicht allein von den Engeln, die wegen Jesu Geburt auf der Erde anwesend waren, wurden sie überwunden, sondern auch von der Seele Jesu und der in ihm wohnenden Göttlichkeit".[366]

---

[364] "Φυγόντων ἢ μεταστάντων ἀποβάλλει τὴν δύναμιν ..." (LCL 306, S.396).

[365] "Ἐνίαις δὲ συμβαίνει μὴ κρατεῖν ἑαυτῶν, ἀλλ' ὑφιεμέναις καὶ ἐνδυομέναις πάλιν σώμασι θνητοῖς ..." (LCL 306, S.378.380).

[366] "Ἐὰν δὲ θειοτέρα τις ἐπιφάνεια γένηται, καθαιροῦνται αἱ τῶν δαιμόνων ἐνέργειαι, μὴ δυνάμεναι ἀντιβλέψαι τῷ τῆς θειότητος φωτί. Εἰκὸς οὖν καὶ κα-

Origenes reagiert dabei auf die Auslegung des Celsus von Mt.1f. (Magier) in Cels.1,58; Celsus, so Origenes, setze dabei Magier und Chaldäer fälschlicherweise gleich. In Wahrheit stünden die Magier in Kontakt mit Dämonen, die ihnen aber aufgrund ihrer Schwäche bei der Geburt Jesu keine Auskunft zu geben vermocht hätten. So hätten die Magier selbst anreisen müssen. Origenes verbindet dabei die Tradition von der Schwäche der Dämonen mit der Vorstellung, daß diese bei der Geburt Jesu besiegt worden seien. Letztere begegnet uns nicht nur bei Apk.Joh.12 (Christus wird geboren, Michael besiegt den Drachen), sondern auch in mehreren Texten in der nächsten Umgebung der Apk.Joh.[367]

Wichtig in unserem Zusammenhang ist, daß Origenes sich bei dieser Auslegung explizit an die "Griechen" wendet. Er benutzt die Tradition von der Schwäche der Dämonen, die auch beim Mittelplatoniker Plutarch aufweisbar ist, ausdrücklich als eine den "Griechen" geläufige Vorstellung. Dies ist ein deutliches Indiz, daß wir es hier mit einer paganen Tradition zu tun haben, die durch Plutarch im Mittelplatonismus belegt ist.

Diese Tradition von der Schwäche der Dämonen ist ein Anknüpfungspunkt zur Vorstellung, daß die Dämonen vom Himmel fallen. Diese Verbindung liegt im christl.-jüd. Bereich in Test.Sal.20,17 vor; dort erzählen die Dämonen Salomo, sie "fielen wegen ihrer Schwäche und weil sie nirgendwo Halt fänden".[368] Trotz unterschiedlicher Terminologie sind die Parallelen offensichtlich.

Ergebnis: Bei der Vorstellung von der "Schwäche der Dämonen" handelt es sich um eine pagane, womöglich mittelplatonische Tradition, die im christl.-jüd. Bereich mit dem "Fall der Dämonen" verbunden werden konnte (Test.Sal.20).

τὰ τὴν τοῦ ᾿Ιησοῦ γένεσιν, ἐπεὶ ᾽πλῆθος στρατιᾶς οὐρανίου᾽, ὡς ὁ Λουκᾶς ἀνέγραψε κἀγὼ πείθομαι, ἤνεσε τὸν θεὸν καὶ ἔλεγε· ᾽Δόξα ἐν ὑψίστοις θεῷ καὶ ἐπὶ γῆς εἰρήνη, ἐν ἀνθρώποις εὐδοκίας᾽, διὰ τοῦτο οἱ δαίμονες ἠτόνησαν καὶ ἐξησθένησαν, ἐλεγχθείσης αὐτῶν τῆς γοητείας καὶ καταλυθείσης τῆς ἐνεργείας, οὐ μόνον ὑπὸ τῶν ἐπιδημησάντων τῷ περιγείῳ τόπῳ ἀγγέλων διὰ τὴν ᾿Ιησοῦ γένεσιν καθαιρεθέντες ἀλλὰ καὶ ὑπὸ τῆς ψυχῆς τοῦ ᾿Ιησοῦ καὶ τῆς ἐν αὐτῷ θειότητος" (SC 132, S.238).

[367] So z.B. Ign.Eph.19: Jesus wird geboren, der Stern erstrahlt am Himmel, Zauberei und jegliche Fessel der Bosheit lösen sich auf. Justin, Dial. 78,9: Bei der Geburt Christi ist der böse Dämon von Damaskus besiegt worden.

[368] "Πίπτομεν διὰ τὴν ἀσθένειαν ἡμῶν καὶ ἐν τῷ μηδαμόθεν ἔχειν ἀντίληψιν καταπίπτομεν ..." (McCown, 1922, S.63.). S.o., 3.4.2.2.

3.4.3.4. Die Kompilation von Mythen

Bei der Dämonologie des Mittelplatonismus ist zu vermerken, daß verschiedene Mythenkreise hier miteinander verschmelzen. Dies ist bei Texten wie Test.Sal.20 deutlich geworden, bei denen pagane, womöglich mittelplatonische Mythen in den christlich - jüdischen Bereich Eintritt finden. Auch bei Justin ist eine solche Verschmelzung feststellbar: in 2.Apol.5 referiert dieser den Mythos von den Engeln, die ihre Ordnung verlassen und den Menschen allerlei Schaden zufügen und identifiziert diesen mit paganen Mythen von Zeus, Poseidon und Pluto.[369] Nach Athenagoras, Apol.24 sind auch die Aussagen der heidnischen Dichter über die Giganten (Gen.6,1-4) teilweise von diesem Verständnis geprägt.[370]

Diese Kompilation paganer und jüdisch-christlicher Mythen kann anhand weiterer Mythenkreise dargestellt werden, die Apk.Joh.12 sehr nahe stehen:

1. Besonders interessant ist in diesem Zusammenhang noch die "dämonologische Deutung" des Isis-Osiris-Sagenkreises durch Plutarch in De Iside et Osiride 25-31. Denn zum einen sind Elemente dieses Mythenkreises per se schon sehr eng mit Apk.Joh.12 verwandt - man denke an die Verfolgung der schwangeren Isis durch Typhon. Zum anderen bietet gerade die dämonologische Interpretation der Sage, wie wir gesehen haben, einen möglichen Anknüpfungspunkt zum Kampf des Drachen und seiner Engel gegen Michael und die Seinen. Und zum dritten läßt die letzte Notiz in dieser dämonologischen Deutung Plutarchs darauf schließen, daß der besagte Mythenkreis im zeitgenössischen Umfeld Plutarchs schon in einer interpretatio judaica vorlag:

> "Die aber, die behaupten, Typhon sei aus der Schlacht (mit Horus) sieben Tage lang auf einem Esel geflohen und habe, gerettet, die Söhne Hierosolymos und Judaios gezeugt, von denen ist es hieraus klar, daß sie die jüdischen Sagen in unseren Mythos hinüberziehen".[371]

Der Mythos vom Kampf von Typhon und Horus ist demnach schon zu Plutarchs Zeit in jüdische Mythologie eingeflossen. Damit wird deutlich, daß die mittelplatonische Neuinterpretation der Mythen nicht isoliert verläuft, sondern mögliche Anknüpfungspunkte an das jüdisch - christliche Umfeld aufweist.

---

[369] Zu Justins Interpretation des Mythos' von den Engeln, die ihre τάξις verlassen, s.o., 3.4.2.1. Zu Justin unter mittelplatonischem Einfluß vgl. Andresen, 1952/53.

[370] "Εἰ δέ τις ἐκ μέρους εἴρηται περὶ τῶν γιγάντων καὶ ποιηταῖς λόγος, μὴ θαυμάσητε ..." (Schoedel, 1972).

[371] Hopfner, 1940, Teil 2, S.16.

Wir wissen zusätzlich von jüdischer Seite, daß die Isismythen mit alttestamentlichen Erzählungen kompiliert wurden; hier ist besonders der jüdische Historiker Artapanus zu nennen, der um 100 v. Chr.[372] in seinem Werk über die Juden
(soweit es uns über Alexander Polyhistor in Eusebs Praeparatio evangelica
überliefert ist), seine Mosedarstellung mit deutlich hellenistisch - ägyptischem
Material färbte; das Sistrum der Isismysterien wird von ihm bei Euseb,
p.e.9,27,32 ätiologisch auf den Zauberstab des Mose zurückgeführt.

Der Kontakt christlicher mit heidnischen Mythen ist im ersten Jahrhundert
allgemein anzunehmen. In neuerer Zeit hatte A. Feldtkeller (1994) auf die
Kompilation paganer und christlicher Traditionen und Mythen in Syrien aufmerksam gemacht. Hier ist beispielsweise Justin aus Nablus zu nennen, der in
1.Apol.20ff. die Ähnlichkeiten der griechischen Mythologie mit dem Christentum darlegt und diese in 1.Apol.54ff. als dämonische Nachäffung der Heiden
deutet.[373]

Weiterhin ist für eine solche Kompilation von jüdischen und paganen Mythen das hellenistische Judentum Ägyptens ein fruchtbarer Boden. Im ersten
nachchristlichen Jahrhundert zeigen die Schriften Philos eine rege Auseinandersetzung mit der hellenistischen paganen Gedankenwelt. Die frühen Sibyllinen (z.B. Buch III und IV) sind ein Beispiel dafür, daß die heidnische Form
des Sibyllinischen Orakels vom Judentum adaptiert werden konnte.[374]

Die im Pentateuch erzählten ägyptischen Passagen der vor-israelitischen Geschichte geben dabei eine Menge von Entfaltungsmöglichkeiten - man denke
dabei an die Josephsgeschichte (z.B. "Joseph und Aseneth"), an die Gestalt des
Mose (hier ist ein außerordentliches Interesse auch in der paganen Literatur zu
vermerken)[375] oder an den Exodus (z.B. Ps.-Ezechiels Exodus-Tragödie).

Eine Ausbreitung solchen Gedankengutes in außerägyptische Kreise ist auf
jeden Fall anzunehmen. Der römische Autor Alexander Polyhistor stellt im ersten vorchristlichen Jahrhundert in seinem Werk "περὶ Ἰουδαίων" die Geschichte der neu eingegliederten orientalischen Bereiche (63 v.Chr. wird Syrien Provinz) einem römischen Publikum vor und benutzt dabei Artapanus und

---

[372] Vgl. Walter 1976, S.124f.
[373] Vgl. hierzu Feldtkeller, 1994, S.278ff.
[374] Zu Sib.4 als jüdische Sibylline vgl. Collins, 1974, zur Adaptation älteren Materials
in Sib.4 vgl. Geffcken, 1902, S.18; Collins, 1986, S.427.
[375] Die Vorstellung von Plato als "griechisch sprechenden Mose" ist von Numenios von
Apamea überliefert (so z.B. berichtet bei Clemens v.A., Strom.1,22,150,4: τί γάρ
ἐστι Πλάτων ἢ Μωυσῆς ἀττικίζων; (GCS 15², S.93). - weitere Belege bei Stern,
1980, Vol.II, S.209f.); zur hellenist.-röm. Rezeption von Mose: Gager, 1972; vgl
auch Hengel, 1973, S.470f. (Strabo).

viele andere jüdisch-hellenistische Schriftsteller.[376] Der Polyhistor selbst wird, wenn man Euseb, p.e.9,20 trauen darf, von Philo im ersten Buch seines "Buches über Jerusalem" und von Josephus im ersten Buch der "Antiquitates" benutzt. Daneben könnte Josephus für seine Moseerzählung in Ant.2,201-349 den Moseroman des Artapanus selbst oder zumindest eine ähnliche Mosedarstellung gekannt haben.[377]

Verbindungen solcher ägyptischer Traditionen mit dem Autor der Apk.Joh. sind somit zumindest möglich, da die Voraussetzungen belegbar sind: Zum einen das Eindringen paganer Mythen in die jüdische Mythologie und zum anderen die weitere Verbreitung dieser Verschmelzungen. Dabei ist wohl zu beachten, daß das Motiv von der bedrohten kreißenden Isis selbst, wie schon oben festgestellt wurde,[378] bei zeitgenössischen Isisdarstellungen nicht aufweisbar ist; damit spricht immer noch viel dafür, bei der Interpretation der Handlung von Apk.Joh.12 genau diesem Teil des Isismythos' nicht zuviel Gewicht zuzusprechen. Doch ein anderer Teil des Mythos, der Kampf des Horus und des Seth, der in mittelplatonischer Interpretation zum "Dämonenkampf" wurde, kann durchaus als ein Anknüpfungspunkt für den Kampf der Heere Michaels und des Drachen gelten.

2. Auch die Verbindungsstelle der paganen Gigantomachien und dem Engelfallmythos von Gen.6 ist im nahen zeitgeschichtlichen Umfeld von Apk.Joh.12 belegbar. Origenes spielt hier in seiner Entgegnung auf Celsus in Cels.6,43 an. Doch schon vorher ist bei Philo v.A. in Gig.58 belegbar, daß Gen.6 und die Mythen von Giganten verschmolzen sind:

> "Die Riesen aber waren auf der Erde in jenen Tagen' (1.Mos.6,4). Vielleicht glaubt einer, daß der Gesetzgeber auf die von den Dichtern über die Riesen erzählten Fabeln anspiele, obgleich er sich aufs weiteste vom Märchenerzählen fern hält und es für richtig erachtet, den Spuren der Wahrheit selbst zu folgen".[379]

Mit "τὰ παρὰ τοῖς ποιηταῖς μεμυθευμένα περὶ τῶν γιγάντων" dürfte in diesem Zusammenhang auf die Mythen der Gigantomachien angespielt sein. Obwohl Philo sich im vorliegenden Text gegen eine Verknüpfung von Gen.6,1-4

---

[376] Vgl. Walter, 1986, S.71.
[377] Vgl. Zur Benutzung des Artapanus durch Josephus vgl. Walther, 1976, S.121 (mit Lit., vgl. ebd., Anm.3).
[378] S.o., 1.3.1.2.
[379] Cohn 1962², S.69.

mit diesen Mythen wendet, scheint diese schon geleistet worden zu sein. Sonst hätte er kaum darauf angespielt.

Wie bei diesen Beispielen erkennbar ist, ist die Dämonenvorstellung des Mittelplatonismus eine Verbindungsstelle von paganer Mythologie und christlich - jüdischer Tradition. Die deutlichen Belege bei Plutarch und Philo zeigen, daß schon vor der Entstehung der Apk.Joh. heidnisches und jüdisches Material, das den Mythen von Apk.Joh.12 sehr nahe steht, kompiliert worden ist. Wir müssen also damit rechnen, daß die scharfe Trennung zwischen jüdischen und heidnischen Mythen, wie sie auch bei neueren Autoren (McNamara, 1966) noch postuliert wird, nicht zutreffend ist. Der Apokalyptiker kann im Gegenteil auf mythologisches Material verschiedenster Herkunft zurückgreifen, weil es schon zuvor mit jüdischer Tradition verbunden worden ist.[380] Wie beim religionsgeschichtlichen Vergleich mit dem Leto-Apoll-Sagenkreis (s.o.) können hier Hinweise auf die Kommunikationssituation der Apk.Joh. entnommen werden. Der religionsgeschichtliche Vergleich mit der Dämonologie des Mittelplatonismus zeigt, daß auch heidnische Leser bei der Lektüre von Apk.Joh.12 viele Anknüpfungspunkte an ihre Traditionen finden. Besonders Gen.6,1-4 ist ein Verbindungsglied zwischen heidnischer und christlich - jüdischer Mythologie, wie oben gezeigt wurde. Hier knüpfen sich Traditionen vom Fall der Engel an, und zugleich ist dieser Mythos eine Kontaktstelle zu mittelplatonischer Dämonologie.

Damit ist die Erwähnung der Engel in Apk.Joh.12,7-9 eine mögliche Voraussetzung, daß der Autor des Textes ein breites Publikum ansprechen konnte. Während Satan allein eng im Wirkungsbereich des AT verwurzelt ist, kann bei den herabstürzenden Engeln die mittelplatonische Dämonenvorstellung mitassoziiert werden. Im Rahmen der allgemeinen Kommunikationssituation der Apk.Joh. ist die Bedeutung dieser Engel, die in 12,7 unvermittelt auftauchen, nicht zu unterschätzen.

Im folgenden soll die Verknüpfung der Engel mit dem Satan zur Sprache kommen.

---

[380] Vgl. zu dieser Grundsatzfrage in der Exegese von Apk.Joh.12 - direkte Rezeption von mythischem Material oder vorbereitete jüdische Interpretation - die Darstellung bei Böcher, 1988³, S.75.

3.4.4. Die Kombination: Satan fällt mit seinen Engeln

Die Mythen vom Fall Satans und dem Fall der Dämonen sind kombiniert und getrennt nachweisbar. Dies läßt vermuten, daß es sich dabei um ursprünglich zwei verschiedenartige Traditionskreise gehandelt hat, die miteinander kombiniert worden sind. Ein früher Beleg hierfür ist Apk.Hen.(äth.)86, wo zwei verschiedene Visionen vom Fall der Engel und dem Fall Satans miteinander verbunden worden sind.

Auch die Verknüpfung Satans mit Engeln in der Rezeptionsgeschichte von Lk.10,18 ist ein Argument dafür, daß der Fall Satans und der der Engel zwei getrennte Traditionen waren, die sekundär verknüpft worden sind. Z.B. bei Origenes, De oratione 25 sind in diesem Zusammenhang οἱ ἐπουράνιοι von Eph.6,12 nicht im Himmel, sondern sie sind durch ihren Hochmut (τῷ φρονήματι) mit dem, der wie ein Blitz aus dem Himmel gefallen ist, herabgefallen.

Weiterhin ist besonders die Kombination vom Satansfall und den herabgestiegenen Engeln von Gen.6,1-4 unabhängig von der Rezeption von Lk.10,18 zu beachten. In Apk.Hen.(äth.) 10,11ff. soll Michael Semyaza und "die anderen bei ihm, die sich mit Frauen verbunden haben"[381] binden, nachdem die Engel in Kap.6 von Semyaza zu ihrer Tat angespornt worden waren. Bei Laktanz, Epit.22f. verlockt der Teufel die Engel, sich mit Frauen zu beflecken. Sie werden somit von Gott ausgestoßen und zu Dämonen, die die Menschen vom Glauben abbringen.[382] Auch Tertullian verbindet in Apol.22,3f. die Engel, die aus "eigenem Antrieb verdarben" mit dem "Fürsten" = dem Satan. Zu dieser Erweiterung der Tradition auf den Satan mag die Vorstellung vom Satan als Herr über die Dämonen beitragen, wie man sie in 2Cor.12,7; Mt.25,41; Test.Ass.6,4; Barn.18,1; Act.Petr.17f.32; Vit.Ad.16,1; Asc.Jes.7,9 findet.

---

[381] Uhlig, 1984, S.529.

[382] Laktanz, Epit.23: "Sie haben gelehrt, das Andenken der toten Könige zu erhalten, Tempel zu bauen, Ebenbilder zu machen, nicht, daß sie die Ehre Gottes vermindern oder die ihre, die sie durch die Sünde verloren hatten, vergrößern, sondern daß sie den Menschen das Leben rauben und die Hoffnung auf das wahre Licht nehmen - daß die Menschen sich nicht zum Lohn der himmlischen Unsterblichkeit, von wo diese herabgestürzt waren, gelangen mögen." (" ... hi memorias regum mortuorum consecrari, templa constitui, simulacra fieri docuerunt, non ut honorem dei minuerent aut suum augerent, quem peccando amiserant, sed ut uitam hominibus eriperent, spem uerae lucis auferrent, | ne homines, unde illi exciderunt, ad immortalitatis caeleste praemium peruenirent"; CSEL 19, S.696). Das Motiv vom Fall der Dämonen ist in Epit.22f. mit dem Mythos aus Gen.6,1-4 verbunden. Die Dämonen sind zuerst aus dem Himmel herabgestiegen, um dann bestraft zu werden.

Origenes schafft in Cels.8,25 terminologische Klarheit bei der Besprechung der Engel, indem er sagt:

> "So werden auch nicht alle Engel 'Engel Gottes' genannt, sondern allein die seligen; diejenigen aber, die sich dem Bösen zugewandt haben, werden 'Engel des Teufels' genannt".[383]

Die "Engel des Teufels" bilden hier eine feste Einheit, die sich von den "Engeln Gottes" unterscheiden.

Diese Erweiterung der Tradition bildet auch den Hintergrund für die Tendenz der rabbinischen Rezeption, die herabgestiegenen Engel mit Namen zu belegen; dabei ist Asasel, der Fürst der bösen Engel, stets dabei (so bei DtR 11[208b]; bJoma 67b; PRE 22 [11c]).

Ist Apk.Hen.(äth.) 86 ein recht frühes Stadium der Kombination, so lassen sich noch Spuren einer Kombination unterschiedlicher Traditionen in Apk.Joh.12 finden: V.9a und V.10, wo es nur um den Protagonisten geht, zeigt die Referenz auf die Tradition des Satansfalles. Diese Vorstellung ist sehr eng mit Lk.10,18 verwandt, denn auch dort geht es um den Fall Satans und das anschließende Unheil für die Welt.

Die Notiz in V.9b: καὶ οἱ ἄγγελοι μετ' αὐτοῦ ἐβλήθησαν gibt die Tradition von dem Fall des Satans mit den Engeln wieder. Diese beiden Vorstellungskreise wurden in Apk.Joh.12,9f. miteinander verwoben.

3.4.5. Die Kombination weiterer Elemente

Bisher ging es darum, die einzelnen möglichen Anknüpfungsbereiche für das Mythenkonglomerat in Apk.Joh.12,7-12 zu analysieren und getrennt zu betrachten. Wurden hier zunächst einzelne Fäden gezogen, zeigte sich gegen Ende des letzten Kapitels schon, daß schon im Vorfeld der Apk.Joh. einzelne Fäden verknüpft vorlagen. Auch die Kombination der Elemente, die aus methodischen Gründen einzeln vorgestellt worden sind, ist traditionell vorgegeben; der Apokalyptiker konnte darauf zurückgreifen.

Texte, die die Verflochtenheit der Traditionen belegen, sollen nun im folgenden behandelt werden. Gemäß unserer methodischen Maxime, Texten mit

---

[383] "Οὕτως δὲ καὶ οὐ πάντες ἄγγελοι 'ἄγγελοι' λέγονται εἶναι 'τοῦ θεοῦ' ἀλλὰ μόνοι οἱ μακάριοι, οἱ δ' ἐκτραπέντες ἐπὶ τὴν κακίαν ἄγγελοι τοῦ διαβόλου ὀνομάζονται" (SC 150, S.230).

den meisten Vergleichselementen den höchsten Wert zur Auslegung des Ausgangstextes zuzumessen, haben solche Parallelen besondere Bedeutung.

Hier ist auf ein aramäisches Fragment der Qumranschriften hinzuweisen, auf 4QEnGiants[c]:[384]

> "[(Der Engel) Semiasa sagte: ' ... [3]stritt ich mit jedem] Mann. Und mit der Gewalt der Macht meiner Arme und mit der Stärke meiner Kraft [4][bekämpfte ich] alles Fleisch und führte mit ihnen Krieg. Aber nicht [5][...] kann ich mich zusammen mit uns (abgefallenen Engeln) behaupten, denn meine Widersacher [6]wohnen [inmitten] der [Himmlischen], und sie weilen unter den Heiligen. Und nicht [7][werde ich siegen, denn] sie sind stärker als ich. [8][... ist zur Bewachung] der Tiere des Feldes gekommen, und die ... des Feldes schreien [9][...]'".

Bei diesem Text unterhält sich Semiasa mit dem Riesen Uhija. Der Text spielt also schon auf der Erde, und Semjasa erzählt im Rückblick von seinem und seiner Engel Kampf mit den Himmlischen und den Menschen. Der Kampf im Himmel mit Semjasa gegen himmlische Widersacher ist hier also parallel zu Apk.Joh.12. Die Unterschiede liegen darin, daß der Sturz Semjasas nicht erwähnt ist und Semjasa zusätzlich mit den Menschen kämpft.

Als Beispiel für spätere Texte kann als eine manichäische Parallele ein Abschnitt aus den koptischen "Psalmen des Thomas" zitiert werden:[385]

> Ps.Thom.(kopt.)1,40ff.: "Der Sohn des Glanzes und der Reichtümer rüstete sich und gürtete sich hoch. [41]Er sprang und eilte hinab in den Abgrund, sprang und kam in ihre Mitte, um mit ihnen zu kämpfen. [42]Er demütigte den Sohn des Bösen, seine sieben Genossen und zwölf Amtsdiener; [43]Er riß ihr Zelt aus und warf es hin, trat aus ihr brennendes Feuer. [44]Er band die armen Schergen, die da *[weilten]*, darauf bedacht, einen Krieg zu beginnen. [45]Er raubte ihre *[Rüstung]*, die da hing, bereit zum Kriegführen, zerbrach auch ihre Fallen, die gelegt waren ...".

Hier kämpft der "Sohn des Glanzes" gegen den "Sohn des Bösen" und dessen Anhang und besiegt diese; im Unterschied zu Apk.Joh.12 findet dieser Kampf jedoch nicht im Himmel, sondern in der Unterwelt statt. Der Vertreter des "Guten" ist weiterhin allein.

Einen weiteren Vergleichstext bietet die armen. "Erzählung von der Erschaffung und dem Sündenfall des Adam":[386]

---

[384] Beyer, 1984, S.262.
[385] Ed. Allberry, 1938, S.203-227; im folgenden wird aus der deutschen Übersetzung von Adam, 1959, S.3f. zitiert.
[386] Preuschen, 1900, S.27; vgl. die engl. Übersetzung von Lipscomb, 1990, S.108f.; 118f.

> "Aber der unreine Satan wollte nicht, daß Gott gepriesen werde. Und er
> blähte sich auf in seinem Herzen und wollte seinen Thron erhöhen gleich
> dem Thron Gottes. Und es gebot der Herr Gott, den mit einem Hammer be-
> waffneten Seraphim, dem grossen Gabriel und dem furchtbaren Michael
> und den neun Scharen von Engeln; sie wandten sich gegen Sadael und alle
> seine Diener und besiegten sie und stürzten sie hinab, wie Hagel aus den
> Wolken".

Ähnlich vergleichbar ist die Tradition von Himmelskampf und Satanssturz,
die in der Te`ezaza Sanbat der Falashas geschildert wird:[387]

> "The hosts of Michael fought with the hosts of Berna`el, and with their nails
> they took these hypocrites, the hosts of hell, by their throat. They drove
> them to the bottom of sheol and slapped them on the cheeks. They overpo-
> wered the hosts of Berna'el and subjugated them according to their deeds".

Bei all diesen Parallelen ist die Kombination der Elemente vom Kampf des
eschatologischen Widersachers mit seinem Anhang gegen die Partei Gottes
und teilweise auch der Hinauswurf aus dem Himmel deutlich. Hierfür ist der
zitierte Qumrantext 4QEnGiants sicher ein Beleg, der zeitlich älter als
Apk.Joh.12 ist; die anderen Belege zeigen die Verwendung der Traditionen im
weiteren Umfeld von Apk.Joh.12.

Conclusio: In der Ereignisabfolge des Himmelskampfes in Apk.Joh.12,7-12
sind mehrere Traditionen enthalten, die mit Hilfe der zur Verfügung stehenden
Parallelen sowohl einzeln als auch in wechselseitiger Kombination nachweisbar sind. Damit dürfte erwiesen sein, daß man mit diesen Traditionen zur Zeit
der Abfassung der Apk.Joh. frei umgehen konnte. Eine wie auch immer gear-
tete Vorlage braucht somit für unseren Ausgangstext nicht angenommen zu
werden. Ebensowenig steht ein festes "pattern" im Hintergrund von
Apk.Joh.12, da alle Einzelstränge des Mythenkomplexes auch je für sich fungieren können. Dagegen ist Apk.Joh.12 in Anbetracht der traditions- und religionsgeschichtlichen Vergleichstexte ein frühes Zeugnis für die vielfältigen
Kombinationen dieser Traditionskomplexe.

Die Nennung Michaels geht auf das bekannte Motiv von Michael als dem
Erzgegner Satans zurück.

Was die Bedeutung dieses Mythenkompendiums in Apk.Joh.12,7-9 anbetrifft, so wurde schon eingangs auf die Funktion des Ortswechsels vom Himmel
auf die Erde hingewiesen.

---

[387] Leslau, 1963³, S.32.

Bei der Deutung der Engel haben die religionsgeschichtlichen Parallelen aus dem Mittelplatonismus tieferen Einblick vermittelt. Während "Satan" traditionsgeschichtlich im Wirkbereich des AT angesiedelt ist, sind religionsgeschichtliche Parallelen zu Engelkämpfen im paganen Bereich gut nachweisbar. Der Apokalyptiker kann durch die Einführung der Engel in 12,7-9 ein breiteres Publikum ansprechen. Wie beim Bild der Geburt und Verfolgung des Kindes wurden beim Himmelskampf vom Autor Elemente gewählt, die für einen breiten Adressatenkreis plausibel sind.

4. Einschub: Der Hymnus V.10-12

Der Hymnus in V.10-12 ist formal zweigeteilt: Die "große Stimme" besingt in V.10f. das Geschick der "Brüder". V.12 faßt die Geschehnisse des Gesamtkapitels kommentierend zusammen: Der Teufel ist aus dem Himmel geworfen, kommt zornig auf die Erde und hat wenig Zeit. Diese Kurzdarstellung der Theologie von Apk.Joh.12 wird uns in Teil V dieser Untersuchung besonders beschäftigen. Hier geht es vornehmlich um V.10f.

Der Hymnus ist in neuerer Zeit von Jörns (1971) und von Taeger (1994) eingehend untersucht worden. Während Jörns die alttestamentlichen Bezüge des Hymnus herausstellte, untersuchte Taeger die Verknüpfung des hier vorliegenden Siegesmotivs mit dem johanneischen Schrifttum. Die Frage nach seiner Gattung (Hymnus)[388] wird in der Forschung recht eindeutig gesehen und literarkritische Scheidungen[389] in neuerer Zeit nicht mehr angenommen. Auch die Parallelen zu den "Überwindersprüchen" der Sendschreiben von Apk.Joh.2f. sind allgemein akzeptiert.[390]

Doch stehen noch folgende Punkte zur Diskussion: Welche Gruppen singen den Hymnus?[391] Wer sind nun die "Brüder" in V.10? In der Forschung werden zwei verschiedene Vorschläge gemacht: Die Auslegung, diejenigen, die "gesiegt" haben, seien Märtyrer,[392] wird von anderen Exegeten ausgeweitet auf Leute mit "grenzenlose(r) Unerschrockenheit".[393]

---

[388] Zur Gliederung vgl. Jörns, 1971, S.110ff.

[389] Vgl. Charles, 1920, S.305: "xii.10-11 is clearly an addition, since it breakes the connection and conflicts with its immediate context"; V.11 dagegen gehöre mit 7-10 zur zugrundeliegenden jüdischen Quelle. A. Y. Collins, 1976, S.114, segmentiert etwas anders: Der Hymnus fungiert als Anhang zu ihrer Quelle Q2 (Drachensturz) und ist Komposition des Redaktors. Dagegen Lohmeyer, 1953²: Aufgrund metrischer Gesichtspunkte erweise sich der Hymnus als kohärent und beruhe auf keiner rekonstruierten Vorlage.

[390] Zu dieser Diskussion vgl. Satake, 1991, S.313-315; Taeger, 1994, S.38ff.

[391] Zur Frage, wer den Hymnus singt: Bousset, 1906⁶, S.342: die siegreichen Engelscharen Michaels; Lohmeyer, 1963², S.103: Die Märtyrer von 6,9ff.; Sickenberger, 1940, S.118: "Selige"; Mounce, 1977: Nicht die Märtyrer Apk.Joh.6,9-11, sondern die 24 Ältesten; Roloff 1987²: Die vier Wesen und die 24 Ältesten; Holtz, 1962, S.75: ein einzelner Engel oder eine Gruppe von Engeln; zur Diskussion: vgl. Jörns, 1971, S.110.

[392] So Bousset, 1906⁶, S.358: Es handle sich um eine "Verherrlichung des Martyriums"; A. Y. Collins, 1976, S.142: "It is only those who have actually died for the faith ...".

[393] Zum Begriff: Jörns, 1971, S.114; ähnlich Sickenberger, 1940, S.119: nicht direkt Märtyrer, aber Bekenner, die zum Märtyrium bereit sind, vgl. auch Taeger, 1994, S.36f.

Weithin die größte Unklarheit besteht in der Interpretation des Ausdruckes: "Sie haben gesiegt durch das Blut des Lammes".[394] Wie bekommen sie Anteil daran? Durch ihr eigenes Leiden?[395] Wie geschieht die "Bindung an die Heilstat Christi", die von den meisten modernen Auslegern als Interpretation des Ausdruckes "siegen durch das Blut des Lammes" geboten wird?[396]

Folgender Vorschlag zur Deutung soll hier auf traditionsgeschichtlichem Wege gemacht werden:

1. Das "Blut des Lammes" ist zunächst methodisch vom "Blut Christi" zu unterscheiden, da es einem ganz eigenen Metaphernbereich angehören könnte. Damit ist eine Erklärung der Metapher nicht ohne weiteres durch Apk.Joh.1,5 (Blut Christi) durchführbar und damit als Sühnetodvorstellung zu deuten.[397]

2. Das "Blut des Lammes" ist keine unbekannte Größe für Leser von Apk.Joh.12,11. Nach 5,9 werden durch das Blut (nach dem Kontext: des Lammes) Menschen für Gott erkauft. In 7,14 werden die Kleider der Märtyrer geweißt im "Blut des Lammes". Eine Interpretation von Apk.Joh.12,11 weist damit auf Apk.Joh.5 zurück, wo das "Lamm, wie geschlachtet" vorgestellt wurde.

3. Bei der Frage nach dem metaphernspendenen Bereich des "Lammes, wie geschlachtet" (Apk.Joh.5,6) ist eine Beschränkung auf ἀρνίον sinnvoll; eine Ausweitung auf ἀμνός ist methodisch nicht korrekt. Darum scheidet die in diesem Zusammenhang vieldiskutierte Stelle Jes.53,7 aufgrund der geringen lexikalischen Ähnlichkeit aus.[398] Dagegen ist auf die erste "Confessio Jeremiae" in Jer.11,19 LXX zu verweisen: "ἐγὼ δὲ ὡς ἀρνίον ἄκακον ἀγόμενον τοῦ θύεσθαι ..."[399] An dieser Stelle ist, ebenso wie in der Apk.Joh., ἀρνίον für "Lamm" gebraucht. Die Identifikation dieses unschuldigen Lammes mit den Heiligen vor Gott wird durch die Reminiszenz der Stelle in Ps.Sal.8,23 deutlich (οἱ ὅσιοι τοῦ θεοῦ ὡς ἀρνία ἐν ἀκακίᾳ, die Identifikation des Lammes von Jer.11,19LXX mit Christus ist bei Justin, Dial.72,2 belegbar. Es geht also bei der Metapher vom geschlachteten ἀρνίον nach Jer. 11,19 um den Schuldlosen, der verfolgt wurde.

---

[394] Hierzu bes. Holtz, 1962, S.75-78.
[395] Satake, 1975, S.117.
[396] Zu dieser Auslegung vgl. zuletzt Taeger, 1994, S.37 mit ausführl. Lit. (vgl. ebd., Anm.42).
[397] So U.Müller, 1984, in seinem Exkurs "Christus als das Lamm", S.160.
[398] Vgl. zur Darstellung der Forschungslage U.Müller, a.a.O., S.161.
[399] Das Wortfeld "ἀρνίον" und "ἐσφαγμένον" begegnet in Jer.51,40 (=28,40 LXX): "καταβιβάσω αὐτοὺς ὡς ἄρνας εἰς σφαγὴν καὶ ὡς κριοὺς μετ᾿ ἐρίφων".

4. Das "Lamm, wie geschlachtet" bezieht sich demnach auf den Schuldlosen, der getötet worden ist. Dies ist der eigentliche Metaphernbereich. Der Schuldlose wird in Apk.Joh.5,8f. als der würdige Offenbarungsmittler vorgestellt. Sein Blut hat soteriologische Funktion: In 5,10 werden Menschen zu Königen, weil sie dadurch erkauft sind. In 7,14f. sind die, die aus der "Trübsal" kommen, vor dem Thron Gottes, weil ihre Kleider darin rein gewaschen worden sind. In 12,9 überwinden die Brüder den Ankläger dadurch.

5. Die heilsame und überwindende Bedeutung des Blutes der unschuldig Getöteten (Henoch und Elia) begegnet analog zu Apk.Joh.12,11 bei Tertullian:

> An.50,5: "Henoch und Elia wurden entrückt, und ihr Tod wurde nicht wahrgenommen, wurde also aufgeschoben. Im übrigen werden sie aufbewahrt um zu sterben, damit sie den Antichrist durch ihr Blut vertilgen".[400]

Auch hier hat - im Rahmen der Tradition vom Antichrist - das Blut der Märtyrer, Henoch und Elia, Heilsfunktion: Der Antichrist wird damit vertilgt. Dies ist parallel zu Apk.Joh.12,11, wo durch das Blut des Lammes der Ankläger überwunden wird.

6. Die Märtyreraussage kommt speziell in 12,11b zum Ausdruck, da die "Brüder" den Ankläger neben dem "Blut des Lammes" noch durch das Wort ihres Zeugnisses überwinden. Die forensische Szenerie ("Ankläger") unterstreicht den Aspekt der Schuldlosigkeit,

7. Wie ist demnach die Verbindung der "Brüder" mit dem Blut des Lammes gedacht? Einen Schlüssel liefert die letzte Notiz von V.11: Die "Brüder" haben ihr Leben nicht wertgeschätzt, bis zum Tod. Das todesmutige Verhalten dieser Christen zeichnet sie analog zu dem Lamm als Unschuldige aus, weswegen sie den "Ankläger" überwinden können. Durch ihre Analogie mit dem Geschick des "Lammes" haben sie Anteil an dessen Blut und damit an dessen überwindender Kraft. Von dem "glaubenden Bezug auf die überwindende Kraft des Blutes Christi"[401] ist in Apk.Joh.12,11 mit keinem Wort die Rede, ebensowenig vom "Gnadencharakter" des Blutes Christi, das ohne die Anteilnahme der Gläubigen "für sie vergossen" wurde.[402] Es entbehrt auch jeder Textgrundlage, den Vers allegorisch als "Christi Sieg am Kreuz" zu verstehen, der den Christen die Möglichkeit gibt, den Drachen schon vor

---

[400] "Translatus est Enoch et Helias, nec mors eorum reperta est, dilata scilicet; ceterum morituri reseruantur, ut antichristum sanguine suo extinguant" (CCL 2, S.856); zu diesem Zitat: s.u., S.231.
[401] Jörns, 1971, S.115.
[402] Satake, 1991, S.316.

dem Endkampf zu besiegen.[403] - Vom Kreuz ist weder im ganzen Kapitel noch in den Lammesaussagen der Apk.Joh. je die Rede.

Es geht dagegen um das todesmutige Verhalten der schuldlosen "Brüder" analog zum schuldlosen Christus, nicht um den Glauben an Christus. Dies fügt sich in den Gesamtrahmen der Apk.Joh., in der das Geschick der Gemeinde eng an das Christi gekoppelt ist: In den Sendschreiben erhalten die Gemeinden bei entsprechendem Verhalten Attribute des in Kap.1 vorgestellten Menschensohnes. Die Versiegelten sind lt. 14,4 "diejenigen, die dem Lamm folgen, wohin es auch geht" und die Märtyrer sind ἐσφαγμένοι (6,9; 18,24) wie auch das Lamm (5,6.12; 13,8).[404]

Die Funktion dieses Hymnus läßt sich dann wie folgt bestimmen: Wie V.17 haben die Verse 10 und 11 eine ausgesprochen pragmatische Ausrichtung. Die Adressaten der Apk.Joh. werden angesprochen, die durch ihr todesmutiges Verhalten den Widersacher besiegen können. Dabei geht es wohl nicht um schon gestorbene Märtyrer im Himmel, die den Ankläger besiegt haben - die Aoriste in V.11 sind nicht präterital zu übersetzen, sondern drücken im Sinne des grammatischen (perfektiven) Aspekts den plötzlich eingetroffenen Zeitpunkt des Geschehens aus.

Die Information für die Leser der Apk.Joh., daß nach dem Sturz aus dem Himmel der Widersacher keine prinzipielle Gefahr mehr darstellt (er kann vor Gott nicht mehr anklagen), daß nun aber todesmutiges Verhalten gefordert ist, nimmt die theologische Aussage des Kapitels schon vorweg. Diese wird im Anschluß an den Hymnus in weiteren mythischen Bildern vervollkommnet.

---

[403] Nikolainen, 1962/3, S.356.
[404] Vgl. Wolff, 1981, S.195f.; sein Begriff der "Kreuzesnachfolge" ist allerdings sehr neuzeitlich; es geht in der Apk.Joh. um die Analogie zu dem unschuldig Getöteten.

5. Handlungssequenzen 3 und 5: Die Frau in der Wüste

5.1. Diskussionen in der Forschungsgeschichte

5.1.1. V.6 und V.14 - eine Dublette?

Da die Flucht der Frau in die Wüste zweimal berichtet wird (in den Versen 6 und 14), glaubte man bei der literarkritisch orientierten Exegese hier eine Dublette und damit ein wichtiges Argument zur Quellenscheidung zu erkennen.[405] Doch darf die Wiederholung der gleichen Handlung hier nicht darüber hinwegtäuschen, daß der Ortswechsel in beiden Versen in unterschiedlicher Manier dargestellt wird. Ein tabellarischer Vergleich der beiden Versinhalte mag dies verdeutlichen:

Vers 6	*Vers 14*
-	Gabe der Adlerflügel
(Ortswechsel:)	(Ortswechsel:)
Frau flieht	Frau fliegt
in die Wüste	in die Wüste,
wo ein Ort bereitet wird	an ihren Ort
damit man sie dort ernähre	wo sie ernährt wird
1260 Tage	dreieinhalb Zeiten
	vor der Schlange verborgen

Während die Frau in V.6 selbst handelt und flieht, werden ihr in V.14 Adlerflügel gegeben, um in die Wüste zu fliegen. Im ersten Fall ist von einer Flucht in die Wüste die Rede, im zweiten Fall wird der Frau durch göttliche Hilfe der Weg in die Wüste ermöglicht. Die auch in Apk.Joh.11 vorherrschende Zeitangabe (1260 Tage = dreieinhalb Jahre/Zeiten = 42 Monate) entstammen der

---

[405] S.o., Teil II, 1.2, S.23ff.

apokalyptischen Schultradition. Die dreieinhalb Zeiten, in denen in Dan.7,25 die "Heiligen des Höchsten" in die Hand des letzten Tieres (Antiochos Epiphanes) gegeben sind, werden mit der letzten halben Jahrwoche (dreieinhalb Tage) von Dan.9,25 identifiziert. Damit bilden die dreieinhalb Zeiten die letzte Unheilszeit im apokalyptischen Ereignisablauf.[406]

Weiterhin wird in V.14 der Schutzort und die Tatsache ihrer Ernährung augenscheinlich vorausgesetzt. Damit wird hier auf diese beiden Elemente, die in V.6 eingeführt worden sind, Bezug genommen. In den beiden Versen wird dadurch ein fortlaufender Erzählduktus deutlich, der auf literarkritischem Wege nicht begründet werden kann. Im Gegenteil scheint die Wiederholung des Handlungselementes in der spezifischen Erzählstruktur des Kapitels zu wurzeln, die wie folgt anzugeben ist:

Nach der Aufzählung der Bildelemente in VV.1-4a eröffnet die Bedrohung des Drachen die Handlungsstruktur der Erzählung. Da der Drache dreimal die Rolle des Verfolgers einnimmt (V.4b; 13; 17) und damit die Dynamik der Gesamthandlung wesentlich bestimmt, kann dieses Handlungssegment als Gliederungsprinzip für den Text verwendet werden. Damit gliedert sich der Text in folgende drei Sinnabschnitte:

1. Der Drache bedroht Frau und Kind.

Zur Diskussion, ob der Drache nur das Kind, oder ob er auch die Frau bedroht, muß gesagt werden:

- auch die Frau wird bedroht, sonst würde sie als Reaktion auf die Geschehnisse kaum fliehen (ἔφυγεν, V.6);
- primär scheint jedoch das Kind bedroht zu werden (ἵνα τὸ τέκνον αὐτῆς καταφάγῃ, V.4).

Die Lösung dieser Bedrohung: Das Kind wird entrückt (passivum divinum), die Frau flieht.

2. Der Drache verfolgt nach seinem Sturz auf die Erde nun exklusiv die Frau.

Dies geschieht in zwei Anläufen:

- der Drache verfolgt die Frau (ἐδίωξεν). Die Lösung: Der Frau wird eine Fluchthilfe gegeben (passivum divinum). Die parallele Struktur zur Erhöhung des Kindes ist offensichtlich, denn auch die Frau erhebt sich zur Flucht von der Erde.

---

[406] Vgl. zu den "dreieinhalb Zeiten" Berger, 1976, S.26f.; mit zahlreichen traditionsgeschichtlichen Belegen (a.a.O., S.262f.).

- Der Drache versucht, die Frau zu ertränken. Die Lösung: Die Erde tritt als Handlungsträgerin auf und vereitelt dies.

3. Der Drache bekriegt nun die Nachkommen der Frau, die Gemeinde der Apk.Joh. Diese neue Handlung wird in den folgenden Kapiteln ausgestaltet. Der doppelt erzählte Rückzug der Frau in die Wüste paßt sich somit in seiner jeweiligen Ausgestaltung in V.6 und V.14 in den Handlungsverlauf ein. Eine Dublette muß nicht angenommen werden.

5.1.2. Die Bedeutung der "Wüste"

Die Diskussion der verschiedenen Konnotationen bei dem Begriff "Wüste" im spätantiken Judentum ergab in der Forschungsgeschichte eine Vielzahl von Möglichkeiten, was die Flucht der Frau in die "Wüste" bedeuten könnte.[407] In der vorliegenden Untersuchung wird allerdings die Meinung vertreten, daß die Bedeutung des Ortes "Wüste" durch den Kontext spezifiziert ist. Es handelt sich um eine Flucht in die Wüste; dort ist ein Ort bereitet, die Frau wird ernährt. Die Bedeutung erschließt sich somit in der fortschreitenden Analyse, nicht in der isolierten Betrachtung des Wortes "Wüste".

5.1.3. Zeitgeschichtliche oder traditionsgeschichtliche Deutung?

Schließlich wurden in der Forschung mehrere zeitgeschichtliche Deutungsvorschläge gemacht. In der Flucht der Frau in die Wüste werden nach diesem Ansatz Reaktionen auf den jüdischen Krieg transparent. Dabei hängt die Entscheidung, auf welches konkrete historische Ereignis sich diese Flucht beziehen könnte, von literarkritischen Vorentscheidungen ab. Wenn man eine jüdische Vorlage des Kapitels annimmt, so kann auf verschiedene historische

---

[407] Zu den Konnotationen, die bei einem Exodus in der Wüste eine Rolle spielen, vgl. Hengel, 1976[2], S.257-259. Speziell bei Apk.Joh.12 verweisen auf die Speisung in der Wüste (etwa mit 1Reg.17,1-7; Ex.16; Hos.2,16f.) Zahn, 1926, S.445; Kraft, 1974, S.166; Mounce, 1977, S. 239; Roloff, 1987[2] (1984), S.128.
Auf die Wüste als Zufluchtsort der eschatolog. Gemeinde (mit 1QS8,13f.; 9,19f.) verweisen Lohse, 1988[14] (1960), S.72; 76; U.Müller, 1984, S.237; ähnlich deutet auf die eschatologisierte Exodustypologie A.Y. Collins, 1976, S.120ff.; Bergmeier, 1982, S.106f. (mit Strack/Billerbeck III, 1969[5], S.812); die Wüste als "providentielle(r) Ort reiner eschatologischer Frömmigkeit" deutet Lohmeyer, 1953[2] (1926), S.105; Giesen, 1986, S.103: "Symbol der Nähe Gottes".

jüdische Gruppen verwiesen werden, die in die Wüste fliehen; die Möglichkeiten erstrecken sich zeitlich von Mattathias nach 1Makk.2,28f. bis zu Jochanan ben Zakkai.[408] Bei einer original christlichen Verfasserschaft werden die Verse auf die Flucht der Jerusalemer Gemeinde nach Pella (mit Euseb, h.e.3,5,3) bezogen.[409] Die Flucht historischer Personen in die Wüste ist aus zeitgenössischen jüdischen Quellen belegbar.[410]

Doch gegen eine Reminiszenz an solche historischen Fluchtbewegungen in Apk.Joh.12,6 spricht, daß die Flucht in die Wüste als ein fester Topos zur Situation der Juden oder der Christen in der Endzeit geläufig ist; dies mögen folgende Beispiele belegen:

> Asc.Jes.4,13:[411] "Und die vielen Gläubigen und Heiligen, nachdem sie gesehen haben, den sie erhofften, Christum Jesum, den Gekreuzigten - nachdem ich, Jesaja, ihn gesehen habe, der gekreuzigt worden und aufgefahren ist, - die also gläubig wurden an ihn: [Nur] wenige von ihnen werden in jenen Tagen als seine Diener übrigbleiben, von Wüste zu Wüste fliehend und seine Ankunft erwartend".

---

[408] Bousset, 1906[6] legt sich bei seiner zeitgeschichtlichen Deutung nicht auf spezielle Gruppen fest (Zerstörung Jerusalems und Not des Judentums oder Verfolgung der christlichen Gemeinde); ähnlich allgemein interpretiert Sickenberger, 1940, S.116; A. Y. Collins, 1976, S. 120f. deutet die Flucht in die Wüste mit Hengel, Zeloten, als Exodustypologie (vgl. Hengel, 1976[2], S.257) und kann damit ebenso auf verschiedene Fluchtbewegungen im zeitgenössischen Judentum verweisen (Mattathias nach 1Makk.2,28f.; 2Makk.5,27; Ps.Sal.17,16f. Die "Qumrangemeinde" nach 1QS 8,13f. Theudas nach Jos.Ant. 20,5,1; "Der Ägypter" von Acta 21,38 und Jos.Ant.20,8,6); speziell zur Flucht nach Jabne vgl. Charles, 1920, S.310; Court, 1979, S.117.- Zur Sache: Schäfer in ANRW II,19,2, S.49-101 (Flucht nach Jabne); Wehnert, 1991 (Flucht nach Pella).

[409] Vgl. Weizsäcker, 1886, S.375 zu Apk.Joh.12,1-12: "Man kann hierbei nur an die Flucht der Judenchristen aus Judäa des Krieges wegen denken."; weiterhin Hadorn, 1928, S.131 (mit Verweis auf Mt.24,16.20); Kraft, 1974, S.170 (Argument: Asyl in V.14b); Mounce, 1977, S. 239. Dagegen: Zahn, 1926, S.444; Lohse, 1988[14] (1960), S.72 (Bild von Not und Bewahrung des Gottesvolkes); Roloff, 1987[2] (1984), S.128. Gegen die zeitgeschichtliche Deutung der Flucht nach Pella spricht, daß Pella (wie auch Jabne) keineswegs in der Wüste liegt - nicht zuletzt Plinius d.Ä. spricht in Hist.Nat.5,16 vom "wasserreichen Pella" (Pella aquis dives).

[410] Man sollte hier m.E. die Flucht in die Wüste von einem Sich-Zurückziehen unterscheiden. Aus diesem Grunde verlieren folgende Texte für die Erklärung von Apk.Joh.12,6 an Relevanz: 1QS8,13: "... sondern sie (sc.: die Männer) sich <mitten> aus dem Sitz der Männer des Unrechts ab, um in die Wüste (=למדבר) zu gehen, um dort den Weg des "Er" zu bahnen" (Maier, 1995, Bd.I, S.188; Text: Lohse, 1986[4], S. 30); Jos.Ant. 20,5,1 (Theudas zieht sich in die Wüste zurück); Acta 21,38 und Jos.Ant.20,8,6 ("der Ägypter" zieht sich in die Wüste zurück).

[411] CDG Müller in Schneemelcher II, 1989[5], S.552.

Apk.Eliah (kopt.)36,12ff.[412] "Die einen aber werden die Foltern jenes Königs nicht ertragen können, sie werden ihr Gold nehmen und fliehen auf den Fähren in Orte der Wüste. Sie werden (ein)schlafen wie ein Schlummernder. Der Herr wird zu sich nehmen ihre Geister und ihre Seelen. Ihr [Kap.37,1] Fleisch wird Stein werden. Kein wildes Tier wird es fressen bis zum letzten Tag, (dem) des großen Gerichts. Und sie werden auferstehen und einen Ort der Ruhe finden...".

Lactantius, Epitome Cap.LXXI.[413] "Dann wird auch der Unfromme die gerechten Menschen und die Gott Zugesprochenen verfolgen und sich selbst als Gott feiern lassen ... Und wer (ihn) nicht anbetet und das Zeichen annimmt, wird unter ausgesuchten Qualen sterben. So wird er etwa zwei Drittel (der Menschen) ausrotten, der dritte Teil wird in einsame Wüsten fliehen".

Conclusio: Eine Anzahl von Paralleltexten macht eine Tradition erkennbar, nach der die Flucht in die Wüste ein fester Topos bei der Ausmalung der Endzeit ist.[414] Es ist wahrscheinlicher, Apk.Joh.12 als frühen Beleg für diese Tradition zu interpretieren, als auf einzelne konkrete historische Fluchtbewegungen zu verweisen. Der Ausdruck "ἔφυγεν εἰς τὴν ἔρημον" lehnt sich dabei an die Septuaginta an, da dort Fluchtbewegungen mit deutlichen lexikalischen Analogien geschildert werden.[415] Der Apokalyptiker

---

[412] Schrage, 1980, S.261f.; vgl. auch 40,31ff. (a.a.O., S.268f.): (Der Antichrist zu den Sündern) "Jetzt nun flieht in die Wüste! Ergreift die Herumstreichenden, tötet sie! Die Heiligen bringt her! Denn um ihretwillen bringt die Erde Frucht".

[413] "Tunc et impius justos homines ac dicatos Deo persequetur, et se coli jubebit ut Deum ... Et qui non adoraverit, signumque susceperit, exquisitis cruciatibus morietur. Ita fere duas partes exterminabit, tertia in desertas solitudines fugiet." (Migne, PL6, Sp. 1090; vgl. hierzu auch Div.inst.VII,17, Migne PL6, Sp.794: "...fugient in solitudines").

[414] Vgl. hierzu die Auslegung der Dn.-D. (gr.) 14 von Berger, 1976, S.146-148, der zum Motiv der "Flucht in die Berge" zahlreiches Material bietet. Dieses Fluchtmotiv wird auch dort im Rahmen eines apokalyptischen Ablaufschemas interpretiert (ebd., S.146), Apk.Joh.12,6 wird als mögliches kanonisches Vorbild angesehen (ebd., S.148).

[415] Vgl. Jcd.20,45: "Da wandten sie (sc. die Benjaminiten) sich um und flohen zur Wüste hin zum Fels Rimmon" LXX: (Cod. Alexandrinus): "καὶ ἐξέκλιναν καὶ ἔφυγον εἰς τὴν ἔρημον πρὸς τὴν πέτραν τὴν Ρεμμων..." (vgl. a. V.47) Codex Vaticanus: "καὶ ἐπέβεψαν οἱ λοιποὶ καὶ ἔφευγον εἰς τὴν ἔρημον πρὸς τὴν πέτραν τοῦ Ρεμμων..." (vgl. auch V.42.47); von der Flucht der Makkabäer vor Bakchides berichtet 1Makk.9,32: "Als das Bakchides erfuhr, ließ er ihn suchen, um ihn umzubringen. [33]Als aber Jonathan und sein Bruder Simon und alle, die bei ihnen waren, das merkten, flohen sie in die Wüste Tekoa und schlugen ein Lager auf am Wasser des Brunnens Asfar." (... ἔφυγον εἰς τὴν ἔρημον Θεκωε καὶ παρενέβαλον ἐπὶ τὸ ὕδωρ λάκκου Ασφαρ"). Sachlich verwandt hierzu ist auch 2Makk.5,27; obwohl hier von "ἀναχωρεῖν" statt von "φεύγειν" die Rede ist, legt der Textzusammenhang von VV.24-26 eine Flucht nahe: "Aber Judas, der auch Makkabäus heißt, machte sich

nimmt damit ein bekanntes Motiv der Endzeit auf (Gemeinde flieht in die Wüste) und führt es in traditioneller Terminologie aus.

5.2. Bilder der Fürsorge Gottes

5.2.1. Der bereitete Ort

Der Ausdruck in Apk.Joh.12,6: "τόπος, ἡτοιμασμένος ἀπὸ τοῦ θεοῦ" ist schon in der Septuaginta vorbereitet, so in 1Chron.15,3. Dort versammelt David ganz Israel in Jerusalem und bringt die Lade an den Ort, den er ihr bereitet hat: "... ἀνενέγκαι τὴν κιβωτὸν κυρίου εἰς τὸν τόπον, ὃν ἡτοίμασεν αὐτῇ". Die zeitlich nächste Parallele zu Apk.Joh.12,6 ist allerdings bei Joh.14,2f. zu finden:

> "[2]Im Haus meines Vaters sind viele Wohnungen; wenn dies nicht so wäre, hätte ich euch dann etwa gesagt: 'Ich gehe, um euch einen Ort zu bereiten (πορεύομαι ἑτοιμάσαι τόπον ὑμῖν)'? [3]und wenn ich hingehe und euch die Stätte bereite (καὶ ἐὰν πορευθῶ καὶ ἑτοιμάσω τόπον ὑμῖν), will ich auch wiederum kommen und euch bei mir aufnehmen, damit, wo ich bin, auch ihr seid".

Es geht dabei um die himmlischen Wohnungen (vgl. Lk.16,9), die Jesus für die Gemeinde bereitet hat.

Die Unterschiede zu Apk.Joh.12,6 sind offensichtlich: Christus, nicht Gott bereitet den Ort; es geht um himmlische Wohnungen, nicht um einen Zufluchtsort auf der Erde. Aber auch die Gemeinsamkeiten fallen auf: Es geht um einen Ort für die Gemeinde (die "Frau" in Apk.Joh.12 ist, wie die Analyse der

---

mit neun anderen davon in die Wildnis und ernährte sich im Gebirge mit seinen Gefährten nach Art der Tiere von Kräutern, um nicht unter Unreinen leben zu müssen (" Ἰούδας δὲ ὁ καὶ Μακκαβαῖος δέκατός που γενηθεὶς καὶ ἀναχωρήσας εἰς τὴν ἔρημον θηρίων τρόπον ἐν τοῖς ὄρεσιν διέζη σὺν τοῖς μετ' αὐτοῦ, καὶ τὴν χορτώδη τροφὴν σιτούμενοι διετέλουν πρὸς τὸ μὴ μετασχεῖν τοῦ μολυσμοῦ"). Zur theologischen Interpretation dieser histor. Personen vgl. 1Makk.2,29 (Τότε κατέβησαν πολλοὶ ζητοῦντες δικαιοσύνην καὶ κρίμα εἰς τὴν ἔρημον καθίσαι ἐκεῖ); vgl. auch Ps.Sal.17,16f.: ἔφυγοσαν ἀπ' αὐτῶν οἱ ἀγαπῶντες συναγωγὰς ὁσίων, ὡς στρουθία ἐξεπετάσθησαν ἀπὸ κοίτης αὐτῶν. ἐπλανῶντο ἐν ἐρήμοις, σωθῆναι ψυχὰς αὐτῶν ἀπὸ κακοῦ, καὶ τίμιον ἐν ὀφθαλμοῖς παροικίας ψυχὴ σεσωσμένη ἐξ αὐτῶν.

"Himmelsfrau" ergab, durchaus als Bild der verfolgten Gemeinde zu verstehen); dessen Bereitstellung wird in gleicher Wortwahl geschildert. Wie ist dieses zu erklären?

Interessant ist, daß Johannes hier Jesus sich selbst zitieren läßt. In der Gemeinde des Johannes dürfte damit ein Jesuslogion bekannt gewesen sein, bei dem es darum geht, daß Jesus den himmlischen Ort bereitet. Ohne eine Teilhabe der Apk.Joh. am "Johanneischen Schrifttum" voraussetzen zu müssen, kann eine allgemeine Bekanntheit dieses Logions und der damit verbundenen Terminologie erwogen werden; daß in Joh.14,2f. und Apk.Joh.12,6 in ähnlichem Zusammenhang, jedoch in unterschiedlicher Ausprägung mit der gleichen Terminologie gearbeitet wird, läßt auf einen gemeinsamen Traditionshintergrund schließen. Möglicherweise ist es das in Joh.14,2 angedeutete Jesuslogion.

Ergebnis: Der Ausdruck "τόπος + ἑτοιμάζειν", der in Joh.14,2 und Apk.Joh.12,6 begegnet, ist durch die LXX vorbereitet und kann sich auf einen gleichen Traditionszusammenhang beziehen, etwa auf das in Joh.14,2 angesprochene Jesuslogion. Der Ausdruck steht in beiden Fällen, in Joh.14,2 und Apk.Joh.12,6, als Bild der endzeitlichen Fürsorge für die Gemeinde.

5.2.2. Die Ernährung

Wie die Flucht in die Wüste, so ist auch die sorgende Ernährung schon in der Tradition vorbereitet. Das Bild von Gott, der Nahrung gibt, wird im Alten Testament oft verwendet und auch im religionsgeschichtlichen Umfeld der Apk.Joh. rezipiert,[416] z.B. bei Gen.48,15;[417] Ex.16,4;[418] 1Reg.17,1-7.[419] Auch die

---

[416] Vgl. zu diesem Gottesbild Mt.6,26 par. Lk.12,24; Did.10,3; Ev.Phil.(kopt.), Log.15 (Christus bringt Brot vom Himmel); Apk.Esdr.(gr.) 7,7: (Esdra zu Gott): "ὁ διδοὺς τροφὴν πάσῃ σαρκί".

[417] Gen.48,15 LXX: (Jakob) "ὁ θεὸς ὁ τρέφων με ἐκ νεότητος ἕως τῆς ἡμέρας ταύτης". Dagegen Mas.: "האלהים הרעה אתי". Die Existenz dieser beiden Fassungen, der masoretischen "רעה" (weiden) und der LXX-Fassung, liegt wohl in der Zusatzbedeutung von "τρέφειν" als "erziehen, achthaben" begründet. Hierin überschneiden sich die Bedeutungen von "רעה" und "τρέφειν"; daß Gen.48,15 dagegen im zeitgenössischen Umfeld der Apk.Joh. im Sinne von "ernähren" verstanden werden kann, zeigt die breite Rezeption dieser Stelle bei Philo v.A. in All.3,177; Imm.157; Conf.181; Fug.67.

[418] Vgl. die Rezeption bei Philo v.A., fug.137: Die himmlische Nahrung, die Gott in Ex.16,4 verspricht, wird mit der himmlischen Weisheit gleichgesetzt, die auf die Seelen geträufelt wird.

[419] Zur Rezeption: vgl. die rabbinische Diskussion um die Herkunft der Nahrung in bSanh.113b; bHullin 5a.

Verbindung dieses Gottesbildes mit der Situation der Wüste ist im Umfeld der Apk.Joh. geläufig. So z.B. in Ps.Sal.5,10:[420]

> "wenn du Wasser in der Wüste gibst, zum Aufsprießen des Grases, hast du allem Leben in der Wüste Futter bereitet...".

In der romanhaften Moseerzählung des Artapanus wird das Mannawunder von Ex.16 in den Zusammenhang mit der Flucht (διαφεύγειν) der Juden aus der Gefahr gestellt:

> "Die Juden dagegen hätten sich, nachdem sie der Gefahr entronnen waren, vierzig Jahre lang in der Wüste aufgehalten, während (welcher Zeit) Gott ihnen Gräupchen, ungefähr wie Hirse und in der Farbe fast wie Schnee, (vom Himmel) habe regnen lassen."[421]

Zum Motiv der göttlichen Ernährung in der Wüste sind aus späterer Zeit folgende Texte heranzuziehen:

> Apk.Ad.(kopt.) 81,24-82,4:[422] "[81,24]Das elfte Reich aber (δέ) [25]sagt: Der Vater [26]begehrte (ἐπιθυμεῖν) seine [eigene] [27]Tochter, sie aber wurde schwanger [28][von] ihrem Vater, sie warf [82,1]draußen in der Wüste (ἐρημος). Der Engel (ἄγγελος) [2]ernährte ihn an jenem [3]Ort. Und so kam er [4]auf das Wasser".

> Vita Prophetarum, Jona:[423] "Damals war Elia, der Prophet; nachdem er Ahab, den König von Samarien, getadelt und eine große Hungersnot über

---

[420] " Ἐν τῷ διδόναι σε ὑετὸν ἐρήμοις εἰς ἀνατολὴν χλόης, ἡτοίμασας χορτάσματα ἐν ἐρήμῳ παντὶ ζῶντι...".

[421] Zitiert nach Walter, 1976, S.136; das Zitat ist überliefert bei Euseb, P.E.9,27,37, der seinerseits aus Alexander Polyhistor zitiert: "τοὺς δὲ Ἰουδαίους διαφυγόντας τὸν κίνδυνον τεσσαράκοντα ἔτη ἐν τῇ ἐρήμῳ διατρῖψαι, βρέχοντος αὐτοῖς τοῦ θεοῦ κρίμνον ὅμοιον ἐλύμῳ, χιόνι παραπλήσιον τὴν χρόαν" (GCS 43,1, S.524).

[422] Text nach Böhlig/Labib, 1963, S.113f.; es handelt sich hierbei um die elfte Aussage über den Phoster; zur Diskussion der zwölf (dreizehn) Aussagen über die Entstehung des Phoster vgl. oben.

[423] Der entsprechende Band des ausführlichen Kommentars zu den "Vitae Prophetarum" von A.M. Schwemer lag zur Zeit der Drucklegung noch nicht vor; im folgenden wird nach Th. Schermann, 1907 zitiert. Recensio Epiphanii I: "Ἦν τότε ' Ηλίας ὁ προφήτης ἐλέγχων τὸν ' Αχαὰβ βασιλέα Σαμαρείας καὶ καλέσας λιμὸν μεγάλην ἐπὶ τὴν γῆν ἔφυγεν ἐν τῇ ἐρήμῳ. καὶ ἐτρέφετο ἐκ τῶν κοράκων."; vgl. dagegen die Recensio Dorothei: " Ἦν δὲ τότε' Ηλίας ἐλέγχων καὶ τὸν οἶκον' Αχαὰβ καὶ καλέσας λιμένα ἐπὶ τὴν γῆν ἔφυγεν." (Schermann, TU 31,3 (1907), S.55f.; vgl. zu den beiden Rezensionen a.a.O., S.2ff.). - Zum Vergleichswert des Textes: Schermann datierte Rec.B als ältere ins 2.-3. Jahrh. n.Chr; Rec.A sei spätere Ausgestaltung (a.a.O., S.118ff.; dem schließt sich Schwemer, 1995, S.12ff. bei der Diskussion der Handschriften an). Obwohl eine genaue Datierung nicht gegeben werden kann, ist davon auszugehen, daß in den Vit.Proph. alte Traditionen bewahrt worden sind. Somit ist ein traditionsgeschichtlicher Vergleich mit diesen Texten möglich.

die ganze Erde vorausgesagt hatte, floh er in die Wüste. Und er wurde von Raben ernährt".

Ps.-Philo, LAB 48,1:[424] "Und in dieser Zeit legte sich Pinehas hin, um zu sterben, und der Herr sprach zu ihm: 'Siehe, du hast die 120 Jahre überschritten, die festgesetzt worden waren für einen jeden Menschen. Und jetzt erhebe dich und geh weg von hier und wohne in Danaben auf dem Berg und wohne dort mehrere Jahre, und ich werde meinem Adler Auftrag geben, und er wird dich dort ernähren, und du sollst nicht zu den Menschen hinabsteigen, bis vollends die Zeit herkommt, daß du geprüft werdest in der Zeit ...'".

Besonders die beiden letzten Texte zeigen die in Apk.Joh.12,6 vorkommende Verbindung von "φεύγειν" und "τρέφειν" in der Wüste. Die Ernährung des Pinehas von einem Adler ist dabei dem Motiv der Eliatradition in 1Reg.17,4 nachgestaltet - ein früher Beleg für die später übliche Verknüpfung von Elia und Pinehas (z.B. Tg.Ps.-Jon. Ex.6,18). In LAB 48,1 ist zwar die "Wüste" nicht ausdrücklich erwähnt, aber der nicht identifizierbare Ort "Danaben" dürfte bewußt einen unbekannten Ort bezeichnen.[425] Darum ist trotzdem eine große Nähe zu Apk.Joh.12,14 gegeben, wo ausdrücklich davon die Rede ist, daß die Frau vor der Schlange verborgen lebt. Die Existenz eines solchen Vergleichstextes macht eine traditionsgeschichtliche Auslegung von Apk.Joh.12,6.14 gegenüber einer zeitgeschichtlichen noch wahrscheinlicher. Das Motiv von der Flucht und der Ernährung in der Wüste scheint eine geläufige Vorstellung gewesen zu sein, die in Apk.Joh.12 aufgenommen worden ist. Die konkrete Rezeption einer bestimmten Tradition kann dann allerdings für Apk.Joh.12 nicht postuliert werden; dies gilt für die oben dargestellt Eliatradition bei Vit.Proph., aber auch für die Exodustradition bzw. das Mannawunder bei Artapanus. Die oben angeführten Vergleichstexte zeigen, daß das Motiv der Flucht in die Wüste bzw. der Ernährung in der Wüste an keine bestimmte Tradition gebunden ist. Doch ist es jeweils ein Bild der Fürsorge Gottes.

5.2.3. Die Gabe der Adlerflügel

Die Gabe der "beiden Flügel des großen Adlers" (V.14), die der Frau zur Flucht vor dem Drachen verhelfen sollen, wird (ähnlich der Entrückung des Kindes in V.5) passivisch ausgedrückt. Sowohl in V.5 als auch in V.14 wird über das handelnde Subjekt, das die Ereignisse inszeniert, nichts ausgesagt.

---

[424] Dietzfelbinger, 1975, S.230.
[425] Vgl. Dietzfelbinger, ebd., Anm.1b.

Viele Exegeten tendieren darum dazu, die Verbform in V.14, ähnlich der in V.5, als "passivum divinum" zu interpretieren.[426]

In der Forschung zu Apk.Joh.12 wird dieses Ereignis, daß der Frau die beiden Flügel eines großen Adlers als Fluchthilfe gegeben werden, auf mehrere Weisen erklärt.[427]

- Es wird auf zwei Traditionen rekurriert, die sich jedoch nicht gegenseitig ausschließen: Einerseits wird auf die Exodustradition verwiesen, bei der die Adlerflügel (in Ex.19,4; Dtn.32,11) als Bild der göttlichen Hilfe dienen,[428] andererseits werden zusätzlich noch (mit Jes.40,30f.) die Adlerflügel als Symbol der Kraft und Stärkung gedeutet.[429]

- Der Gebrauch des bestimmten Artikels legt anderen Exegeten eine bekannte Tradition nahe, auf die Apk.Joh.12,14 anspielt[430].

- Die Adlerflügel werden mit Ass.Mos.10,8 als Botenwerkzeuge Gottes interpretiert.[431]

Eine traditionsgeschichtliche Darstellung des in Apk.Joh.12,14 geschilderten Ereignisses darf sich gemäß unserer Maxime, größtmögliche Texteinheiten zu vergleichen, nicht auf das Bild des Adlers beziehen,[432] sondern auf die

---

[426] Zum "passivum divinum": schon Dalman, 1898, S.183-185, machte auf diese besondere Konstruktion in den synopt. Evangelien aufmerksam und führte einige Belege aus der rabbinischen Literatur an; Jeremias, 1971 (vgl. auch Jeremias, 1960³, S.194f.), nannte diese Konstruktionen "passivum divinum" und sah darin eine bevorzugte Redeweise Jesu, der das 2. Gebot (Mißbrauch des Gottesnamens) zugrunde liege (ebd., S.20); Das Passiv deute das Handeln Gottes verhüllend an (ebd., S.21). Für die Apk.Joh. werde allerdings lediglich in Apk.Joh.21,5-8 das passivum divinum "einzig und allein" gebraucht (ebd., S.24, Anm.20). In neuerer Diskussion wird die Eingrenzung dieser Form auf das antike palästinische Judentum und bes. auf die apokalyptische Literatur (vgl. Jeremias, 1971, S.23f.) aufgebrochen, indem das "passivum divinum" als "passivum regium" aus dem alttestamentlichen Hofstil hergeleitet wird (Macholz, 1990).

[427] Vgl. zusätzlich zur folgenden Zusammenfassung den forschungsgeschichtl. Überblick von Gollinger, 1971, S.102f.

[428] So Hadorn, 1928, S.135; McNamara, 1966, S.223 (mit Berufung auf A. Feuillet); Roloff,1987² (1984), S.132; Giesen, 1986, S.103

[429] Vgl. Wikenhauser, 1947, S.87; Mounce, 1977, S.245.

[430] Vgl. Boll, 1914, S.113 (Sternbild); dagegen sieht Freundorfer, 1929, S.138, eine Anspielung auf eine ältere, uns verloren gegangene Schrift; ähnlich Charles, 1920, S.330; auch U.Müller, 1984, S.239, interpretiert die Adlerflügel als "Flügel eines bestimmten mythischen Adlers".

[431] Vgl. Lohmeyer, 1953² (1926), S.107; Lohse, 1988¹⁴ (1960), S.76; auch Hadorn, 1928, S.135 zieht Ass.Mos.10 heran.

[432] Vgl. die Darstellung zum "Adler" als Herrschafts- und Gottessymbol von Gollinger, 1961, S.103-105, die sich eng an den Artikel "Adler" von Schneider/Stemplinger in RAC 1 anlehnt. - Ergänzung: Acta Pilati, 20,6: Lazarus fliegt wie ein Adler aus dem Hades.

Adlerflügel, die der Frau gegeben wurden. Der Gebrauch des bestimmten Artikels legt die Vermutung nahe, daß "die beiden Flügel des großen Adlers" bei den Lesern der Apk.Joh. als bekannte Vorstellung vorauszusetzen sind. Da diese nicht aus dem vorangehenden Text ableitbar ist, ist es sinnvoll, sie aus der Tradition zu erklären. Hierzu ist eine Reminiszenz an Ex.19,4 wenig wahrscheinlich, weil die Adlerflügel dort selbst schon als Metapher stehen.[433] Hätte Johannes darauf angespielt, so wäre ein Verweis auf die "(schützenden) Adlerflügel" zu erwarten gewesen, aber keine Andeutung an Flügel eines (bestimmten) großen Adlers. Dabei ist die Anlehnung an das Bild aus Ez.17 am wahrscheinlichsten; dort können wir große lexikalische Anklänge feststellen.[434] Die Adlerflügel sind damit als Möglichkeit zur schnellen Überwindung von Entfernungen zu deuten.[435] Allerdings sind Anspielungen an die Adlerflügel als Symbol für Gottes Schutz (Ex.19,4) aus sachlichen Gründen sicher anzunehmen; schließlich erhält die Frau die Adlerflügel ja als Fluchthilfe. In diesem Zusammenhang sind Adlerflügel im rabbinischen Judentum oft belegbar.[436]

---

[433] Gegen McNamara, 1966, S.226, der eindeutige Reminiszenzen an Ex.19,4 und Dt.32,11 postuliert. Der metaphorische Gebrauch der Adlerflügel wird in der Interpretation der Targumim besonders deutlich. Im Targum Ps.-Jonathan zu Ex.19,4 trägt Gott das Volk nicht nur wie auf Adlerflügeln, sondern *auf den Wolken* wie auf Adlerflügeln.

[434] Vgl. Ez.17,3 LXX:"' Ο ἀετὸς ὁ μέγας ὁ μεγαλοπτέρυγος" (ähnl. Ez.17,7). Auch hier ist der Adler mit Artikel determiniert; vgl. auch Ps.-Philo, LAB 24,6: (ala) "aquilae *huius* levis...", die den sterbenden Josua entführt.

[435] Vgl. "Buch des Thomas", NHC 2,7,140,1-5 (zitiert nach Krause/Labib, 1971, S.93): "... `Jeder, der die Wahrheit erfragt ²von der wahrhaft weisen Person, wird sich Flügel bereiten, daß er ³fliegt, indem er vor der Begierde (ἐπιθυμία) flieht, die die Geister (πνεῦμα) ⁴der Menschen verbrennt. Und er wird sich Flügel bereiten, indem er ⁵vor jedem Geist (πνεῦμα), der offenbar ist, flieht." Die Kirchenväter deuten die Adlerflügel ekklesiologisch; vgl. Victorin von Pettau, Comm. in apocal. 12 (CSEL 49, S.110-112): "Mulierem autem uolasse in deserto auxilio alarum magnae aquilae - duum scilicet prophetarum -: ecclesiam omnem catholicam, in qua nouissimo tempore credita sunt CXLIIII milia sub Helia propheta." Ambrosius, Expos. in apocal.12,14 deutet die Adlerflügel allegorisch als die beiden Testamente, auf denen die Kirche täglich dem Drachen entflieht: "duae vero alae duo sunt Testamenta. Duae igitur alae datae sunt mulieri, quia duo Testamenta Ecclesia accepit; ut eorum doctrina et diabolum evadat, et ad coelestem patriam quotidie conscendat" (Migne, PL 17, 964 B); vgl. Primasius, Com. in. apocal.12: "Ecclesia in modum alarum duobus utitur Testamentis..." (Migne PL 68, 876D).

[436] Vgl. zur Verwendung der schützenden Adlerflügel bei den Rabbinen z.B. bBaba Batra 16b: (Midrasch zu Hiob 39,1): "Die Hinde ist grausam gegen ihre Jungen, und muß sie zum Werfen niederkauern, so steigt sie auf eine Bergspitze, damit das Junge hinabfalle und umkomme; ich (sc.: Gott) aber halte ihr einen Adler bereit, der es mit seinen Flügeln auffängt und es vor sie hinlegt". (Goldschmidt VIII, S.64). bSanhedrin 92b: "Wenn du aber fragst, was denn die Frommen machen werden während

Conclusio: Bei der Entfaltung der "Flucht der Frau" in V.6 und 14 lehnt sich der Apokalyptiker an traditionelles Material an. Nicht nur sprachlich können enge Parallelen zur LXX nachgewiesen werden, auch sachlich liegen, wie gezeigt wurde, geläufige zeitgenössische Vorstellungen vor. Da bei einer zeitgeschichtlichen Deutung der Stelle keine eindeutigen Argumente für die Identifikation einer konkreten historischen Fluchtbewegungen gegeben werden können, empfiehlt sich eher eine traditionsgeschichtliche Vorgehensweise. Die religionsgeschichtlichen Parallelen für das Motiv von der (endzeitlichen) Flucht der Gläubigen in die Wüste machen es wahrscheinlich, daß hier traditionelle Vorstellungen eingeflossen sind und keine konkrete historische Reminiszenz vorliegt.[437] Als Vergleichstext ist hier besonders Apk.Elias (kopt.) 36 zu beachten: In den letzten Tagen werden die Gläubigen in die Wüste fliehen und dort von Gott bewahrt werden.

Im Rahmen der Gesamtkomposition von Apk.Joh.12 hat der Ortswechsel der Frau parallel zu dem des Kindes Schutzfunktion. Dies ist durch die Analyse der Bildelemente "Ernähren in der Wüste", "Ort bereiten" und "Adlerflügel" zum Ausdruck gekommen. Die Frau entzieht sich zweimal durch göttliche Hilfe dem Drachen: beim ersten Mal (V.6) wird sie indirekt bedroht (der Drache will das Kind fressen) und flieht selbst. Bei der darauf folgenden direkten Bedrohung (V.14) werden ihr Adlerflügel zur Fluchthilfe gegeben.

---

der Jahre, in denen der Heilige, gepriesen sei er, seine Welt erneuern wird, wie es heißt: Und der Herr allein wird an jenem Tage erhaben sein (Jes.2,11)? Der Heilige, gepriesen sei er, wird ihnen Flügel machen, gleich den Adlern, und sie werden über den Wassern schweben, denn es heißt .. (es folgt Ps.46,3; Goldschmidt IX, S.40).

[437] Diese Deutung, bei der die Stelle in eine Motivreihe von Fluchtbewegungen in die Wüste gestellt wird, steht gegen die von A. Y. Collins an dieser Stelle (vgl. dies., 1976, S. 120-122). Diese deutet den Rückzug der Frau in die Wüste als Kombination der Exodustradition mit der Tradition vom kurzzeitig verborgenen Messias und führt als traditionsgeschichtliches Seitenstück dazu Pᵉseq.49b an. Dagegen ist einzuwenden: 1. Es handelt sich Apk.Joh.12 nicht um den Messias, der in der Wüste verborgen ist (wie in Pᵉsiq.49b), sondern um die "Sonnenfrau". Analog zur Entrückung des Kindes handelt sich der Rückzug der Frau nicht um eine Versetzung in einen "Wartestand" (wie in der Menachemlegende), sondern um die Rettung vor Verfolgung. 2. Es erscheint sehr konstruiert, in Apk.Joh.12 Anklänge an die Exodustradition sehen zu wollen, denn der Text gibt dazu keine Hinweise. Dies ist nicht nur an A. Y. Collins, sondern besonders an McNamara, 1966, zu kritisieren, der in Apk.Joh.12 durchweg Konnotationen an die Exodustradition zu erkennen glaubt (der Drache mit Ex.32,2 als Ägypten, die Flucht der Frau als Auszug u.a.); Flucht und Bewahrung in der Wüste ist im übrigen nicht exklusiv in der Exodustradition belegbar, vgl. Vit.Proph., Jona.

6. Handlungssequenz 6:
Die Erde schluckt das ausgestoßene Wasser des Drachen

Die Erde öffnet ihren Mund, um die vom Drachen ausgestoßenen Wassermassen zu verschlingen; daß die Erde selbst als Subjekt dargestellt wird, ist in der gesamten Apk.Joh. nur in 12,16 erkennbar. Die im Rahmen der Erzählung neue, unerwartete Handlung des Drachen und das überraschende Auftauchen eines neuen Aktanten (der Erde) stellen die Schwierigkeiten der Deutung dar.

Es ist auffällig, daß V.15f. bei der Erklärung des Kapitels sehr wenig Raum zubemessen wurde. Das Motiv von der wasserausstoßenden Schlange und der wassertrinkenden Erde gehört damit noch zu den dunklen Stellen von Apk.Joh.12.[438]

Die wasserausstoßende Schlange wird in der Forschung meist in Analogie zur Vorstellung vom Drachen als Wassertier in Ps.74,13; Jes.27,1; Ez.29,3; 32,2; Test.Ass.7,3 interpretiert.[439] Andere Exegeten sehen Parallelen zur Exodustypologie in Ex.15.[440]

Zur Deutung des Motivs der wasserschluckenden Erde wird zumeist Nu.16,30, die Vernichtung der "Rotte Korachs", herangezogen.[441] Die Funktion des Mythos wird verschieden gesehen. Neben einer allegorisierenden Deutung "alles überflutenden Bösen"[442] wurde auch die zeitgeschichtliche Deutung vertreten.[443]

---

[438] So hat z.B. Gollinger, 1971, in ihrer Monographie über Apk.Joh.12 diese Verse bei ihrer ansonsten eingehenden Exegese (S.73ff.) nicht berücksichtigt. Es ist auffällig, daß die Schwierigkeiten, die moderne Exegeten bei der Erklärung der Verse haben, auch auf den Autor des Kapitels projiziert wurden; vgl. Charles, 1920, S.330 zu Vv.14-16: "... in our author it is meaningless, as it is against his own expectation of a universal martyrdom." In neuerer Zeit verstand Minear, 1991, die Stelle (nach dem Vorbild von Sweet, 1979) als Entfaltung von Gen.4 (Kain und Abel).

[439] Vgl. Bousset, 1906[6], S.345; Lohmeyer, 1953[2], S.107; U.Müller, 1984, S.239; Giesen, 1986, S.103; Roloff, 1987[2], S.132; Lohse, 1988[14], S.76. Als besondere Nuance sieht Hadorn, 1928, S.136 einen Anklang an das Wasserausspeien der Walfische.

[440] Vgl. Spitta, 1889; dagegen schon Bousset, 1906[6] (1896), S.345; in neuerer Zeit aber vertreten von McNamara, 1966, S.226; Vögtle, 1971, S.408.

[441] Lohmeyer, 1953[2] (1926), S.107 und Kraft, 1974, S.170 weisen auf die sprachlichen Analogien zu Apk.Joh.12,16 hin: Nu.16,30 LXX: "καὶ ἀνοίξασα ἡ γῆ τὸ στόμα αὐτῆς καταπίεται αὐτούς...".

[442] Vgl. Mounce, 1977, S.246 ("overwhelming evil").

[443] Zur zeitgeschichtlichen Deutung der Verse 15f. wird meist auch V.14 hinzugerechnet. Auf die Flucht der Jerusalemer Urgemeinde nach Pella beziehen die Verse Weizsäcker, 1886, S.375f.; Kraft, 1974, S.170f. Charles, 1920, S.331, Mounce, 1977, S.246; Court, 1979, S.117-121 ziehen unter der Prämisse einer jüdischen

Dieser kurze Überblick zeigt die unbefriedigende Deutung der Stelle. Analogien von Apk.Joh.12,15 zu einem sich im Meer befindlichen Wassertier (Ps.74,13f.; Ez.29,3; 32,2) sind durch keinen Texthinweis gestützt. Der Drache befindet sich nicht im Meer (vgl.13,1), sondern stößt einen Strom "wie einen Fluß" aus. Auch die Identifikation des Drachen mit dem Leviathan kann nicht eindeutig gegeben werden, wenn man die vielfältigen Aussagen über diesen beachtet: in bBaba Batra 74b fließt ihm der Jordan ins Maul, nach bBaba Batra 75a hat er Feuer, kein Wasser als Element.

Stattdessen sollte man für die Erklärung von Apk.Joh.12,15f. vier Anknüpfungspunkte berücksichtigen:

1. Die Aussage über den Drachen, er stoße aus seinem Maul ὕδωρ ὡς ποταμός aus, erklärt sich am leichtesten als alttestamentliche Reminiszenz; hierbei kommen zwei Stellen in Frage:

a) Ps.77,16 LXX:

"Καὶ ἐξήγαγεν ὕδωρ ἐκ πέτρας καὶ κατήγαγεν ὡς ποταμοὺς ὕδατα".

Der Ausdruck ὕδατα ὡς ποταμούς ist dort als Bild der großen Wassermenge gebraucht, mit der Gott sein Volk in der Zeit der Wüstenwanderung beschenkt hat; es ist in eindeutig positivem Sinne gebraucht.

b) Ein Gebrauch des Ausdrucks in eindeutig negativem Sinne liegt in Jer.26,7f. LXX (Jer.46,7f. Mas.) vor:

"τίς οὗτος ὡς ποταμὸς ἀναβήσεται καὶ ὡς ποταμοὶ κυμαίνουσιν; 8 ὕδατα Αἰγύπτου ὡσεὶ ποταμὸς ἀναβήσεται καὶ εἶπεν Ἀναβήσομαι καὶ κατακαλύψω γῆν καὶ ἀπολῶ κατοικοῦντας ἐν αὐτῇ".

In Jeremia 26,7f. LXX steigen die Wasser Ägyptens auf, um die Erde und deren Einwohner zu verheeren. Dabei wird, ähnlich Apk.Joh.12,15, der Ausdruck ὕδωρ ὡσ[εὶ] ποταμός gebraucht.

Wasser, das wie ein Fluß aufsteigt, dient sowohl in Jer.26 als auch in Apk.Joh.12,15 zur Vernichtung. Sind dies, als Antwort auf die rhetorische Frage in Jer.26,7, die ὕδατα Αἰγύπτου, so ist es bei der Reminiszenz auf diese Stelle ὕδωρ ἐκ τοῦ στόματος ὄφεως.[444] Die Erwähnung der Erde in

---

Vorlage zusätzlich zur Flucht der Jerusalemer Gemeinde nach Pella auch die der Juden nach Jabne in Betracht. Bousset, 1906⁶ (1896), S.345 erwägt, daß der Autor an die Belagerung Jerusalems oder an die erste Christenverfolgung gedacht haben könnte. Die Flut als Repräsentation der Verfolgung Neros und Domitians und Hinweis auf die kommende Decische und Diocletianische Verfolgung wurde vertreten von Swete, 1907², S.159.

Jer.26,8 ist dann eine Verbindungsstelle zur plötzlichen Okkurenz der Erde in Apk.Joh.12,16.

Doch ist dieses Wortfeld nicht nur traditionsgeschichtlich (als Reminiszenz), sondern auch religionsgeschichtlich nachweisbar. Ποταμός ist in Jer.26,7f. LXX die Übersetzung des hebr. יאֹר, was üblicherweise mit "Nil" wiedergegeben wird. Doch ist dieser Ausdruck "ὕδωρ ὡς ποταμός" nicht ausschließlich auf den Nil zu beziehen, wie ein religionsgeschichtlicher Vergleich des Wortfeldes "ὕδωρ - ποταμός" mit anderen Texten deutlich macht. Vgl. Strabo, Geogr.5,3,8:[445]

> (Über den römischen Aquaeduktbau): "τοσοῦτον δ'ἐστὶ τὸ εἰσαγώγιμον ὕδωρ διὰ τῶν ὑδραψωγείων ὥστε ποταμοὺς διὰ τῆς πόλεως καὶ τῶν ὑπονόμων ῥεῖν".

Weiterhin Diodorus Sic.5,43,2:[446]

> (Beschreibung des Tempels des Zeus Triphylius bei der Stadt Panara): "Nahe am Temenos aber entsprang der Erde eine Quelle solcher Menge von Süßwasser, sodaß ein schiffbarer Fluß aus ihr entstand (... τηλικαύτη τὸ μέγεθος πηγὴ γλυκέος ὕδατος, ὥστε ποταμὸν ἐξ αὐτῆς γίνεσθαι πλωτόν)".

Diese Beispiele zeigen, daß "ὕδωρ ὡς ποταμός" nicht nur Anknüpfungspunkte im Wirkungsbereich des AT hat. Auch griechisch - hellenistische Leser, die mit der Septuaginta nicht umfassend vertraut sind, kennen diese Form als Ausdruck einer großen Wassermenge.

2. Das Bild, daß die Erde ihren Mund öffnet und etwas verschluckt, ist traditionsgeschichtlich vorbereitet.

Hier sind zwei Anknüpfungspunkte mit enger lexikalischer Verwandtschaft zu nennen:

a) Die Erde verschluckt die "Rotte Korachs" in Num.16,30: "καὶ ἀνοίξασα ἡ γῆ τὸ στόμα αὐτῆς καταπίεται αὐτούς...".

---

[444] Als Möglichkeit, warum im Text nun plötzlich das Wort "Schlange" vorkommt, läßt sich folgendes vermuten: Bei Jer.26,7f. LXX handelt es sich um eine Weissagung an Ägypten, daß der Nil das Land vernichten werde. Der Zusammenhang von "Nil vernichtet Land" und "Schlange" begegnet in der Aufnahme von Ex.7,15ff. durch Artapanus in Euseb, p.e. 9,27,27f.: Der Stab des Mose, der eben noch eine Schlange war, wird auf den Nil geschlagen, worauf dieser das Land überschwemmt (urspr.: er verwandelt sich in Blut!). Nimmt man gemäß unserer Interpretation durch die Reminiszenz an Jer.26 LXX eine Anspielung auf den Nil an, so könnte die besagte "Schlange" mitassoziiert worden sein.

[445] LCL 50, S.404.

[446] LCL 340, S.216.

Die Erde verschluckt hier Menschen als Strafe für kultisches Vergehen. In ähnlicher Weise, nämlich als Strafaktion, ist dieses Motiv in späterer Zeit rezipiert worden. In Apk.Bar.(syr.) 70 dürfte eine Anspielung an Num.16,30 vorliegen; dort wird die "Erde", die alle Menschen verschluckt, in Opposition gestellt zum "heiligen Land", das seine Bewohner bewahrt.[447] Bei den Rabbinen ist der Schlund der Erde am Vorabend des Sabbats erschaffen worden, um die Frevler zu verschlingen.[448] Irenäus spielt auf Num.16,30 beim Problem an, daß Christen abtrünnig gemacht werden.[449]

In diesem Zusammenhang kann auch die Verwendung des Motivs im Testament Abrahams gesehen werden; dort verschlingt die Erde Menschen aufgrund ethischer Vergehen:

> Test.Abr.12 (Rec.B)[450]: "Und wiederum blickte Abraham auf und sah andere Menschen, die ihre Nächsten verleumdeten, und er sprach: `Die Erde soll sich öffnen und sie verschlingen'. Wie er das noch sprach, verschlang die Erde sie bei lebendigem Leibe".

b) Ein weiterer Anknüpfungspunkt zu Apk.Joh.12,15 ist aufgrund seiner engen lexikalischen Verwandtschaft Gen.4,11 LXX; dort öffnet die Erde ihren Mund und nimmt das Blut Abels auf:

---

[447] Apk.Bar.(syr.)70,10-71,1 (zitiert nach Berger, 1992, S.252f.): "Denn die ganze Erde wird ihre Bewohner verschlingen. [71,1]Das *heilige Land* aber wird sich dessen erbarmen, was zu ihm gehört, und wird zu jener Zeit seine Bewohner beschützen." Zum Wortfeld "heiliges Land - beschützen": vgl. 4Esra 9,8; 13,48f.

[448] Vgl. bPesaḥim 54a: "Zehn Dinge wurden am Vorabend des Sabbaths bei Dämmerung erschaffen:, und zwar: der Brunnen {Num.20,7ff?}, das Manna, der Regenbogen, die Schrift, die Inschrift {Bundestafeln, vgl. bMegilla, fol.2b}, die Bundestafeln, das Grab Moses, die Höhle, in der Moses und Elijahu gestanden haben {Ex.33,22 u. 1Reg.19,9}, das Maul der Eselin {Num.22,23ff.} und der Schlund der Erde, um die Frevler zu verschlingen. Manche sagen, auch der Stab Ahrons mit seinen Mandeln und Blüten. Manche sagen, auch die Dämonen. Manche sagen, auch das Gewand Adams des Urmenschen" (Goldschmidt II, S.471). Vgl. hierzu auch mAbot 5,6.

[449] "Die sich aber erheben gegen die Wahrheit und andere auffordern gegen die Kirche Gottes (zu sein), verharren in der Hölle, vom Abgrund der Erde verschlungen, wie die um Korah, Datan und Abiram" ("qui vero exsurgunt contra veritatem et alteros adhortantur adversus Ecclesiam Dei, remanent apud inferos, voragine terrae absorpti, quemadmodum qui circa Core et Dathan et Abiron"; SC 100, S.718.720).

[450] Janssen, 1975, JSHRZ II,2, S.227; griech. Text: (James, 1892, S. 116): "καὶ πάλιν ἀναβλέψας ʹΑβραάμ, εἶδεν ἄλλους ἀνθρώπους καταλαλοῦντας ἑταίρους, καὶ εἶπεν· ʹΑνοιχθήτω ἡ γῆ καὶ καταπιέτω αὐτούς. καὶ ἐν τῷ εἰπεῖν αὐτῷ, κατέπιεν αὐτοὺς ἡ γῆ ζῶντας". Vgl. hierzu noch Kap.10, Rec.A (James, 1892, S.88): "καὶ εἶδεν εἰς ἕτερον τόπον ἄνδρα μετὰ γυναικὸς εἰς ἀλλήλους πορνεύοντας, καὶ εἶπεν Κύριε, κύριε, κέλευσον ὅπως χάνῃ ἡ γῆ καὶ καταπίῃ αὐτούς. καὶ εὐθὺς ἐδικάσθη ἡ γῆ καὶ κατέπιεν αὐτούς".

"καὶ νῦν ἐπικατάρατος σὺ ἀπὸ τῆς γῆς, ἣ ἔχανεν τὸ στόμα αὐτῆς δέξασθαι τὸ αἷμα τοῦ ἀδελφοῦ σου ...".

Dieses Motiv wird in späterer Zeit wieder aufgegriffen.[451] In Sib.3,696f. dürfte eine Reminiszenz an Gen.4,11 vorliegen; das Motiv der Erde, die das Blut der Sterbenden trinkt, wird dann im Rahmen der apokalyptischen Chaosschilderung benutzt:

> "Es trinkt aber die Erde auch selbst vom Blut der Sterbenden, es werden Tiere sich am Fleisch sattfressen".[452]

Es ist zu beobachten, daß dieses Motiv von Gen.4,11 mit anderen Traditionen verknüpft werden kann. Besonders die Motivgleichheit von Num.16,30 und Gen.4,11 wurde von den antik - jüdischen Autoren gesehen, die beide Stellen kompilierten; hier ist zunächst Ps.-Philo, LAB 16,2f. zu nennen:

> (in Verbindung zum Quastengebot): "²...Und ich trieb Kain aus und verfluchte die Erde und sprach und sagte:»Sie soll nicht ferner Blut verschlingen.« ³Und jetzt, weil die Gedanken der Menschen sehr befleckt sind, befehle ich der Erde, und sie soll Leib und Seele in gleicher Weise verschlingen...".[453]

Gott hatte dort nach Kains Brudermord der Erde befohlen, sie solle nicht mehr Blut trinken. Nach der Tat Korahs gerät er aber so in Zorn, daß er ihr den Befehl gibt, sie solle Leib und Seele verschlingen. Korahs kultisches Vergehen ist also schlimmer als Kains Tat.

Auch in bSanh.37b findet sich eine Kompilation der Stellen. Nur zum Bösen öffnet die Erde ihren Mund:

> "Ferner sagte R.Jehuda, Sohn des R.Hija: Seit dem Tage, an dem die Erde ihren Mund öffnete und das Blut Hebels aufnahm, öffnete sie ihn nicht mehr, denn es heißt: vom Saume der Erde vernahmen wir Lobgesänge: Herrlichkeit für den Frommen [Jes.24,16]; vom Samen der Erde, nicht aber vom Munde der Erde. Sein Bruder Hizqija wandte gegen ihn ein: Da tat die

---

[451] Vgl. zur Auslegung dieser Stelle Westermann, BKAT I,6, 1971, S.416f. Für eine Erweiterung dieses Motives von Gen.4,11 finden sich nicht gerade häufige Belege. Weder bei den Targumen Onkelos und Ps.-Jon. noch bei Gen.R wird die Stelle durch haggadisches Material ausgeschmückt. Auch bei den frühen Vätern findet sich wenig. Bei den Anspielungen auf Gen.4,11 wird bei Irenäus, Dem.17f.; a.h.3,23,4 oder bei Tertullian, Marc.3,25,3ff. der Mythos der Erde, die ihren Schlund öffnet und das Blut Abels trinkt, kaum erwähnt. Eine Anspielung findet sich allerdings bei Tertullian, Res.26,2: terra "hausserit sanguinem" (CCL 2, S.954); vgl. auch Theophilus, Autol.2,29.

[452] "... πίεται δέ τε γαῖα καὶ αὐτὴ αἵματος ὀλλυμένων, κορέσονται θηρία σαρκῶν" (GCS 8).

[453] Dietzfelbinger, 1975, S.143.

Erde ihren Mund auf!? [Num.16,32]. Jener erwiderte: Zum Bösen öffnete sie ihn, zum Guten nicht".[454]

3. Doch kann die Analyse dieser lexikalisch sehr eng mit Apk.Joh.12 verbundenen Stellen den Handlungsablauf von Apk.Joh.12,15f. noch nicht zur Zufriedenheit erklären. Denn in Apk.Joh.12,15f. handelt es sich beim Verschlucken des Wassers ausdrücklich um eine Hilfsaktion der Erde; diese Funktion des Motivs ist bei der Rezeption von Num.16,30 und Gen.4,11 nicht erkennbar.

Darum empfiehlt es sich, einen weiteren Anknüpfungspunkt mitzubeachten, der thematisch eng mit Apk.Joh.12,15f. verbunden ist. Dabei handelt es sich um Ex.15,12 LXX: "ἐξέτεινας τὴν δεξιάν σου, κατέπιεν αὐτοὺς γῆ".
Gott, so wird in diesem Psalm des Mose gesungen, streckt seine Rechte aus, und die Erde verschlingt die Feinde Israels. Obwohl bei der vorliegenden Textstelle das "στόμα γῆς" nicht erwähnt ist, liegt doch durch den Ausdruck "κατέπιεν γῆ (+ Akkusativ)" eine deutliche lexikalische Nähe zu Apk.Joh.12,16 vor. Interessanterweise kann in der späteren Interpretation der Stelle das Motiv von Gen.4,11 einfließen, so daß sich neben der thematischen eine größere wörtliche Ähnlichkeit zu Apk.Joh.12,16 ergibt:

> Targum Ps.-Jonathan zu Ex.15,12: "Das Meer sprach zur Erde: 'Nimm deine Kinder', und die Erde sprach zum Meer: 'Nimm deine Mörder'. Doch das Meer wollte sie nicht bedecken und die Erde wollte sie nicht schlucken. Es schreckte die Erde davor zurück, sie zu nehmen, da sie deswegen zurückgefordert werden könnten am Tag des großen Gerichts beim kommenden Äon, so wie gefordert werden wird das Blut Abels von ihr. Du strecktest aber deine rechte Hand aus, Herr, und schworst der Erde, daß sie im kommenden Äon nicht gefordert würden. Da öffnete die Erde ihren Mund und schluckte sie ein".[455]

Die Erde will zunächst die Feinde nicht schlucken, weil sie fürchtet, sie müsse diese am Tag des Gerichts wieder hergeben - wie das Blut Abels. Doch Gott streckt seine Rechte aus und die Erde öffnet ihren Mund und schluckt sie.

---

[454] Goldschmidt VIII, S.605.

[455] "ימא הוה אמר לארעא קבילי בנייכי וארעא הות אמרא לימא קביל
קטילינך לא ימא הוה בעי למטמע יתהון ולא ארעא הות בעיא למבלע
יתהון דהילא הות ארעא למקבלא יתהון מן בגלל דלא יתבעון נגה ביום
דינא רבא לעלמא דאתי היכמא דיתבע מינה דמי דהבל מן יד ארכינת יד
ימינך ה' בשבועה על ארעא דלא יתבעון מינה לעלמא דאתי ופתחת ארעא
פומה ובלעת יתהון" (Ginsburger, 1903, S.125).
Diese haggadische Ausformung der Stelle ist hier nicht singulär, vgl. Targ. Neophiti zu Ex.15,12. Auch dort öffnet die Erde ihren Mund und schluckt die Feinde, aber ohne bezug zu Gen.4,11 und Abel (vgl. Levine, 1973, S.314; dort auch weitere Belege). - Die Nähe von Ex.15,12 zu Apk.Joh.12,16 erwägt mit der gleichen Argumentation auch McNamara, 1966, S.226.

In diesem Targum ist demnach der Vorgang von Ex.15,12 in den Farben von Gen.4,11 beschrieben; der Zusatz, daß die Erde "ihren Mund öffnet", ist damit als lexikalische Angleichung an Gen.4,11 zu erklären.

Dieser Mechanismus kann auch in Apk.Joh.12,16 vorliegen. Das Targum hat gezeigt, daß bei Ex.15,12 motivähnliche Stellen Einfluß nehmen können - das Auftauchen des "Mundes der Erde" in Apk.Joh.12,16 ist somit kein Argument gegen eine Anlehnung an Ex.15,12.

4. Eine wichtige Frage bleibt allerdings offen, wenn Apk.Joh.12,16 als Anlehnung an Ex.15,12 gelesen wird. Die Erde verschlingt nämlich nicht den Feind selbst (analog zu Ex.15,12: den Drachen), sondern den Wasserstrom, den er aus seinem Maul ausgestoßen hatte.

Hierbei muß allerdings berücksichtigt werden, daß das Motiv der Erde, die ihren Mund öffnet und etwas verschluckt, nicht an eine bestimmte Tradition gebunden ist, sondern in verschiedenen Kontexten erzählt werden kann:

- Zunächst ist hier die Tradition vom Verbergen der Tempelgeräte kurz vor der Zerstörung des Tempels zu nennen, wie sie in Paralip.Jerem.3 und Apk.Bar.(syr.) 6 parallel vorliegt:

> Paralip.Jerem., Kap.3,8.14[456]: "Und es sprach zu ihm (sc. Jeremia) der Herr:»nimm sie (sc. die Geräte für den Gottesdienst) und übergib sie der Erde und sage: `Höre, Erde, die Stimme dessen, der dich erschaffen hat, der dich gebildet hat im Überschuß der Wasser, der dich versiegelt hat mit sieben Siegeln zu sieben Zeiten; und danach wirst du deine reifsten (anmutigsten) Dinge aufnehmen; bewache die Gerätschaften für den Gottesdienst bis zur Ankunft des Geliebten!'« ... [14]Jeremiah aber und Baruch gingen in das Heiligtum, nahmen die Gerätschaften für den Gottesdienst auf und übergaben sie der Erde, so wie der Herr ihnen gesagt hatte; und sogleich verschluckte diese die Erde. Da setzten sich die beiden hin und weinten."

> Apk.Bar.(syr.) 6,7-10:[457] "Und ich sah ihn [sc.: einen Engel], wie er zum Allerheiligsten hinabstieg und von dort weg den Vorhang nahm und den

---

[456] Text bei Kraft/Purintun, "Paraleipomena Ieremiou", Missoula 1972, zitiert nach Denis, 1987, S.863: "καὶ εἶπεν αὐτῷ ὁ κύριος ἆρον αὐτὰ καὶ παράδος αὐτὰ τῇ γῇ λέγων ἄκουε γῆ τῆς φωνῆς τοῦ κτίσαντός σε ὁ πλάσας σε ἐν τῇ περιουσίᾳ τῶν ὑδάτων ὁ σφραγίσας σε ἐν ἑπτὰ σφραγῖσιν ἐν ἑπτὰ καιροῖς καὶ μετὰ ταῦτα λέψῃ τὴν ὡραιότητά σου φύλαξον τὰ σκεύη τῆς λειτουργίας ἕως τῆς συνελεύσεως τοῦ ἠγαπημένου. ... [14]Ἱερεμίας δὲ καὶ Βαροὺχ εἰσῆλθον εἰς τὸ ἁγιαστήριον καὶ ἐπάραντες τὰ σκεύη τῆς λειτουργίας παρέδωκαν αὐτὰ τῇ γῇ καθὼς ἐλάλησεν αὐτοῖς ὁ κύριος. καὶ εὐθέως κατέπιεν αὐτὰ ἡ γῆ. ἐκάθισαν δὲ οἱ δύο καὶ ἐκλαυσαν."

[457] Berger, 1992, S.154.

heiligen Ephod und den Sühnedeckel und die zwei Tafeln und das heilige Gewand der Priester und den Räucheralter und die achtundvierzig Edelsteine, die der Priester anlegte und alle heiligen Gefäße des Zeltes. ⁸Und der sagte zur Erde mit lauter Stimme: Erde! Erde! Erde! Höre das Wort des mächtigen Gottes und nimm an, was ich dir anvertraue, und bewahre sie bei dir bis auf die letzten Zeiten, damit du sie, wenn es dir befohlen werden wird, zurückgibst, auf daß sich nicht die Fremden ihrer bemächtigen können. ⁹Denn auch gekommen ist die Zeit, daß auch *Jerusalem* zeitweilig *preisgegeben* werden wird, bis dann gesagt werden wird, daß es wieder hergestellt werden soll für immer! ¹⁰Und des öffnete die Erde ihren Mund und verschlang sie."

Diese beiden Rezensionen sind Ausprägungen einer Tradition vom Verschwinden der Tempelgeräte kurz vor der Katastrophe von 586 v.Chr.[458] Im Unterschied zu Paralip.Jerem. ist in Apk.Bar.(syr.) bei der Rettung der Tempelgeräte, denen durch deren Aufzählung besonderes Interesse zugemessen zu werden scheint, ein Engel am Werk. Dies ist wohl durch die theologische Konzeption der Apk.Bar.(syr.) begründet, bei der die besondere Rolle der himmlischen Mächte bei den Geschehnissen um die Zerstörung des Tempels hervorgehoben wird (vgl.7,1: Engel antizipieren die Zerstörung Zions). In den Paralip.Jerem. verbergen Baruch und Jeremia die Geräte. Redaktionell an den vorliegenden Ausprägungen ist die Vorstellung, daß die Erde die Kultgeräte verschluckt, denn diese Notiz findet man in der früheren Ausprägung bei Eupol. und in 2Makk. nicht. Dies zeigt, daß das Motiv eigenständig verwendet werden konnte.

- In einer talmudischen Parallele ist das Motiv vom schützenden Verschlucken der Erde, das in Apk.Joh.12 begegnet, in ähnlicher Weise aufgegriffen:

---

[458] Zu dieser Tradition vgl. Wolff, 1976, S.61-71; Herzer, 1994, S.48-52. Ausprägungen: vgl. Eupolemos bei Euseb, P.E.9,39,1f.; in 2Makk.2,4f. bringt Jeremiah Zelt und Lade auf den Berg Nebo, dem Sterbeort des Mose. Bei Pseudo-Philo in LAB 36,12f. ist es Gott selbst, der die heiligen Geräte bei der Tempelzerstörung verbirgt; er legt sie nieder "an den Ort, von dem sie am Anfang hervorgeholt worden sind" (Dietzfelbinger, 1975, S.177f.). In rabbinischen Traditionen werden die heiligen Geräte an entsprechend heiligen Orten verborgen: Rabbi Jᵉhuda ben Laqisch meint in TSchᵉq 2,18, die Lade sei im Allerheiligsten verborgen worden, ähnlich R. Schim'on b.Jochai in Yoma 53b. Nach jSchᵉq 6,1f. par. pSchᵉq 6,49c,19 ist die Lade unter dem Estrich einer Holzzelle im Heiligtum verborgen. Bei Josephus, Ant.18,85f. wird die samaritanische Variante der Tradition deutlich: Moses hat die Geräte auf dem Garizim versteckt (vgl. Zangenberg, 1994, S.82f.). In einer späteren Ausprägung in Vit.Proph., Jerem.9 schluckt nicht die Erde, sondern ein Felsen die Kultgegenstände: "οὗτος ὁ προφήτης πρὸ τῆς ἁλώσεως τοῦ ναοῦ ἥρπαξε τὴν κιβωτὸν τοῦ νόμου καὶ τὰ ἐν αὐτῷ καὶ ἐποίησεν αὐτὰ καταποθῆναι ἐν πέτρα ..." (Denis, 1987, S.868).

bSoṭa 11b (Die Frauen aus Ex.1): "Nach ihrer Schwängerung kehrten sie heim, und als die Zeit ihrer Niederkunft heranreichte, gingen sie wiederum aufs Feld und gebaren unter dem Apfelbaum, wie es heißt: Unter dem Apfelbaume weckte ich dich &c [Cant.8,5]. Der Heilige, gepriesen sei er, sandte ihnen dann jemand aus den himmlischen Höhen, der sie reinigte und putzte, wie die Hebamme das Kind putzt, wie es heißt: Und deine Geburt, am Tage, an dem du geboren wurdest &c [Ez.16,4]. Er besorgte ihnen dann zwei Kugeln, eine aus Öl und eine aus Honig, wie es heißt: er ließ ihn Honig saugen aus einem Felsen und Öl &c.[Dtn.32,13]. Sobald die Micrijim sie bemerkten und sie töten wollten, geschah ihnen ein Wunder, und die Erde verschlang sie, worauf jene Rinder holten und [die Erde] über ihnen pflügten, wie es heißt: auf meinem Rücken haben die Pflüger gepflügt &c [Ps.129,3]. Nachdem jene fortgegangen waren, schossen sie heraus und kamen hervor wie das Kraut das Feldes ...".[459]

Frauen haben Kinder geboren, werden darum von Feinden verfolgt, doch ein Wunder geschieht und die Erde verschluckt die Frauen und rettet sie somit. Dies sind deutlich ähnliche Züge zum Handlungsablauf von Apk.Joh.12. Zusätzlich ist das Motiv vom Verschlucken der Erde auch in der gleichen Funktion berichtet worden: Die Erde verschluckt, um die verfolgten Frauen zu schützen.

- Ganz unabhängig von den alttestamentlichen Traditionen können auch religionsgeschichtliche Parallelen herangezogen werden. Lukian berichtet in "De dea Syria" 13, daß die deukalische Flut ein Ende fand, als sich in der Erde eine Kluft auftat und das Wasser eingeschluckt hatte:

"...ὅτι ἐν τῇ σφετέρῃ χώρῃ χάσμα μέγα ἐγένετο καὶ τὸ σύμπαν ὕδωρ κατεδέξατο".[460]

Hier liegt eine Verbindung zu einer Sintfluterzählung vor. Dieses Beispiel zeigt, daß auch Verbindungsstellen zu paganen Traditionen bestehen.

---

[459] Goldschmidt VI, S.421; vgl. hierzu auch die Parallele in Ex.R zu Ex.1,14.

[460] LCL 162, S.352; Dieser Tradition von Hierapolis ist eine ältere aus Athen vergleichbar, vgl hierzu Pausanias I,18,7 (Reisebeschreibung Athens, vor dem Zeusheiligtum mit Hadrianfiguren): "Von den Altertümern befinden sich in dem Bezirk ein bronzener Zeus und ein Tempel des Kronos und der Rhea und ein Heiligtum der Ge mit Beinamen Olympia. Hier klafft die Erde etwa eine Elle auseinander, und man sagt, daß hier die Wasser nach der Flut unter Deukalion abgeflossen seien, und wirft in diesen Spalt jährlich Brote aus Weizenmehl und Honig" (Meyer, 1954, S.69). Die Tradition von der Erde, die nach der Flut das Wasser wieder einschluckt, ist auch im Koran nachweisbar, vgl. Sure 11,45: "Und es ward gesprochen: »Oh Erde, verschlinge dein Wasser, und oh Himmel, höre auf (zu regnen)!« Und das Wasser begann zu versiegen und die Angelegenheit war entschieden" (Zitiert nach Ahmadiyya-Bewegung [Hg.], 1980, S.209).

Ergebnis: Der Handlungsablauf in Apk.Joh.12,15f. läßt sich, bedingt durch zahlreiche Parallelen innerhalb des Wirkungsbereichs des AT, traditionsgeschichtlich am einfachsten erklären. Die Handlung des Drachen zeigt deutliche Anklänge an Jer.26,8 LXX, das Fremdvölkerwort gegen Ägypten. Der Drache wird also weiterhin, wie in V.3 begonnen, mit alttestamentlichen Zügen gezeichnet. Der Rückgriff auf ein Fremdvölkerorakel zeigt die politischen Konnotationen der Handlung. Die Erwähnung der vom Wasser überfluteten Erde an dieser Stelle bildet den Anknüpfungspunkt für das Auftauchen der "Erde", die das Wasser einschluckt. Dieses Motiv ist ebenso in der alttestamentlichen Tradition vorbereitet - hier ist neben Gen.4,11 und Num.16,30 besonders die spätere Rezeption von Ex.15,12 zu beachten. Diese Stellen sind in der weiteren Rezeptionsgeschichte auch in ihrer gegenseitigen Beeinflussung belegbar (Gen.4,11 und Ex.15,12 in Targ. Ps.-Jon. zu Ex.15,12). Besonders bedeutend für die Exegese von Apk.Joh.12,15f. sind dabei Texte, bei denen die Erde etwas zum Schutz vor Feinden verschluckt (Ex.12,15: Feinde Israels; bSoṭa 11b: Feinde der israelitischen Frauen).

Neben diesen traditionsgeschichtlichen Belegen konnten auch immer wieder Anknüpfungspunkte an pagane Traditionen festgestellt werden. Das Worfeld "ὕδωρ - ποταμός" ist in der paganen Umwelt belegbar, ebenso die Vorstellung, daß die Erde sich öffnet und eine große Menge Wasser einschluckt. Auch diese Mythen in V.15f. können von einer breiten Leserschicht verstanden werden.

7. Handlungssequenz 7:

Der Drache verfolgt die "übrigen ihres Samens"

Die "übrigen ihres Samens" werden in der Literatur in großer Übereinstimmung als die Christen allgemein gedeutet. Boussets Deutung auf die "Heidenchristen" im Gegensatz zu Judenchristen hatte sich nicht durchgesetzt.[461] Bei der Deutung des Ausdrucks in V.17 "(die übrigen) τοῦ σπέρματος αὐτῆς" wurde aufgrund der engen lexikalischen Verwandtschaft auf Gen.3,15 LXX verwiesen.[462]

Diese Christen sind dadurch näher bestimmt, daß sie die "Gebote Gottes halten und das Zeugnis Jesu haben". Nun wird gerade dieser zweigliedrige Ausdruck in der Apk.Joh. in verschiedenen Zusammenhängen gebraucht:

	Wer hält / hat	1. Glied	2. Glied
1,2	Johannes	Wort Gottes	Zeugnis Jesu
1,9	Joh., Bruder+Mitge- nosse in Bedrängnis	Wort Gottes	Zeugnis Jesu Christi
6,9	Seelen d. Getöteten	wg. Wort Gottes	ihr Zeugnis
12,11	Brüder	Blut d. Lammes	Wort ihres Zeugnisses
12,17	"Übrige"	Gebote Gottes halten	Zeugnis Jesu halten
20,4	Enthauptete	wg.Zeugnis Jesu	Wort Gottes

Man erkennt an dieser Aufstellung die nahe Verbindung dieses zweigliedrigen Ausdruckes zur Märtyrertheologie. Es geht um Johannes als συγκοινωνός in der Bedrängnis (1,9), um die Seelen der Getöteten (6,9) und um die Enthaupteten (20,4). In der gleichen Linie stehen auch die "Brüder" in 12,11 und die "Übrigen ihres Samens" in 12,17. Dabei dürfte die Adressatensituation im Hintergrund stehen. Besonders 1,9 ist in diesem Zusammenhang entscheidend wichtig, weil Johannes hier aufgrund seiner Solidarität zu den "Bedrängten", nämlich seiner Adressaten, den zweigliedrigen Ausdruck auf sich bezieht.[463]

Diese pragmatische Auslegung von Apk.Joh.12,17, die Deutung also, daß Johannes hier die Adressaten seines Rundbriefes in seine Erzählung mit

---

[461] Bousset, 1906[6], S.345f. redet von den "Christen überhaupt im römischen Reich". Charles, 1920, S.332, legt sich nicht fest: Gentile Christians or the Church in General.

[462] So z.B. Boll, 1914, S.118; Roloff, 1987[2], S.125; Mounce, 1977, S.247.

[463] Ähnlich Holtz, 1961, S.55-57 werden in der vorliegenden Untersuchung Verkündigung und Leiden als grundlegende Elemente für das "μάρτυς" - Verständnis der Apk.Joh. angesehen; anders: Brox, 1961, S.92-105: Vermittlung einer Offenbarung; vgl. zur Diskussion Wolff, 1981, S.186f.

aufnimmt, wird auch in der Forschung vertreten; A.Y. Collins vermutete, daß hier die symbolische Ebene verlassen werde und wertete den Vers - gemeinsam mit dem Hymnus - im Rahmen ihrer Quellenscheidung als christliche Redaktion,[464] die auf die historische Situation des Kapitels anspiele.[465] Auch Gollinger deutet die "Übrigen" als die auf der Erde lebenden Christen und nimmt sie als Ausgangspunkt für ihre Interpretation des "Großen Zeichens", weil hier die Bedeutung feststehe.[466] Es gehe um die unter Verfolgung ausharrenden Christen.[467]

Ergebnis: Wie schon im Hymnus (V.10-12) werden am Ende der Handlungsreihe von Apk.Joh.12 die Adressaten der Apk.Joh. direkt angesprochen. Dies weist darauf hin, daß der Seher in Apk.Joh.12 eine Aussage macht, die mit der konkreten Situation seiner Leser etwas zu tun hat. Die Analyse dieser Aussage soll uns im nächsten Kapitel beschäftigen.

---

[464] A. Y. Collins, 1976, S.110.

[465] A.a.O., S.144.

[466] Gollinger, 1971, S.174. Ihrer Unterscheidung zwischen der Frau in der Wüste als kollektive, geschützte Kirche und den Nachkommen der Frau als angreifbare Einzelchristen (a.a.O., S.179) kann in der vorliegenden Analyse nicht gefolgt werden, da hier von zwei unterschiedlichen Ebenen ausgegangen wird: Während die "Frau" noch klarer Teil der mythischen Erzählebene ist, gehören die "Nachkommen" zur pragmatischen Ebene der Adressatensituation.

[467] So auch Wolff, 1981, S.193, der bei seiner Untersuchung der "Gemeinde der Christen" in der Apk.Joh. sowohl den Hymnus als auch V.17 auf die konkrete Gemeindesituation bezieht.

Teil V
Die Gesamthandlung - Zur Theologie von Apk.Joh.12

1. Thema und Rhema des Kapitels

1.1. Die Frage nach dem Thema

Schon bei den methodischen Vorüberlegungen in Teil I wurde als Prämisse festgelegt, daß wir es in Apk.Joh.12 nicht mit "unverständlichen und aller Erklärung spottenden Hieroglyphen"[468] zu tun haben, sondern mit sinnvollen theologischen Aussagen; um diese geht es in der folgenden Darstellung: Wie ist das Thema zu beschreiben, über das der Seher Johannes in Apk.Joh.12 zu den Gemeinden redet und dafür all das mythologische Material anführt? Die methodische crux bei der Suche nach dem Thema besteht für den Exegeten darin, daß zuerst bei der rhematischen Struktur angesetzt werden muß; anders gesagt: von den vorliegenden Aussagen muß auf das, worüber diese Aussagen gemacht wurden, geschlossen werden. Damit stehen Thema und Rhema methodisch in einem korrelativen Verhältnis.

Um das Thema des Kapitels umreißen zu können erscheint es mir methodisch am besten, bei eindeutigen Hinweisen auf die Kommunikationssituation anzusetzen. Dort, wo der Bezug des Autors zu seinen Lesern am deutlichsten ist, wird auch das Thema dieser Kommunikation am einfachsten zu ermitteln sein. In diesem Zusammenhang wird man bei den Versen 10-12 (dem Hymnus) und V.17 ansetzen müssen, denn dort werden, wie in der vorangegangenen Analyse ermittelt, die Adressaten direkt angesprochen.

Das Thema steht demnach, wie es der Hymnus und V.17 erkennen lassen, in engem Zusammenhang mit dem Geschick der Adressaten der Apk.Joh. Diese können sich mit den "übrigen" des Samens der Frau, die die Gebote halten, identifizieren, ebenso mit den "Brüdern", die in ihrem todesmutigen Verhalten und im Zeugnis den Drachen besiegen. Hier ist V.12 für die Interpretation

---

[468] Bousset, 1906[6], S.123.

eminent wichtig, weil dort die Handlung des Textes, die in den vielen mythischen Bildern dargestellt wird, zusammengefaßt ist: Nach dem Hinauswurf des Drachen können sich die Himmelsbewohner freuen, doch nicht die Erdbewohner, zu denen der Teufel mit großem Zorn und unter Zeitdruck herabkommt.

Es ist durchaus denkbar, daß der Autor dabei auf Anfragen der Gemeinde nach dem Grund von aktuellen Repressionen reagiert. Diese Anfragen dürften einerseits aufgrund der aktuell gegebenen historischen Situation der Gemeinden bestehen, wie sie beispielsweise in den Sendschreiben (vgl. Kap.2,13!) deutlich wird. Andererseits dürften die oben angesprochenen Anfragen nicht nur historisch, sondern auch theologisch motiviert sein - gerade wenn man sich frühchristliche Theologien wie in Ign.Eph.19, Act.Petr.7; Justin, Dial.78,9 oder auch Test.Jos.19 vor Augen hält,[469] bei denen die Geburt Christi als Voraussetzung für den Sieg über das Böse dargestellt wird. Das theologische Problem stellt sich dann angesichts solcher Theologien durch die aktuelle Situation, die beispielsweise in den Sendschreiben (2,13!) deutlich wird: Christus ist geboren - und die Gemeinde erfährt trotzdem Repression. Zu diesem Thema bezieht der Seher Johannes in Apk.Joh.12 Position.

Damit stellt sich Apk.Joh.12 als theologische Antwort auf die Differenzerfahrung der Gemeinden dar. Zeitgenössische Theologien, bei denen auf die Geburt des Erlösers der Sieg über den Widersacher folgt, scheinen die konkrete Situation der Gemeinden nicht widerspiegeln zu können. Der Autor Johannes stellt sich dem Problem (dem Thema), warum trotz der Geburt Christi die Gemeinden noch Repression erfahren. Seine theologische Antwort wird uns in der rhematischen Struktur des Kapitels deutlich.

1.2. Die Frage nach dem Rhema

Wie geht nun der Seher Johannes auf das oben beschriebene Problem ein?
1. Im Grunde behält er das Schema der oben beschriebenen frühchristlichen Theologien bei. Die Geburt Jesu ist ebenso wie in den o.g. Vergleichstexten tatsächlich die Voraussetzung für den Sieg über die Widersacher; dies wird durch einen christologischen Brückenschlag zwischen Apk.Joh.12,5 und Apk.Joh.19,11ff. geleistet: Das entrückte Kind kommt in naher Zukunft als

---

[469] Zu diesen Texten und der Vorstellung, daß die Geburt Christi die Voraussetzung für den Sieg über das Böse darstellt, s.o., Teil IV, 1.3.1.2, S.70f.

blutiger Reiter wieder und besiegt die Feinde. Die Charakterisierung der beiden Figuren Kind / Reiter erfolgt nach den gleichen Schema, nämlich durch Rückgriff auf Ps.2,9 LXX, einer Metapher, die zur Zeit des Apokalyptikers in deutlich antirömischen Kontext verwendet wurde (s.o., Teil IV, 2.1.4). Dadurch erhält das Bild eine politische Spitze.

2. Ein Ausgleich der oben beschriebenen eschatologischen Aussage (die Geburt des Erlösers ist die Voraussetzung für die Vernichtung des Widersachers) mit der Gemeindewirklichkeit wird ebenso von dem Apokalyptiker geleistet. Sie erfolgt mit der "Zerdehnung" der Zeit zwischen Geburt und Vernichtung des Widersachers, und zwar mit Rückgriff auf weitere traditionelle Elemente: Der Tradition von der schützenden Entrückung direkt nach der Geburt (s.o., Teil IV, 2.2.2) oder dem 3 1/2 Zeiten - Schema (die letzte halbe Jahrwoche ist schon angebrochen, nur während dieser Zeit wird noch die Gemeinde verfolgt).

3. Der Drachenkampf in V.7-9 nimmt das in Kap.19,11ff. geschilderte Ereignis schon prinzipiell vorweg. Mit traditionellen Bildern wird beschrieben, daß der Widersacher im Himmel schon besiegt ist. Die oben dargestellte eschatologische Aussage von der Erlösergeburt als Voraussetzung für den Sieg über den Widersacher wird weiter aufrechterhalten, denn der Drachensturz erfolgt ja nach der Geburt und der Entrückung des Kindes. Aber dieser Sieg findet im Himmel statt und muß auf der Erde, auf der eine Verfolgungssituation herrscht (V.6.13-15) noch vollzogen werden.

2. Religionsgeschichtliche Einordnung

Sind die im vorigen Abschnitt getroffenen Annahmen richtig, so entwirft der Autor in Apk.Joh.12, womöglich aufgrund der aktuellen Gemeindesituation, eine Begründung für die aktuelle Differenzerfahrung der Gemeinden. Ausgehend von konkreten Erfahrungen des "Bösen" bei den Adressaten wird entfaltet, daß dieses prinzipiell schon vernichtet sei und nur noch kurze Zeit wirken werde.

Es geht dabei nicht um die Frage nach der chronischen Wirksamkeit des Bösen oder nach dessen prinzipieller Entstehung. Darum fallen Texte zum

Vergleich mit Apk.Joh.12 heraus, die eine vorgeschichtliche Konfrontation der Menschen mit Satan erzählen, wie z.B. die Tradition von der verweigerten Huldigung Adams (z.B. Apk.Sedr.5; Vita Ad.12-14; Koran, Sure 2,35-37): Der Satan will Adam nicht huldigen, wie es andere Engel tun, und wird darum aus dem Himmel vertrieben; Konsequenz: er verführt Adam im Sündenfall. Obwohl inhaltliche Ähnlichkeiten zu Apk.Joh.12 bestehen, sind diese Texte thematisch nicht vergleichbar mit der Theologie von Apk.Joh.12; dort geht es um die Begründung des Sündenfalls, also des chronischen Bösen, nicht um die Begründung einer aktuellen, vom Satan angeregten üblen Situation.

Für die in Apk.Joh.12 vertretene Position ist es schwierig, Vergleichstexte zu finden; der Apokalyptiker scheint, was die Verbindung des aktuellen Bösen mit dem Satan in Apk.Joh.12 anbetrifft, auf keine breit angelegte theologische Konzeption zurückgegriffen zu haben. Wie ist seine Aussage religionsgeschichtlich einzuordnen? Folgende Parallelen seien vorgeschlagen:

1. Das Freer-Logion: der Codex Freer (W) fügt zum sekundären Markusschluß Mk.16 noch ein Logion hinzu, das folgendermaßen lautet:[470]

> "Jene entschuldigten sich und sprachen:»Dieser Äon der Gesetzlosigkeit und des Unglaubens ist unter dem Satan, der es nicht zuläßt, daß das unter den unreinen Geistern Stehende die Wahrheit (und?) Kraft Gottes ergreife. Deswegen offenbare jetzt deine Gerechtigkeit«, sprachen jene zu Christus. Und Christus erwiderte ihnen:»Erfüllt ist das Maß der Jahre der Macht Satans. Dennoch nähert sich anderes Furchtbares. Und für die, die sündigten, wurde ich dem Tode hingegeben, damit sie sich zur Wahrheit hinwenden und nicht mehr sündigen, damit sie die pneumatische und unvergängliche Herrlichkeit der Gerechtigkeit im Himmel erben«".

Dieser Text hat Ähnlichkeiten in der Thema-Rhema - Struktur von Apk.Joh.12. Es geht auch hier darum, daß der Satan immer noch auf der Erde wirkt, und zwar trotz Jesu Erdenwirken. Jesus antwortet in diesem Logion mit rhematischer Ähnlichkeit zu Apk.Joh.12: "Erfüllt ist der Höhepunkt der Jahre der Macht Satans" und "Furchtbares kommt" (Die ἐξουσία καὶ δύναμις ist gekommen, der Ankläger ist aus dem Himmel geworfen, und: Wehe der Erde und dem Meer).

Die Macht Satans ist gebrochen, dennoch nähert sich Furchtbares. In dieser theologischen Aussage ist das Logion mit Apk.Joh.12 vergleichbar. Was im Freer-Logion als Offenbarungsrede kurz umrissen ist, wird in Apk.Joh.12 mythologisch gefüllt; es wird erzählt, wie die Macht Satans gebrochen worden ist

---

[470] Zum Text: Nestle/Aland, 1979[26], S.148; Übersetzung, Kommentar und Lit.: J. Jeremias bei Schneemelcher I, 1990[6], S.204f.

und in welcher Weise das "Furchtbare" wirkt. Der große Unterschied zu Apk.Joh.12 ist, daß dieses "Furchtbare" im Freer-Logion nicht vom Satan selbst stammen muß. Dies ist in Apk.Joh.12 anders: Der Satan wird im Himmel besiegt und wütet darum auf der Erde.

Doch dennoch ist nicht zu leugnen, daß es sich beim Freer-Logion um eine frühchristliche Aussage handelt, die mythologische Anklänge an Apk.Joh.12 hat (Satan) und zudem inhaltlich eng in Beziehung zur Theologie des Kapitels steht.

2. Als weitere Parallele ist nochmals auf Test.Sal.20 hinzuweisen.[471] Dämonen fallen vom Himmel und Felder geraten als Folge in Brand. Der Fall der Dämonen bewirkt Übel auf der Erde. Diese Vorstellung liegt auch in Apk.Joh.12 vor.

3. Als religionsgeschichtlicher Vergleichstext, der sehr enge Verbindungen zur Theologie von Apk.Joh.12 aufweist, kann hier der Ate - Mythos bei Homer, Il.19,85ff. herangezogen werden. Die Rede von Agamemnon erzählt von Ate, der Verblenderin (῎Ατη, ἥ πάντας ἀᾶται), von der sich auch Zeus verblenden ließ: Sie verleitete ihn nämlich zum Schwur, daß an diesem Tage ein besonderer Mensch geboren werden würde, "der alle Umwohnenden beherrschen wird" (ὃς πάντεσσι περικτιόνεσσιν ἀνάξει). Zeus schwur, weil er wußte, daß Alkmene an diesem Tage mit Herakles niederkommen würde. Daraufhin hielt Ate die Geburt der Alkmene zurück, forcierte dafür aber die des Euristheus, des Sohnes von Sthenelos. Als Zeus dies merkte, warf er sie aus dem Himmel (ἔρριψεν ἀπ' οὐρανοῦ ἀστερόεντος). Sie stürzt sich daraufhin auf die Werke der Menschen (τάχα δ' ἵκετο ἔργ' ἀνθρώπων).

Dieser Mythos wurde zuerst von Zielinski (1931) zur Auslegung von Apk.Joh.12 herangezogen und seitdem nicht mehr rezipiert (Zielinskis m.E. wichtiger Beitrag zu Apk.Joh.12 wird bei den neueren Autoren lediglich bei Gollinger (1971) im Literaturverzeichnis angeführt). Obwohl Zielinskis Begriff "Hamartigenie" im Zusammenhang von Apk.Joh.12 ungeschickt ist (es geht in Apk.Joh.12 nicht um den Ursprung der "Sünde", sondern des Bösen, das dem gerechten Gläubigen widerfährt), ist die Agamemnonrede ein wichtiger früher Vergleichstext; folgende Strukturen sind parallel:
- es geht um eine Figur des "Bösen" (ἀάω);
- diese wird aus dem Himmel auf die Erde geworfen;
- den Anlaß bildet die Geburt eines Halbgottes (Herakles);

---

[471] Zum Text: s.o., Teil IV, 3.4.2.2., S.138.

- dieser wird mit königlichen Prädikaten ausgezeichnet ("er wird alle Umwohner beherrschen", vgl.: "er wird die Völker weiden mit eisernem Stab");
- vom Himmel geworfen, treibt Ate ihr Unwesen bei den Menschen weiter.

Spätestens anhand dieser (sehr frühen) Vergleichsquelle läßt sich sehen, daß die Theologie des Sehers und deren mythische Ausgestaltung nicht völlig frei erfunden sein mußte, sondern in der Antike durchaus belegbar ist. Doch muß man bei diesem Homertext gemäß unserer methodischen Maximen die Frage nach der Transmission stellen. Hierbei ist als Verbindungsmöglichkeit wiederum auf die Homerexegese des Mittelplatonismus hinzuweisen. Kontaktstellen über das (ägyptische) Judentum sind möglich, wenn hier auch nicht belegbar. Belegbar ist allerdings die neuplatonisch - christliche Rezeption des Ate-Mythos bei Pseudo - Justin, Cohortatio ad Graecos 28:

> "Ebenso berichtet er (sc.: Homer) auch von dem aus den Himmeln verstoßenen Feind der Menschheit, den die göttlichen Schriften "Teufel" nennen - von seinem ersten Zerwürfnis bei den Menschen ist ihm dieser Name zuteil geworden; wenn jemand genau nachschauen will, findet er zwar, daß der Dichter den Namen "diabolos" nirgends erwähnt, die Bezeichnung aber nach dessen schlechtester Tat ersonnen hat: Ate nennt ihn nämlich der Dichter und sagt von ihm, daß er von ihrem [der Heiden]Gott aus dem Himmel herabgestoßen worden sei; genauso wie es in den vom Propheten Jesaja verkündigten Aussagen über ihn überliefert ist."[472]

Der Verfasser dieses Textes kompiliert in Kap.28 Plato und Homer mit der christlich-jüdischen Tradition. Der "Diabolos" wird mit der homerischen Ate identifiziert (Grund: Himmelssturz beim Diabolos und bei Ate). Der Ate - Mythos wird dabei mit Jes.14,12 verknüpft, dem Fall des "Morgensternes". Doch ist deutlich, daß bei dieser Homerrezeption des Ps.-Justin der Teil des Mythos nicht aufgenommen wird, in dem Ate Schaden bei den Menschen anrichtet. Der Ate-Mythos dient dazu, Homer in die christliche Tradition einzubetten - darum die Gleichsetzung Ate - Teufel und der Verweis auf Jesaja.

---

[472] " Ὁμοίως δὲ καὶ περὶ τοῦ ἀπ᾽ οὐρανῶν κατενεχθέντος ἐχθροῦ τῆς ἀνθρωπότητος, ὃν διάβολον αἱ θεῖαι Γραφαὶ καλοῦσιν, ἀπὸ τῆς πρώτης αὐτοῦ πρὸς τὸν ἄνθρωπον διαβολῆς ταύτης τῆς προσηγορίας τυχόντα· καὶ εἴ τις ἀκριβῶς σκοπεῖν ἐθέλοι, εὕροι ἂν τὸν ποιητὴν τοῦ μὲν διαβόλου ὀνόματος οὐδαμῶς μεμνημένον, ἐκ δὲ τῆς κακίστης αὐτοῦ πράξεως τὴν ὀνομασίαν πεποιημένον· Ἄτην γὰρ αὐτὸν ὁ ποιητὴς ὀνομάζων ὑπὸ τοῦ κατ᾽ αὐτοὺς Θεοῦ καθῃρῆσθαι αὐτὸν ἐκ τοῦ οὐρανοῦ λέγει, ὥσπερ ἀκριβῶς τῶν ὑπὸ ᾽ Ἡσαίου τοῦ προφήτου περὶ αὐτοῦ εἰρημένων μεμνημένος ῥητῶν" (Migne PG 6, 296A).

3. Die Frage nach der Eigentümlichkeit der in Apk.Joh.12 vertretenen Theologie

Im vorangegangenen Abschnitt konnten für die theologische Aussage des Sehers Parallelen gezeigt werden. Das theologische Modell, daß das akute Wüten des Satans in dessen (eigentlicher) Niederlage begründet ist und nur noch kurze Zeit dauert, ist im Freer-Logion angelegt und bei Homer sogar ähnlich mythisch ausgestaltet. Diese Denkkategorie ist im weiteren traditions- und religionsgeschichtlichen Umfeld des Sehers also nachweislich vorhanden. Damit ist für eine historische Betrachtung dieses in moderner religionsgeschichtlicher Exegese rekonstruierten Denkmodells das Analogiekriterium gesichert: Die Existenz einer Parallele senkt die Wahrscheinlichkeit erheblich, daß es sich bei der oben skizzierten "Theologie von Apk.Joh.12" um eine neuzeitliche Fiktion handelt.

Doch trotz dieser Ergebnisse liegen die Probleme auf der Hand: das Freer-Logion ist zeitlich nach der Apk.Joh. anzusetzen, und bei Homer ist die Frage nach der Transmission nur unzureichend klärbar. Als Konsequenz kann man dann eine Abhängigkeit des Johannes von solchen Modellen nicht als unbedingt gegeben betrachten; als Alternative wäre dann anzunehmen, der Seher habe eine ganz eigentümliche Art von Theologie, vielleicht sogar als Neuschöpfung, betrieben. Dies lenkt dann natürlich ab von der in der Forschung verbreiteten Sicht des "Kompilators" vorgegebener Traditionen und ließe den Autor der Apk.Joh. als eigenständigen Theologen erscheinen.

Diese These wird auch durch die Verarbeitung des Ate-Mythos bei Ps. - Justin erhärtet. In wieweit wird hier die Aussage mitrezipiert, daß der Sturz Ates nun Unheil für die Menschen bedeutet? Hierbei fällt auf, daß nur der Sturz aus dem Himmel rezipiert wird, nicht die Konsequenz, daß Ate dort ihr Unwesen treibt. Diese Beobachtung erhärtet den Verdacht, daß die theologische Aussage, die der Seher mit seinem (dem Ate-Mythos in weiten Teilen vergleichbaren) Mythenkompendium macht, nicht zu den gängigen theologischen Modellen zur Erklärung des aktuellen Bösen zählte. Bei Ps.-Justin jedenfalls wird dieses Modell nicht erwähnt.

An dieser Stelle ist nach der Kommunikationssituation der Apk.Joh. und speziell des 12. Kapitels zu fragen. Wie schon eingangs vermutet wurde, setzt sich Johannes mit der theologischen Konzeption auseinander, nach der Jesu Geburt die Voraussetzung für die Vernichtung des Bösen gesehen wurde. Wie aus dem pragmatischen Gesamteindruck der Apk.Joh. zu ersehen ist, dürfte die

Lebenswelt der Adressaten dabei allerdings durchaus von der Erfahrung des Bösen geprägt sein, sonst wäre eine derartig hochentwickelte Martyriumtheologie, wie wir sie in der Apk.Joh. vorfinden, kaum vorstellbar. Somit ist die Frage nach dem Sinn dieser theologischen Aussage von der Vernichtung des Bösen im Gefolge der Geburt Jesu wohl von den Gemeinden selbst gestellt worden; wie aus dem Epheserbrief des Ignatius (Ign.Eph.19) ersichtlich ist, war sie in Kleinasien jedenfalls bekannt.

Wie ist also die Erfahrung von Leid mit der Geburt Jesu zu harmonieren? Johannes leistet dies, indem der die leidvolle Wirksamkeit des Drachen zeitlich reduziert (V.12). Damit wird die oben beschriebene theologische Konzeption nicht verworfen, denn der Sieg über das Böse geschieht ja noch, und bei der Beschreibung des Reiters in Kap.19, der diesen Sieg einleitet, wird deutlich auf die in Kap.12 dargestellte Geburt Christi angespielt.

Gleichzeitig werden die realen Erfahrungen der Gemeinden aufgenommen; die Aussage, daß jene ein baldiges Ende haben werden, hat überaus tröstliche Funktion.

Wie haben nun die Adressaten der Apk.Joh. diese Aussagen aufgenommen? Von der direkten Rezeption der Apk.Joh. wissen wir nichts, denn ein "Antwortschreiben" existiert nicht und ein zweiter Brief, der die veränderte Situation erschließen lassen könnte (ähnlich 2Cor.) ist nicht überliefert. Somit sind wir bei der Frage der Rezeption des Kapitels gezwungen, zeitlich weiter entfernte Leser zu hören. Möglicherweise können diese darüber Auskunft geben, wie die theologischen Aussagen von Apk.Joh.12 in den folgenden Jahrzehnten und Jahrhunderten aufgenommen worden sind.

Teil VI

Die Rezeptionsgeschichte von Apk.Joh.12

1. Die Fragestellung

Wenn in diesem Kapitel die Wirkungsgeschichte von Apk.Joh.12 während der ersten drei Jahrhunderte aufgerollt wird, so ist die Rezeptionsgeschichte der gesamten Apk.Joh. immer zu berücksichtigen. Diese ist aufgrund der montanistischen und chiliastischen Auseinandersetzungen in der Alten Kirche recht bedeutend. W. Bousset urteilt, daß kaum ein Buch des NT im zweiten Jahrhundert so reichbezeugt dastehe.[473] Diese Wirkungsgeschichte ist auch in neueren Monographien großflächig untersucht worden - es ist hier neben Pierre Prigent (1959) an Gerhard Maier (1981) und Georg Kretschmar (1985) zu erinnern. Doch eine detaillierte Untersuchung anhand eines bestimmten Kapitels ist bisher noch nicht vorgenommen worden. Dies soll nun anhand von Apk.Joh.12 getan werden; dieses Vorhaben wurde von Theodor Zahn in seinem Apokalypsekommentar (1926) ansatzweise durchgeführt,[474] der dabei einleitend urteilte: "Die exegetische Tradition hierüber ist dürftig".[475] Dieses Urteil eines Kenners der Materie sollte aber nicht abschrecken, der Rezeption des Kaptitels detailliert nachzugehen - zumal uns seit den letzten siebzig Jahren neue Hilfswerke (z.B. die "Biblia Patristica") und andere methodische Ansätze (z.B. die traditionsgeschichtliche Fragestellung) zur Verfügung stehen und damit neue aufschlußreiche Gesichtspunkte zu erhoffen sind.

Im folgenden wird stets zuerst die Rezeption der gesamten Schrift und dann speziell des zwölften Kapitels dargestellt und diskutiert. Wir beginnen dabei in Kleinasien und verfolgen die Ausbreitung der Apk.Joh. nach Europa und nach Afrika. Die Hauptfragestellung dabei ist: Wie werden die Inhalte von

---

[473] Vgl. Bousset, 1906[6], S.21.
[474] Vgl. Zahn, 1926, S.437f. Einen kurzen Überblick über die Auslegung von Apk.Joh.12 bei den griechischen und lateinischen Vätern, allerdings mit der Interpretation der "Himmelsfrau" als Hauptinteresse, liefert in neuerer Zeit Benko, 1993, S.130-136.
[475] Zahn, 1926, S.437.

Apk.Joh.12 rezipiert? Welche Funktion hat Apk.Joh.12 bei den theologischen Diskussionen?

2. Kleinasien

2.1. Die Apk.Joh. und die nachpaulinische Diskussion in Kleinasien

In Kleinasien ist zur Zeit der Entstehung der Apk.Joh. mit mehreren früh-christlichen Traditionssträngen zu rechnen. Die Betonung der "Einheit" im nachpaulinischen Epheser- und Kolosserbrief läßt auf Kontroversen innerhalb des paulinischen Christentums schließen. Setzt man voraus, daß Kleinasien ur-sprünglich antiochenisch - paulinisches Missionsgebiet war, so ist in den Ge-meindebriefen der Apk.Joh. Kap.2f. bei der Polemik gegen die Gegner eine breitgefächerte Diskussion um das paulinische Erbe erkennbar.[476]

- Die Themen in 2,14, die Ablehnung der Unzucht und des Götzenopferflei-sches, finden wir als Minimalforderungen an die Heiden im sog. "Apostel-dekret" in Acta 15,20 wieder. Paulus hielt bekanntlich den Genuß von Göt-zenopferfleisch zwar grundsätzlich für erlaubt, spricht sich aber in 1Cor.8; Röm.14,1-15,6 mit Rücksicht auf die "Schwachen" dagegen aus. Die späte-ren Diskussion reflektieren diese Ambivalenz: Wird dies von Acta 15,20; Did.6,2f.[477]; Apk.Joh.2,14 verboten, halten es die Gegner des Johannes für erlaubt.

- In diesem Zusammenhang kann auch die Diskussion um die Zusatzregeln mit dem Stichwort "βάρος" genannt werden. Wie Lukas in der nachpaulinischen Diskussion in Acta 15,28 (vgl. auch Paulus in Gal.2,6), nimmt der Seher in Apk.Joh.2,24 zu diesem Diskussionspunkt Stellung und legt keine andere Last auf.

---

[476] Zu den Gegnern der Apk.Joh. vgl. den Exkurs bei Müller, 1984, S.96-99; Berger, 1995², S.585-588.

[477] Die Ablehnung der "πορνεία" wurde in der Did. schon Kap.2,20-23 behandelt und muß darum in Kap.6 nicht mehr zur Sprache kommen.

- Weiterhin läßt die Notiz von der "βαθέα τοῦ Σατανᾶ" in 2,24 auf eine Diskussion um den paulinischen "βάθος τοῦ θεοῦ" schließen. Während die Gegner, wie auch Paulus in 1Cor.2,9, durchaus eine mystische Gotteserkenntnis, die "Tiefe der Gottheit" haben, polemisiert der Seher dagegen (Tiefen des Satans).[478]

Dies zeigt, daß der Seher durchaus in der Auseinandersetzung mit der nachpaulinischen Theologie Kleinasiens steht. Dabei gründet er allerdings traditionsgeschichtlich nicht auf paulinischem Boden. Die Entfaltung der Menschensohntheologie oder die Anknüpfung an eine Prophetentradition (1,3) machen deutlich, daß der Seher eigenen Traditionen folgt, die mit denen des Paulus nichts zu tun haben. Somit sind aus den überlieferten Zeugnissen für die Weiterentwicklung paulinischen Gedankengutes in Kleinasien zunächst keine Berührungen mit der Apk.Joh. zu erwarten. So spielte beispielsweise für Ignatius von Antiochien, der einige Jahre nach dem Seher aus Patmos seine Briefe an kleinasiatische Gemeinden richtete, die Apk.Joh. keine Rolle.[479]

Neben den reichüberlieferten Zeugnissen für die Weiterentwicklung der paulinischen Theologie in Kleinasien (z.B. den Deuteropaulinen, den Ignatiusbriefen oder dem Polykarpbrief) steht also die Apk.Joh. als eigene und einzige Schrift für bestimmte christliche Kreise Kleinasiens; dem Urteil G. Maiers, die Apk.Joh. sei für die Eschatologie der frühen Kirche, besonders Kleinasiens, repräsentativ gewesen,[480] muß darum für die Zeit der frühen Rezeption des Buches widersprochen werden. Dies bedeutet allerdings nicht, daß sie in "der dumpfen Luft jüdischer Conventikel"[481] entstanden ist bzw. weitertradiert wurde. Dieser abwertende Ausdruck Gunkels bezog sich auf die ursprünglichen Trägerkreise der apokalyptischen Traditionen, die vom Verfasser der Apk.Joh. benutzt wurden und mißt sich an der breitüberlieferten nicht-apokalyptischen paulinischen Linie. Wir haben es dagegen von Anfang an mit einem vielfältigen Christentum in Kleinasien zu tun - die nachpaulinischen Schriften und die

---

[478] Zu der "βάθη (βαθεῖα) τοῦ θεοῦ" vgl. Schlier, ThWNT 1, 1933, S.515f. Die Nichterkennbarkeit der "Tiefe der Gottheit" wird weiterhin vertreten in: Judith 8,14 (βάθος καρδίας ἀνθρώπου οὐχ εὑρήσετε ...), Test.Hiob 37,6 (ἡ τίς ποτε καταλήψεται τὰ βάθη τοῦ Κυρίου καὶ τῆς σοφίας αὐτοῦ; Brock, 1967, S.46), 1QS 11,19. Weitere Belege bei Berger, 1995², S.585.

[479] Vgl. hierzu Zahn, 1924, S.29f.; aus der Tatsache, daß Ignatius die Apk.Joh. nicht benutzt, schließt er, daß diese in Antiochien zur Zeit des Ignatius noch nicht bekannt war und setzt damit voraus, daß Ignatius eine antiochenische Theologie nach Kleinasien verbreitet (ähnlich in neuerer Zeit Vouga, 1994, S.212-215).

[480] Vgl. Maier, 1981, S.68.

[481] Gunkel, 1895, S.396.

Apk.Joh. mitsamt ihrer Auseinandersetzung mit ihren "Gegnern" belegen dies allzu deutlich.

Die Apk.Joh. verbreitet sich rasch in Kleinasien und wird von verschiedenen Gruppen benutzt. Dabei ist zu beobachten, daß die eigentümlichen Aussagen der Schrift mit der paulinischen Tradition kurzgeschlossen werden: Die Apk.Joh. wird für spätere Rezipienten zu einem mit der paulinischen Linie kompatiblen Buch und damit für weite christliche Kreise akzeptierbar. Dies ist aufgrund der Überlieferungslage im kleinasiatischen Raum weniger, dafür in den anderen Provinzen des Reiches umso mehr nachvollziehbar.[482] Bevor dies zur Sprache kommt, wollen wir aber bei der Frage nach der Aufnahme der Apk.Joh. noch in Kleinasien bleiben.

2.2. Papias von Hierapolis

2.2.1. Papias und die Apk.Joh.

Als frühester Zeuge einer Benutzung der Apk.Joh. kann Papias genannt werden. In Anbetracht der Nähe zu Apk.Joh. ist es besonders bedauerlich, daß die bei Euseb, h.e.3,39,1 erwähnten fünf Bücher über die Exegese der Herrenworte des Papias die Jahrhunderte nicht überdauert haben: Als jüngerer Zeitgenosse des Johannes ist er Bischof einer Stadt an der Straße zwischen Philadelphia und Laodicea und ist damit im Adressatengebiet der Apk.Joh. angesiedelt. Zudem läßt sich aus Irenäus, a.h.5,33,3f. schließen, daß Papias Chiliast war (worüber auch Euseb, h.e.3,39,12f.; Hieronymus, de Vir. ill. 18 berichten) und steht damit der Apk.Joh. auch inhaltlich nahe.

Doch sind hier die Quellen leider recht spärlich; wir sind auf Fragmente angewiesen, aus denen wir die erste Rezeptionsgeschichte der Apk.Joh. rekonstruieren müssen. Dabei können wir davon ausgehen, daß Papias selbst schon verschiedene Traditionen miteinander verknüpft hat, wie es aus seinem Selbstzeugnis in Euseb, h.e.3,39,4 hervorgeht:

---

[482] Als ein (unsicheres) Indiz zur kleinasiatischen Kompilierung der Paulustradition und der Apk.Joh. könnten die Acta Pauli herangezogen werden, wo in Kap.12 möglicherweise eine Anspielung auf Apk.Joh.14,2 vorliegt (rein bleiben - Fleisch nicht beflecken, es keusch bewahren).

"Wenn [mir] aber irgendwo jemand [über den Weg] kam, der den Presbytern gefolgt war, dann forschte ich nach den Äußerungen der Presbyter, was Andreas oder was Petrus sagte, oder was Philippus oder was Thomas oder Jakobus oder was Johannes oder Matthäus oder irgendein anderer der Herrenjünger [sc. sagte], ferner was Aristion und der Presbyter Johannes, [sc. ebenfalls] Jünger des Herrn sagen. Denn ich war der Ansicht, daß mir die Bücherweisheit nicht soviel nützen würde wie die [Berichte] von der lebendigen und bleibenden Stimme."[483]

Dieses Zitat ist aus mehreren Gründen wichtig:

- Papias beruft sich dort auf eine mündliche Tradition, die für ihn noch höher als die schriftlich fixierte rangiert.[484] Faßt man diese Notiz als repräsentativ für die kleinasiatischen chiliastischen, apokalyptischen Kreise auf, mit denen Papias sicherlich Kontakt hatte, so muß unsere mangelhafte Quellenlage nicht Wunder nehmen. Die Apk.Joh. dürfte dann von ihrem Adressatenkreis vornehmlich mündlich weitertradiert worden sein.

- Interessanterweise ist Papias, der nach dem Zeugnis der nachfolgenden Generationen durchweg als Schüler des Apostels Johannes gilt,[485] nach seinem Selbstzeugnis nicht mit diesem bekannt, sondern weiß nur über die Vermittlung der Presbyter von ihm. Zur Tatsache, daß er zwei verschiedene Menschen mit dem Namen Johannes nennt, sind uns aus der Alten Kirche drei Stellungnahmen erhalten: Euseb verweist in h.e.3,39,6 auf die Tradition der beiden Johannesgräber in Ephesos und schreibt einem der beiden Menschen mit dem Namen Johannes die Apk.Joh. zu. Hieronymus in Vir.ill.18 wendet sich aufgrund dieses Zitates gegen eine Identität des Apostels Johannes mit dem Presbyter, der 2/3 Joh. verfaßt habe. Philippus Sidetes in seiner Kirchengeschichte[486] schließlich greift das gleiche Papiaszitat auf, bezieht aber bezüglich der Identifikation, die Irenäus vorgenommen hatte, keine Stellung: die Älteren meinen, vom Presbyter stammte 1 Joh., manche meinen, 2/3 Joh.,

---

[483] Zitiert nach Körtner, 1983, S.57.; vgl. zu diesem Zitat die Auslegung bei Hengel, 1993, S.79ff. mit dem Schaubild der Jüngerlisten S.81.

[484] Vgl. hierzu Körtner, 1983, S.185ff.

[485] Papias als Hörer des Johannes: Irenäus, a.h. 5,39; Euseb, h.e.3,39,1; Hieron., Vir.ill.18; Phil.Sidetes, h.e. (s.u.); Papias als Jünger des Johannes: Apollinaris v. Laodicea, (Catenen, cf. Preuschen, Antilegomena 2, S.97); Anastasius Sinaita, Anagog. Contemplat. in Hexaemeron 7. Maximus Confessor, Scholia in Dion.Areop., Lib. de coelest. hierarch. 7, urteilt vorsichtiger: Papias lebt zur Zeit des Evangelisten Johannes. J.B.Pitra, Analecta Sacra II, S.160 (cf. Körtner, 1983, S.70) schließlich weiß zu berichten, daß Papias das Johannesevangelium nach dem Diktat des Apostels niederschrieb.

[486] Philippus Sidetes, h.e., Frgm. in Cod. Baroccianus 142, ed. de Boor, TU 5,2, S.170; vgl. auch Körtner, 1983, S.63.

andere wiederum schrieben diesem Johannes auch irrtümlich die Apokalypse zu.

Wie man sieht, ist die Frage nach dem Autor in der alten Kirche keineswegs geklärt. Aus den Stellungnahmen zu der Notiz des Papias, daß es zwei verschiedene Johannes, einen Apostel und einen Presbyter, gegeben habe, kann man auf eine breite Diskussion über das Thema schließen. Dies spiegelt auch die Notiz des Eusebius in h.e.3,24,18 wider, daß bezüglich der Apk.Joh. die Meinungen in der Regel auseinandergingen.[487] Welcher Johannes welche Schrift geschrieben habe, ist ungeklärt, eine Identifikation ist keineswegs allgemein üblich.[488]

Schon früh entwickelte sich die Tradition, daß der Autor des Johannesevangeliums nach Kleinasien gekommen sei, wie wir es z.B. von Polykrates von Ephesos wissen, der in seiner Stellungnahme zum quartadecimanischen Passastreit (Euseb, h.e.3,31,4) ebendiesen Johannes, der an der Brust des Herrn lag und schließlich in Ephesos zur Ruhe gegangen ist, unter die großen στοιχεῖα Asiens zählte. Die Identifikation des Sehers aus Patmos mit diesem bzw. dem Autor der Briefe ist allerdings nicht weitflächig zu beobachten; im Gegenteil, die Tradition der beiden Johannesgräber in Ephesos, auf die Eusebius anspielt, läßt ja darauf schließen, daß man gerade in Kleinasien die verschiedenen Autoren noch einige Zeit lang trennte. Da uns die Identität der beiden "Johannes" erst bei Schriftstellern des Westens begegnet, nämlich bei Justin in Dial.81,4 (der Apostel Johannes hat die Apk.Joh. geschrieben) und Irenäus (vgl. a.h.3,11,1; 4,30,4; 5,26,1), erscheint es wahrscheinlich, daß dies eine Tradition ist, die nicht in Kleinasien ihren Ursprung hat. Wie wir bei der Analyse dieses Problems im Westen noch sehen werden, ist die gegenseitige Identifikation der "Johannes" ein Aspekt der Kompilation der Apk.Joh. mit anderen christlichen Traditionen und Schriften, die im zweiten Jahrhundert großflächig zu beobachten ist.

- Bei Papias selbst, der der Apk.Joh. zeitlich und inhaltlich nahe stand, dürfte die Kompilation mit anderen Traditionen schon begonnen haben. Dies ist jedenfalls ein weiterer interessanter Punkt, der aus oben zitiertem Papiasfragment hervorgeht. Indem er sowohl die Presbyter über die Apostel befragte, als auch mündliches wie schriftliches Material benutzte, kann bei ihm trotz

---

[487] "Τῆς δ᾽ Ἀποκαλύψεως εἰς ἑκάτερον ἔτι νῦν παρὰ τοῖς πολλοῖς περιέλκεται ἡ δόξα" (GCS 9,1, S.250).

[488] Vgl. zum "Presbyter" Johannes als Lehrer der "Johanneischen Schule": Hengel, 1993, S.96ff.

der großen Überlieferungslücke darauf geschlossen werden, daß er die Johannesoffenbarung mit anderen Traditionen koppelt.

2.2.2. Papias und Apk.Joh.12

Hat Papias Apk.Joh.12 kommentiert? Bei Andreas v.Caesarea ist in Com. in
Apocal.XII ein entsprechendes Zitat überliefert, das nach eingehender Untersuchung allerdings kaum als Aussage des Papias zu Apk.Joh.12 angesehen werden kann.[489] Die detaillierte Analyse Körtners zeigte, daß dies Zitat eine Aussage zur Tradition der Herrschaft der Engel ist, nicht zum Engelfall in
Apk.Joh.12,7-9.[490]

Dagegen weist uns ein anderes, für die frühe Rezeptionsgeschichte von
Apk.Joh.12 überaus wichtiges Fragment den Weg zur Auslegung von
Apk.Joh.12 durch Papias. Es handelt sich dabei um ein Zitat aus der armenischen Übersetzung des Apokalypsekommentars des Andreas von Caesarea, die
von Konstantinos von Hierapolis 1179 angefertigt worden ist. Diese armeni-
sche Fassung weicht von der ursprünglich griechischen oft stark ab, und im
Anschluß an das oben erwähnte Papiaszitat von der Engelherrschaft ist dort ein
weiteres überliefert, das direkt über die papianische Rezeption von Apk.Joh.12
Aufschluß gibt:[491]

> Andreas von Caesarea, Comm. in Apc.12,7-9: "Dies ist zu verstehen vom er-
> sten Verleumder, der sich in Anmaßung und Stolz erhob aus Neid gegen
> Gott, weswegen er aus dem Engelrang (heraus)fiel. Doch besonders ist das
> Gesagte zu nehmen vom endgültigen Kommen des Herrn, demgemäß das
> Ende der Worte anzeigt, daß der Ankläger unserer Brüder fiel. Angenehm
> ist es, auch an den Ausspruch des Herrn zu erinnern: 'Der Herrscher dieser
> Welt ist gerichtet' und aus seiner ersten Vollmacht (heraus)gefallen. Und
> dieses verstehen wir, wie es von den Vätern gezeigt wurde, daß der, der aus

---

[489] Text bei Schmid, 1955, S.129f.; Körtner, 1983, S.64f. (mit Übersetzung).

[490] Vgl. Körtner, 1983, S.108-110. Schon Bousset (1906⁶, S.19f.) hatte im Anschluß an
Lücke Zweifel daran gehegt, daß dieses Zitat einen Kommentar zu Apk.Joh.12 darstellt. Eine genuine Verbindung des Papiasfragments mit Apk.Joh.12,7ff. vertritt in
neuerer Zeit G. Maier, 1981, S.46f.

[491] Dieses Zitat ist - wie auch die beiden weiteren armenisch erhaltenen Zitate des Bi-
schofs von Hierapolis - in der Papiasmonographie von Körtner, 1983, nicht aufgeführt, da Körtner "Zweifel an der Echtheit der Notiz" hat (a.a.O., S.35). Seine These, daß dies Fragment eine apokryphe Auswucherung sei, ist m.E. nicht begründbar,
zumal sich Körtners Argumentation wesentlich auf die Annahme stützt, Papias habe
Apk.Joh.12,9 nie kommentiert. - Das armen. Zitat ist von Siegert, 1981, für die neutestamentliche Forschung "wiederentdeckt" worden. Das folgende Zitat entstammt
der Aufsatz- und Quellensammlung von Kürzinger, 1983, S.129-131.

der intelligiblen Welt (heraus)fiel, über die sensible Welt, die unterhalb der Luft ist, Erlaubnis bekam zu herrschen. In diese kam auch der verurteilte Mensch, (darin) zu wohnen, wie der Apostel sagt. Und Papias in seinen Reden (spricht) folgendermaßen:

'Nicht ertrug der Himmel seine (scil. des Drachen) irdischen Gedanken; denn es ist unmöglich, daß das Licht am Dunkel teilhat. Er fiel auf den Boden, (um) hier zu leben; und als der Mensch hierher kam, wo er war, ließ er ihn nicht in natürlichen Leidenschaften leben, sondern verführte (ihn) in viele Übel. Aber Michael und seine Heerscharen, die Wächter der Welt sind, halfen der Menschheit, wie auch Daniel lernte [sic!]; sie gaben Gesetze und machten die Propheten weise. Und all dies war Kampf gegen den Drachen, der (die) Menschen in Versuchung brachte. Nun verlängerte sich ihr Krieg im Himmel bis zu Christus. Doch Christus kam; und das Gesetz, das einem anderen unmöglich war, erfüllte er mit seinem Körper, nach dem Apostel. Er wies die Sünde ab und richtete Satan und verbreitete seine Gerechtigkeit durch den Tod über alle. Als dies aber geschah, wurde der Sieg Michaels und seiner Heerscharen, der Wächter der Menschheit, vollendet; und der Drache konnte nicht mehr widerstehen. Denn der Tod Christi machte ihn zuschanden und warf (ihn) auf die Erde, demgemäß auch Christus sprach: 'Ich sah den Satan vom Himmel fallen wie einen Blitz'.

(Als) dessen Sinn verstanden die Lehrer nicht seinen ersten Fall, sondern den zweiten, den durchs Kreuz; und dieser besteht nicht in räumlichem Sturz wie zuerst, sondern (ist) Gericht und Erwartung künftiger Strafe. Denn jedenfalls schied er erfolglos aus dem Kampf, wie er selbst sagte, als er gegenüber Antonius die Erfüllung des Psalms eingestand, der über ihn (prophezeit): '(Die) Waffe des Feindes versagte bis zum Ende'. Denn Christus, der ihn gerichtet hat, ist ihm wahrhaft ein Sturz. Denn bis zu diesem Sturz haben wir von (den) Lehrern gehört, daß er Hoffnung hatte, in die erste Herrlichkeit zurückzukehren: und durch diesen fiel er heraus. Darüber nimmt Irenäus die Worte des Märtyrers Justin (auf), folgendermaßen: ..."

Folgende Schlüsse ergeben sich aus diesem Zitat:

1. Die Abgrenzung: Während der Beginn des Zitates deutlich markiert ist, ist das Ende nicht so eindeutig - zumal nach dem Hinweis auf Irenäus und Justin die Wiener Handschrift notiert, daß das Zitat des Papias bis hierher reiche. Daß dies schon aufgrund des Hinweises auf Vita Antonii 41 nicht sein kann, bemerkte schon Siegert;[492] dessen Vorschlag, daß das Zitat des Papias bis zur Erwähnung von Lk.10,18 reiche, wird auch in der vorliegenden Untersuchung angenommen.

2. Thema: Mit Siegert gehen wir weiterhin davon aus, daß das Zitat eine Exegese von Lk.10,18 darstellt;[493] denn es ist ersichtlich, daß der Fall des Satan im Zentrum der Perspektive steht, der Himmelskampf wird erklärend

---

[492] Siegert, 1989, S.607.
[493] Vgl. Siegert, ebd.

hinzugezogen und umgedeutet (zeitliche Dehnung). Damit wird schon bei Papias die Tendenz deutlich, die im weiteren Verlauf der Rezeptionsgeschichte von Apk.Joh.12 immer wieder begegnet: Apk.Joh.12 wird als Erklärungstext für andere Texte benutzt, wird aber nicht als Textgrundlage für irgendeine theologische Aussage herangezogen.

3. Inhalt: Der Drachenkampf in Apk.Joh.12, 7-9 wird zeitlich gedehnt, und auf zwei Kulminationspunkte verteilt:
- einmal fand der Fall des Drachen vor aller Zeit statt. Dabei wird ein strenger Dualismus vorausgesetzt (Himmel - irdische Gedanken; Licht - Finsternis, vgl. 2Cor.6,14). Die Vermischung dieser Bereiche durch den Drachen, seine "irdischen Gedanken", sind Grund für seinen Fall.
Der Drache wird also nicht durch Michael aus dem Himmel entfernt, sondern weil er am Irdischen teilhat. Michael hat mit seinem Heer bei Papias die Funktion eines Schutzengels, der durch das Gesetzesgeschenk (vgl. Acta 7,53; Gal.3,19; Hebr.2,2) und dadurch, daß sie Propheten weise machen (wie Mose in Acta 7,38), den Menschen hilft, sich den Verführungen des Drachen zu widersetzen. Die Erwähnung Daniels dürfte sich auf Dan.12,1ff. richten. Das Motiv des Drachenkampfes wird demnach gedehnt und auf die ganze Menschheitsgeschichte ausgeweitet.
- ein zweiter Kulminationspunkt ist Christus, der als Gesetzeserfüller den Drachen richtet und damit Michael zum endgültigen Sieg verhilft.
Der Satansfall wird dann als endgültige Niederlage des Satan begriffen.

4. Zu Apk.Joh.12: Die Unterschiede zu Apk.Joh.12 sind offensichtlich; der Kampf Michaels und des Drachen ist kein akutes kosmisches Geschehen, sondern ist Teil der gesamten Menschheitsgeschichte, damit chronisch gedehnt. Im weiteren sind die Rollen zwischen Christus und Michael gegenüber Apk.Joh.12 anders verteilt: Während der Messias in Apk.Joh.12 zu seinem Schutz entrückt werden muß, hilft er hier bei Papias, daß Michael den Drachen endgültig besiegen kann. Durch die Verknüpfung mit dem Leib Christi und dessen Gesetzeserfüllung sind auch Elemente aus Apk.Joh.20 schon vorgezogen: der Drache ist schon gerichtet.

5. Zur Kompilation: Als Gesamtbild ergibt sich für die Auslegung des Papiaszitates folgendes: Um eine Stelle des Lukasevangeliums auszulegen, macht Papias Anleihen an Apk.Joh.12 und an Daniel und gibt dabei noch zu erkennen,

daß er eine bestimmte Position innerhalb der nachpaulinischen Diskussion vertritt, was die Frage nach der Verbindung von Leib Christi und Gesetz anbetrifft. Dies bestärkt in uns das Bild von einem Sammler, einem Kompilator von Traditionen, das er uns in dem oben genannten Zitat bei Euseb, h.e.3,39,4 von sich selbst gegeben hatte.

Für die Rezeptionsgeschichte von Apk.Joh.12 bedeutet dies: die Kompilation der Apk.Joh. mit anderen autoritativen Schriften ist schon in ihrer frühesten Rezeptionsgeschichte nachzuweisen; Apk.Joh.12 wird dort schon als Interpretament für andere Textstellen benutzt, ohne daß dabei die originale theologische Aussage berücksichtigt wird. Dies bestätigt die Ausgangshypothese, daß die theologische Aussage des Sehers aus Patmos, die er in Apk.Joh.12 ausführt, in seiner Zeit zwar denkbar, aber doch so eigenwillig und speziell gewesen ist, daß sie von den nachfolgenden Generationen nicht mehr herangezogen wurde.

2.3. Weitere Rezeption der Apk.Joh. in Kleinasien

2.3.1. Die Johannesakten

Die Act.Joh. nehmen die Tradition vom kleinasiatischen Wirken des Johannes auf, der durch die Lande zieht und schließlich in Ephesos begraben wird; dabei werden die Synoptiker, das Johannesevangelium und das paulinische Schrifttum häufig herangezogen. Als Anzeichen für eine Benutzung der Apk.Joh. wurde in der Forschung auf die Reiseroute des Johannes hingewiesen. Diese beginnt in Ephesos; daraufhin geht er nach Smyrna (Kap.55). Die Überlieferungslücke verschleiert den weiteren Weg des Apostels, aber wir wissen, daß die Route in Laodicea endet, bevor der Apostel nach Ephesos zurückkehrt (Kap.58f.). Zahn hatte 1899 vermutet, daß hier die Abfolge der sieben kleinasiatischen Gemeinden von Apk.Joh.1,11; 2f. vorliegt.[494] Doch ist m.E. dagegen eher denkbar, daß der Autor der Act.Joh. einfach den Weg der Hauptverkehrsstraßen nachvollzieht; dann könnte es sich um eine Rundreise auf der üblichen Route durch das westliche Kleinasien handeln, etwa mit den Stationen Ephesos

---

[494] Zahn, 1899; vgl. auch Schäferdieck, in: Schneemelcher II, 1989⁵, S.177.

- Smyrna - Sardis - Sebaste - Apamea - Laodicea - Ephesos.[495] Da gerade in neuerer Zeit von Engelmann (1994) herausgestellt worden ist, daß sich in den Act.Joh. eine sehr gute Ortskenntnis Kleinasiens widerspiegelt, dürfte diese These am wahrscheinlichsten sein - zumal sich keine weiteren überzeugenden Berührungspunkte der Act.Joh. mit der Apk.Joh. feststellen lassen.

2.3.2. Melito von Sardeis

Einiges über die Rezeption der Apk.Joh. ist von Melito, dem Bischof von Sardeis zu erwarten, der direkt im Adressatengebiet der Apk.Joh. wirkte und nachweislich einige neutestamentliche Schriften benutzte; in seinem Werk "Über das Passa", Kap.78, ist zum Beispiel deutlich auf Johannes 11 und die Auferweckung des Lazarus angespielt. Seine Kenntnis von paulinischen Schriften geht z.B. aus der Anspielung auf Phil.2,7 in einem Fragment des "Florilegium Edessenum anonymum" hervor.[496] Aus der außerordentlich schmalen Überlieferung sprechen nun folgende Indizien für eine Benutzung der Apk.Joh.:
- Melito hatte, wie wir von Euseb in h.e. 4,26,1f. wissen, ein Buch mit dem Titel "Über den Teufel und die Offenbarung des Johannes" geschrieben. Dies dürfte der älteste Kommentar zur Apk.Joh. sein - doch ist er nicht erhalten.
- Am Ende seiner Schrift über das Passa (Kap.105) ist eine Parallele zu Apk.Joh.1,8 zu vermerken, möglicherweise eine Anspielung auf diese Stelle:[497]

$$Οὗτός ἐστιν 'τὸ Α καὶ τὸ Ω'$$
$$Οὗτός ἐστιν 'ἀρχὴ καὶ τέλος'$$

- Melito steht der Apk.Joh. auch traditionsgeschichtlich nahe. Im Fragment in Pap.Bodmer XII ist Christus νυμφίος, wie in Apk.Joh.19,9.[498] Speziell im Zusammenhang mit der Traditionsgeschichte von Apk.Joh.12,6-12 ist ein

---

[495] Zu den Straßenverbindungen im römischen Kleinasien vgl. Michell, 1993, Vol.1, S.124ff.; die oben vorgeschlagene Route ist auf der Straßenkarte, a.a.O., S.120, leicht nachvollziehbar.

[496] "Servi speciem indutus est" (SC 123, S.240); es wird allgemein angenommen, daß dieses Fragment von Melito stammt.

[497] SC 123, S.124.

[498] "Ὑψώθητε νύμφαι καὶ νυμφίοι, ὅτι ηὕρατε τὸν νυμφίον ὑμῶν Χριστόν." (SC 123, S.128); zu Christus als Bräutigam vgl. weiterhin Joh.3,29; Mt.9,15 (als Gleichnis).

Zitat Melitos bei Origenes, Sel. in Ps.3,1 interessant:[499] Bei der Interpretation der Figur Absaloms spielt Melito auf den Teufel an, der sich gegen Christus auflehnt.

So kann Melito aufgrund der schlechten Überlieferungslage lediglich als Indiz herangezogen werden, daß die Apk.Joh. in der zweiten Hälfte des zweiten Jahrhunderts neben anderen heute neutestamentlichen Texten als gemeinhin akzeptierte Schrift galt.

2.3.3. Montanisten und Antimontanisten

Fragen wir weiterhin nach der Rezeption der Johannesoffenbarung im frühchristlichen Kleinasien, so bildet ihre Würdigung durch die Montanisten ein ganz eigenes Thema. Diese apokalyptische Bewegung, die sich ab den siebziger Jahren des zweiten nachchristlichen Jahrhunderts von Phrygien ausbreitete, gehört eng zur Wirkungs- und Rezeptionsgeschichte der Offenbarung des Johannes.[500] Die Themen "Prophetie", "Askese", "Martyrium", die für den Montanismus konstitutiv sind, finden sich in der Johannesoffenbarung wieder.[501] Auch die Konzeption vom herabsteigenden Jerusalem, ähnlich Apk.Joh.21,2, ist für den frühen Montanismus belegbar.[502] Alles spricht also für eine Rezeption der Apk.Joh. von Seiten der Montanisten. Ganz deutlich und im speziellen

---

[499] Vgl. Migne PG 12, 1120A.
[500] Die Frage nach dem Montanismus und der Apk.Joh. wird bei Kretschmar, 1985, S.70f. erstaunlich knapp behandelt; ausführlicher bei Schepelern, 1928. Benko, 1993, S.137ff. stellte bei der Interpretation der "Himmelsgöttin" den Zusammenhang des Montanismus und des Kybele-Kultes dar. Zum Montanismus: Quellen sammelte Bonwetsch, 1914; Heine, 1989. Die (echten) Sprüche des Montanus sind bei Hennecke/Schneemelcher, Band II, 1964³, S.486-488 leicht zugänglich; neuere Literatur bei Heine, 1992.
[501] Zu den Montanisten in ihrem prophetischen Selbstverständnis vgl. Euseb, h.e.5,3,4; 5,16,4ff.; 5,19,1f.; Epiphan., Pan.48,1ff.; die montanistische Tendenz zum Martyrium ist aus der Polemik des anonymen Antimontanisten in h.e.5,16,12f. zu erkennen. Über den asketischen Zug des Montanus berichten z.B. Apollonius in Euseb, h.e.18,2ff.; Hippolyt, Ref.8,19.
[502] Vgl. Apk.Joh.21,2: "καὶ τὴν πόλιν τὴν ἁγίαν ' Ἰερουσαλὴμ καινὴν εἶδον καταβαίνουσαν ἐκ τοῦ οὐρανοῦ ἀπὸ τοῦ θεοῦ, ἡτοιμασμένην ὡς νύμφην κεκοσμημένην τῷ ἀνδρὶ αὐτῆς" und Epiphanius, Pan.49,1: "ἐν ἰδέᾳ, φησι, γυναικὸς ἐσχηματισμένος ἐν στολῇ λαμπρᾷ ἦλθε πρός με Χριστός, καὶ ἐνέβαλεν ἐν ἐμοὶ τὴν σοφίαν, καὶ ἀπεκάλυψέ μοι τουτονὶ τὸν τόπον εἶναι ἅγιον, καὶ ὧδε τὴν ' Ἰερουσαλὴμ ἐκ τοῦ οὐρανοῦ κατιέναι" (Bonwetsch, 1914, S.20 [ohne Sperrdruck]; vgl. auch Hennecke/Schneemelcher II,1964³, S.486f.); in beiden Texten kommt das himmlische Jerusalem wie eine geschmückte Frau auf die Erde.

Rahmen von Apk.Joh.12 nachweisbar ist die montanistische Benutzung der Apk.Joh. in Karthago überliefert. Tertullian zitiert in seinen montanistischen Schriften die Apk.Joh. besonders häufig.[503] Eine Anspielung an Apk.Joh.12,10 in "De anima" 35,3 ist schon an anderer Stelle besprochen worden[504] und sei hier als Beispiel für eine montanistische Benutzung von Apk.Joh.12 nochmals in Erinnerung gerufen.

Eng mit der montanistischen Rezeption der Apk.Joh. ist auch deren Ablehnung durch die sog. "Aloger" und die Zuschreibung ihrer Autorschaft an den Häretiker Kerinth von Seiten des Antimontanisten Gaius von Rom verbunden.[505] Die Tatsache, daß dagegen auch erklärte Antimontanisten im Streit gegen die Anhänger der "kataphrygischen Sekte" die Apk.Joh. benützen (so z.B. Apollonius bei Euseb, h.e.5,18,14), zeigt die breitflächige Benutzung der Apk.Joh. im Kleinasien des zweiten Jahrhunderts, von der uns allerdings kaum mehr etwas überliefert ist: Die Apk.Joh. wird von verschiedenen christlichen Gruppen anerkannt oder zumindest in ihrer Autorität diskutiert. Die breite Benutzung der Apk.Joh. durch verschiedene christliche Kreise zeigt aber auch, daß der ursprüngliche Argumentationszusammenhang des Sehers in den Hintergrund tritt. Damit gelangen wir zur Detailanalyse der Rezeption des zwölften Kapitels der Apk.Joh. in Kleinasien.

2.4. Die Benutzung von Apk.Joh.12 in Kleinasien

In Abschnitt 2.2.b dieses Teils wurde schon die Benutzung von Apk.Joh.12 bei Papias ausführlich besprochen. Nach diesem recht frühen Beispiel für die Rezeption des Kapitels stoßen wir in Kleinasien erst ab Mitte des dritten Jahrhunderts wieder auf eindeutige Belege. Eine Reminiszenz an den Drachenschwanz von Apk.Joh.12,4 ist im 12. Kapitel der "Passio Pionii" zu lesen. Pionius erlitt in Smyrna im Verlauf der Decischen Verfolgung um 250 (gegen Euseb, h.e.4,15,46f. nicht in zeitlicher Nähe zum Martyrium Polykarps unter den Antoninen)[506] den Märtyrertod. Die Situation der Kirche beschreibt er mit Verwendung von Mt.7,6 und Apk.Joh.12,4:

---

[503] So schon Bousset, 1906[6], S.21.
[504] S.o.,Teil IV, 3.2., S.124.
[505] Zu Gaius und den Alogern vgl. G. Maier, 1981, S.89ff.

> "Ich werde gezüchtigt mit einer neuen Züchtigung: (Es ist,) wie wenn ich gliedweise zerhackt würde, wenn ich die Perlen der Kirche von den Schweinen zertreten sehe und die Sterne des Himmels vom Schwanz des Drachen auf die Erde gefegt...".[507]

Das Bild des sternefegenden Drachen wird hier in einem völlig anderen Zusammenhang gebraucht; es ist nicht mehr Symbol für die kosmische Gewalt des himmlischen Gegenspielers, sondern dient als Metapher für die grobe Behandlung von Kostbarem (anders als bei Irenäus, a.h. 2,31,3 als Bild für Betrügereien). Die ursprüngliche Reminiszenz an das "Horn" von Dan.8,10 ist damit ganz in den Hintergrund getreten. Die Verschmelzung von Mt.7,6 (Perlen vor Säue) und Apk.Joh.12,4 macht zusätzlich die Kompilation der Apk.Joh. mit anderen autoritativen Schriften (Ev.Mt.) deutlich.

Eine ähnliche Tendenz läßt sich noch besser bei Methodius nachweisen. Dieser ist nach Hieronymus, Vir.ill.83 und Sokrates, h.e.6,13 Bischof von Olympus in Lykien und reiht sich theologisch in die Antiorigenisten des ausgehenden dritten Jahrhunderts ein. Gleichzeitig ist er geistesgeschichtlich stark von Origenes abhängig - nicht zuletzt aufgrund der Verwurzelung in der platonischen Tradition. Zeugnis für seine platonische Prägung ist das Symposion, das gleichzeitig in Analogie und Gegensatz zum Gastmahl Platos steht: Handelt jenes von der Jungfräulichkeit als vollkommene menschliche Lebensform, so besingt dieses den Eros, der sich in der "reinen Idee" vervollkommnet.

Eine zentrale Stellung im Symposion des Methodius nimmt die achte Rede, die der Thekla, ein, denn diese erhält am Ende des Mahles von der Gastgeberin Arete den Preis. In dieser achten Rede bezieht sich Methodius nachdrücklich auf Apk.Joh.12; folgen wir darum nun detailliert des Methodius Argumentation bei der Rezeption von Apk.Joh.12:

Bei der Auslegung des Kapitels wird die geistige Verwandtschaft des Antiorigenisten Methodius mit Origenes deutlich, denn die Allegorisierung der Personen und Bildelemente zielt auf den Übergang von einem "psychischen" zu einem "pneumatischen" Verständnis der Schrift und ist damit nicht nur in der Sache, sondern auch terminologisch der "Lehre vom dreifachen Schriftsinn"

---

[506] Vgl. Bardenhewer II, 1914², S.686f.; Altaner/Stuiber, 1993, S.92.

[507] "Καινῇ κολάσει κολάζομαι, κατὰ μέλος τέμνομαι ὁρῶν τοὺς μαργαρίτας τῆς ἐκκλησίας ὑπὸ τῶν χοίρων καταπατουμένους καὶ τοὺς ἀστέρας τοῦ οὐρανοῦ ὑπὸ τῆς οὐρᾶς τοῦ δράκοντος εἰς τὴν γῆν σεσυρμένους..." (Gebhardt, 1902, S.105); vgl. hierzu auch die Rezeption des gleichen Bildes, aber ohne ekklesiologischen Bezug, in der Ps.-Apk.Joh.I, 28: Die an den gerechten Johannes gegebene Apk.Joh. soll den Frommen weitergegeben werden, daß diese andere lehren und nicht hochmütig werden, "μηδὲ τοὺς μαργαρίτας ἡμῶν ῥίψωσιν ἔμπροσθεν τῶν χοίρων" (Tischendorf, 1866, S.92).

analog, die Origenes in Princ.IV,2f. entfaltet.[508] Dies klingt in Kap.5f. an, wenn die Sonnenfrau als die Kirche interpretiert wird, die den Psychiker neu als den Pneumatiker gebiert.[509] Ob Methodius hierbei speziell von Origenes abhängt oder ob er einer allgemeineren Tradition der Allegorese folgt, ist an dieser Stelle nicht zu entscheiden; es genügt, auf die Ähnlichkeit der Schriftauslegung mit Origenes zu verweisen.

Bei diesem Akt geht es um zwei unterschiedliche Kategorien des Verständnisses, deren höhere die Kirche vermittelt. Darum wird der Mond, auf dem die Sonnenfrau fußt, in Kap.VI sakramental als Taufe verstanden, als Initiation, die für die Kirche die Basis darstellt.[510] Der Mond hat innerhalb des Argumentationsganges der Rede gleichzeitig die Funktion, die erste Verbindungsstelle zwischen dem Plädoyer für die Jungfräulichkeit und Apk.Joh.12 herzustellen: Mond und Jungfräulichkeit sind in der Kategorie der "Reinheit" vergleichbar.

Wird die Frau also als erleuchtende Kirche verstanden (darum das Lichtgewand), die auf dem Fundament der Christen steht, so wird das von ihr geborene Kind als der Christ interpretiert, der im Taufakt das höhere Verständnis erhält. Bei dieser eigenwilligen Deutung wehrt sich Methodius explizit gegen eine christologische Interpretation des Kindes,[511] was darauf schließen läßt, daß diese zu seiner Zeit vertreten wurde. Dennoch schwingt eine christologische Nuance bei der Deutung des Kindes insofern noch mit, als daß Apk.Joh.12,5 in Kap.VIII eschatologisch als Identifikation der Heiligen mit Christus verstanden wird.[512] Damit ist diese ekklesiologische Interpretation der Frau, die ein Kind gebiert, als die Kirche, die immer neue Gläubige zu einem höheren Verständnis führt, christologisch überlagert.

---

[508] Zur Lehre vom dreifachen Schriftsinn vgl. Origenes, Princ.IV,2,4: "οὐκοῦν τριχῶς ἀπογράφεσθαι δεῖ εἰς τὴν ἑαυτοῦ ψυχὴν τὰ τῶν ἁγίων γραμμάτων νοήματα. ἵνα ὁ μὲν ἁπλούστερος οἰκοδομῆται ἀπὸ τῆς οἱονεὶ σαρκὸς τῆς γραφῆς, ... ὁ δὲ ἐπὶ ποσὸν ἀναβεβηκὼς ἀπὸ τῆς ὡσπερεὶ ψυχῆς αὐτῆς, ... ὁ δὲ τέλειος ... ἀπὸ 'τοῦ πνευματικοῦ νόμου'" (Görgemanns/Karpp, 1976, S.708 u.710). In Princ.IV,2,3 ist ausdrücklich davon die Rede, man könne die Offenbarung des Johannes nur durch den pneumatischen Sinn verstehen.

[509] Kap.VI: "... ὠδίνουσα καὶ ἀναγεννῶσα τοὺς ψυχικοὺς εἰς πνευματικούς" (SC 95, S.216).

[510] "Ἐφέστηκεν οὖν ἐπὶ τῆς πίστεως καὶ προσλήψεως ἡμῶν ἡ ἐκκλησία κατὰ τὴν τῆς σελήνης σύνοψιν." (ebd.).

[511] In Kap.VII wendet sich Methodius gegen einen potentiellen Kritiker: "Ἀλλά, ὦ φιλαίτιε, ἀλλ' οὐδέ σοι πάρεστιν ἀποδεῖξαι τὸν Χριστὸν αὐτὸν εἶναι τὸν γεννώμενον." (SC 95, S.218).

[512] "... ἕκαστος τῶν ἁγίων τῷ μετέχειν Χριστοῦ Χριστὸς γεννηθῇ" (SC 95, S.220).

Der Drache nun wird in Kap.10 mit dem Teufel identifiziert, der den Gläubigen entgegensteht. Seine sieben Häupter werden in Kap.XIII allegorisch als sieben Untugenden dargestellt, die von den Jungfrauen zu überwinden sind. Die Diademe winken dann als Preis.

Damit schließt sich der Kreis der Argumentation: Die Jungfrauen, die durch die Jungfräulichkeit in Kap.I der Erde entschweben und dadurch den Teufeln und Dämonen Widerstand leisten können, werden in Kap.XIII dazu angehalten, die Häupter des Drachen zu besiegen. Die allegorische Auslegung von Apk.Joh.12 hat in diesem Argumentationsgang die Funktion, die Entstehung der wahrhaft einsichtigen Gläubigen durch die Kirche darzustellen. Deren höchste Lebensform ist die Jungfräulichkeit, die einen göttlichen Status erhält (Kap.I: Wortspiel παρ-θενία; Kap.XIII: Bekränzt eure göttlichen Häupter).[513] Der Drache ist dabei nicht mehr das mit den Farben von Dan.7 gemalte "Böse", das sich in politischer Repression ausdrückt, sondern er ist, wie es die Allegorisierungen seiner Köpfe in Kap.13 nahe legen, eine antimoralische Größe und beinhaltet all die Untugenden, die der Jungfräulichkeit entgegenstehen. Die Auseinandersetzung mit dem Drachen zum Ziel der Jungfräulichkeit ist

---

[513] Παρ-θεῖα; "... λήψεσθε τοῖς ... στεφανώμασιν ὑμῶν τὰς θείας κεφαλάς" (SC 95, S.236). Ähnliches Gedankengut wie bei Methodius findet man in dem ersten (pseudepigraphischen) Brief des Clemens Romanus "Ad virgines". In Kap.5 wird der, der für die wahre Jungfräulichkeit streitet, mit der Krone des Lichtes gekrönt und durch das himmlische Jerusalem geführt. Voraussetzung hierzu: "Wenn du also alles dies wünschst, besiege den Leib, besiege die Begierden des Fleisches, besiege die Welt im Geist Gottes; besiege jene eitlen Dinge des gegenwärtigen Zeitalters, die vergehen, verbraucht und verschlissen werden und ein Ende haben; besiege den Drachen, besiege den Löwen, besiege die Schlange, besiege den Satan durch Jesus Christus, der dich stärken wird durch das Anhören seiner Worte und durch die göttliche Eucharistie". Die lateinische Übersetzung des syrischen Originals lautet: "Si igitur omnia haec desideras, vince corpus, vince carnis libidines, vince mundum in spiritu Dei; vince vanas istas praesentis saeculi res, quae transeunt et atteruntur et corrumpuntur et finem habent; vince draconem, vince leonem, vince serpentem, vince satanam, per Iesum *Christum, qui* te *roboraturus est* auditione verborum suorum et divina eucharistia" (Funk/Diekamp II, 1913³, S.7f.). Ein Rückgriff auf Apk.Joh.12 ist zumindest in dieser Version wahrscheinlich: Nicht nur die Anhäufung der Satansnamen spricht dafür (außer "Löwe" statt Drache; womöglich Einfluß aus 1Petr.5,8), sondern auch die eigentümliche Verbindung zu Christus, die zu Apk.Joh.12,11 ähnlich ist: Sieg durch Wort und Eucharistie bei Ps.-Clemens, Sieg durch Wort und Blut des Lammes bei Apk.Joh.12,11.
Parallel hierzu ist ein griechisches Fragment als Zitat des Mönches Antiochus vom Sabaskloster (7.Jahrh.) erhalten: "ἀγωνισώμεθα νικῆσαι τὴν σάρκα καὶ τὸ ταύτης φρόνημα ἐν πνεύματι θεοῦ. νικήσωμεν τὸν σατανᾶν, τὸν δράκοντα ἐν τῷ ἐνδυναμοῦντι ἡμᾶς Χριστῷ" (ebd.). Hier wird die Verbindung mit Christus kaum sakramental gesehen (Eucharistie / Predigt); dies kann man jedenfalls aus dem von Christus geleisteten Beistand nicht zwingend erschließen.

dabei ganz auf die Gemeinde der Gläubigen übertragen; es geht also nicht um einen kosmischen Kampf, der sich auf der Erde vollzieht - darum wird wohl (vgl. die Rezeption Hippolyts in "De antichristo") der Himmelskampf und der Sturz Satans und seiner Engel von Methodius nicht rezipiert. Dies macht die selektive Benutzung des Kapitels deutlich. Die Kompilation von Apk.Joh.12 und Eph.6,12 (Berufung auf "τὸν διδάσκαλον Παῦλον") in Kap.13 zeigt, daß hier Traditionen miteinander verschmolzen sind, die bei der Exegese der Apk.Joh. noch streng getrennt werden müssen.

Conclusio:
Die vorangegangene Untersuchung sollte deutlich machen, daß in der theologiegeschichtlichen Entwicklung Kleinasiens im zweiten und dritten nachchristlichen Jahrhundert die Tendenz besteht, die Apk.Joh. mit anderen christlichen Schriften zu kompilieren. Damit hat die Apk.Joh.-Rezeption Teil am allgemeinen Umgang mit neutestamentlichen Einzelschriften. Die gleichzeitige Benutzung der Apk.Joh. durch Montanisten und Antimontanisten pointiert die Tatsache, daß verschiedene christlichen Kreise die Apk.Joh. gleichzeitig für ihre Zwecke benutzen konnten.

Was die spezielle Rezeption von Apk.Joh.12 anbetrifft, so können wir nach einem recht frühen Beleg bei Papias aufgrund der Quellenlage erst wieder im dritten Jahrhundert ansetzen; dabei wird deutlich: Die theologische Gesamtaussage des Kapitels, der akute Einbruch des Bösen trotz dessen Niederlage, ist nicht rezipiert worden; Apk.Joh.12 oder der eine oder andere Teil davon wird als Beispiel benutzt, um herangetragene Argumentationsgänge zu stützen - doch wird auf die originale Aussage des Kapitels kein Bezug genommen; wir werden sehen, ob sich diese Tendenz auch in der weiteren Rezeptionsgeschichte erkennen läßt.

3. Von Kleinasien nach Westen

3.1. Nach Gallien

3.1.1. Die lugdunensischen Akten

Die christliche Literaturgeschichte Galliens mit Zentrum Lyon beginnt für uns mit den lugdunensischen Akten (um 177-178 entstanden), die bei Euseb, h.e. 5,1 überliefert sind. Diese Akten sind, wie bei den Märtyrerberichten des zweiten Jahrhunderts nicht unüblich (z.b. Mart.Polyk.), als Brief abgefaßt und richten sich an die christlichen Gemeinden in Asien und Phrygien. Diese Notiz ist für uns nicht unerheblich, da hieraus der Kontakt bzw. Austausch von kleinasiatischem und gallischem Christentum erschlossen werden kann. So nimmt es nicht Wunder, daß die Offenbarung des Johannes bei den Trägergruppen der Lugdunensischen Akten eine unhinterfragt große Rolle spielt: So wird in 5,1,45 Apk.Joh.22,11 als Erfüllungszitat der "γραφή" zitiert. Die Apk.Joh. ist hier autoritative "Schrift".[514] Doch neben der Apk.Joh. sind auch andere Schriften autoritativ: in 5.1.4 finden wir mit der Erwähnung des "ἀντικείμενος" einen Anklang an 2Thess.2,4; Paulus wird in 5,1,6 (Röm.8,18) und 5,2,2 (Phil.2,6) herangezogen, Lukas in 5,1,9 (Lk.1,6) und 2,2,5 (Acta 7,60). Auch das Johannesevangelium wird in 5,1,15 zitiert (Joh.16,2).

In diesen Akten finden wir wohl einen Hinweis auf den Kanon der Gemeinden von Lyon, zu den auch die Apk.Joh. gehört. Doch sind keine Mechanismen aufweisbar, wie die Schriften, speziell die Apk.Joh., kompiliert worden sind.

Dies ist vor allem dadurch begründbar, daß wir es bei diesen Akten mit narrativen Texten zu tun haben, die die Ereignisse von Verfolgung und Leid der Christen berichten. Schriftzitate werden nicht zu einer argumentativen Kette gefügt, sondern dienen nur vereinzelt dazu, die erzählte Situation zu untermalen: So wird zum Beispiel die Aufrichtigkeit und der Gehorsam des Vettius Epagathus in 5,1,9f., der zunächst mit Eigenschaften des Zacharias in Lk.1,6

---

[514] Weiterhin wird die Apk.Joh. ganz eindeutig in 5,1,15 benutzt (Apk.Joh.14,4). Eine Kombination aus Apk.Joh.3,14 und 1,5 ist in 5,2,3 wahrscheinlich: Christus ist πιστὸς καὶ ἀληθινὸς μάρτυς καὶ πρωτότοκος τῶν νεκρῶν.

gezeichnet wird, mit dem folgsamen Lamm aus Apk.Joh.14,4 dargestellt; Ste-
phanus in Acta 7 wird als Beispiel für das aufrechte Martyrium angeführt
(5,2,5), die Tatsache, daß die Verfolgung vorausgesagt ist, wird aus Joh.16,2
geschlossen (5,1,15). Die Schriften werden unter dem Leitthema der vorliegenden Situation herangezogen - und nicht zum Zweck irgendeiner Argumentation miteinander kurzgeschlossen.

So geben uns diese Akten für unsere Untersuchungen, neben wertvollen Belegen für Einzeltraditionen,[515] lediglich den Hinweis, daß die Apk.Joh. in Gal-
lien schon recht früh als autoritative Schrift benutzt wurde. Die Transmission
ist durch einen regen Austausch mit Kleinasien ermöglicht, der aus dem
Adressatenkreis des Briefes erschlossen werden kann.

3.1.2. Irenäus von Lyon

a) Die Benutzung der Apk.Joh.

Eine andere Achse von Kleinasien nach Westen kann bei Irenäus ermittelt werden. Dieser berichtet in einem Brief an Florinus[516] von seinen Studien bei Polykarp von Smyrna, zeigt also Kontakte zu kleinasiatischen Traditionen. So ist es
also kein Wunder, daß er die Apk.Joh. benutzt, und aufgrund seines gut überlieferten Schrifttums zeigt sich ein besonders häufiger Rückgriff.[517] Das Bild,
das Irenäus von dieser Schrift gewinnt, läßt sich damit recht vollständig umreißen: Die Apk.Joh. ist "nicht vor allzulanger Zeit" geschrieben worden, sondern
gegen Ende der Regierungszeit Domitians (a.h.5,30,3f. bei der Auslegung der
Zahl 666 in Apk.Joh.13,18). Der Autor der Apk.Joh. ist, wie auch bei Justin,

---

[515] Zum "Gebären der Märtyrer" in h.e.5,1,49: s.o., Teil IV, 1.1.2., S.60.

[516] Fragment bei Euseb, h.e.5,20,4-8; zu Irenäus als Schüler des Polykarp vgl. auch Eu-
       seb, h.e.5,5,8f.; weiterhin Mart.Polyk.: Ein Gaius habe die Berichte "ἐκ τῶν
       Εἰρηναίου, μαθητοῦ τοῦ Πολυκάρπου" (Schoedel, 1967).

[517] Der Vollständigkeit halber seien die Zitate hier angegeben: Irenäus zitiert die
       Apk.Joh. in a.h. 1,26,3 (Apk.Joh.2,6); 2,31,3 (Apk.Joh.12,4); 3,11,8 (Apk.Joh.4,7);
       3,23,7 (Apk.Joh.12,9 oder 20,2); 4,14,2 (1,15); 4,18,6 (11,19); 4,20,2 (3,7);
       4,20,11 (3,12ff.); 4,21,3 (6,2); 5,26,1 (17,12ff.); 5,28,2 (13,2ff,) 5,29,2-31,4
       (Auslegung von Apk.Joh.13,18); 5,30,4 (17,18); 5,35,2 (20); 5,36,1ff, (21). Weiter-
       hin dürften Anspielungen vorliegen in 4,17,6 (Apk.Joh.5,8: Räucherwerke als Gebe-
       te) und 4,20,2 (5,3). Zu Johannes allgemein bei Irenäus vgl. a.h.3,11,1; 4,30,4 und
       5,26,1.

Dial.81,4, der Apostel Johannes (a.h.4,30,4; 5,26,1). Interessant ist, daß Irenäus in a.h.3,11,1 diesen Johannes als einen Gegner Kerinths beschreibt:

> "Denselben Glauben verkündet auch Johannes, der Schüler des Herrn. Durch die Verkündigung des Evangeliums wollte er den von Kerinth unter den Menschen ausgesäten Irrtum (und zuallererst den der sogenannten Nikolaiten) beseitigen."[518]

Wenige Jahre oder Jahrzehnte nach dieser Notiz (a.h. wird allgemein auf die Jahre 180-185 datiert) wird in Rom der Antimontanist Gaius von ebenjenem Kerinth aussagen, er habe die Apk.Joh. geschrieben (Euseb, h.e.3,28,2; Gaius wirkte in Rom, nach Euseb, h.e.2,25,6f., unter Zephyrin, also 198-217). Bei Irenäus ist dagegen Johannes als Autor des Evangeliums und der Apk.Joh. ein Vorkämpfer der Rechtgläubigkeit. Die antihäretische Zielrichtung, in der diese "johanneischen" Schriften von Irenäus benutzt werden, kann durch deren Koppelung an den speziellen Autor, den Apostel Johannes geschehen; dieser ist nämlich für Irenäus ein erklärter Gegner Kerinths: In a.h.3,3,4 berichtet Irenäus eine Anekdote, die er von Polykarp gehört haben will, in der Johannes fluchtartig eine Badeanstalt verlassen habe, als er vernahm, daß Kerinth ebenfalls dort weilte; er wollte mit dem Häretiker nichts zu tun haben. Nach a.h. 3,11,1 arbeitet Johannes speziell gegen die Häresie Kerinths.

Wir sehen: die Identifikation des Autors der Apk.Joh. mit dem Apostel Johannes verfolgt bei Irenäus eine antihäretische Zielrichtung. Dies bedeutet auf der anderen Seite, daß Irenäus dann mit der Apk.Joh. als antihäretischer Schrift argumentieren kann, wie es in a.h. oft genug der Fall ist.

Damit ist die Identifizierung des Sehers aus Patmos mit dem Apostel Johannes ein wichtiger Mechanismus, um die Apk.Joh. als großkirchliche Schrift gegen die Ketzer benutzen zu können.

b) Die Benutzung von Apk.Joh.12

Diese Benutzung der Apk.Joh. im Rahmen der Ketzerpolemik kann nun auch am Beispiel von Apk.Joh.12 konkret festgemacht werden; in a.h.2,31,3 schreibt Irenäus:

---

[518] "Ταύτην τὴν πίστιν καταγγέλλων ' Ιωάννης ὁ τοῦ Κυρίου μαθητής, βουλόμενος διὰ τῆς τοῦ εὐαγγελίου κηρύξεως ἀφελεῖν τὴν ὑπὸ Κηρίνθου ἐγκατεσπαρμένην ἀνθρώποις πλάνην καὶ πολὺ πρότερον ὑπὸ τῶν λεγομένων Νικολαιτῶν" (SC 211, S.139).

"Sie [sc.: die Ketzer] sind wirklich Vorläufer des Drachen, der durch solche Trugbildnerei ein Drittel der Sterne des Himmels mit dem Schwanz hinwegfegen und auf die Erde werfen wird (vgl. Offb 12,4). So wie dem Drachen, muß man auch ihnen aus dem Weg gehen, und je größer die Trugbilder sind, mit denen sie angeblich ihre Wirkung erzielen, desto mehr muß man sich vor ihnen hüten, gerade als hätten sie einen umso gefährlicheren Geist der Verdorbenheit in sich. Wenn man ihren täglichen Lebensstil beobachtet, sieht man sofort, daß es der gleiche ist wie bei den Dämonen."[519]

Der sternefegende Drache von Apk.Joh.12,4 wird hier als Beispiel dafür benutzt, wie die Ketzer mit Trugbildern hantieren. Der Vers wird damit auch hier, so wie wir es oben in der "Passio Pionii" gesehen hatten, in einen völlig fremden Zusammenhang gestellt und dient zur Untermauerung von Gedankengängen, die dem ursprünglichen Sinn vollkommen fern liegen. Die in Apk.Joh.12 geschilderten Ereignisse fungieren als Ketzerpolemik und werden zudem in eine fernere Zukunft verlagert (Ketzer als *Vorläufer* des Drachen).

Conclusio: Bei Irenäus wurde, nicht zuletzt anhand von Apk.Joh.12, die antihäretische Ausrichtung der Apk.Joh. deutlich; wichtiger Mechanismus, um die Schrift auch großkirchlich und orthodox zu legitimieren, war die Identifikation ihres Autors mit dem Apostel Johannes.

Da es belegt ist, daß Irenäus in wichtigen Streitfragen mit Rom in Verbindung stand (zum Problem Montanismus vgl. Euseb, h.e.5,3,4, zur Frage des quartadezimanischen Passastreites vgl. h.e.5,23,25), ist eine Transmission dieser Traditionen auch auf diesem Wege nach Rom erkennbar. Wir wenden uns darum nun der Rezeption der Apk.Joh. in Rom zu.

3.2. Rom

In Rom müssen wir im zweiten Jahrhundert mit vielfältigen Formen des Christentums rechnen, die nicht auf eine einzige Traditionslinie reduzierbar sind.[520] Schon früh stoßen wir in 1Clemens auf eine postpaulinische Strömung, die der Theologie des Sehers eher konträr gegenübersteht; dies zeigt etwa die Stellung zur Diskussion um die "Tiefe der Gottheit" in 1Clem.40,1:

---

[519] Brox, 1993, Bd.2, S.273.
[520] Vgl. zum frühen Christentum in Rom Lampe, 1989².

"Da uns also dies offenbar ist und wir Einblick in die Tiefen göttlicher Erkenntnis erhalten haben ..."[521]

Clemens glaubt, wie Paulus in Röm.11,33 und 1Cor.2,10, die "Tiefen der Gottheit" erkannt zu haben; er gehört damit in genau die Strömung nachpaulinischen Christentums, die der Seher aus Patmos in Apk.Joh.2,24 angreift.

Um die Mitte des zweiten Jahrhunderts nun leben in Rom zeitgleich der Apologet Justin, der Bußprediger Hermas, Marcion und der Gnostiker Valentinus. Diese Beispiele geben einen Einblick in die Vielfarbigkeit des römischem Christentums. Die Apk.Joh. ist, wie es auch aus dem Canon Muratori hervorgeht, der Ende des Jahrhunderts in Rom entstanden ist, allgemein als kanonisch akzeptiert. Christen wie Gaius, die um die Wende zum dritten Jahrhunderts aufgrund ihrer antichiliastischen Einstellung die Apk.Joh. verwerfen, scheinen für die Gesamtsituation nicht repräsentativ zu sein.

Im folgenden sollen die Quellen auf die Rezeption der Apk.Joh. und dann speziell von Apk.Joh.12 untersucht werden.

3.2.1. Justinus Martyr

Man kann voraussetzen, daß der eigentlich palästinische Christ Justin aus Flavia Neapolis (Nablus; vgl. 1.Apol.1) die Apk.Joh. gekannt hat, wenn man seinem in Dial.2 autobiographisch geschilderten geistigen Werdegang einen historischen Kern zumißt. Danach ist seine Bekehrung zum Christentum in Ephesos verortet, weil diese Stadt nach Euseb h.e.4,18 der Ort des Dialoges ist. Somit können wir annehmen, daß Justin mit dem dortigen Christentum in Berührung gekommen ist, obwohl es sich bei der Notiz von dem "alten Mann", der ihn "an einem Ort nahe des Meeres" mit dem Christentum bekannt machte, möglicherweise um einen literarischen Topos handelt; eine Transmission der Apk.Joh. zu Justin ist über das Christentum in Ephesos zumindest möglich.

Sein Bezug zur Apk.Joh. ist in folgenden Punkten darstellbar:

1. Er ist wie Papias und Irenäus Chiliast (Dial.80,5) und steht damit der Apk.Joh. auch inhaltlich nahe.

2. Er zitiert in Dial.81,4 die Apk.Joh. als autoritative Schrift. Dabei nennt er den Autor Johannes, einen der Apostel Christi.

---

[521] "Προδήλων οὖν ἡμῖν ὄντων τούτων καὶ ἐγκεκυφότες εἰς τὰ βάθη τῆς θείας γνώσεως ..." (Schneider, 1994, S.162; Übersetzung a.a.O., S.163).

3. In seiner ersten Apologie (um 150-155 entstanden) wird eine direkte Benutzung von Apk.Joh.12 konkret greifbar:

> 1.Apol.28,1:[522] "Von uns wird nämlich das Oberhaupt der bösen Dämonen Schlange und Satan und Teufel genannt, wie ihr es auch beim Nachforschen aus unseren Schriften lernen könnt".

Die verschiedenen Namen des Teufels begründet Justin mit einem nicht näher bezeichneten Schriftverweis; eine spezielle Reminiszenz zu Apk.Joh.12,9 ist dabei sehr wahrscheinlich.

4. Die traditionsgeschichtliche Nähe zu Papias und zur Apk.Joh. konnte an anderer Stelle bei der Verwendung der Tradition vom Engelfall in 2.Apol.4(5) gezeigt werden.[523] Dabei entwickelt Justin diese Traditionen weiter:

a) in 1.Apol.28 wird nach der Zitierung von Apk.Joh.12,9 der Sieg über den Teufel in die Zukunft gerückt. Justin übernimmt die Theologie des Sehers vom schon geleisteten Sieg über den Teufel, der sich auf der Erde noch vollziehen muß, nicht. Die Zeit bis zum verheißenen endzeitlichen Sieg Christi ist um des Menschen Willen gedehnt: quasi als Aufschub, als Chance zur Buße.

b) Justins Sicht von der Verzögerung der endgültigen Vernichtung des Bösen um der Menschen Willen wird nochmals in dem oben schon besprochenen Stück in 2.Apol.5f. ausgeführt. Neu dabei ist, daß in 2.Apol.5(6) der Sieg Christi über das Böse schon teilweise vorweggenommen ist: durch Exorzismen und durch Beschwörungen in seinem Namen. Dabei fließen sichtlich Traditionen von wundertätigen Aposteln in die Argumentation ein, die sich in den etwa um die gleiche Zeit wie 2.Apol. entstehenden Apostelakten niederschlagen.

Neu ist weiterhin, daß in 2.Apol.6(7) die Verzögerung der Vernichtung des Bösen (die sich Justin in stoischer Manier als Weltbrand vorstellt) an den freien Willen des Menschen geknüpft ist: Gott hat Menschen und Engel mit freiem Willen geschaffen; die sich für das Böse entschieden haben, werden bestraft. Noch ist Zeit zur Entscheidung.

Diese Denkweise bildet wieder eine Nahtstelle zur Weiterentwicklung der Tradition. Justins Schüler Tatian hat in Rom in Or.ad.Gr.7 diese Lehre von der gleichgestellten freien Erschaffung des Menschen und der Engel aufgenommen

---

[522] "Παρ' ἡμῖν μὲν γὰρ ὁ ἀρχηγέτης τῶν κακῶν δαιμόνων ὄφις καλεῖται καὶ σατανᾶς καὶ διάβολος, ὡς καὶ ἐκ τῶν ἡμετέρων συγγραμμάτων ἐρευνήσαντες μαθεῖν δύνασθε" (Krüger, 1904, S.22).

[523] S.o., Teil IV, 3.4.2.1., S.137f.

und sie mit der uns bekannten Tradition vom Fall der Engel verknüpft.[524] Die Traditionslinie über Papias und Justin zu Tatian kann hier anhand Apk.Joh.12 von Kleinasien nach Rom gezogen werden.

3.2.2. Valentinus und das "Evangelium Veritatis"

Von dem alexandrinischen Gnostiker Valentinus, der in der Mitte des 2. Jahrhunderts in Rom lebte, sind keine Anzeichen einer Benutzung der Apk.Joh. überliefert; ihm oder seinem Kreis wird aber nach Irenäus, a.h.3,11,9 ein "Evangelium der Wahrheit" zugeschrieben, das mit dem in Nag-Hammadi gefundenen "Evangelium Veritatis" (NHC 1,3) identisch sein könnte. Dafür spricht z.B., daß die Auslegung vom Gleichnis vom verlorenen Schaf (Mt.18,12-14; Lk.15,3-7) in 31,35ff.: Die Zahl 99 als Symbol für die "linke Hand" ist nach Irenäus, a.h. 1,16,2 für die Markosianer bezeugt, die der valentinianischen Gnosis anhängen. Dagegen spricht das weitgehende Fehlen der reichentwickelten valentinianischen Äonenlehre in Ev.Ver.[525]

Da somit eine Beziehung zu Valentin und nach Rom nicht gesichert ist, wird Ev.Ver. im folgenden als wichtige Schrift des 2. Jahrhunderts behandelt, jedoch aus der Rezeptionsgeschichte der Apk.Joh. in Rom ausgesondert.

Folgende Berührungspunkte zur Apk.Joh. ergeben sich in Ev.Ver.:

- In Ev.Ver.26,2f. wird die Tradition vom zweigeschliffenen Schwert benutzt; wahrscheinlich ist hier eine Reminiszenz zu Apk.Joh.1,16; 2,12 zu verzeichnen. Dies jedenfalls ist aufgrund der verwendeten Gerichtsmetaphorik wahrscheinlicher als an eine Benutzung von Hebr.4,12 zu denken, wo diese Metapher (+ Wort Gottes) auch gebraucht ist.

---

[524] Zur Lehre von der gleichzeitigen Erschaffung von Engel und Menschen, die mit einem freien Willen ausgestattet sind: vgl. Justin, Dial.87,5; 2.Apol.6(7),5: " ' Ἀλλ' ὅτι αὐτεξούσιον τό τε τῶν ἀγγέλων γένος καὶ τῶν ἀνθρώπων τὴν ἀρχὴν ἐποίησεν ὁ θεός, ..." (Krüger, 1904, S.66) und Tatian, Or.ad Gr.7: "ὁ μὲν οὖν λόγος πρὸ τῆς τῶν ἀνθρώπων κατασκευῆς ἀγγέλων δημιουργὸς γίνεται, τὸ δὲ ἑκάτερον τῆς ποιήσεως εἶδος αὐτεξούσιον γέγονε ..." (Schwartz, TU 4,1 (1888), S.7). Die Unterstreichungen sind von mir und dienen der Hervorhebung des offensichtlich parallelen Wortfeldes.

[525] Markschies, 1992, S.339ff. bestreitet als Ergebnis seiner eingehenden Untersuchung zu Valentinus und dem Ev.Ver. die valentinianischen Autorschaft des Ev.Ver.

- In Ev.Ver.20,2-5 bestehen enge Parallelen zu Apk.Joh.5,2-9, möglicherweise literarische Abhängigkeit.[526]
- Der Verfasser von Ev.Ver. benutzt ausführlich die Tradition vom "Buch des Lebens", wie sie auch in Apk.Joh.3,5; 5,2-9; 17,8; 20,12; 21,24 Verwendung findet.[527]

Trotz dieser Verwendungen der Apk.Joh. suchen wir in Ev.Ver. vergeblich nach Reminiszenzen von Apk.Joh.12.

Ein Grund, warum zumindest eine großflächige Rezeption von Apk.Joh.12 in Ev.Ver. nicht zu erwarten ist, liegt in der spezifischen Erklärung des "Bösen" in Ev.Ver.; diese ist von der in Apk.Joh.12 vertretenen Theologie zu unterscheiden: In Kap.17f. wird vom kosmischen Geschehen bei der Schöpfung der Welt berichtet, wie die πλάνη die Menschen einnimmt; damit folgt Ev.Ver. keiner Konzeption, die von einem akuten Einbruch des Bösen berichtet, sondern der "Irrtum" besteht chronisch, von Anfang an. Die Vernichtung des Teufels wird im paränetischen Teil, Kap.32,31-33,32 geschildert: Die Christen selbst besiegen den Teufel, indem sie sich im Sinne des vorliegenden gnostischen Systems zu Christus bekennen, der sie aus der πλάνη führt; somit ist kein eschatologischer Sieg Christi bzw. Michaels über das Böse, wie er in Apk.Joh.12 geschildert wird, notwendig.

3.2.3. Hippolyt

War bisher die Benutzung der Apk.Joh. in Rom nur in Spuren nachweisbar, so bewegen wir uns am Ende des zweiten Jahrhunderts auf sichererem Boden. Erster und prominentester Zeuge für eine breite Benutzung der Apk.Joh. in Rom ist Hippolyt; bei ihm kann der theologiegeschichtliche Faden, der sich über Irenäus von Kleinasien nach Westen zieht, weiter aufgenommen werden, denn laut Photius, Bibl.121 bekennt sich Hippolyt in seinem "Syntagma gegen alle Häresien" als μαθητής des Irenäus und ist in der Argumentation gegen die

---

[526] Vgl. Attridge / McRae, 1985, S. 57 zur Stelle: "The sentence clearly alludes to Rev.5,2-9".

[527] Zum "Buch des Lebens" und der Verwendung der Metapher in der christl. Antike: vgl. Koep, 1952; mit vielen sorgfältig zusammengestellten Belegen leitet dieser die Vorstellung aus der "Bürgerrolle" des römischen Bürgerrechts her (S.68ff.). - Im frühen Christentum wird diese Metapher vielfältig gebraucht, oft als Rezeption von Ps.68,29 LXX; als Lohnmotiv in Phil.4,3; Od.Sal.9,11; syr.Perlenlied (Act.Thom.110); Past.Herm, Vis.1,3,2 (+ Buße); für Auserwählte: Apk.Petr.(äth.)I, Kap.17; für Täuflinge: Const.Apost.7,29,4.

Häretiker teilweise von ihm abhängig (vgl. Ref.VI,42; 55: Berufung auf Irenäus bei der Widerlegung der Valentinianischen Gnosis).

Obwohl Hippolyts Apokalypsekommentar nur fragmentarisch überliefert ist, sind wir über die Auslegung von Apk.Joh.12 relativ gut informiert. Es existieren neben sieben Fragmenten aus dem arabischen Apokalypsekommentar[528] noch aus dem kopt. Matthäuskommentar Hippolyts zwei Exzerpte zu Apk.Joh.12.[529] Schließlich ist in der Schrift über den Antichrist, Kap.60f., Apk.Joh.12 ausführlich ausgelegt worden. Diese Interpretation Hippolyts von Apk.Joh.12 ist für die Wirkungsgeschichte des Kapitels eminent wichtig, denn sie ist der erste erhaltene Niederschlag für eine großflächige und ausführliche Rezeption.

In der um 200 entstandenen[530] Schrift "De antichristo" kompiliert Hippolyt die Antichristtradition mit den "göttlichen Schriften" (vgl. Kap.1; 5). Die schon bei Irenäus erkennbare Tendenz zur einheitlichen Gewichtung verschiedener Traditionen wird hierbei fortgeführt.[531] Fragen wir nach der speziellen Rezeption von Apk.Joh.12 innerhalb dieser Schrift, so springt zunächst die Position des Kapitels innerhalb der Makrostruktur von "De antichristo" ins Auge. Apk.Joh.12 wird in Hippolyts Disposition weit am Ende (Kap.60f.), kurz vor der Besiegung des Antichrist, herangezogen. Diese exponierte Position ist dadurch zu begründen, daß Apk.Joh.12 als Schriftbeweis für die Verfolgung der Gläubigen fungiert; diese Verfolgung wiederum bildet den Höhepunkt der Aktivitäten des Antichrist, danach kommt sein Untergang.

Aus diesen Beobachtungen können folgende Schlüsse gezogen werden:

- Bei der Benutzung von Apk.Joh.12 übernimmt Hippolyt nicht die Disposition des Johannes. Bei dem Seher schließen sich die in Apk.Joh.12 geschilderten Ereignisse direkt an die Tradition von Henoch und Elia an und bilden den Auftakt zur letzten Verfolgung durch den Satan und seine Helfer (Apk.Joh.13-17). Bei Hippolyt wird die Rom-Babylon-Metaphorik (Apk.Joh.12) schon Kap.36-41 vorgezogen. Auf die Tradition von Henoch und Elia (Kap.42-47) folgt erst der Siegeszug des Antichrist (48-59), der dann in der Verfolgung der Christen gipfelt (59-61). Dies ist die Stelle, an der Apk.Joh.12 herangezogen wird. Danach werden Weltende und Sturz des Antichrist (62-67) dargestellt.[532]

---

[528] Gesammelt und übersetzt von Achelis in GCS 1,2, S.232f.
[529] A.a.O., S.207f.
[530] Vgl. Altaner/Stuiber, 1993, S.166.
[531] Zur Abhängigkeit der Schrift von Irenäus vgl. Altaner/Stuiber, ebd.
[532] Zur Gliederung der Schrift vgl. Bardenhewer II, 1914, S.573f.

- Hippolyt übernimmt auch nicht die Funktion von Apk.Joh.12. Während dieses Kapitel innerhalb der Johannesoffenbarung den Auftakt der Verfolgung darstellt, wird es bei Hippolyt als Bild für die endzeitliche Verfolgung an sich gebraucht. Dies bedeutet, daß die in Apk.Joh.12 geschilderten Geschehnisse, die bei dem Seher aus Patmos mit großer Brisanz für die unmittelbare Gegenwart gezeichnet waren, bei Hippolyt in eine eschatologische Zukunft gerückt werden. Die Tendenz, die bei Justin, 1.Apol.28 zuerst nachweisbar ist, wird hier fortgeführt.

Wenden wir uns nun der Benutzung der eigentlichen Textstruktur zu. Schon bei einem ersten Überblick über Hippolyts Textgrundlage in Kap.60 wird deutlich, daß der Text sehr gekürzt dargeboten wird.[533] Es fehlen folgende Passagen:

- Das "andere Zeichen", der Drache, V.3-4a mitsamt den Bildelementen (Reminiszenzen an Dan.7) fehlt.
- Die Reminiszenz an Ps.2,9 in V.5a ist aufgeweicht ("eiserner Stab" fehlt).
- Der Himmelskampf und der hymnische Kommentar in V.7-12 fehlen vollständig (vgl. Methodius, Symp.).

Ergebnis: Hippolyt folgt in "De antichristo" seiner eigenen Disposition (zweifellos die der Henoch-Elia-Antichrist - Tradition) und zieht zusätzlich bestimmte Elemente aus Apk.Joh.12 heran. Bei der Textauswahl scheint Hippolyt jedoch die Kenntnis des Gesamttextes bei seiner Leserschaft vorauszusetzen, denn der plötzliche Ortswechsel des Drachen auf die Erde, der durch die Selektion des Himmelskampfes entstanden ist, wird nicht weiter begründet.

Folgen wir nun der Interpretation der einzelnen Handlungsträger:

a) die Frau

Inhaltlich ist Hippolyt, folgt man seiner Textauswahl, nur an den Ereignissen um die Frau interessiert. Dies ist durch die Funktion zu begründen, die Apk.Joh.12 bei ihm hat: Es dienst als Beispiel für die Verfolgung der Kirche.

Wenden wir uns zunächst der Interpretation der Bildelemente zu. Die bildhafte Ausgestaltung der Frau ist durch verschiedene Texte breit belegt - Hippolyt deutet die astrale Einkleidung allegorisch auf die Kirche. Dabei können die Interpretationen wechseln, wie es bei einer Übersicht der einzelnen Textstellen deutlich wird:

1. Kopt. Fragment zum Matthäuskommentar Hippolyts (cod Parham 102):[534]

---

[533] Eine Synopse der Hippolytfragmente zu Apk.Joh.12 erstellte Prigent, 1959, S.4f.

"'Ιππόλυτος aber sagt: Das "Weib" nun (?) ουν ist die ἐκκλησία der Heiligen, welches die Versammlung aller ἅγιος ist, die da sein werden in der Zeit des ἀντίχριστος; "die mit der Sonne bekleidet ist", welche die καινὴ διαθήκη ist, ἥγουν Christus, die "Sonne der δικαιοσύνη". Der "Mond" δὲ ist die παλαιὰ διαθήκη. Und die "zwölf Sterne" (beziehen sich) auf die zwölf heiligen Apostel unseres Herrn Jesus Christus, unseres wahren (ἀληθινός) Gottes. Die Schwangerschaft δὲ und das Wehen beziehen sich auf den heiligen Geist, mit (? von?) welchem die ἅγιος schwanger sind und haben Wehen mit (?) ihm durch die Furcht des Herrn gemäss auch dem Worte des Propheten, wenn er also sagt: "Wegen deiner Furcht, Herr, wurden wir schwanger und hatten Wehen und wir gebaren einen Heilsgeist (πνεῦμα), wir erzeugten ihn auf Erden" [vgl.Jes.26,18]. ὃ τι μὲν οὖν das Wort der ἀποκάλυψις kommt über die ἐκκλησία der Heiligen; die Sache ist offenbar durch das, was nach diesem gekommen ist".

2. Arabischer Apokalypsekommentar:[535] "Hippolytus, der römische Bischof, ist in seiner Erklärung dieses Verses der Ansicht, das 'Weib' bedeute die Kirche und die 'Sonne', in die es gekleidet war, bedeute unsern Herrn Jesus Christus, weil er die 'Sonne der Frömmigkeit' genannt werde; und der 'Mond unter ihren Füßen' bedeute Johannes den Täufer; und der 'Kranz' auf ihrem Haupte 'von zwölf Sternen' bedeute die zwölf Apostel".

3. De antichristo, Kap.61:[536] "Die "mit der Sonne umkleidete Frau" nun hat er aufs deutlichste als die Kirche erklärt, die den väterlichen Logos angezogen hat, der mehr als die Sonne leuchtet. "Der Mond" aber, "der unter ihren Füßen ist", heißt: mit himmlischem Glanz wie der Mond geschmückt. Indem er sagt: "Über ihrem Kopf ist ein Kranz von zwölf Sternen", verweist er auf die zwölf Apostel, durch die die Kirche gegründet worden ist. "Und sie war schwanger und schrie in Wehen und hatte Schmerzen beim Gebären": nie hört die Kirche, die in der Welt von den Ungläubigen verfolgt wird, auf, aus dem Herzen den Logos zu gebären".

Die Allegorisierungen der Bildelemente der Frau sind wie folgt vergleichbar:

---

[534] Achelis, GCS 1,2, S.207f.

[535] Achelis, GCS 1,2, S.232, Fragment IV; zum Sternenkranz und der Interpretation als "Apostel" vgl. auch Fragment V ebd.

[536] "Τὴν μὲν οὖν 'γυναῖκα τὴν περιβεβλημένην τὸν ἥλιον' σαφέστατα τὴν ἐκκλησίαν ἐδήλωσεν, ἐνδεδυμένην τὸν λόγον τὸν πατρῷον ὑπὲρ ἥλιον λάμποντα· 'σελήνην' δὲ λέγων 'ὑποκάτω τῶν ποδῶν αὐτῆς' δόξῃ ἐπουρανίῳ ὡς σελήνην κεκοσμημένην· τὸ δὲ λέγειν 'ἐπάνω τῆς κεφαλῆς αὐτῆς στέφανος ἀστέρων δώδεκα' δηλοῖ τοὺς δώδεκα ἀποστόλους, δι' ὧν καθίδρυται ἡ ἐκκλησία. 'καὶ ἐν γαστρὶ ἔχουσα κράζει, ὠδίνουσα καὶ βασανιζομένη τεκεῖν', ὅτι ἀεὶ οὐ παύεται ἡ ἐκκλησία γεννῶσα ἐκ καρδίας τὸν λόγον καίτοι ἐν κόσμῳ ὑπὸ ἀπίστων διωκομένη" (Achelis, GCS 1,2, S.41). Zur Kirche, die den Logos angezogen hat, vgl. Philo, Fug.110: Der Logos trägt den Kosmos als Gewand.

Bildelemente	Arab. Komm.	Com.in Mt.	De antichr.
Frau	Kirche	ἐκκλ. d.Heiligen	Kirche
Sonne	Christus, Sonne	Neuer Bund, S.	väterlicher Logos
	der Frömmigkeit	der Gerechtigk.	
Mond	Johannes d.T.	Alter Bund	himml. Glanz
Kranz	Apostel	Apostel	Apostel
Wehen, Geburt	-	Hl. Geist	Kirche gebiert Logos

Die ekklesiologische Deutung der Frau und die apostolische Ausrichtung der Kirche (Kranz) wird durch diese Übersicht deutlich. Mond und Sonne scheinen als Abfolge von Einst zu Jetzt aufgefaßt zu werden - dies jedenfalls macht die Opposition Christus/Johannes bzw. Neuer/Alter Bund deutlich.

Auffällig ist der Bezug zum Logos bei der Interpretation der Sonne in "De antichristo". Der Logos hat lt. Kap.3 schon den Propheten die Offenbarungen gegeben und die Heiligen belehrt. Gleichzeitig hat der Logos in Kap.4 auch das "heilige Fleisch von der heiligen Jungfrau angezogen wie ein Bräutigam ein Obergewand, das er sich selbst im Kreuzesleiden gewoben hat".[537] Warum Hippolyt hier Apk.Joh.12 in Zusammenhang mit dem Logos brachte, ist rätselhaft; einen Hinweis könnte die zeitgenössische Diskussion um die bei Epiphan., Pan.51 genannten "Aloger" geben, die das johanneische Schrifttum (und damit auch die Apk.Joh.) aufgrund der Logostheologie ablehnten; daß Hippolyt eine Apologie für diese Schriften verfaßt hat, ist auf der 1551 in Rom gefundenen Marmorstatue Hippolyts und bei dem Syrer Ebed Jesu, Cat.libr.omn.eccl.7 erwähnt.[538] Er hat sich somit deutlich gegen das Anliegen der Aloger gewendet. Möglicherweise ist die Verbindung des Logos mit der Kirche in "De antichristo" eine erneute Stellungnahme zu dieser Diskussion.

Diese Verbindung des Logos zu den Heiligen steht auch im Hintergrund des Bildes in Kap.61: Die Kirche ist vom Logos umkleidet. Die Geburt des Logos aus dem Herzen der Kirche wird als Metapher für die Mission bzw. Ausbreitung des Christentums gebraucht.

Diese Verknüpfung von Apk.Joh.12 mit der Logostheologie, die von den Apologeten des 2. Jahrhunderts primär vom Johannesevangelium abgeleitet wurde, dient dazu, die Apk.Joh. mit dem übrigen "johanneischen" Schrifttum zu kompilieren.

---

[537] "Ἐπειδὴ γὰρ ὁ λόγος ὁ τοῦ θεοῦ ἄσαρκος ὢν ἐνεδύσατο τὴν ἁγίαν σάρκα ἐκ τῆς ἁγίας παρθένου ὡς νυμφίος ἱμάτιον, ἐξυφήνας ἑαυτῷ ἐν τῷ σταυρικῷ πάθει..." (Achelis, GCS 1,2, S.6).
[538] Vgl. Bardenhewer II, 1914, S.569.

b) der Drache

Der Drache tritt bei Hippolyt ganz in den Hintergrund; in "De antichristo" ist auf eine Darstellung seiner Bildelemente ganz verzichtet worden. Eine Interpretation der Bildelemente des Drachen ist uns lediglich im arab. Apokalypsekommentar überliefert:

> "Nachdem Hippolytus erkannt hat, dass die Köpfe und die Hörner dieses Drachen Könige seien, und dass diese zu den Anhängern und Dienern des Satans gehören, erklärt er: "Die sieben Köpfe sind sieben Könige, nämlich folgende: Nebukadnezar, der Chaldäer, Kores der Meder, Darius der Perser, Alexander der Grieche, und die vier Diener Alexanders zählen als ein Reich, das römische Reich, und das Reich des Antichrist". Und die zehn Hörner erklärt er als die zehn Könige, die zugleich mit dem Antichrist zugrunde gehen werden. Eine Erklärung der Kränze hat er nicht geliefert".[539]

Johannes zeichnet in Apk.Joh.12 den Drachen mit den Elementen von Dan.7 als Hinweis auf die Widergöttlichkeit des bösen Protagonisten. Hippolyt identifiziert dagegen den Drachen aus Apk.Joh.12 mit dem 4. Tier und deutet die Bildelemente in Apk.Joh.12,3 durch Dan.7 im Rahmen der Reichelehre. Dabei ist der römische Staat bei Hippolyt nicht identisch mit dem Antichrist,[540] dieser kommt aber aus Rom (Comm. in Dan.4,14). Im Comm. in Dan.4,21 ist das vierte Tier aus Dan.7 Rom, der Antichrist kommt erst, nachdem es vorübergegangen ist (Unterschied zu Apk.Joh.12: Der Drache = Satan und das 4. Tier werden durch die Bildelemente identifiziert). Der Drache wird bei Hippolyt also mit Rom identifiziert und weist auf die staatliche Repression der Christengemeinden kurz vor dem Auftreten des Antichrist hin. Diese Deutung des Drachen gibt einen möglichen Hinweis für die Auslassung des Himmelskampfes und des Satanssturzes: Ein himmlischer Sieg über Rom (= den Drachen) fügt sich schlecht in die Konzeption der vorletzten Zeit, kurz vor dem Auftreten des Antichrist. Ebenso ist die Ankunft Satans auf der Erde in Hippolyts Disposition schon vorweggenommen, denn dieser hat das Auftreten des Antichrist schon im Zusammenhang mit dem Auftreten Elias und Henochs in Kap.48ff. geschildert; somit braucht er den Anlaß für das irdische Wirken des Satans in Apk.Joh.12 (Fall Satans) nicht zu übernehmen.

Über die Interpretation des Satansfalles bei Hippolyt sind wir jedoch von anderer Stelle informiert, denn aus seinem Genesiskommentar ist ein kleines

---

[539] Achelis, GCS 1,2, S.232.
[540] Vgl. Hamel, 1951, S.193.

Fragment überliefert, das Aufschluß über die Rezeption dieser Tradition verspricht:

> Kommentar zu Gen.49,16: "Ich nehme dies als Bild des Bösen, daß er näm-
> lich über die von ihm Getäuschten richtet und indem er sie anklagt vor dem
> Herrn. Denn Richter aller Dinge ist der Herr, so wie auch in den Offenba-
> rungen geschrieben ist: 'auf die Erde geworfen ist der Teufel, der die Men-
> schen vor Gott anklagt'".[541]

Hippolyt folgt hier der Tradition, nach der der Antichrist aus dem Stamm Dan kommt.[542] Diese Tradition ist einmal als Rückgriff auf Gen.49,17 erklärbar: Dan wird dort als Schlange bezeichnet und ein Motiv der Paradiesschlange in Gen.3,15 (in die Ferse beißen) klingt an. Zum anderen ist der Zusammenhang von Dan und dem Antichrist auch etymologisch begründbar: Hebräisch "דין" kann griechisch mit "κατηγορεῖν" übersetzt werden. Die Tatsache, daß Apk.Joh.12,9f. im Zusammenhang mit Dan herangezogen wird, läßt darauf schließen, daß Apk.Joh.12 hier im Rahmen der Antichristtradition gelesen wurde. Warum dieser Textteil aus Apk.Joh.12 in "De antichristo" ausgelassen wurde, ist nur dadurch erklärbar, daß er im Rahmen des Argumentationsgangs überflüssig ist.

c) das Kind

Das von der Frau geborene Kind ist nach Hippolyt eindeutig Christus. Da Christus allerdings eher als Lehrer der Völker gesehen wird (vgl. auch die Verbindung zum Logos und der Mission), ist die kriegerische Reminiszenz von Ps.2,9 aufgeweicht.

Conclusio: Hippolyt benutzt Apk.Joh.12 im Rahmen seiner Darstellung der Antichristtradition, um die Verfolgung der Christen durch die Schrift zu belegen. In Hippolyts Disposition wird Apk.Joh.12 an eine spätere Stelle der apo-
kalyptischen Ereignisabfolge verlegt, nämlich als Schriftbeweis für den

---

[541] "Λαμβάνω τοῦτο εἰς τύπον τοῦ πονηροῦ, ὅτι γὰρ 'κρινεῖ' τοὺς ἐξαπατωμένους ὑπ' αὐτοῦ καὶ ἐν τῷ κατηγορῆσαι αὐτὸν πρὸς τὸν κύριον. κριτὴς γὰρ πάντων ὁ κύριος καθὼς καὶ ἐν ταῖς ἀποκαλύψεσι γέγραπται, ὅτι 'ἐβλήθη εἰς τὴν γῆν ὁ διάβολος ὁ κατηγορῶν τοὺς ἀνθρώπους ἐνώπιον τοῦ θεοῦ'". (Achelis, GCS 1,2, S.64). Diese Reminiszenz zu Apk.Joh.12 ist von Prigent, 1959, S.3ff. nicht berücksichtigt worden.

[542] Zur Herkunft des Antichrist aus Dan bei Hippolyt vgl. "De antichristo", Kap.14f.; weitere Belege sind gesammelt bei Bousset, 1895, S.112-115; Ergänzungen bei Berger, 1976, S.101.

endzeitlichen Höhepunkt der Verfolgung durch den Antichrist. Damit fungiert Apk.Joh.12 nicht als Bild für den Auftakt bzw. die Begründung der Verfolgung, sondern für die Verfolgung selbst. Diese Veränderung innerhalb der Makrostruktur des Textes geht mit einem textpragmatischen Funktionswechsel einher: Hat das Mythenkompendium in der Apk.Joh. aktuelle Brisanz für die Gemeinde (aktuelle Verfolgung), so steht es in Hippolyts Disposition dagegen für eine fernere eschatologische Zukunft. Hippolyt benutzt demnach Apk.Joh.12, um seine eigenen Aussagen zu erhärten und rezipiert die Theologie des Sehers aus Patmos in diesem Kapitel nicht.

3.2.4. Victorin von Pettau, Comm. in Apocal.

Das Kapitel über die frühe Rezeption der Apk.Joh. bzw. von Apk.Joh.12 im Westen soll mit dem ersten vollständig erhaltenen Kommentar zur Apk.Joh. abschließen; verfaßt hat diesen Victorin von Pettau, der lt. Hieron., Vir.il.74 unter Diocletian um 304 als Märtyrer stirbt. Die chiliastische Grundstimmung dieses Werkes hat Hieronymus in einer eigenen Rezension bereinigt.[543]

Eine Analyse des Kommentars zu Apk.Joh.12 bringt, berücksichtigen wir die vorangegangenen Darstellungen zu Irenäus und Hippolyt, wenig Neues. Eine Abhängigkeit von Origenes wird durch die Allegorisierungen der Bildelemente deutlich. Sie zeichnen die Frau als die alte, aus dem Fleisch stammende Kirche (Väter, Propheten, Apostel), die auf Erlösung und Vergeistigung hofft. Bei der Deutung des Kindes läßt Victorin vielfältige Traditionen einfließen, was die Tendenz fortführt, die wir schon bei Irenäus festgestellt haben: Die Bedrohung des Kindes durch den Drachen wird mit der Versuchungsgeschichte erklärt (Anspielung auf Lk.4,13), bei der Entrückung wird auf die Apostelgeschichte (Acta 1) hingewiesen, der "eiserne Stab" wird als gegen den Antichrist gerichtetes Schwert gelesen. Gerade der Antichristmythos, der in der Apk.Joh. streng von Apk.Joh.12 separiert ist (in Apk.Joh.11), wird hier als Folie für Apk.Joh.12 gelesen (dies kann durchaus als Fortführung der Tradition Hippolyts gewertet werden): Die zwei Adlerflügel bedeuten Elia "et qui cum illo erit propheta". Dieser muß vor der Ankunft des Antichrist (= der Fall des Drachen) noch drei Jahre und sechs Monate predigen. Dabei geht Victorin davon aus, daß diese Geschehnisse (Flucht der Kirche, Predigt des Elia, Kommen des Antichrist) erst noch geschehen müssen. Ähnlich Hippolyt setzt er die

---

[543] Paralleledition der Ed. Victorini und der Rec. Hieronymi in CSEL 49.

Ereignisse in Apk.Joh.12 in eine eschatologische Zukunft. Aus diesem Grunde sprengt er den ursprünglichen Zusammenhang von Apk.Joh.12 auf und setzt die Passage vom Kampf und Fall Satans ganz ans Ende; sie wird dann als endzeitliches Geschehen gedeutet. Die ursprüngliche Theologie des Sehers klingt nicht an.

4. Die Apk.Joh. in Karthago

Die christliche Literaturgeschichte Karthagos beginnt für uns Ende des zweiten Jahrhunderts mit den Akten der scilitanischen Märtyrer (um 180).[544] Solche Akten sind nebst den Schriften Tertullians und Cyprians unsere Hauptzeugen für die frühe Kirchengeschichte Karthagos; aus den Ausfällen Tertullians in seinen antihäretischen Schriften und aus gelegentlichen Anspielungen in den Märtyrerakten (z.B. Passio Perpet.13,1-6) lassen sich vielfältige Differenzierungen des karthagischen Christentums erschließen.

Eine der wichtigsten christlichen Strömungen in Karthago dürfte Ende des zweiten Jahrhunderts der Montanismus gewesen sein; es ist bezeichnend, daß die Rezeption der Apk.Joh. in dieser Gegend gerade in den montanistischen Zeugnissen begegnet, in der Passio Sanctae Perpetuae et Felicitatis und bei Tertullian.

4.1. Passio Sanctarum Perpetuae et Felicitatis

Diese Märtyrerakten[545] berichten von der Hinrichtung von fünf Christen im März 203 und haben in den folgenden Jahrzehnten und Jahrhunderten eine immense Wirkungsgeschichte. Wichtig für die altchristliche Literaturgeschichte dabei ist, daß Selbstdarstellungen zweier dieser Märtyrer als Ich-Berichte

---

[544] Zum frühen Christentum in Karthago, besonders zur Zeit Tertullians, vgl. Schöllgen, 1985.
[545] Text, Übersetzung und Kommentar bei Habermehl 1992, TU 140.

eingefügt sind. Hier sind Anlehnungen an die Apk.Joh. möglich: bei der ersten Vision Perpetuas von der Drachenleiter, die an anderer Stelle schon besprochen wurde, könnten Elemente aus Apk.Joh.12 eingeflossen sein.[546] Ebenso ist es möglich, daß die Vision des Saturnus vom Thron Gottes in Kap.12 neben Anleihen an Jes.6 und Dan.7 auch Apk.Joh.4,4-8 benutzt. Doch ist dies bei solch freien Reminiszenzen wie bei den vorliegenden Visionen nicht mit Sicherheit zu entscheiden.

Ein letztes Argument für eine Verbindung der Passio Perpet. mit der Apk.Joh. ist deren Verknüpfung durch Tertullian im gleichen theologischen und lokalen Milieu und wenige Jahre nach der Entstehung der Passio Perpet. In der etwa 210-13 entstandenen antignostischen Schrift "De anima" (Kap. 55,4) verbindet er Apk.Joh.6,9 mit Perpetuas Vision:

> "Und wie (sonst) weist die dem Johannes im Geist enthüllte Gegend des Paradieses, die unter dem Altar liegt, keine anderen Seelen in sich auf als die der Märtyrer? Wie (sonst) sah Perpetua, die tapferste Märtyrerin, am Tag des Leidens in der Enthüllung des Paradieses daselbst allein die Märtyrer? ..."[547]

Diese Verknüpfung unter dem Thema "Märtyrer im Paradies" ist sicherlich von Tertullian selbst. Doch die Kompilation der Passio Perpet. mit der Apk.Joh. in der direkten Wirkungsgeschichte jener Schrift ist ein Beleg, daß diese Texte als eng zusammengehörig angesehen wurden; daß sich diese Nähe schon in einer Kenntnis der Apk.Joh. von Seiten der Autoren der Passio Perpet. ausdrückt, ist durchaus möglich.

4.2. Tertullian

Die Verbreitung der Apk.Joh. konnte schon bei Tertullian im Zusammenhang mit der montanistischen Rezeption des Buches festgestellt werden. Doch auch

---

[546] S.o., Teil IV, 3.2. Habermehl, 1992, S.82ff. ist der Überzeugung, Apk.Joh.12 sei neben Past.Herm., Vis.IV Vorbild für Perpetuas Vision. Dies kann m.E. nicht mit Sicherheit behauptet werden, da die typischen Charakterisierungen des Drachen und die strukturellen Handlungselemente fehlen.

[547] "Et quomodo Iohanni in spiritu paradisi regio reuelata, quae subicitur altari, nullas alias animas apud se praeter martyrium ostendit? Quomodo Perpetua, fortissima martyr, sub die passionis in reuelatione paradisi solos illic martyras vidit ..." (CCL 2, S. 862).

in der vormontanistischen Phase des karthagischen Theologen zeigen sich Spuren der Benutzung der Apk.Joh.: Neben einigen Zitaten[548] erfahren wir auch einiges über den Autor Johannes: In Praescript.haeret.33,10f. wird der Johannes der Apokalypse mit Apk.Joh.2,14f. angesprochen; die folgenden Zitate aus 1Joh.4,3; 2,22 sollten vom gleichen Verfasser stammen.

Dieses Johannesbild begegnet uns in den montanistischen Schriften ausführlicher; daß der Autor der Apk.Joh. mit dem des 1. Johannesbriefes identisch ist, geht aus "Scorpiace" 12,4ff hervor. Es wird dort die Ermahnung des "Johannes" geschildert, sein Leben für die Brüder hinzugeben; dabei wird 1Joh.3,16; 4,18 zitiert. Über denselben Johannes wird dann in 12,5 gesagt, ihm sei auch die Apokalypse zuteil geworden und es wird auf Apk.Joh.2,10ff. angespielt. Ähnliche Argumentationsgänge, bei denen die Identität des Verfassers des 1. Johannesbriefes mit dem der Apokalypse vorausgesetzt ist, finden sich in Idol.2,4 und Fug.9,3.

Des weiteren ist dieser Johannes identisch mit dem Apostel Johannes: In Marc.3,14,3 wird eine Anspielung auf Apk.Joh.1,16 mit den Worten eingeleitet: "apostolus Ioannes in apocalypsi scripsit". In Marc.3,24,3f. bekennt Tertullian sich zum Chiliasmus: Auf der Erde kommt das Reich für 1000 Jahre und Jerusalem wird vom Himmel gebracht. "Hanc et Ezechiel nouit, et apostolus Ioannes uidit".

Neben diesen Identifikationen des Johannes kennt Tertullian noch andere Traditionen vom Verfasser der Apk.Joh.:

- Er ist vom Geist erfüllt (An.8,5: Ioannes in spiritu dei factus; auch An.55,4).

---

[548] Tertullian zitiert in seiner vormontanistischen Phase die Apk.Joh. in Prax.17,4 (Apk.Joh.1,8); Orat. 4,3 (6,9f.) Paenit. 8,1 (Zusammenfassung von Apk.Joh.2f.). Weitere Zitierungen: Marc.1,29,2 (Apk.Joh.2,6,15: Nikolaiten u. "assertores libidinis atque luxuriae", CCL 1,473); Hermog.34,1f. (Weltende wird mit den Farben der Apk.Joh. geschildert; Apk.Joh.21,1 + 20,11; 6,13 + 21,1) Res.25 (ähnlich Hermog.34,1f. wird mit vielen Zitaten aus der Apk.Joh. das Weltende dargestellt); Res.58,2 (Apk.Joh.7,17 + 21,7, Stichwort: Gott nimmt Tränen weg); Scorp.12,10 (7,14); Scorp.12,11 (21,8); Pudic.19,8f. (21,7f,; 22,14); Exhort.cast.7,3 (1,6). Anspielungen: Cult.femin. 2,12,2 (vormontanist.) (Apk.Joh.17-19); Marc.3,14,3 (Schwert in Apk.Joh.1,16 gegen den Teufel gerichtet); Marc.3,13,17 (17,5: Babylon als Symbol für Rom); Marc.2,5,1 (Hunde von Apk.Joh.22,15); Cor.15 (Aneinanderreihung von Apk.Joh.2,10; 6,2; 10,1; 4,4; 14,14 unter dem Stichwort "Kranz"); Monogam.7,8 (1.6: Jesus hat uns zu Priestern gemacht vor Gott, seinem Vater); An. 8,5 (1,10: Ioannes in spiritu dei factus, CCL 2, 791); An.9,8 (6,9); Hermog.11,3 (30,3: in den Abyssos werfen); Hermog.22,5 (22,18: Hinzufügen - Abnehmen); Res.27,1 (Apk.Joh.3,4 [Kleider nicht besudeln] + 14,4 [sich mit Frauen nicht besudeln]); Res.38,4 (6,9: Seelen unter dem Altar); Pudic.20,10 (6,4.8); Fug.1,5 (2,7ff.).

- Er hat in seinen Gemeinden die Bischofsfolge eingesetzt, wie in Marc.4,5,2 nach der Aufzählung der paulinischen Gemeinden verzeichnet ist:

> "Wir haben auch Zöglingskirchen des Johannes. Wenn auch Marcion seine Apokalypse ablehnt, so bleibt dennoch die Bischofsfolge, wenn man zu Anfang zurückweist, auf die Veranlassung des Johannes bestehen".[549]

- Tertullian kennt weiterhin die Tradition, daß der Jünger Johannes bis zu seiner Ankunft des Herrn am Leben bleiben wird (vgl. Joh.21,23), wie aus An.50,5 herauszulesen ist:

> "Henoch und Elia wurden entrückt, und ihr Tod wurde nicht wahrgenommen, wurde also aufgeschoben. Im übrigen werden sie aufbewahrt um zu sterben, damit sie den Antichrist durch ihr Blut vertilgen. Es starb auch Johannes, von dem man vergeblich die Hoffnung hegte, er werde bis zur Ankunft des Herrn zurückbleiben".[550]

- Merkwürdig ist auch die Formulierung "Ioannes noster", unser Johannes, die in bezug auf den Autor der Apk.Joh. in Marc.3,13,17 und in Adv.Iud.9,15 begegnet.

Dieses Bild, das uns Tertullian von dem Seher aus Patmos vermittelt, ist so reichhaltig und facettenhaft, daß die Anhäufung verschiedener Traditionen dabei offenkundig ist. Dieser Zusammenfluß von verschiedenen Elementen ist auch zu beobachten, wenn Tertullian die Apk.Joh. mit anderen kanonischen Schriften kompiliert. So ist z.B. in Res.35,13 beim Beweis für eine leibliche Auferstehung eine übergangslose Einbindung der Apk.Joh. in das Ev.Mt. zu beobachten:

> "So also sind das Sich-zu-Tische-Legen im Reich Gottes und das Sitzen auf 12 Thronen und das Stehen zur Rechten oder zur Linken und das Essen vom Baum des Lebens zuverlässigste Anzeichen der körperlichen Beschaffenheit".[551]

Apk.Joh.2,7 wurde hier mit Mt.8,1ff.; 13,42; 22,12; 25,30 kurzgeschlossen.

---

[549] "Habemus et Iohannis alumnas ecclesias. Nam etsi Apocalypsin eius Marcion respuit, ordo tamen episcoporum ad origenem recensus in Iohannem stabit auctorem" (CCL 1, S.551).

[550] "Translatus est Enoch et Helias nec mors eorum reperta est, dilata scilicet; ceterum morituri reseruantur, ut antichristum sanguine suo extinguant. Obiit et Iohannes, quem in aduentum domini remansurum frustra fuerat spes" (CCL 2, S.856). Vgl. die vorangegangene Diskussion dieser Stelle im Kontext des Hymnus (Apk.Joh.12,10-12), oben S.162.

[551] "Sic ergo et recumbere ipsum in dei regno et sedere in thronis duodecim et adsistere ad dexteram tunc uel sinistram et edere de ligno uitae corporalis dispositionis fidelissima indicia sunt" (CCL 2, S.968).

Ähnliche Kompilationen sind in Res.24f. nachzulesen: Nachdem in Kap.24,13ff. das Weltende nach 2Thess.2 dargestellt wurde, wird es in Kap.25 in den Farben der Apk.Joh. geschildert. Eine Vereinheitlichung verschiedener Traditionen neutestamentlicher Apokalyptik ist hier zu beobachten.

Bei Tertullian sind also in seiner Benutzung der Apk.Joh. die gleichen Mechanismen der Kompilation erkennbar wie bei den vorher besprochenen Rezipienten: die apostolische Identifizierung des Sehers aus Patmos sowie die Gleichschaltung der Apk.Joh. mit anderen kanonischen Schriften.

Was schließlich die spezielle Benutzung von Apk.Joh.12 anbetrifft, so ist auf die Reminiszenz an Apk.Joh.12,10 in An.35,3 zu verweisen, die schon an anderer Stelle besprochen wurde.[552] Hier ist noch zu erwähnen, daß Tertullian an der speziellen Theologie des Kapitels nicht interessiert zu sein scheint - er zieht es nur heran, um den Teufel auf der Basis autoritativer Schriften mit dem Ankläger der Heiligen identifizieren zu können.

Was das theologische Anliegen von Apk.Joh.12 anbetrifft, die Erklärung des "Bösen" auf der Erde, das sich in der Verfolgung der Kirche äußert, so folgt Tertullian anderen Traditionen. In seiner Schrift "De fuga in persecutione", Kap.2,1, sieht er den tieferen Grund der Christenverfolgung in der Glaubensprobe:

> "Daher scheint die Verfolgung vom Teufel zu kommen, von dem die Ungunst betrieben wird, aus der die Verfolgung besteht; wir müssen wissen - zumal ja weder Verfolgung sein kann ohne Ungunst des Teufels noch Probe des Glaubens ohne Verfolgung-, daß die wegen der Probe des Glaubens notwendige Ungunst sich nicht als Patronat der Verfolgung erweist, sondern als Dienst."[553]

Verfolgung kommt also vom Teufel - doch dessen Mißgunst ist notwendig zu Probe des Glaubens. Diese Konzeption ist ähnlich der, die der Seher aus Patmos in einem konkreten Fall in Apk.Joh.2,10 vorbringt: Die Gefängnishaft von Christen in Sardeis wird hier als vom Teufel kommende Versuchung aufgefaßt. Dieses theologische Konzept wendet Tertullian bei der Verfolgung generell an. Des Sehers theologisches Modell in Apk.Joh.12, daß die Verfolgung der Christen (12,17) trotz Satans Niederlage noch kurze Zeit geschieht, wird von Tertullian hier nicht aufgegriffen.

---

[552] S.o., Teil IV, 3.2., S.124.

[553] " ... ideo uidetur persecutio a diabolo euenire, a quo iniquitas agitur, ex qua constat persecutio, scire debemus, quatenus nec persecutio potest sine iniquitate diaboli nec probatio fidei sine persecutione, propter probationem fidei necessariam iniquitatem non patrocinium praestare persecutioni, sed ministerium" (CCL 2, S.1136f.).

4.3. Ps.- Cyprian

Die Rezeption von Apk.Joh.12 in Karthago in den ersten drei Jahrhunderten soll mit einem Beleg von Ps.-Cyprian abgeschlossen werden: In den fünfziger Jahren des 3. Jahrhunderts polemisiert ein Afrikaner unter dem Namen Cyprians (Ps.-Cyprian) gegen Novatians Verbot der Wiederaufnahme von Apostaten und benutzt dabei Apk.Joh.12,5:

> "Du weigerst dich heute wohl, daß die Wunden der Gefallenen, die schutzlos vom Teufel geschlagen worden sind - von der Gewalt des Wassers, das die Schlange aus ihrem Mund der Frau nachschickte, - heilen dürfen."[554]

Diese, zwar eindeutige, aber durchaus freie Anspielung auf Apk.Joh.12,15f. läßt auf einen allgemeinen Bekanntheitsgrad des Buches schließen. Nach einer Rezeption der speziellen Theologie von Apk.Joh.12 suchen wir auch hier vergeblich. Apk.Joh.12 wird herangezogen, um fremde Argumentationen zu stützen, hier bei der Diskussion um die Wiederaufnahme der "lapsi". Doch der eigentümliche Argumentationsgang des Kapitels selbst ist nicht Thema.

5. Ägypten

Die Anfänge des Christentums in Ägypten waren nach W. Bauer gnostisch.[555] Doch lassen Zeugnisse des frühen ägyptischen Christentums wie P.Egert.2 und P.Oxy.5,840 erkennen, daß dort schon früh nichtgnostisches, synoptisches Material rezipiert worden ist.[556] Wir werden also, analog zu anderen christlichen Zentren des Reiches, von Anfang an mit einer Vielzahl christlicher Ausdrucksformen zu rechnen haben.
Was die Verbreitung der Apk.Joh. in Ägypten anbetrifft, so wurde man lange anhand der ägyptischen Papyri P18 (=P.Oxy VIII 1097), P24 (=P.Oxy X 1230) und P 47 (=P.Chester Beatty III) ins 3./4. Jahrhundert als Terminus post quem

---

[554] Ps.-Cyprian, Ad Novatianum 14,1: "tu hodie retractas an debeant lapsorum curari uulnera, qui nudati a diabolo ceciderunt, *uiolentia aquae quam suo ore serpens emisit post mulierem*" (CCL 4, S.148).

[555] Bauer, 1964².

[556] Vgl. zu PEgert.2: Erlemann, 1996.

verwiesen. In jüngerer Zeit wurde zusätzlich von D. Hagedorn ein Kairenser Papyrusfragment aus dem 2./3. Jahrhundert mit Apk.Joh.1,13-20 identifiziert.[557] Damit kann - neben den Bezugnahmen auf die Apk.Joh. von ägyptischen Theologen dieser Zeit - auch von textkritischer Seite hervorgehoben werden, daß die Apk.Joh. im 2./3. Jahrhundert in Ägypten schon verbreitet war.

Was schließlich die Benutzung von Apk.Joh.12 in Ägypten betrifft, so ist aufgrund der dort und in der (späteren) kopischen Kirche ausgeprägten Engellehre[558] eine fruchtbare Rezeption zu erwarten. Bücher wie die "koptische Einsetzung des Erzengels Michael", um ein relativ frühes Zeugnis zu nennen und verstreute Hinweise in Homilien und Liturgien zeugen von der reichhaltigen Benutzung von Apk.Joh.12.[559] Im folgenden soll der Weg der Benutzung von Apk.Joh.12 in Ägypten nachgezeichnet werden.

5.1. Die Apk.Petr.(äth.)I - (gr.)[560]

Die äthiopisch und griechisch überlieferte Petrusapokalypse wird nach Euseb, h.e.6,14,1 von Clemens Alexandrinus als kanonisch anerkannt und kann darum zeitlich (2.Jahrhundert) und lokal (Ägypten) eingeordnet werden.

In dieser Schrift ergeben sich einige Anleihen an die Apk.Joh.: In Kap. 4 wird der Hölle geboten, daß sie alles, was in ihr ist, zurückgibt. Dies ist parallel zu Apk.Joh.20,13: Der Tod und sein Reich gibt die Toten heraus.

In Kap. 7; 13; 25 wird, analog zu Apk.Joh.16,7; 19,2 das gerechte Gericht Gottes besungen. Theologische Anleihen an Apk.Joh.12 sind nicht zu erwarten, denn in der Apk.Petr. ist das gerechte Gericht an Schuldigen zentrales Thema, in Apk.Joh.12 ist es das Böse, das über Unschuldige hereinbricht.

---

[557] Vgl. Hagedorn, 1992; Hagedorn datiert ins 2. Jahrhundert, möchte aber das 3. Jahrhundert nicht ausschließen (a.a.O., S.244); somit ist der P.IFAO II,31 das älteste Zeugnis für die auf ihm enthaltene Partie, vielleicht das älteste Zeugnis für die Apk.Joh. überhaupt (ebd.).

[558] Vgl. C.D.G. Müller, 1959.

[559] Vgl. hierzu C.D.G. Müller, 1962, S.Iff. - Zur Inst.Mich.(kopt.): Der Text stammt womöglich aus dem 4./5. Jahrh. (ebd.); zur Benutzung von Apk.Joh.12,10-12 vgl. Inst.Mich.(kopt.) 3: "Danach wurde der Ankläger [κατήγορος] auf die Erde geworfen, und die Himmel jauchzten. Die Erde trauerte und zitterte" (a.a.O., S.16).

[560] Einleitung und Text nach C.D.G. Müller in: Schneemelcher II, 1989⁵, S.562ff.

5.2. Clemens Alexandrinus

Im vorliegenden geographischen Aufriß ist es schwer, die schillernde Gestalt des Clemens von Alexandrien einzuordnen. Einmal wirkte er in verschiedenen Teilen des Reiches, von denen besonders Alexandrien und, nach seiner Flucht vor der Verfolgung des Septimius Severus, Kleinasien zu nennen sind; zum zweiten geht schon aus seinem Selbstzeugnis in Strom.1,11 (=Euseb, h.e.5,11,3-5) hervor, daß er die Lehren der "heiligen Apostel" von Gewährsleuten der verschiedensten Teile des Reiches aufgenommen hatte. Die Vermischung von Traditionen ist bei ihm demnach nicht verwunderlich.

Es steht außer Frage, daß Clemens die Apk.Joh. kennt und benutzt hat; obwohl er längere Zitate vermieden hat, sind zur Rezeption der Apk.Joh. bei ihm folgende Punkte zu nennen:

- Durch Zitate bei Aretha, Comm. in Apocal.4,5, ist ein Kurzkommentar des Clemens zu Apk.Joh.4,5 enthalten.[561]
- In Strom.6,106,2 ist die Aufnahme in den Rat der Ältesten in Anlehnung an Apk.Joh.4,4 dargestellt:

> "Und wenn er hier auf der Erde nicht mit einem Vorsitz ausgezeichnet wird, wird er auf den 24 Thronen sitzen und das Volk richten, wie es Johannes in der Offenbarung sagt".[562]

- die Bezeichnung des Logos als ἄλφα καὶ ὦ, ἀρχὴ καὶ τέλος in Paid.2,108,3 dürfte eine Anlehnung an Apk.Joh.1,8; 21,6; 22,13 sein; ähnlich verhält es sich mit Strom.4,157,1 (διὰ τοῦτο ἄλφα καὶ ὦ ὁ λόγος εἴρηται) und Strom.6,141,7 (οὕτως καὶ αὐτὸς εἴρηται ὁ κύριος ἄλφα καὶ ὦ, ἀρχὴ καὶ τέλος, δι' οὗ τὰ πάντα ἐγένετο καὶ χωρὶς αὐτοῦ ἐγένετο οὐδὲ ἕν). Besonders bei letzterem Zitat sind deutliche Anspielungen an Joh.1,3 zu vermerken, es handelt sich hierbei demnach um eine Kompilation der Apk.Joh. (ἄλφα καὶ ὦ) und des Johannesevangeliums (1,3).
- die Zeichnung des himmlischen Jerusalem in Paid.2,119,1 ist mit Motiven aus Apk.Joh.21,18-21 geschildert.
- Clemens kennt auch Legenden um den Apostel Johannes, wie aus "Quis dives salvetur" 42,2 hervorgeht:

---

[561] Vgl. Migne PG 106, Sp.569 C und GCS 17², 1970, S.227.
[562] "Κἂν ἐνταῦθα ἐπὶ γῆς πρωτοκαθεδρίᾳ μὴ τιμηθῇ, ἐν τοῖς εἴκοσι καὶ τέσσαρσι καθεδεῖται θρόνοις τὸν λαὸν κρίνων, ὡς φησιν ἐν τῇ ἀποκαλύψει ᾿Ιωάννης" (GCS 15, S.485).

"Hör nun einen Mythos, nicht Mythos, sondern eine wahre Geschichte von Johannes dem Apostel, die überliefert und im Gedächtnis bewahrt ist. Nachdem nämlich der Tyrann gestorben war, ist er von der Insel Patmos nach Ephesos zurückgekehrt und ist auch, gerufen, in die Nachbarländer der Heiden gegangen, um hier Bischöfe einzusetzen, dort ganze Kirchen zu ordnen und anderswo den einen oder anderen Kleriker aus denen auszuwählen, die vom Geist bezeichnet worden sind".[563]

Obwohl Clemens also Ende zweites / Anfang drittes Jahrhundert die Apk.Joh. benutzt, ist eine Reminiszenz zu Apk.Joh.12 in seinen Schriften nicht nachweisbar. Vergleicht man Traditionen, die Clemens mit Apk.Joh.12 gemeinsam hat, so ergeben sich beträchtliche Unterschiede im Kontext; dies kann bei Prot.111,2 gezeigt werden, wo Clemens auf den Drachenkampfmythos zurückgreift:

"und ans Fleisch gebunden (dies ist göttliches Geheimnis) überwand er die Schlange und knechtete den Tyrannen, den Tod, und was das paradoxeste ist, jenen durch die Lust irregeleiteten Menschen, den, der ans Verderben gefesselt war, wies er durch seine ausgebreiteten Hände als erlöst aus."[564]

Der Kampf Christi mit der Schlange (=Tod) geschieht also, um den Menschen zu befreien, der durch die Lust irregeleitet ist. Der Drachenkampfmythos steht damit nicht im Zusammenhang mit Bösem, das den Menschen grundlos konfrontiert (so bei Apk.Joh.12), sondern als Bild für die Überwindung der Lust. Diese (asketische) Stoßrichtung ist auch bei der Rezeption des Engelfalls in Gen.6,1-4 zu vermerken: Nach Paid.3,14,2 verlassen die Engel wegen der vergänglichen Schönheit der Frauen Gottes unvergängliche Schönheit.[565]

---

[563] ἴ' Ἄκουσον μῦθον οὐ μῦθον, ἀλλὰ ὄντα λόγον περὶ ᾽ Ἰωάννου τοῦ ἀποστόλου παραδεδομένον καὶ μνήμη πεφυλαγμένον. ἐπειδὴ γὰρ τοῦ τυράννου τελευτήσαντος ἀπὸ τῆς Πάτμου τῆς νήσου μετῆλθεν ἐπὶ τὴν ᾽Έφεσον, ἀπῄει παρακαλούμενος καὶ ἐπὶ τὰ πλησιόχωρα τῶν ἐθνῶν, ὅπου μὲν ἐπισκόπους καταστήσων, ὅπου δὲ ὅλας ἐκκλησίας ἁρμόσων, ὅπου δὲ κλῆρον ἕνα γέ τινα κληρώσων τῶν ὑπὸ τοῦ πνεύματος σημαινομένων". (GCS 17², 1970, S.188; zitiert in Euseb, h.e.3,23,6-19).

[564] "... καὶ σαρκὶ ἐνδεθείς· μυστήριον θεῖον τοῦτὸ τὸν ὄφιν ἐχειρώσατο καὶ τὸν τύραννον ἐδουλώσατο, τὸν θάνατον, καὶ, τὸ παραδοξότατον, ἐκεῖνον τὸν ἄνθρωπον τὸν ἡδονῇ πεπλανημένον, τὸν τῇ φθορᾷ δεδεμένον, χερσὶν ἡπλωμέναις ἔδειξε λελυμένον" (GCS 12³, 1972, S.79).

[565] Vgl. weiterhin Strom.5,10,2; 3,59,2; 7,46,6; zur Rezeption der Engelfalltradition bei Clemens vgl. Floyd 1971, S.66ff. Zur Lust der Dämonen in Prot.2 und bei Philo und Plutarch: s.o., Teil IV, 3.4.3.1, S.146.

5.3. Apk.Joh.12 bei Origenes - das "Scholion in Apocalypsin"

Als letzter Zeuge für die Rezeption der Apk.Joh. in Alexandrien soll hier Origenes zu Worte kommen, obwohl dieser auch in Caesarea zu verorten wäre. Doch da es bei der vorliegenden Untersuchung primär um die eigentümlichen Interpretationen von Apk.Joh.12 bei diesem Theologen und weniger um die "alexandrinische" Lesart des Kapitels geht, kann Origenes auch hier eingeordnet werden. Da die Benutzung der Apk.Joh. bei ihm, wie ein Blick in die "Patristica Biblia" zeigt, außerordentlich breit belegt ist und deren genaue Untersuchung den gesetzten Rahmen überschreiten würde, wollen wir uns im folgenden nur auf Apk.Joh.12 beschränken.

Wie schon bei der Analyse des "Symposions" von Methodius deutlich wurde, kann die Wirkungsgeschichte der origenistischen Allegorese auch bei der Interpretation von Apk.Joh.12 gezeigt werden. Gegen das Urteil Zahns, der "in allen Schriften des Origenes ... keine Berufung auf Ap.12" finden konnte,[566] sind wir über die Auslegung von Apk.Joh.12 durch Origenes durch verstreute Zitate einigermaßen informiert; dabei ist es bei den kurzen vermeintlichen Anspielungen auf Apk.Joh.12 immer wieder problematisch, eine konkrete Bezugnahme auf dieses Kapitel zu erweisen.[567] Unsicher, wenn auch wahrscheinlich

---

[566] Vgl. Zahn, 1926, S.437, Anm.5.

[567] In Princ.II,8,3 dürfte eine eindeutige Reminiszenz zu Apk.Joh.12,9 vorliegen: "Und alles, womit in den heiligen Schriften die feindliche Macht verglichen wird, ist, wie man finden wird, etwas Kaltes: Der Teufel heißt 'Schlange' und 'Drache' (vgl. Apk.Joh.12,9; 20,2) - was gibt es Kälteres?" (Görgemanns/Karpp, 1985², S.391). Dagegen wird im kurzen Exkurs über die "Feindlichen Mächte" in Princ.I,5,2f.; 6,3 bei der Exegese der biblischen Satansaussagen nicht auf Apk.Joh.12 bezuggenommen. Die Erwähnung der Engel des Teufels ("eius angeli"; Görgemanns/Karpp, 1985², S.194; S.224; vgl. auch Hom.in Lev.16,6: Die "Feinde" von Lev.26,7 bezieht Origenes auf "diabolum et angelos eius", SC 287, S.292. Eine Reminiszenz zu Apk.Joh.12 ist nicht erweisbar.) kann sich neben Apk.Joh.12,7 auch auf Mt.25,41 beziehen.
Eine weitere Reminizenz zu Apk.Joh.12,9 ist in Hom. in Ez.6,4 überliefert. Hier setzt Origenes den Behemot aus Hiob 40,16 (40,11 LXX) mit dem Drachen in Apk.Joh.12,9 gleich: "Dies ist nämlich der Drachen, die alte Schlange, die genannt wird 'Teufel' und 'Satan' , die den ganzen Erdkreis täuscht" ("Iste est enim draco, serpens antiquus qui vocatur diabolus et Satanas decipiens orbem terrarum universum"; Migne PG 13, 712C). Auch in Hom.in Gen.1,2 könnte eine Anlehnung an Apk.Joh.12,7.9 vorliegen. Während der "Teufel mit seinen Engeln" in 1,1 als Bewohner des Abyssos erwähnt wird, wird in 1,2 nochmals explizit herauf Bezug genommen und dies als "gegnerischer Drache mit seinen Engeln" erweitert. Die Gleichsetzung Teufel-Drache durch die Bezugnahme der Stellen, die Erwähnung von deren Engeln und die Vorstellung vom Drachen als "adversarius" macht eine Reminiszenz an Apk.Joh.12,9 wahrscheinlich.

ist es, daß Origenes selbst eine Auslegung der Apk.Joh. geschrieben hat. In seinem Kommentar zu Mt.24,29f. macht er einen Exkurs zu Apk.Joh.12 und weist auf das Vorhaben hin, später einmal einen Apokalypsekommentar zu schreiben:

> Origenes, Com. in Mattheum 24: "Für das aber, was über die herabfallenden Sterne gesagt ist, kann man mit Recht heranziehen, was in der Offenbarung des Johannes über den dritten Teil der Sterne gesagt ist, der vom Schwanz des Drachens auf die Erde <herab>gezogen wird. Er sagt nämlich so: «Und es wurde ein anderes Zeichen am Himmel gesehen, und siehe, ein großer roter Drache, der sieben Häupter und zehn Hörner und auf seinen Häuptern sieben Kronen hatte, und sein Schwanz zog den dritten Teil der Sterne des Himmels herab und warf sie auf die Erde» [Offb 12,3f.]. Dies alles einzeln auszulegen über die sieben Häupter des Drachen, die vielleicht entweder auf einige Fürsten der Bosheit oder auf so viele Sünden, die «zum Tod» führen [1 Joh 5,16], bezogen werden können, ist jetzt nicht unsere Aufgabe; diese Dinge werden aber zu ihrer Zeit bei der <Erklärung der > Offenbarung des Johannes ausgelegt werden. Aber auch die zehn Hörner zu nennen (sie sind nämlich Reiche schlangenhafter Bosheit und haben die Natur der Schlange, nämlich auf der Brust und auf dem Bauch zu kriechen wegen der Sünden), ist jetzt keine Zeit, noch auszulegen, was die vorliegende Erzählung von den sieben Diademen <bedeutet>, welche der Drache auf seinen sieben Häuptern zu haben scheint (für jeden einzelnen, der besiegt wird, empfängt etwa irgendein Haupt ein Diadem).
> Die hauptsächlichen Auslegungen und Beweise für diese Dinge sind dann notwendig, wenn uns das Buch selbst zur Auslegung vorgelegt wird. Jetzt aber brauchen wir von jener Offenbarung zur auszulegen, daß der Schwanz des Drachens «den dritten Teil der Sterne des Himmels herunterzog und sie auf die Erde warf» [Offb 12,4]. Ich meine nämlich folgendes: Wer hören soll: «Du wirst hinter dem Herrn, deinem Gott hergehen» [Sir 46,10?] und: «Kommt hinter mir her!« [Mt 4,19], und für diese Worte seine Ohren verstopft, der Sünde aber nachgeht, der wird vom Schwanz des Drachens gezogen, weil er hinter ihm hergeht. Wenn es aber geschieht, daß der, der so lebte, daß er zu hören bekam: «Ihr seid das Licht der Welt» [Mt 5,14] und daß seine guten Werke einmal leuchteten - der war einmal ein Stern und hatte seinen Wandel im Himmel - wenn der vom Drachen zur Erde heruntergezogen wird, dann wird er ein Stern sein, der vom Schwanz des Drachens gezogen und auf die Erde geworfen ist. So werden die Sterne vom Schwanz des Drachens gezogen und auf die Erde geworfen".[568]

Aus diesem Text geht hervor, daß Origenes auf einen Kommentar zur Apk.Joh. hinweist, den er zu schreiben beabsichtigt. Die entscheidende Frage ist jedoch, ob dieser Kommentar geschrieben und, wenn ja, ob er uns überliefert worden ist. Zu diesem Problem existiert seit 1911 ein Lösungsansatz; in diesem Jahr entdeckte Diobouniotis im griechischen Meteorakloster ein vierzigseitiges Scholion zu Apk.Joh.1,1-14,5, das Harnack mit der im Comm. in Matth. hingewiesenen Apokalypseauslegung des Origenes identifizierte.[569] Zu

---

[568] Vogt, 1993, S.136f.; Text in Migne PG 13, 1673Cff.

Apk.Joh.12 ist lediglich ein kurzes Scholion zu Apk.Joh.12,3 überliefert, an das sich ein längeres Zitat aus Irenäus, a.h.5,28,2-30,3 anschließt:

> "Mit Ungestüm führt der Drache Krieg mit den Engeln und er wird bedrängt und er wird aus dem Himmel hinab geworfen, und fallend fegt er den dritten Teil der Sterne, wobei die Sterne göttliche Kräfte sind, die mit ihm herabgefallen und mit dem Drachen herabgestürzt worden sind, wie Jesaja sagt: »Wie ist der Morgenstern aus dem Himmel gefallen«".[570]

Die entscheidende Frage ist nun, ob das kurze Scholion zu Apk.Joh.12,3 Origenes zugewiesen werden kann - zumal der sich ihm anschließende Text nicht von Origenes, sondern aus der Feder des Irenäus stammt. Harnack beurteilte dies aufgrund der Zuweisung der Sterne als "göttliche Mächte" positiv.[571] Doch wird man daran schon aufgrund eines oberflächlichen Vergleichs mit der Auslegung im Comm.in Matth. zweifeln müssen, denn Origenes faßt dort Apk.Joh.12,3 ethisch auf: Wer sich nicht dem Ruf zur Nachfolge widersetzt (Zitat von Mt. 4,19) und als Licht der Welt lebt (Zitat von Mt.5,14), wird nicht vom Himmel gefegt; die Sterne werden dort also als (menschliche) Sympathisanten des Drachen gedeutet, die sich dem Ruf der Bergpredigt verschlossen haben.

Dagegen rekurriert das Scholion zu Apk.Joh.12,3 des (vermeintlichen) Apokalypsekommentars auf den Mythos von Luzifer und dem Engelfall; die Sterne sind dann Engel, die sich auch gegen Gott aufgelehnt haben. Es wird also bei der Deutung von Apk.Joh.12 auf einen ganz anderen Sinnzusammenhang (Fall des Morgensterns nach Jes.14 als Fall Satans) verwiesen, weswegen man mit der Zuweisung des Scholions zu Apk.Joh.12,3 an Origenes vorsichtig sein muß. Zusätzlich ist die ethische Interpretation des Mythos, wie sie im Matthäuskommentar entfaltet ist, nicht gegeben; daß Origenes allerdings auch den Fall Satans und seiner Dämonen in ähnlicher Weise ethisch interpretieren konnte, ist durch Cels.VII,17 belegbar:

> "Und es ist keineswegs widersinnig, daß auch der Mensch gestorben ist und daß sein Tod nicht nur als ein Beispiel dafür vorliegt, wie für die Frömmigkeit zu sterben ist, sondern auch wie Beginn und Durchführung der Vernichtung des Bösen und des Teufels zu leisten ist, der die ganze Welt in Besitz

---

[569] Vgl. hierzu Harnack in: TU 38,3, S.1-3.45-88. Benko, 1993, S.131, übernimmt die Zuweisung des Scholions an Origenes ungeprüft. Origenes' Autorschaft der Schrift bestreitet dagegen in neuerer Zeit Nautin, 1977, S.449.

[570] " Ὁρμῇ ὁ δράκων πολεμήσας μετὰ τῶν ἀγγέλων καὶ θλιβείς, βληθεὶς κάτω ἐκ τοῦ οὐρανοῦ ἔσυρεν πίπτων τὸ τρίτον τῶν ἀστέρων, ἄτινα ἄστρα θείας δυνάμεις οὖσας συναπεστατηκέναι αὐτῷ καὶ συγκατενεχθῆναι τῷ δράκοντι, ὡς Ἡσαίας φησίν· πῶς ἐξέπεσεν ὁ ἑωσφόρος ἐξ οὐρανοῦ" (TU 38,3, S.41).

[571] Vgl. TU 38,3, S.62.

239

genommen hat. Zeichen seines Falls aber sind diejenigen, die aufgrund der Anwesenheit Jesu sich von überall her ihrer Beherrschung durch die Dämonen entziehen und sich durch die Befreiung aus der Knechtschaft von diesen Gott übereignen und diesem, so gut sie es vermögen, eine täglich reiner werdende Verehrung zukommen lassen".[572]

Auch hier wird der Satanssturz eng an eine menschliche Abwendung vom Satan gekoppelt: Der Fall des Bösen zeigt sich darin, daß sich die Menschen aus der Knechtschaft der Dämonen befreien können. Hier wie im Comm. in Matth. will Origenes auf die endgültige Entscheidung des Menschen gegen den Satan hinaus. Die Deutung des Scholions in Apk.Joh.12,3 weicht demgegenüber tendenziell ab.

Ergebnis: Man wird dieses Scholion zu Apk.Joh.12,3 bei der Deutung des Kapitels durch Origenes nicht berücksichtigen können. Dies bedeutet natürlich nicht, daß dieses Stück aus der Rezeptionsgeschichte zu Apk.Joh.12,3 auszuscheiden sei - es stellt im Gegenteil einen wichtigen literarischen Beleg für die frühchristliche Rezeption des Mythos' vom Engelfall dar. Doch ist es methodisch besser, dieses Stück aus der Besprechung der Rezeption von Apk.Joh.12 durch Origenes auszugrenzen. Die inhaltlichen Unterschiede bei der Interpretation von Apk.Joh.12 in besagtem Scholion einerseits und in anderen Schriften des Origenes andererseits sind zu beträchtlich, um die Zuweisung des Scholion an diesen aufrechtzuerhalten.

---

[572] "Καὶ οὐδὲν ἄτοπον καὶ ἀποτεθνηκέναι τὸν ἄνθρωπον, καὶ τὸν θάνατον αὐτοῦ οὐ μόνον παράδειγμα ἐκκεῖσθαι τοῦ ὑπὲρ εὐσεβείας ἀποθνήσκειν ἀλλὰ γὰρ καὶ εἰργάσθαι ἀρχὴν καὶ προκοπὴν τῆς καταλύσεως τοῦ πονηροῦ καὶ διαβόλου, πᾶσαν τὴν γῆν νενεμημένου. Σημεῖα δὲ τῆς καθαιρέσεώς εἰσιν αὐτοῦ οἱ διὰ τὴν ἐπιδημίαν ᾽Ιησοῦ πανταχόθεν φυγόντες μὲν τοὺς κατέχοντας αὐτοὺς δαίμονας, διὰ δὲ τοῦ ἠλευθερῶσθαι ἀπὸ τῆς ὑπ᾽ ἐκείνους δουλείας ἀνατιθέντες ἑαυτοὺς τῷ θεῷ καὶ τῇ κατὰ τὸ δυνατὸν αὐτοῖς καθαρωτέρᾳ ὁσημέραι εἰς αὐτὸν εὐσεβείᾳ" (SC 150, S.52).

6. Antworten auf die Fragestellung

Im vorliegenden Kapitel wurde die vielfältige Benutzung von Apk.Joh.12 im zweiten und dritten Jahrhundert analysiert, wobei auch die Rezeption der gesamten Schrift mitberücksichtigt wurde. Während die früheste Benutzung des Kapitels bei Papias in einem armenisch erhaltenen Fragment festgestellt werden konnte, sind großflächige Benutzungen von Apk.Joh.12 erst ab dem frühen dritten Jahrhundert überliefert, nämlich bei Methodius, Symp.8, Hippolyt, Antichr., Origenes, Com. in Matth. und dem ersten erhaltenen Apokalypsekommentar von Victorin. Die Untersuchungen dieser Texte ergaben eine weitflächige Verbindung mit anderen Traditionen, etwa dem Antichristmythos (Hippolyt). Zusätzlich wurde der ursprüngliche literarische Sinn des Kapitels bei der gängigen allegorischen Auslegung verlassen. Die Bilder und Motive des Kapitels wurden dann mit anderen Funktionen belegt, beispielsweise im Rahmen der Ketzerpolemik (Irenäus, a.h.2,31,3) oder eines Plädoyers für "Jungfräulichkeit" (Methodius).

Zusammenfassend kann gesagt werden, daß Apk.Joh.12 niemals den Rang eines Ausgangstextes einnahm, der aufgrund eines bestimmten Interesses erklärt werden muß. Im Gegenteil, Apk.Joh.12 wird lediglich als Beispiel oder Argument für bestimmte andere Texte benutzt und hat somit im Lauf seiner Rezeptionsgeschichte Funktionen zu erfüllen, die von seiner ursprünglichen Ausgangsintention oft weit abseits liegen. Darum nimmt es kaum Wunder, daß die Theologie des Kapitels, nämlich die Begründung der Wirksamkeit des Bösen auf Erden trotz dessen eigentlicher Niederlage, von den frühen Benutzern nicht mit übernommen wurde.

Lassen sich aus diesem Befund Rückschlüsse auf die ursprüngliche Kommunikationssituation ziehen? Offensichtlich spielte diese bei den frühen Benutzern, einschließlich Papias, keine Rolle mehr. Das in Teil V rekonstruierte Gemeindeproblem, wie sich die Erfahrungen von Leid zu Aussagen über die Vernichtung dieses Leidens nach der Geburt Christi verhalten, wird bei den uns erhaltenen frühen Lesern der Apk.Joh. nicht mehr wahrgenommen. Auch die Antwort des Johannes, der in Apk.Joh.12 akutes Leid mythisch begründet und dabei dessen baldiges Ende herausstellt, wird so nicht mehr rezipiert.

Folgende Möglichkeiten für die ursprüngliche Kommunikationssituation ergeben sich aus diesem Befund:

- Die oben rekonstruierte Problematik ist sehr speziell und betrifft nur die entsprechenden zeitlichen und geographischen Verhältnisse bei der Abfassung der Apk.Joh. Auch dort, wo die Bilder in Apk.Joh.12 in einem ähnlichen inhaltlichen Zusammenhang benutzt werden, etwa in den Märtyreraussagen der Passio Pionii, kommen ihnen andere Funktionen zu (sternefegender Drachenschwanz als Bild für die Verschwendung von Kostbarem, nicht als literarischer Topos für eschatologische Geschehnisse).
- Die vom Apokalyptiker gegebene Antwort ist sehr eigenwillig und wird darum in späteren Zeiten nicht mehr rezipiert.

Zu diesen Thesen ist zu bemerken:

Erstens: Gegen die These der "Eigenwilligkeit" spricht zunächst das Ergebnis des religionsgeschichtlichen Mythenvergleichs in Teil IV; dort wurde deutlich, daß sich vielerlei Anknüpfungspunkte an Mythen und Aussagen aus einem breiten religions- und traditionsgeschichtlichen Umfeld ergeben. Auch Heidenchristen, die mit der Septuaginta nicht eng vertraut sind, finden vielerlei Anknüpfungspunkte an ihnen bekannte Zusammenhänge wieder.

Zweitens: Trotz Verwendung traditioneller Einzelelemente ist der Verknüpfung originell. Sie wurde, so stellten wir gegen die Thesen der älteren religionsgeschichtlichen Forschung in Teil II fest, vom Seher selbst geleistet und ist kein übernommenes festes Traditionselement.

Dennoch sind die Kombinationen einzelner Elemente in Apk.Joh.12 in der Tradition vorbereitet. Die Verknüpfung beispielsweise von Satansfall und Engelsturz ist wie die von Geburt und Entrückung des Messias oder die von Geburt des Heilsbringers und Sieg über den Widersacher schon in der Tradition vorgegeben. Der Apokalyptiker zeigt sich damit weder in der Wahl seiner Einzeltraditionen noch in deren Verknüpfung als von bekannten Überlieferungen unabhängig.

Drittens: Damit wird der Blick auf die Gesamtkomposition des Kapitels gelenkt. Hier ist, wie in Teil V diskutiert wurde, die größte Eigenwilligkeit des Johannes zu vermerken. Seine theologische Gesamtaussage hat zwar Vorbilder (Homer, Il.19), doch gibt es wenige Spuren, die auf eine breite Bekanntheit dieser Vorbilder hinweisen. In der mythischen Begründung des Leidens auf der Erde, die mit dem Hinweis auf dessen kurze Dauer tröstlich verbunden ist, zeigt sich Johannes tatsächlich als innovativ und eigenwillig. Möglicherweise ist darin der Grund zu suchen, warum seine Aussagen später nicht mehr im ursprünglichen Sinn rezipiert worden sind.

Viertens: Die Frage nach der ursprünglichen Kommunkationssituation ist im Verlauf der vorangegangenen religionsgeschichtlichen Analyse immer wieder laut geworden (vgl. z.B. Teil I, 2.1.1; Teil IV, 1.3.2.4). Folgender Ertrag ist hier zu verzeichnen:

- Aus dem religionsgeschichtlichen Befund können Schlüsse bezüglich der Adressaten der Apk.Joh. gezogen werden. Hier ist auf Karrer (1986) zu verweisen, der die Rezipientenorientierung von Apk.Joh.4-22 herausgearbeitet hatte.[573] Die Aussagen vom Krieg des Drachen mit den Nachkommen der Frau (V.17) gilt den Lesern der Schrift selbst. Aufgrund der Anlehnung an pagane Traditionen in Apk.Joh.12 läßt sich auf (teilweise) heidenchristliche Adressaten schließen - was in Kleinasien mehr als wahrscheinlich ist. Der Autor der Apk.Joh. konnte bei der Verwendung derartiger Traditionen wie in Apk.Joh.12 auch von (heidenchristlichen) Lesern verstanden werden, die mit den Traditionen der Septuaginta nicht eng vertraut sind.

- Zweitens können aus dem religionsgeschichtlichen Befund Aussagen über den Autor selbst gemacht werden, denn die "Ausdrucksfunktion"[574] der Sprache läßt stets Rückschlüsse auf den Sprecher zu. Hat sich der Autor an pagane Traditionen angelehnt, so muß er diese nicht nur gekannt haben, sondern er hat sie dann auch für wert befunden, sie als Darstellungsmittel seiner theologischen Aussagen zu verwenden. Die alte "Konventikeltheorie", bei der im Gefolge H. Gunkels der Autor der Apk.Joh. mitsamt seinen Adressaten traditionsgeschichtlich in der "dumpfen Luft jüdischer Conventikel"[575] lebt, kann schon aufgrund des religionsgeschichtlichen Befundes von Apk.Joh.12 nicht bestehen. Im Gegenteil ist der Autor - so eine Konsequenz der religionsgeschichtlichen Analyse - über die Kenntnis der alttestamentlich-jüdischen Tradition hinaus religionsgeschichtlich eng mit seiner paganen Umwelt verbunden.

---

[573] Karrer, 1986, S.220ff.; vgl. bes. a.a.O., S.223.

[574] Terminus von Karl Bühlers "Organonmodell der Sprache" (Bühler, 1934 = 1982, S.24ff.).

[575] Gunkel, 1895, S.396, meinte damit zunächst die Gruppen, die sich den von ihm rekonstruierten babylonischen Mythos angeeignet haben; doch die christliche Deutung sei ebenso "unorganisch". Zur Ausweitung der Konventikel-These auf die Apk.Joh.: vgl. Bornkamm, 1959, S.669f.

INDEX
(Auswahl)

Die Zahlen geben die Seiten an; steht ein "A" vor der Zahl, so bezieht sich diese auf die entsprechende Anmerkung.

1. LXX und NT

2. Texte aus Qumran

(Midraschim)		*Apk.Elia (kopt.)*	
Esth.R 1,1	A 244	28,9ff.	A 126
Midr. Tehillim Ps.120	87	34,7	134
		36,12ff.	168
Targumim			
Tg Ps.-Jon. zu Gen.3,1	A 279	*Apk.Hen.(äth.)*	
Tg Ps.-Jon. zu Ex.15,12	181	10,11ff.	155
Tg Neofiti zu Gen.3,1	A 279	14,20	51
		42,2f.	46
		58,3	51
		52,4	58

6. frühjüdische und frühchristliche Schriften; Pseudepigraphen

		62,4	56
		69,12	A 155
		75,3	A 106
		83,3f.	A 142
		90,18	A 190
Abba Elija (äth.)	A 107		
		Apk.Hen.(hebr.)	
Act.Joh.	205f.	12,1-5	51
		18,3	A 128
Act.Mart. lugdunens.	213ff.		
		Apk.Hen.(slav.)	
Act.Petr.		8,1	A 255
7	70f.	18,14f.	136
24	A 261	19,1	A 110
		19,2	A 106
Act.Phil.		71,17ff.	108f.
111	126		
		Apk.Mos.	
Act.Thomas		16,1	A 278
32	125	38	A 332
Apk.Bar.(gr.)		*Apk.Petr. I*	234f.
3,5	57	1	51f.
4,3	A 273	17	A 110
9,7	119		
		Apk.Petr.II	A 255
Apk.Bar.(syr.)			
6,7-10	183	*Apk.Pls.(gr.)*	
10,3	A 126	14	130
10,14f.	A 126	15	A 269
48,36	46		
56,12-14	136	*Apk.Sedr.*	
70,10	A 447	15,9	A 273

7. Christl. Schriftsteller und Kirchenväter

8. Pagane Quellen

Bibliographie

1. Abkürzungen

Die Abkürzungen lehnen sich an das Abkürzungsverzeichnis von S. Schwertner, Berlin - New York 1994². Allerdings wurden Abkürzungen durchgängig mit einem Punkt markiert (also Apk.Joh. statt ApkJoh).
Bei den Quellennachweisen sind folgende Abkürzungen besonders häufig verwendet worden:

CCL	Corpus Christianorum, Series Latina, Turnholt 1, 1954ff.
CSEL	Corpus Christianorum Ecclesiasticorum Latinorum, Wien 1,1866ff.
CSCO	Corpus Scriptorum Christianorum Orientalium, Roma etc. 1,1903ff.
FC	Fontes Christiani, Freiburg etc. 1, 1993ff.
CGS	Die Griechischen Christlichen Schriftsteller der ersten drei Jahrhunderte, Berlin 1,1897ff.
Migne PG	Jacques-Paul Migne, Patrologia cursus completus, Series Graeca 1,1857ff.
Migne PL	Jacques-Paul Migne, Patrologia cursus completus, Series Latina, 1,1941ff.
SC	Sources crétiennes, Paris 1,1941ff.
TU	Texte und Untersuchungen zur Geschichte der altchristlichen Literatur, Berlin etc. 1,1882ff.

2. Bibelausgaben

Neues Testament	Nestle, E./Aland, K. (Hg.), Novum Testamentum Graece, Stuttgart 1979[26]
Septuaginta (LXX)	Rahlfs, A. (Hg.), Septuaginta, id est vetus testamentum graece iuxtra LXX interpretes, editio minor. Duo volumina in uno, Stuttgart 1979
Masoret. Text (MT)	Elliger, K. / Rudolph, W. (Hg.), Biblia Hebraica Stuttgartensia, Stuttgart 1983
Vulgata	Weber, R. (Hg.), Biblia sacra iuctra vulgatam versionem, Stuttgart 1983[3]

3. Hilfsmittel

Aland, Kurt, Synopsis Quattuor Evangeliorum. Locis parallelis evangeliorum apocryphorum et patrum adhibitis, Stuttgart 1985[13]

Bauer, Walter, Griechisch -deutsches Wörterbuch zu den Schriften des Neuen Testaments und der frühchristlichen Literatur, hg. Kurt und Barbara Aland, Berlin - New York 1988[6]

Centre d' Analyse et de Documentation Patristiques (Ed.), Biblia Patristica. Index des citations et allusions bibliques dans la littérature patristique, Vol.1-5 + Suppl., Paris 1975-1991

Charlesworth, James H., Graphic Concordance to the Dead Sea Scrolls, Tübingen - Luisville 1991

Denis, Albert - Marie O.P., Concordance greque des pseudépigraphes d'ancien testament, Louvain-la-Neuve, 1987

Hatch, E./ Redpath, H., A Concordance to the Septuagint and the Other Greek Versions of the Old Testament (Including the Apocryphal Books), Grand Rapids, MI, 1991[5] (repr.1897)

Institut für neutestamentliche Textforschung, Münster, Computer-Konkordanz zum Novum Testamentum Graece, Berlin - New York 1985[2]

Jastrow, Marcus, Dictionary of the Targumim, the Talmud Babli and Yerushalmi, and the Midrashic Literature. With an Index of Scriptoral Quotations, Vol. I and II, New York 1992 (repr.1903)

Kraft, Heinrich, Clavis Patrum Apostolicum. Catalogum vocum in libris patrum qui dicuntur apostolici non raro occurentium. Adiuvante Ursula Früchtel. Congessit, contulit, conscripsit Henricus Kraft, Darmstadt 1963

Lampe, G.W., Patristic Greek Lexicon, Oxford 1961

Liddell, H.G. / Scott, R., A Greek-English Lexicon, Oxford 1961 (repr.1940[9])

Schwertner, Siegfried, TRE Abkürzungsverzeichnis, Berlin - New York 1994[2]

Siegert, Folker, Nag Hammadi - Register. Wörterbuch zur Erfassung der Begriffe in den koptisch - gnostischen Schriften von Nag Hammadi, mit einem deutschen Index (WUNT 26), Tübingen 1982

Strack, H.L. / Stemberger, G., Einleitung in Talmud und Midrasch, München 1982[7]

4. Literaturverzeichnis

Adam, Alfred (1959); Die Psalmen des Thomas und das Perlenlied als Zeugnisse vorchristlicher Gnosis; Berlin

Ahmadiyya - Bewegung (Hg.) (1980[4]); Der Heilige Qur-an. Arabisch und Deutsch; o.O.

Allberry, C.R.C. (1938); A Manichean Psalm-Book, Part II; Stuttgart

Allegro, J.M. (1956); Further Messianic References in Qumran Literature, in: JBL 75, S.174-187

Allegro, J.M. (1958); Fragments of a Qumran Scoll of Eschatological Midrasim, in: JBL 77, S.350-354

Altaner, Bertold / Stuiber, Alfred (1993 (=1978[8])); Patrologie. Leben, Schriften und Lehre der Kirchenväter; Freiburg, Basel, Wien

Altheim, Franz / Stiehl, Ruth (1971-1973); Christentum am Roten Meer, Bd.I/II; Berlin - New York

Andresen, Carl / Ritter, Adolf Martin (1993); Geschichte des Christentums I/1: Altertum; Stuttgart-Berlin-Köln

Andresen, Carl (1952/3); Justin und der mittlere Platonismus , in: Zintzen, Clemens (Hg.), Der Mittelplatonismus (WdF, Band 70), S.319-368; Darmstadt, 1981

Assmann, Jan (1983); Königsdogma und Heilserwartung, in: Helholm (Hg.), Apocalypticism in the Mediterranean World and in the Near East, S.345-378; Tübingen

Attridge / McRae (1985); NHC 1.3: The Gospel of Truth, in: NHS XXII, S.39-135

Aus, Roger D. (1976); The Relevance of Isaiah 66,7 to Revelation 12 and 2 Thessalonians 1; ZNW 67

Austos, Milton V. (1993); Nestorius was Orthodox, in: Ferguson, E. (Ed.), Doctrines of God and Christ in the Early Churches, Vol.IX; New York - London

Bailey, H.W. (1930/31); To the Zamasp-Namak, in: BSOS 6, S.55-85.581-600

Bamberger, Bernard J. (1952); Fallen angels; Philadelphia

Bar-Ilan, Meir (1990); The Date of the Words of Gad the Seer, in: JBL 190, S.475-492

Bardenhewer, Otto (1913²); Geschichte der altkirchlichen Literatur, Band 1: Vom Ausgang des apostolischen Zeitalters bis zum Ende des Zweiten Jahrhunderts; Freiburg i.B.

Bardenhewer, O. (1914²); Geschichte der altkirchlichen Literatur, Band 2: Vom Ende des zweiten Jahrhunderts bis zum Beginn des vierten Jahrhunderts; Freiburg i.B.

Bardenhewer, Otto (1923²); Geschichte der altkirchlichen Literatur, Band 3: Das vierte Jahrhundert mit Ausschluß der Schriftsteller syrischer Zunge; Freiburg i.B.

Barth, H. / Steck, O.H. (1987¹¹); Exegese des Alten Testaments. Leitfaden der Methodik.; Neukirchen

Bauer, Walter (Hg.) (1933); Die Oden Salomos. In: Kleine Texte für Vorlesungen und Übungen, hg. Lietzmann, Bd.16; Berlin

Bauer, Walter (Hg.) (1964³); Die Oden Salomos, in: Hennecke/Schneemelcher, Neutestamentliche Apokryphen in deutscher Übersetzung, Band II, S.576-625; Tübingen

Bauer, Walter (1964²); Rechtgläubigkeit und Ketzerei im ältesten Christentum. Beiträge zur historischen Theologie 10

Becker, Jürgen (1970); Untersuchungen zur Entstehungsgeschichte der Testamente der zwölf Patriarchen; Leiden

Becker, Jürgen (1974); Die Testamente der zwölf Patriarchen, in: JSHRZ III,1; Gütersloh

Behm, Johannes (1949⁵); Die Offenbarung des Johannes (NTD 11); Göttingen

Benko, Stephen (1993); The Virgin Goddess. Studies in the Pagan ans Christian Roots of Mariology (Studies in the History of Religions LIX); Leiden, New York, Köln

Benson, Ivan M. (1987); Revelation 12 and the Dragon of Antiquity, in: Restoration Quarterly 29,2, S.97-102

Benveniste, E. (1932); Une apocalypse pehlevie. Le Zamasp-Namak, in: Revue de l'histoire des religions 106,1, S.237-380

Berger, Klaus (Hg.) (1981); Das Buch der Jubiläen (JSHRZ 2/3); Gütersloh

Berger, Klaus / Colpe, Carsten (1987); Religionsgeschichtliches Textbuch zum Neuen Testament; Göttingen - Zürich

Berger, Klaus (1973); Die königlichen Messiastraditionen des Neuen Testaments, in: NTS 20, S.19-44

Berger, Klaus (1973); Der Streit des guten und des bösen Engels um die Seele. Beobachtungen zu 4QAmr(b) und Judas 9, in: JSJ 4, S.1-19

Berger, Klaus (1976); Die Auferstehung des Propheten und die Erhöhung des Menschensohnes. Traditionsgeschichtliche Untersuchungen zur Deutung des Geschickes Jesu in frühchristlichen Texten; Göttingen

Berger, Klaus (1984); Formgeschichte des Neuen Testaments; Heidelberg

Berger, Klaus (1991³); Exegese des Neuen Testaments; Heidelberg

Berger, Klaus (1992); Synopse des Vierten Buches Esra und der syrischen Baruchapokalypse (TANZ 8); Tübingen - Basel

Berger, Klaus (1993); Qumran und Jesus. Wahrheit unter Verschluß?; Stuttgart

Berger, Klaus (1995²); Theologiegeschichte des Urchristentums. Theologie des Neuen Testaments; Tübingen und Basel

Bergmann, Jan (1968); Ich bin Isis. Studien zum memphitischen Hintergrund der griechischen Isisaretalogien; Uppsala

Bergmann, Jan (1980); Art. 'Isis', in: Lexikon der Ägptologie, Bd.III, Sp.186-203; Wiesbaden

Bergmeier, Roland (1983); Altes und Neues zur "Sonnenfrau am Himmel (Apk.12)". Religionsgeschichtliche und quellenkritische Beobachtungen zu Apk 12,1-7 in: ZNW 73, S.97-109

Bertram, Georg (1973); Art. `odin ktl.', in: ThWNT IX, S.668-675

Betz, Hans Dieter (1975); Plutarch's Theological Writings and Early Christian Literature (Studia ad Corpus Hellenisticum Novi Testamenti); Leiden

Betz, Hans-Dieter (1961); Lukian von Samosata und das Neue Testament (TU 76); Berlin

Betz, Otto (1982); Art. Entrückung II, in: TRE 9, S.680-690

Beyer, Klaus (1984); Die aramäischen Texte vom Toten Meer; Göttingen

Beyer, Klaus (1990); Das syrische Perlenlied. Ein Erlösungsmythos als Märchengedicht, in: ZDMG 140, S.234 ff.

Bezold, Carl (1905); Kebra Nagast. Die Herrlichkeit der Könige. Nach den Handschriften in Berlin, London, Oxford und Paris, in: Abh. d. I. Klasse d. K. Ak. d. Wiss. XXIII. Bd. I. Abt.; München

Binder, G. / Liesenborghs, L. (Hg.) (1969); Didymus der Blinde. Kommentar zum Ecclestiastes (Tura-Papyrus), Teil VI (Papyrolog. Texte u. Abh. 9); Bonn

Bingenheimer, Michael (Übers.) (1993); Lucius Apuleius von Madaura: De Deo Socratis. Vom Schutzgeist des Sokrates; Frankfurt a.M.

Blank, Josef (1964); Krisis. Untersuchungen zur johanneischen Christologie und Eschatologie; Freiburg i.B.

Bloomfield, Leonard (1933); Language; Chicago

Böcher, Otto (1970); Dämonenfurcht und Dämonenabwehr. Ein Beitrag zur Vorgeschichte der christlichen Taufe (BWANT 90); Stuttgart - Berlin

Böcher, Otto (1972); Christus Exorcista. Dämonismus und Taufe in Neuen Testament; Stuttgart, Berlin, Köln, Mainz

Böcher, Otto (1981); Johanneisches in der Apokalypse des Johannes, in: NTS 27, S.310-321

Böcher, Otto (1983); Kirche in Zeit und Endzeit. Aufsätze zur Offenbarung des Johannes; Neukirchen

Böcher, Otto (1983a); Jüdischer Sternglaube im Neuen Testament, in: ders., 1983, S.13-27

Böcher, Otto (1988³); Die Johannesapokalypse. (EdF 31, 1975); Darmstadt

Böcher, Otto (1988); Die Johannes-Apokalypse in der neueren Forschung, in: ANRW II,25,5, S.3850-3893; (zitiert: neuere Forschung)

Böcher, Otto (1988); Die Johannes-Apokalypse und die Texte von Qumran, in: ANRW II, 25,5, S.3894-3898; (zitiert: Qumran)

Boesak, Allan (1987); The Woman and the Dragon: Struggle and Victory in Revelation 12, in: Sojourners 16, S.27-31

Böhlig, A. / Labib, P. (Hg.) (1963); Die Apokalypse des Paulus, in: Böhlig, A. / Labib,P. (Hg.), Koptisch - Gnostische Apokalypsen aus Codex V von Nag
Hammadi im koptischen Museum von Alt - Kairo, S.15-26; Halle

Boismard, M.-E. (1949), L'apocalypse ou les apocalypses de S. Jean, in: PB 56,
S.507-541

Boll, Franz (1914); Aus der Offenbarung Johannis - Hellenistische Studien zum Welt-
bild der Apokalypse; Leipzig - Berlin

Bonnet, Maximilian (Ed.) (1959); Acta Apostolorum Apocrypha, Bd.2: Acta Pilippi et
Thomae accedunt acta Barnabae; Darmstadt

Bonwetsch, Nathanael (Hg.) (1897, Neudruck); Das Testament der vierzig Märtyrer, in:
Studien zur Geschichte der Theologie und der Kirche, 1,1; Leipzig

Bonwetsch, Nathanael (Hg.) (1904); Drei georgisch erhaltene Schriften von Hippolytus:
Der Segen Jakobs, der Segen Moses, die Erzählung von David und Goliath
(TU 26,1); Leipzig

Bonwetsch, Nathanael (Hg.) (1922); Die Bücher der Geheimnisse Henochs. Das sogenannte Slavische Henochbuch (TU 44,2); Leipzig

Bonwetsch, Nathanael (1897, Neudruck 1972); Die Apokalypse Abrahams, in: Studien
zur Geschichte der Theologie und der Kirche, 1,1; Leipzig

Bonwetsch, Nathanael (1914); Texte zur Geschichte des Montanismus (Kleine Texte
für Vorlesungen und Übungen, Hg. H. Lietzmann, 129); Bonn

Bornkamm, Günter (1959); Art. presbys ktl., in: ThWNT VI, S.651-683

Bornkamm, Günther (1937); Die Komposition der apokalyptischen Visionen in der Offenbarung Johannis, in: ZNW 36, S. 132-149

Bosenius, Bärbel (1994); Die Abwesenheit des Apostels als theologisches Programm.
Der zweite Korintherbrief als Beispiel für die Brieflichkeit der paulinischen
Theologie (TANZ 11); Tübingen - Basel

Bousset, Wilhelm (1895); Der Antichrist - in der Überlieferung des Judenthums, des
neuen Testaments und der alten Kirche. Ein Beitrag zur Auslegung der Apocalypse.; Göttingen

Bousset, Wilhelm (1906[6] (1896)); Die Offenbarung des Johannes (Meyers kritisch - exegetischer Kommentar); Göttingen

Brandenburger, Egon (1986); Das Böse. Eine biblisch-theologische Studie
(Theologische Studien, Bd.132); Zürich

Bratke, Eduard (1893); Handschriftliche Überlieferung und Bruchstücke der arabisch-
aethiopischen Petrus - Apokalypse, in: ZWTh 36,4, S.454-493;

Braun, F.M. (1955); La Femme vêtue de soleil (Apoc.XII). Etat du Problème, in: RTh
55, S.639-669

Braun, Herbert (1959); Art. 'planao, planaomai, apoplanao, apoplanaomai, plane, pla-
nos, planetes, planes', in: ThWNT VI, S.230-257

Bremond, Claude (1973); Logique du récit; Paris

Brenk, Frederick E. (1987); An Imperial Heritage: The Religious Spirit of Plutarch of
Chaironeia, in: ANRW II.36.1, S.248-349

Brock, S.P. (Hg.) (1967); Testamentum Iobi, in: Denis/ deJonge (Hg.), Pseudepigrapha
veteris testamenti graece, Vol.II, S.1-59; Leiden

Brown, Raymond E. (1966); The Gospel according to John (The Anchor Bible); Garden
City, New York

Brox, Norbert (Hg.) (1993); Irenäus von Lyon: Epideixis. Adversus Haereses (Fontes Christiani 8/1); Freiburg, Basel, Wien, Barcelona, Rom, New York

Brox, Norbert (Hg.) (1993); Irenäus von Lyon, Adversus Haereses II - Gegen die Häresien II (Fontes Christiani 8/2); Freiburg, Basel, Wien, Barcelona, Rom, New York

Brox, Norbert (1961); Zeuge und Märtyrer (StANT 5); München

Brox, Norbert (1991); Der Hirt des Hermas (Kommentar zu den Apostolischen Vätern, Bd.7); Göttingen

Brugsch, Heinrich (1888); Religion und Mythologie der alten Ägypter. Nach den Denkmälern; Leipzig

Brunner, Helmut (1964); Die Geburt des Gottkönigs. Studien zur Überlieferung eines altägyptischen Mythos (Ägyptologische Abhandlungen, Bd.10); Wiesbaden

Bruns, Edgar (1964); The Contrasted Women of Apocalypse 12 and 17, in: CBQ 26, S.459-463

Büchsel, Friedrich (1990²); Art. `kategoros, kategor, kategoreo, kategoria', in: ThWNT III, S. 637f.; Stuttgart - Berlin - Köln

Bühler, Karl (1934); Sprachtheorie; Jena

Bultmann, Rudolf (1952¹²); Das Evangelium des Johannes (Kritischer Exegetischer Kommentar über das Neue Testament)

Burchard, Christoph (1966); Das Lamm in der Waagschale. Herkunft und Hintergrund eines haggadischen Midrasch zu Ex 1, 15-22, in: ZNW 57, S.219-228

Burchard, Christoph (1983); Joseph und Aseneth (JSHRZ II,4); Gütersloh

Burton, Anne (1972); Diodorus Siculus, Book I. A Commentary (études préliminaires aux religions orientales dans l'empire romain, Bd.29); Leiden

Calloud, Jean (1976); Apocalypse 12-13: essai d'analyse sémiotique, in: Foi et Vie 75,4, S.26-78

Cerfaux, L. (1955); La vision de la femme et du dragon de l'Apocalypse en relation avec le protévanglie, in: EThL 31, S.21-33

Charles R.H. (1908); The Greek Versions of the Testaments of the Twelve Patriarchs; Orford

Charles, R.H. (Ed.)/Morfill, W.R. (Transl.) (1896); The Book of the Secrets of Enoch; Oxford

Charles, R.H. (1920); A critical and exegetical commentary on the revelation on St. John, vol I (ICC); Edinburgh

Charlesworth, James H. (Ed.) (1983); The Old Testament Pseudepigrapha. Vol.I: Apocalyptic Literature and Testaments; London

Charlesworth, James H. (Ed.) (1985); The OT Pseudepigrapha, Vol.II: Expansions of the »Old Testament« and Legends, Wisdom and philosophical Literature, Prayers, Psalms and Odes, Fragments of lost Judeo--Hellenistic Works; London

Charlesworth, James H. (1991); Graphic Concordance to the Dead Sea Scrolls; Tübingen - Louisville

Chesnut, Glenn F. (1978); The Ruler and the Logos in Neopythagorean, Middle Platonic, and Late Stoic Political Philosophy, in: ANRW II,16.2, S.1310-1332

Clemen, Carl (1937); Dunkle Stellen in der Offenbarung Johannis religionsgeschichtlich erklärt (Untersuchungen zur allgemeinen Religionsgeschichte, Heft 10);
Bonn

Clemen, Carl (1973); Religionsgeschichtliche Erklärung des NT; Berlin New York
(Nachdr. Gießen 1924²)

Cohn/Heinemann/Adler/Theiler (Hg.) (1962-1964²); Philo von Alexandria. Die Werke
in deutscher Übersetzung, BdI-VII; Berlin

Collins, Adela Yarbro (1976); The Combat Myth in the Book of Revelation (Hervard
Theological Review 9); Missoula

Collins, John J. (1974); The Place of the Fourth Sibyl in the Development of the Jewish
Sibyllina, in: JJS 25, S.365-380

Collins, John J. (1979); Persian Apocalypses, in: Semeia 14. Apocalypse: The Morpho-
logy of a Genre, S.207-217

Collins, John J. (1987); The Development of the Sibylline Tradition, in: ANRW II,20,1,
S.421-459

Corsini, Eugenio (1994); La donna e il dragone nel capitolo 12 dell'Apocalisse, in: Ri-
cherche Storico Bibliche 6, Heft 1/2, S.255-266

Court, John M. (1979); Myth and history in the book of revelation, Kap.5: The woman
clothed with the sun; London

Dalman, Gustav (1898); Die Worte Jesu. Mit Berücksichtigung des nachkanonischen
jüdischen Schrifttums und der aramäischen Sprache, Bd.1; Leipzig

De Jonge, M. (Ed.) (1964); Testamenta XII Patriarcharum. Edited according to Cambridge University Library MS Ff.1.24 fol. 203a-262b. With short Notes;
Leiden

De Jonge, M. (1953); The Testaments of the Twelve Patriarchs. A Study of their Text,
Composition and Origin; Assen

De Jonge, M. (1959); The Testament of the 12 Patriarchs and the New Testament, in:
Texte und Untersuchungen zur Geschichte der altchristlichen Literatur 73,
S.546-556

De Jonge, M. (1992); Art.: Patriarchs, Testament of the Twelve, in: ABD, Vol.5,
S.181-186

Deißmann, Adolf (1923⁴ (1908)); Licht vom Osten. Das Neue Testament und die neu-
entdeckten Texte der hellenistisch-römischen Welt (vierte, völlig neu bear-
beitete Ausgabe); Tübingen

Deissler, A. (1981); Zum Problem des messianischen Charakters von Psalm 2, in: Car-
rez /Doré/Grelot (Hg.), De la Tôrah au Messie (Festschr. H. Cazelles),
S.283-283; Paris

Denis, Albert M. (Ed.) (1970); Fragmenta Pseudepigraphorum Graeca, in: Denis/de
Jonge /Ed.), Pseudepigrapha Veteris Testamenti Graece, S.45-246; Leiden

Dexinger, Ferdinand (1966); Sturz der Göttersöhne oder Engel vor der Sintflut? Versuch eines Neuverständnisses von Genesis 6,2-4 unter Berücksichtigung der
religionsvergleichenden und exegesegeschichtlichen Methode; Wien

Dibelius, Martin (1923); Der Hirt des Hermas (Handbuch zum Neuen Testament, Er-
gänzungsband 4); Tübingen

Diels, Hermann (Hg.) (1958³); Doxographi Graeci; Berlin

Dieterich, Albrecht (1891); Abraxas. Studien zur Religionsgeschichte des spätern Altertums.; Leipzig

Dietzfelbinger, Christian (Hg.) (1975); Antiquitates Biblicae (Liber Antiquitatum Biblicarum), in: Dietzfelbinger, Christian (Hg.), JSHRZ, Band 2, Lieferung 2, Unterweisung in erzählender Form, Ps.Philo, Antiquitates Biblicae; Gütersloh

Dormeyer, Detlef (1993); Das Neue Testament im Rahmen der antiken Literaturgeschichte. Eine Einführung.; Darmstadt

Drexler, W. (1889); Der Isis- und Sarapis-Cultus in Kleinasien, in: Numismatische Zeitschrift 21, S.1-234

Drioton, Etienne (1957); Pages d'egyptologie; Le Caire

Dunand, Francoise (1973); Le culte d'Isis dans le bassin oriental de la Méditerranée, vol. III: Le culte d'Isis en Asie mineure (Ét. prélimin. aux relig. orient. dans l'empire rom. 21); Leiden

Díez Macho, Alejandro (1970); Neophyti I, Tomo II: Éxodo; Madrid - Barcelona

Eco, Umberto (1987); Lector in fabula. Die Mitarbeit der Interpretation in erzählenden Texten; München - Wien

Egger, Wilhelm (1987); Methodenlehre zum Neuen Testament. Einführung in linguistische und historisch - kritische Methoden; Freigurg, Basel, Wien

Ego, Beate (1989); Im Himmel wie auf Erden. Studien zum Verhältnis von himmlischer und irdischer Welt im rabbinischen Judentum (WUNT² 34); Tübingen

Ellul, Jacques (1981); Apokalypse. Die Offenbarung des Johannes - Enthüllung der Wirklichkeit; Neukirchen

Engelmann, Helmut (1994); Ephesos und die Johannesakten, in: ZPE 103, S.297-302

Erdmann, Gottfried (1932); Die Vorgeschichte des Matthäus- und Lukas-Evangeliums und Vergils vierte Ekloge; Göttingen

Erlemann, Kurt (1996); Papyrus Egerton 2: 'Missing link' zwischen synoptischer und johanneischer Tradition, in: NTS 42, S.12-34

Ernst, Josef (1967); Die eschatologischen Gegenspieler in den Schriften des Neuen Testaments; Regensburg

Ernst, Josef (1968); Die "himmlische Frau" im 12. Kapitel der Apokalypse. in: Theologie und Glaube 58, S.39-59

Farrer, A. (1964); The Revelation of St. John the Divine; Oxford

Faulkner, R.O. (1968); The Pregnancy of Isis, in: JEA 54, S.40-44

Faulkner, R.O. (1969); The Ancient Egyptian Pyramid Texts, Translated into English; Oxford

Faulkner, R.O. (1973-1978); The Ancient Egyptian Coffin Texts, Vol.1-3; Warminster, England

Faulkner, R.O. (1973); 'The Pregnancy of Isis', a rejoinder. In: JEA 59, S.218f.

Fauth, Wolfgang (1991); Art. 'Himmelskönigin', in: RAC 15, Sp.220-233;

Feix, J. (Hg.) (1988⁴); Herodot: Historien. Band 1: Bücher I-V. Band 2: Bücher VI-IX; Darmstadt

Feldtkeller, Andreas (1994); Im Reich der Syrischen Göttin. Eine religiös plurale Kultur als Umwelt des frühen Christentums (Studien zum Verstehen fremder Religionen, Band 8); Gütersloh

Festugière, A.-J. (1954); La Révélation d' Hermès Trismégiste IV; Paris

Feuillet, André (1959); Le Messie e sa mère d'après le chapitre XII de l'apocalypse, in: RBi 66, S.55-86

Fillmore, Charles J. (1968); The Case for Case, in: Bach/Harms (Hg.), Universals in Linguistic Theory, p.1-88; New York

Fillmore, Charles J. (1977); The Case for Case Reopened, in: Cole/Sadock (Hg.), Syntax and Semantics, Vol.VIII; New York

Fischer, Joseph (Hg.) (1986⁹); Der Klemens-Brief, in: Fischer, Joseph A. (Hg.), Die Apostolischen Väter. (Schriften des Urchristentums, erster Teil); Darmstadt

Fischer, Joseph (Hg.) (1986⁹); Ignatius an die Epheser, in: Fischer, Joseph A. (Hg.), Die Apostolischen Väter. (Schriften des Urchristentums, erster Teil); Darmstadt

Fitzer, Gottfried (1964); Art. 'syndesmos', in: ThWNT VII, S.854-857

Foerster, Werner (1990² (1964)); Art. 'Satanas', in: ThWNT VIII, S. 151ff.; Stuttgart - Berlin - Köln

Foerster, Werner (1990² (1935)); Art. 'diaballo, diabolos', in: ThWNT II, S.69ff.; Stuttgart - Berlin - Köln

Fontenrose, Joseph (1959); Python. A Study of Delphic Myth and its Origin; Berkeley and Los Angeles

Fontenrose, Joseph (1978); The Delphic Oracle. Its Responses and Operations; Berkeley - Los Angeles - London

Forsyth, Neil (1987); The Old Enemy. Satan and the Combat Myth; Princeton, New Jersey

Frank, Albert (1975); Studien zur Ekklesiologie des Hirten, II Klemens, der Didache und der Ignatiusbriefe unter besonderer Berücksichtigung der Idee einer präexistenten Kirche (Diss. München); München

Frankemölle, Hubert (1994); Der Brief an Jakobus, Bd. 1 und 2 (ÖTK 17/1 und 17/2); Gütersloh

Freundorfer, Joseph (1929); Die Apokalypse des Johannes und die hellenistische Kosmologie und Astrologie.; Freiburg i.B.

Fuller, Reginald H. (1978); The Woman in Revelation 12, in: R.E. Brown (Ed.), Mary in the New Testament, S.219-239; Philadelphia

Funk, F.X./Diekamp, F. (Hg.) (1913³); Patres Apostolici, Vol.II; Tübingen

Gager, John G. (1972); Mose in Greco-Roman Paganism (JBL Monograph Series XVI); Nashville / New York

Gebhardt, Oscar von (Hg.) (1902); Ausgewählte Märtyreracten und andere Urkunden aus der Verfolgungszeit der christlichen Kirche; Berlin

Geffcken, Johannes (1902); Komposition und Entstehungszeit der Oracula Sibyllina (TU 23,1); Leipzig

Geffcken, Johannes (1902); Die Oracula Sibyllina (GCS 8); Leipzig

Georgi, Dieter (1980); Die Visionen vom himmlischen Jerusalem in Apk 21 und 22, in: FS G. Bornkamm zum 75. Geburtstag, S. 351-372; Tübingen

Giblin, Charles H. (1994); Recapitulation and the Literary Coherence of John's Apocalypse, in: CBQ 56,1, S.81-95

Giesen, Heinz (1986); Johannes - Apokalypse (Stuttgarter Kleiner Kommentar, Neues Testament 18); Stuttgart

Gilula, Mordechai (1971); Coffin Texts Spell 148, in: JEA 57, S.14-19;

Ginsburger, M. (1903); Pseudo-Jonathan (Thargum Jonathan ben Usiel zum Pentateuch); Berlin

Gleßmer, Uwe (1993); Liste der biblischen Texte aus Qumran, in: RdQ 62, S.153-192

Golb, Norman (1980); The Problem of Origin and Identification of the Dead Sea Scrolls. In: PAPS 124, S.1-24

Golb, Norman (1994); Qumran - Wer schrieb die Schriftrollen vom Toten Meer?; Hamburg

Goldschmidt, Lazarus (1929-36); Der babylonische Talmud, Band I-XII; Berlin

Gollinger, Hildegard (1971); Das "Große Zeichen" von Apokalypse 12. (SBM 11); Stuttgart

Gollinger, Hildegard (1984); Das 'große Zeichen'. Offb 12 - das zentrale Kapitel der Offenbarung des Johannes, in: Bibel und Kirche 39, S.66-75

Goodenough, Erwin R. (1953-1965); Jewish Symbols in the Greco-Roman Period, Vol.1-12; Kingsport/Tenn.

Goodspeed, Edgar J. (Ed.) (1914); Die ältesten Apologeten. Texte mit kurzen Einleitungen; Göttingen

Greimas, Algirdas J. (1971); Strukturale Semantik. Methodologische Untersuchungen (Orig.: Semantique structurale. Recherche de méthode, Paris 1966); Braunschweig

Greßmann, Hugo (Ed.) (1921); Das Gebet des Kyriakos. In: ZNW 20, S.23ff.;

Greßmann, Hugo (1929); Der Messias; Göttingen

Griffiths, J. Gwyn (1960); The Conflict of Horus and Seth, from egyptian and classical sources (Liverpool Monographs in Archaeology and Oriental Studies); Liverpool

Griffiths, J. Gwyn (1970); `The Preagnancy of Isis': a comment, in: JEA 56, S.194f.

Griffiths, J. Gwyn (1975); Apuleius of Madaura, the Isis - Book. Metamorphoses, Book XI, ed. with Introduction, Translation and Commentary (EPRO 39); Leiden

Gülich, E. / Raible, W. (1977); Linguistische Textmodelle (UTB 130); München

Gunkel, Hermann (1895); Schöpfung und Chaos in Urzeit und Endzeit. Eine religionsgeschichtliche Untersuchung über Gen 1 und Ap Joh 12; Göttingen

Güttgemanns, Erhard (1992); Gegenstand, Methode und Inhalt einer Theologie des Neuen Testaments. Skizze zur Grundlegung einer Theologie des Neuen Testaments, in: Linguistica Biblica 66, S.55-113

Habermehl, Peter (1992); Perpetua und der Ägypter oder Bilder des Bösen im frühen afrikanischen Christentum. Ein Versuch zur 'passio sanctarum Perpetuae et Felicitas' (TU 140); Berlin

Habicht, Christian (Hg.) (1976); 2. Makkabäerbuch (JSHRZ I,3); Gütersloh

Hadorn, W. (1928); Die Offenbarung des Johannes (THNT 18); Leipzig

Hagedorn, Dieter (1992); P.IFAO II 31: Johannesapokalypse 1,13-20, in: ZPE 92, S.243-247

Hahn, Ferdinand (1970); Methodenprobleme einer Christologie des Neuen Testaments, in: Verkündigung und Forschung 15, S.2-41

Halver, Rudolf (1964); Der Mythos im letzten Buch der Bibel. Eine Untersuchung der Bildersprache der Johannesapokalypse; Hamburg

Hamel, Adolf (1951); Kirche bei Hippolyt von Rom (Beiträge zur Förderung christlicher Theologie, Bd.49); Gütersloh

Hamilton, Victor P. (1992); Art. 'Satan', in: ABD 5, S.985-989

Hanson, Paul D. (1971); Alttestamentliche Apokalyptik in neuer Sicht, in: Apokalyptik, h rg. v. K. Koch und J. M. Schmidt (=WdF 365), Darmstadt 1982

Harnack, Adolf von (1924²); Marcion: Das Evangelium vom fremden Gott. Eine Monographic zur Geschichte der Grundlegung der katholischen Kirche (TU 45); Leipzig

Harvey, W. Wigan (Ed.) (1857 (repr.1967)); Sancti Irenaei episcopi lugdunensis libros quinque adversus haereses, Tom. I et II; Cambridge

Haufe, Günter (1961); Entrückung und eschatologische Funktion, in: ZRGG 13, S.105-113

Heckel, Ulrich (1993); Der Dorn im Fleisch. Die Krankheit des Paulus in 2Kor 12,7 und Gal 4,13f. in: ZNW 84, S.65-82;

Hedrick, Charles W. (1980); The Apocalypse of Adam. A Literary and Source Analysis (SBL 46); Chico, Calif.

Heger, Klaus (1974); Signemränge und Textanalyse, in: Gülich/Heger/Raible, Linguistische Textanalyse. Überlegungen zur Gliederung von Texten (Papiere zur Textlinguistik, Bd.8), S.1-71; Hamburg

Heger, Klaus (1976²); Monem, Wort, Satz und Text; Tübingen

Heiligenthal, Roman (1992); Zwischen Henoch und Paulus. Studien zum theologiegeschichtlichen Ort des Judasbriefes (TANZ 6); Tübingen

Heine, Ronald E. (1989); The Montanist Oracles and Testimonia (Patristic Monograph Series 14); Macon, GA

Heine, Ronald E. (1992); Art. 'Montanus, Montanism', in: ABD IV, S.898-902

Heither, Theresia (Hg.) (1994); Origenes: Commentarii in Epistulam ad Romanos, liber septimus, liber octavus (Römerbriefkommentar, vierter Teilband). Fontes Christiani, Band 2,4; Freiburg, Basel, Wien, Barcelona, Rom, New York

Hellholm, David (Ed.) (1982); Apocalypticism in the Mediterranean World an in the Near East; Uppsala

Hengel, Martin (1973); Judentum und Hellenismus; Tübingen

Hengel, Martin (1976²); Die Zeloten. Untersuchungen zur frühjüdischen Freiheitsbewegung in der Zeit von Herodes I. bis 70 n. Chr.; Leiden - Köln

Hengel, Martin (1993); Die Johanneische Frage. Ein Lösungsversuch. Mit einem Beitrag zur Apokalypse von Jörg Frey (WUNT 67); Tübingen

Hennecke, E. / Schneemelcher, W. (1964³); Neutestamentliche Apokryphen II; Tübingen

Hennecke, Edgar (1893); Die Apologie des Aristides. Recension und Rekonstruktion des Textes, in: TU4,3

Herzer, Jens (1994); Die Paralipomena Jeremiae; Tübingen

Hjelmslev, Louis (1961² (1943)); Prolegomena to a Theory of Language; Madison

Hollander, H.W. / De Jonge, M. (1985); The Testaments of the twelve patriarchs - a commentary; Leiden

Holm - Nielsen, Svend (Hg.) (1977); Die Psalmen Salomos (JSHRZ IV,2); Gütersloh

Holtz, Traugott (1962); Die Christologie der Apokalypse des Johannes; Berlin

Hommel, Hildebrecht (1950); Vergils 'Messianisches' Gedicht, in: Oppermann, H. (Hg.), Wege zu Vergil (WdF 19), S.368-425; Darmstadt 1966

Hopfner, Theodor (1940); Plutarch, über Isis und Osiris, Teil 1: Die Sage. Text, Übersetzung und Kommentar (= Monographien des Archiv Orientální, Band IX); Prag

Hornschuh, Manfred (1965); Studien zur Epistula Apostolorum (Patristische Texte und Studien 5); Berlin

Horowitz, Charles (1975); Der Jerusalemer Talmud in deutscher Übersetzung, Band 1: Berakhot; Tübingen

Horsley, G.H.R. (1992); The Insriptions of Ephesos and the New Testament, in: Novum Testamentum XXXIV, 2, S.105-168

Howald / Staiger (Hg.) (o.J.); Die Dichtungen des Kallimachos. Griechisch und deutsch; Zürich

Hübner, Kurt (1985); Die Wahrheit des Mythos; München

Hughes, Philip Edgcumbe (1990); The Book of Revelation. A Commentary; Grand Rapids, Mich.

Jacoby, Felix (1958); Die Fragmente der griechischen Historiker, Teil 3, C; Leiden

James, Montague Rhodes (Ed.) (1892); The Testament of Abraham. The Greec Text now First Edited with an Introduction and Noted; Cambridge

James, Montague Rhodes (1924 (repr.1955)); The Apocryphal New Testament; Oxford

James, P.P. (1960); Mary and the Great Sign, in: American Ecclesiastical Review 142, S.321-329

Janssen, Enno (1975); Testament Abrahams, in: JSHRZ III,2; Gütersloh

Jenks, Gregory C. (1991); The Origins and Early Development of the Antichrist Myth (BZNW 59); Berlin - New York

Jeremias, Joachim (1966); Das Lamm, das aus der Jungfrau hervorging (Test.Jos.19,8), in: ZNW 57, S.216-219

Jeremias, Joachim (1971); Neutestamentliche Theologie, Band 1: Die Verkündigung Jesu; Gütersloh

Jervell, J. (1969); Ein Interpolator interpoliert, in: Burchard/Jervell/Thomas (Hg.), Studien zu den Testamenten der zwölf Patriarchen; Berlin

Jörns, Klaus-Peter (1971); Das Hymnische Evangelium. Untersuchungen zu Aufbau, Funktion und Herkunft der hymnischen Stücke in der Johannesoffenbarung (StNT 5); Gütersloh

Jossua, Jean-Pierre (1975); Die alte Schlange wurde gestürzt (Offb 12,9), in: Conc.11, S.207-214

Kalverkämper, Hartwig (1981); Orientierung zur Textlinguistik; Tübingen

Kamlah, Erhard (1974); Die Form der katalogischen Paränese im Neuen Testament (WUNT 7); Tübingen

Karrer, Martin (1986); Die Johannesoffenbarung als Brief. Studien zu ihrem literarischen, historischen und theologischen Ort; Göttingen

Kassing, Altfried Th. (1958); Die Kirche und Maria. Ihr Verhältnis im 12. Kapitel der Apokalypse; Düsseldorf

Keller, Catherine (1990); Die Frau in der Wüste: ein feministisch-theologischer Midrasch zu Off.12, in: Evang.Theol.50,4, S.414-432

Kellner, Heinrich (Hg.) (1915); Tertullians apologetische, dogmatische und montanistische Schriften (BKV 24); Kempten - München

Klauck, Hans-Joseph (Hg.) (1989); 4. Makkabäerbuch (JSHRZ III,6); Gütersloh

Kliefoth, Th. (1874); Die Offenbarung des Johannes; Leipzig

Klijn, A.F.J. (1962); The Acts of Thomas. Introduction-Text-Commentary. Supplements to Novum Testamentum, Vol.V; Leiden

Klinghardt, Matthias (1986); Gesetz und Volk Gottes. Das lukanische Verständnis des Gesetzes nach Herkunft, Funktion und seinem Ort in der Geschichte des Urchristentums (Diss. Heidelberg); Heidelberg

Koch, Ernst (1957); 'Das große Zeichen' Offbg. Joh. 12. Der Versuch einer Israellogie nach dem prophetischen Wort.; Judaica 13

Koch, Klaus (1966); Das Lamm, das Ägypten vernichtet. Ein Fragment aus Jannes und Jambres und sein geschichtlicher Hintergrund, in: ZNW 57, S.79-93

Koenen, Ludwig (Hg.) (1968); Die Prophezeiungen des 'Töpfers', in: ZPE 2, S.178-209

Koep, L. (1952); Das Himmlische Buch in Antike und Urchristentum; Bonn

Körtner, Ulrich H.J. (1983); Papias von Hierapolis. Ein Beitrag zur Geschichte des frühen Christentums; Göttingen

Kosnetter, J. (1952); Die Sonnenfrau in der neueren Exegese. in: Theologische Fragen der Gegenwart (Festgabe für Kardinal Innitzer), S.93-108; Wien

Kovacs, Judith L. (1995); "Now Shall the Ruler of this World Be Driven Out": Jesus' Death as Cosmic Battle in John 12:20-36, in: JBL 114/2, S.227-247

Kraft, Heinrich (1974); Die Offenbarung des Johannes (HNT 16a); Tübingen

Kraus, H.J. (1986); Psalmen, 1.Teilband. Psalmen 1-59 (BKAT XV/1); Neukirchen

Krause, Martin (Hg.) (1973); Die Paraphrase des Seem, in: Altheim, F. / Stiehl, R. (Hg.), Christentum am Roten Meer, zweiter Band, S.2-105; Berlin - New York

Krause, Martin (Hg.) (1973); Der zweite Logos des Großen Seth, in: Altheim, F. / Stiehl, R. (Hg.), Christentum am Roten Meer, zweiter Band, S. 106-151; Berlin - New York

Krause, Martin / Girgis, Victor (Hg.) (1973); Die drei Stelen des Seth, in: Altheim, F. / Stiehl, R. (Hg.), Christentum am Roten Meer, zweiter Band, S.180-199; Berlin - New York

Krause, Martin / Girgis, Viktor (Hg.) (1973); Die Petrusapokalypse, in: Altheim, F. / Stiehl, R. (Hg.), Christentum am Roten Meer, zweiter Band, S.152-180; Berlin - New York

Krause, Martin, Labib, Pahor (1971); Gnostische und hermetische Schriften aus Codex II und Codex VI (Abhandlungen des Deutschen Archäologischen Instituts Kairo, koptische Reihe, Band 2); Glückstadt

Kretschmar, Georg (1985); Die Offenbarung des Johannes. Die Geschichte ihrer Auslegung im 1. Jahrtausend (CThM, Bd.9); Stuttgart

Krüger, D.G. (Hg.) (1896); Die Apologien Justins des Märtyrers; Freiburg i.B./Leipzig

Kuhn, Karl Georg (1954/55); Die beiden Messias Aarons und Israels, in: NTS 1, S.168-179

Kurfess, Alfons (Hg.) (1951); Sibyllinische Weissagungen; München (Heimeran)

Kurfess, Alfons (1952); Zu den Oracula Sibyllina, in: Fischer, B./Fiala, V. (Hg.) Colligere Fragmenta, FS A.Dold; Beuron

Kürzinger, Josef (1983); Papias von Hierapolis und die Evangelien des Neuen Testaments. Gesammelte Aufsätze, Neuausgabe und Übersetzung der Fragmente, Kommentierte Bibliographie (Eichstätter Materialien 4); Regensburg

Lafaye, Georges (1884); Histoire du culte des divinités d'Alexandrie en dehors de l'Egypte; Paris

Lampe, Peter (1989²); Die stadtrömischen Christen in den ersten beiden Jahrhunderten; Tübingen

Lang, Friedrich (1959); Art. "pyrros", in: ThWNT VI, S.952f.;

Lattke, Michael (Übers. u. Einl.) (1995); Oden Salomos (FC 19); Freiburg - Basel - Wien - Barcelona - Rom - New York

Lattke, Michael (1979); Die Oden Salomos in ihrer Bedeutung für Neues Testament und Gnosis, Bd.I; Göttingen

Le Frois, B.J. (1954); The Woman Clothed with the Sun (Apoc. 12), Individual or Collective?; Rom

Leslau, Wolf (Hg.) (1951); Falasha Anthology (Yale Judaica Series, Vol. VI); New Haven, London

Levine, Etan (1973); Neofiti 1: A Study of Ex 15, in: Biblica 54, S.301-330

Lewandowski, Theodor (19854); Linguistisches Wörterbuch, Bd. 1-3; Heidelberg - Wiesbaden

Lidzbarski, Mark (1925 (Repr. 1979)); Ginza. Der Schatz oder das große Buch der Mandäer (Quellen der Religionsgeschichte 13); Göttingen

Lipscomb, William L. (1990); The Armenian Apocryphal Adam Literature; Philadelphia

Lohfink, Gerhard (1971); Die Himmelfahrt Jesu. Untersuchungen zu den Himmelfahrts- und Erhöhungstexten bei Lukas (StANT 24); München

Lohmeyer, Ernst (1925); Das zwölfte Kapitel der Offenbarung Johannis, in: Theologische Blätter 4

Lohmeyer, Ernst (1926 u. 1953²); Die Offenbarung des Johannes (Handbuch zum Neuen Testament, 16); Tübingen

Lohse, Eduard (1960 u. 1988¹⁴); Die Offenbarung des Johannes (NTD, Band 11); Göttingen

Lueken, W. (1898); Der Erzengel Michael; Göttingen

Lührmann, Dieter (1981); Markus 14,55-64. Christologie und Zerstörung des Tempels im Markusevangelium, in: NTS 27, S.457-474

Lührmann, Dieter (1984); Auslegung des Neuen Testaments; Zürich

MacRae, G. (Ed.) (1983); Apocalypse of Adam, in: Charlesworth, J.H. (Ed.), The Old Testament Pseudepigrapha, Vol.I. Apocalyptic Literature and Testaments, S.707-720; New York, London, Toronto, Sydney, Auckland (Doubleday)

Mach, Michael (1992); Entwicklungsstadien des jüdischen Engelsglaubens in vorrabbinischer Zeit (Texte und Studien zum Antiken Judentum 34); Tübingen

Macholz, Christian (1990); Das »passivum divinum«, seine Anfänge im Alten Testament und der »Hofstil«, in: ZNW 81, S.247-253

Mader, Ludwig (Hg.) (o.J.); Griechische Sagen. Apollodor, Parthenios, Antoninus Liberalis, Hyginus; Zürich - Stuttgart

Maier, Gerhard (1981); Die Johannesoffenbarung und die Kirche (WUNT 25); Tübingen

Maier, Johann (Hg.) (1978); Die Temperlrolle vom Toten Meer (UTB 829); München

Maier, Johann (1960); Die Texte vom Toten Meer, Band I und II; München - Basel

Marcus, Ralph (1953); Philo, Supplement II: Quaestiones and Answers on Exodus (The Loeb Classical Library); London - Cambridge, Mas

Markschics, Christoph (1992); Valentinus Gnosticus? Untersuchungen zur valentinianischen Gnosis mit einem Kommentar zu den Fragmenten Valentins (WUNT 65); Tübingen

Marti, Kurt (1927); Die Mischna, IV. Seder Neziqin, 9. Traktat 'Abot; Gießen

Martinez, Florentino Garcia (1992); Qumran and Apocalyptic. Studies on the Aramaic Texts from Qumran (Studies on the Texts of the Desert of Judah, Vol. IX); Leiden - New York - Köln

Mazzaferri, Fredereck D. (1989); The Genre of the Book of Revelation from a Source-Critical Perspective (BZNW 54); New York - Berlin

McCown, Chester C. (Ed.) (1922); The Testament of Solomon; Leipzig

McDonough, J. / Alexander, P. (Ed.) (1962); Gregorii Nysseni Opera, Vol..V: in Inscriptiones Psalmorum, in Sextum Psalmum, in Ecclestiasten Homiliae; Leiden

McNamara, Martin (1966); The New Testament and the Palestinian Targum to the Pentateuch (AnBib 27); Rom

Mees, M. (1970); Die Zitate aus dem Neuen Testament bei Clemens von Alexandrien (Quaderni di Vetera Christianorum 2); Bari

Meisner, Norbert (1973); Aristeasbrief (JSHRZ II,1); Gütersloh

Merkelbach, Reinhold (1959); Art. 'Drache', in: RAC 4, Sp.226-250

Meyer, Ernst (Hg.) (1954); Pausanias. Beschreibung Griechenlands (Artemis Bibliothek der Alten Welt 32); Zürich

Michel, Otto / Bauernfeind, Otto (Hg.) (1982³); Flavius Josephus: de bello judaico. Der Jüdische Krieg, griechisch und deutsch, Band I-IV; Darmstadt

Minear, Paul S. (1991); Far as the Curse is Found: The Point of Revelation 12:15-16, in: Novum Testamentum 33,1, S.71-96

Mitchell, Stephen (1993); Anatolia. Land, Men and Gods in Asia Minor, Vol.1: The Celts in Anatolia and the Impact of Roman Rule. Vol.2: The Rise of the Church; Oxford

Molina, Francisco Contreras (1993); La mujer en Apocalipsis 12, in: Eph. Mar. 43, S.367-392;

Morenz, Siegfried (Hg.) (1951); Die Geschichte von Joseph dem Zimmermann (TU 56); Berlin

Moreschini, Claudio (1964); Die Stellung des Apuleius und der Gaios-Schule innerhalb des Mittelplatonismus , in: Zintzen, Clemens (Hg.), Der Mittelplatonismus (WdF, Band 70) S.219-274; Darmstadt, 1981

Morgen, Michèle (1981); Apocalypse 12, un targum de l'Ancient Testament (Gen 3), in: Foi et Vie 80, S.63-74

Morris, Charles (1946); Modes of Signifying, in: Signs, Languages and Behaviour, S.60ff.; New York

Moser / Vollbach (Hg.) (1988); Die griechische Sagenwelt. Apollodors mythische Bibliothek (Sammlung Dieterich, Band 354); Leipzig

Mounce, Robert H. (1977, repr. 1990); The Book of Revelation (The New International Commentary on the New Testament 17); Grand Rapids, Mich.

Müller, C. Detlef G. (1959); Die Engellehre der koptischen Kirche. Untersuchungen zur Geschichte der christlichen Frömmigkeit in Ägypten; Wiesbaden

Müller, C. Detlef G. (1962); Die Bücher der Einsetzung der Erzengel Michael und Gabriel (CSCO, Vol.226. Scriptores Coptici, tom.32); Louvain

Müller, Karlheinz (1983); Das Judentum in der religionsgeschichtlichen Arbeit am Neuen Testament (Judentum und Umwelt 6); Frankfurt

Müller, Karlheinz (1985); Die religionsgeschichtliche Methode. Erwägungen zu ihrem Verständnis und zur Praxis ihrer Vollzüge an neutestamentlichen Texten. In: BZ NR 29, S.161-192

Müller, Karlheiz (1991); Studien zur frühjüdischen Apokalyptik (=Stuttgarter biblische Aufsatzbände 11); Stuttgart

Müller, Paul Gerhard (1981); Der Traditionsprozeß im Neuen Testament. Kommunikationsanalytische Studien zur Verschriftlichung des Jesusphänomens; Freiburg - Basel - Wien

Müller, Ulrich B. (1972); Messias und Menschensohn in jüdischen Apokalypsen und in der Offenbarung des Johannes (StNT 6); Gütersloh

Müller, Ulrich B. (1977); Vision und Botschaft. Erwägungen zur prophetischen Struktur der Verkündigung Jesu, in: ZThK 74, S.416-448

Müller, Ulrich B. (1984); Die Offenbarung des Johannes. Ökumenischer Taschenbuch - Kommentar zum Neuen Testament 19; Gütersloh

Münster, Maria (1968); Untersuchungen zur Göttin Isis vom Altern Reich bis zum Ende des Neuen Reiches (mit hieroglyphischem Textanhang) (Münchner Ägyptologische Studien 11); Berlin

Murmelstein, B (1967); Das Lamm in Test. Jos. 19,8, in: ZNW 58, S.273ff.

Mußner, F. (1990); Methodisches Vorgehen beim 'religionsgeschichtlichen Vergleich' mit dem antiken Judentum, in: BZ 34, S.246f.;

Musurillo, Herbert (Ed.) (1972); The Acts of the Christian Martyrs. Introduction, Texts and Translations; Oxford

Nachstädt, W. / Sieverking, W. / Titchener, J.B. (Hg.) (1971 (Nachdr. 19352)); Plutarchi Moralia II; Leipzig

Naumann, Paul (1991); Targum, Brücke zwischen den Testamenten. Targum-Synopse ausgewählter Texte aus den palästinischen Pentateuch-Targumen (Bibel - Kirche - Gemeinde, Band 34); Konstanz

Nautin, Pierre (1977); Origène. Sa vie et san oeuvre (Christianisme Antique I); Paris

Nestle, Eberhard Aland, Kurt (Hrsg.) (1993²⁷); Novum Testamentum Graece; Stuttgart
Nikolainen, Aimo T. (1962/63); Der Kirchenbegriff in der Offenbarung des Johannes, in: NTS 9, S.351-361
Nogueira, Paulo Augusto de Souza (1991); Der Widerstand gegen Rom in der Apokalypse des Johannes - Eine Untersuchung zur Tradition des Falls von Babylon in Apokalypse 18 (Diss. Heidelberg, maschinengeschrieben); Heidelberg
Norden, Eduard (1924); Die Geburt des Kindes. Geschichte einer religiösen Idee; Leipzig

Oldfather, C.H. (Ed.) (1968); Diodorus of Sicily in Twelfe Volumes, Vol. I: Book I and II,1-34. With an English Translation (The Loeb Classical Library, Vol. 279); London
Otto, F.W. (1962); Mythos von Leto, dem Drachen und der Geburt, in: Fritz, Das Wort der Antike, Stuttgart 1962, S.90 - 127

Parrott, Douglas M. (1989); The 13 Kingdoms of the Apocalypse of Adam: Origin, Meaning and Significance, in: Novum Testamentum 31,1, S.67-87
Pauliah, Maritamony (1993); The Woman of Revelation 12 in the History of New Testament Interpretation (ThM- Degree of The Southern Baptist Theological Seminary, 77 pages)
Pearson, Birger A. (1996); Nag Hammadi Codex VII (NHS XXX); Leiden, New York, Köln
Percy, Ernst (1939); Untersuchungen über den Ursprung der Johanneischen Theologie. Zugleich ein Beitrag zur Frage nach der Entstehung des Gnostizismus; Lund
Philonenko-Sayar, Belkis / Philonenko, Marc (Hg.) (1982); Die Apokalypse Abrahams. In: JSHRZ V,5; Gütersloh
Picard, J.-C. (Hg.) (1967); Apocalypsis Baruchi graece, in: Denis/de Jonge (Hg.), Pseudepigrapha veteris testamenti graece, Vol.II, S.61-96; Leiden
Praechter, Karl (1916); Zum Platoniker Gaios , in: Zintzen, Clemens (Hg.), Der Mittelplatonismus (WdF, Band 70), S.67-88; Darmstadt, 1981
Preiss, Theo (1951); La vie en Christ; Neuchâtel - Paris
Preuschen, Erwin (1900); Die apokryphen gnostischen Adamschriften. Aus dem Armenischen übersetzt und untersucht von Erwin Preuschen; Gießen
Prigent, Pierre (1959); Apocalypse 12 - Histoire de l'exégèse. (Beiträge zur Geschichte der biblischen Exegese 2); Tübingen
Prigent, Pierre (1981); L' apocalypse de Saint Jean (CNT XIV); Lausanne
Propp, Vladimir J. (1972); Morphologie des Märchens. In: Ders.: Morphologie des Märchens (Originaltitel: Morfologia skazki, Moskva 1969); München

Raabe, Richard (1893); Die Apologie des Aristides. Aus dem Syrischen übersetzt und mit Beiträgen zur Textvergleichung und Anmerkungen herausgegeben. In: Texte und Untersuchungen zur Geschichte der altchr. Literatur, IX; Leipzig
Rebell, Walter (1992); Neutestamentliche Apokryphen und Apostolische Väter; München
Reischl, W.C. / Rupp, J. (1967 (repr. 1860)); Cyrilli Hierosolymarum archiepiscopi opera quae supersunt omnia, Bd.I, II; Hildesheim

Rengstorf, Karl Heinrich (1935); Art. "dodeka", in: ThWNT II, S.321-328

Resch, Alfred (1906²); Agrapha. Aussercanonische Schriftfragmente (TU 30); Leipzig

Roberts, A./Donaldson, J. (Hg.) (1978 (repr.)); Treatise on Christ and Antichrist, in: The Ante-Nicene Fathers, Vol. V, S.204-219-243-255; Grand Rapids, Mich.

Robinson, James M. (Ed.) (1988³ (1977)); The Nag Hammadi Library in English. Translated and introduces by the members of the Coptic Gnostic Library Project of the Institute for Antiquity and Christianity, Claremont, Clifornia; Leiden, New York, Kopenhagen, Köln

Roeder, Günther (1915); Urkunden zur Religion des Alten Ägypten (Religiöse Stimmen der Völker, Bd.4); Jena

Roesch, C. (1928); Mulier, draco et bestiae in Apoc.12,13, in: Verbum Domini 8, S.271-274

Rohland, Johannes Peter (1977); Der Erzengel Michael: Arzt und Feldherr. 2 Aspekte des vor- und frühbyzentinischen Michaelkultes; Leiden

Rolfe, J.C. (Ed.) (1979); Suetonius, vol.I (The Loeb Classical Library 31); London

Roloff, Jürgen (1987²); Die Offenbarung des Johannes (Züricher Bibelkommentare NT 18); Zürich

Roscher (1884ff.); Lexikon der griechischen und römischen Mythologie; Leipzig

Rudolph, Kurt (1982); Apokalyptik in der Diskussion, in: Hellholm, Apocalypticism in the mediterranean world and in the near east, S.771-789; Uppsala

Satake, Akira (1975); Sieg Christi - Heil der Christen. Eine Betrachtung von Apc XII, in: AJBI 1, S.105-125

Satake, Akira (1991); Christologie in der Johannesapokalypse im Zusammenhang mit dem Problem des Leidens der Christen, in: Breytenbach / Paulsen (Hg.), Anfänge der Christologie, FS F. Hahn, S.307-322; Göttingen

Schaller, Berndt (1979); Das Testament Hiobs, in: JSHRZ III,3; Gütersloh

Schenke, Gesine (1984); Die Dreigestaltige Protennioa (Nag Hammadi-Codex XIII). Herausgegeben, Übersetzt und kommentiert von gesine Schenke. Texte und Untersuchungen zur Geschichte der altchr. Literatur, Bd.132; Berlin

Schenke, Hans Martin (1969/70); Das Ägypter - Evangelium aus Nag - Hammadi - Codex III, in: NTS 16, S.196-208

Schepelern, Wilhelm (1928); Der Montanismus und die phrygischen Kulte. Eine religionsgeschichtliche Untersuchung.; Tübingen

Schermann, Theodor (1907); Propheten- und Apostellegenden nebst Jüngerkatalogen des Dorotheus und verwandter Texte (Texte und Untersuchungen zur Geschichte der antiken Literatur 31,3); Leipzig

Schlatter, A. (1912); Das Alte Testament in der johanneischen Apokalypse; Gütersloh

Schlier, Heinrich (1933); Art. 'bathos', in: ThWNT 1, S.515f.

Schmid, Josef (1955); Studien zur Geschichte des griechischen Apokalypse-Textes, 1. Teil: Der Apokalypse-Kommentar des Andreas von Kaisareia (MTS); München

Schmidt, Carl (Ed.), MacDermot, Violet (Transl.) (1978); Pistis Sophia (NHS 9); Leiden

Schmidt, Carl (Hg.) (1925); Pistis Sophia. Ein gnostisches Originalwerk des dritten Jahrhunderts aus dem Koptischen übersetzt; Leipzig

Schmidt, Daryl D. (1991); Semitisms and Septuagintalisms in the Book of Revelation, in: NTS 37, S.592-603

Schmitt, Armin (1973); Entrückung - Aufnahme - Himmelfahrt. Untersuchungen zu einem Vorstellungsbereich im Alten Testament, Stuttgart

Schmitt, Armin (1986); Das Buch der Weisheit. Ein Kommentar; Würzburg

Schmoldt, Hans (Hg.) (1972); Die Schrift 'Vom Jungen Daniel' und 'Daniels letzte Vision'. Herausgabe und Interpretation zweier apokalyptischer Texte (Diss. Hamburg); Hamburg

Schnackenburg, Rudolf (1971); Das Johannesevangelium (Herders Theologischer Kommentar zum Neuen Testament, Band IV); Freiburg, Basel, Wien

Schneider, Carl (1959); Art. 'rhabdos, rhabdizo, rhabduchos', in: ThWNT VI, S.966-972

Schneider, Gerhard (Übers.) (1994); Clemens von Rom, Epistola ad Corinthios (Brief an die Korinther). Fontes Christiani 15; Freiburg, Basel, Wien, Barcelona, Rom, New York

Schoedel, W.R. (1967); Polycarp, Martyrdom of Polycarp, Fragments of Papias, in: R.M. Grant, The Apostolic Fathers, Vol.5; Camden, NJ

Schoedel, W.R. (1972); Athenagoras, Legatio and de resurrectione; Oxford

Schöllgen, Georg (1985); Ecclesia sordida? Zur Frage der sozialen Schichtung frühchristlicher Gemeinden am Beispiel Karthagos zur Zeit Tertullians; Münster

Schrader, Eberhard (1902³); Die Keilinschriften und das Alte Testament; Berlin

Schreiber, Theodor (1879); Apollon Phytoktonos. Ein Beitrag zur griechischen Religions- und Kunstgeschichte; Leipzig

Schubert, Kurt (1957); Die Messiaslehre in den Texten von Chirbet Qumran, in: BZ NF 1, S.177-197

Schunck, Klaus-Dietrich (Hg.) (1980); I. Makkabäerbuch (JSHRZ I,4); Gütersloh

Schüpphaus, Joachim (1977); Die Psalmen Salomos. Ein Zeugnis Jerusalemer Theologie und Frömmigkeit in der Mitte des vorchristlichen Jahrhunderts (ALGHJ 7); Leiden

Schwartz, Eduard (Hg.) (1888); Tatiani Oratio ad Graecos (TU 4,1); Leipzig

Schwartz, Eduard (Hg.) (1891); Athenagorae Libellus pro Christianis. Oratio de resurrectione cadaverum (TU 4,2); Leipzig

Schwemer, Anna Maria (1995); Studien zu den frühjüdischen Prophetenlegenden Vitae Prophetarum, Band I: Die Viten der großen Propheten Jesaja, Jeremia, Ezechiel und Daniel. Einleitung, Übersetzung, Kommentar (Texte und Studien zum antiken Judentum, Band 49); Tübingen

Seippel, Gerhard (1939); Der Typhonmythos (Diss. Greifswald); Greifswald

Serra, Aristide M. O.S.M. (1976); Una monografia su apc.12, in: Marianum (Ephemerides Mariologiae), Band 38, S.19-28

Shea, William H. (1985); The Parallel Literary Structure of Revelation 12 and 20, in: Andrews University Seminary Studies 23, S.37-54;

Sickenberger, Joseph (1940); Erklärung der Johannesapokalypse; Bonn

Sickenberger, Joseph (1946); Die Messiasmutter im 12. Kapitel der Apokalypse, in: Theologische Quartalschrift 126,4, S.357-427

Siegert, Folker (1981); Unbeachtete Papiaszitate bei armenischen Schriftstellern, in: NTS 27, S.605-614

Siniscalco, Paolo (Hg.) (1981); Apuleius Madaurensis: Platon und seine Lehre (K. Albert, Texte zur Philosophie, Band 4); Sankt Augustin

Spitta, Friedrich (1908); Der Satan als Blitz, in: ZNW 9, S.160-163

Staab, Karl (1929); Neue Fragmente aus dem Kommentar des Origenes zum Römerbrief, in: Biblische Zeitschrift 18, S.72-82

Stählin, Otto (1972³); Clemens Alexandrinus, erster Band: Protrepticus und Paedagogus, dritte, durchgesehene Auflage von Ursula Treu (GCS 12); Berlin

Stern, Menachem (1974-1984); Greek and Latin Authors on Jews and Judaism, Vol.I: from Herodotus to Plutarch, Vol.II: from Tacitus to Simplicius, Vol.III: Appendixes and Indexes; Jerusalem

Strack/Billerbeck (1986⁶-9); Kommentar zum Neuen Testament aus Talmud und Midrasch, Bände I, II, III, IV,1 IV,2 + V (Index); München

Strobel, August (1980); Das Heilige Land der Montanisten (RVV 37); Berlin

Sweet, J. (1979); Revelation.; Philadelphia (Westminster)

Taeger, Jens-W. (1994); 'Gesiegt! O himmlische Musik des Wortes!'. Zur Entfaltung des Siegesmotivs in den johanneischen Schriften, in: ZNW 85, S.23-46

Theißen, Gerd (1976); Die Tempelweissagung Jesu. Prophetie im Spannungsfeld von Stadt und Land, in: ders., Studien zur Soziologie des Urchristentums (Orig. in ThZ 32, 1966); Tübingen 1979

Thompson, L.L. (1990); The Book of Revelation. Apocalypse and Empire; New York, Oxford

Till, Walter (1959); Das Evangelium der Wahrheit. Neue Übersetzung des vollständigen Textes; ZNW 50, S.165-185

Tischendorf, Konstantin von (1866); Apocalypses Apocryphae; Leipzig

Todorow, Tzvetan (1972); Die strukturelle Analyse der Erzählung, in: Ihwe, Jens (Hg.), Literaturwissenschaft und Linguistik. Ergebnisse und Perspektiven, Band 3, Frankfurt 1972, S.265-275;

Trabant, Jürgen (1976); Elemente der Semiotik; München

Troeltsch, Ernst (1898); Über historische und dogmatische Methode in der Theologie, in: G. Sauter, Theologie als Wissenschaft (ThB 43, 1971), S.105-127

Trudinger, Leonhard Paul (1963); The Text of the Old Testament in the Book of Revelation; Boston

Uhlig, Siegbert (1984); Das äthiopische Henochbuch (JSHRZ V,6); Gütersloh

Vaillant, A. (1952); Le Livre des Secrets d'Hénoch. Texte slave et traduction Française; Paris

Vischer, Eberhard (1886); Die Offenbarung Johannis, eine jüdische Apokalypse in christlicher Bearbeitung. Mit einem Nachwort von Adolf Harnack.; Leipzig

Viteau, J. (1911); Les Psaumes de Salomon. introduction, Texte grec et traduction; Paris

Vogt, Hermann J. (Hg.) (1993); Origenes: Der Kommentar zum Evangelium nach Matthäus, dritter Teil (Bibliothek der griechischen Literatur, Band 38); Stuttgart

Vögtle, A. (1971); Mythos und Botschaft in Apokalypse 12. In: Tradition und Glaube (Festgabe für K.G. Kuhn), S. 395-415; Göttingen

Vollenweider, Samuel (1988); 'Ich sah den Satan wie einen Blitz aus dem Himmel fallen', in: ZNW 79, S.187-203

Völter, Daniel (1885² (1882)); Die Entstehung der Apokalypse; Freiburg

Völter, Daniel (1904); Die Offenbarung Johannis neu untersucht und erläutert; Straßburg

Vouga, François (1994); Geschichte des frühen Christentums; Tübingen - Basel

Walter, Nikolaus (1975); Fragmente jüdisch-hellenistischer Exegeten: Aristobulos, Demetrios, Aristeas, in: JSHRZ 3,2; Gütersloh

Walter, Nikolaus (1976); Historische und legendarische Erzählungen: Fragmente jüdisch-hellenistischer Historiker (JSHRZ I,2); Gütersloh

Walter, Nikolaus (1987); Jüdisch-hellenistische Literatur vor Philon von Alexandrien (unter Ausschluß der Historiker), in: ANRW II.20.1, S.67-120

Wehnert, Jürgen (1991); Die Auswanderung der Jerusalemer Christen nach Pella - historisches Faktum oder theologische Konstruktion?, in: ZKG 102, S.231-255

Weiher, Anton (Übers.) (1989⁶); Homerische Hymnen, griechisch und deutsch; München - Zürich

Weinrich, Harald (1976); Die Textpartitur als heuristische Methode, in: ders.: Sprache in Texten, S.145ff.; Stuttgart

Weiss, Johannes (1904); Die Offenbarung des Johannes. Ein Beitrag zur Literatur- und Religionsgeschichte; Göttingen

Weizsäcker, Carl (1886); Das Apostolische Zeitalter; Freiburg i.B.

Welburn, A.J. (1988); Iranian Prophetology and the Birth of the Messiah: the Apocalypse of Adam, in: ANRW II, 25.6, S.4752-4794; Berlin - New York

Wellhausen, Julius (1899); Zur apokalyptischen Literatur, in: Skizzen und Vorarbeiten, Bd.VI, S.215-249; Berlin

Wengst, Klaus (Hg.) (1984); Die Didache, in: Wengst, Klaus (Hg.), Didache (Apostellehre), Barnabasbrief, zweiter Klemensbrief, Schrift an Diognet. Eingel., hsg., übertr. u. erl. v. K. Wengst (Schriften d. Urchristentums, 2); Darmstadt

Westermann, Claus (1966-1982); Genesis (Biblischer Kommentar Altes Testament), 3 Bände; Neukirchen-Vluyn

Whiston, Lionel A. (1961); The Woman, the Dragon and War in Heaven: A Study in Revelation 12, in: Theology and Life 4, S.17-29

Wikenhauser, Alfred (1947); Offenbarung des Johannes; Regensburg

Wild, Robert A. (1984); Isis - Sarapis Sanctuaries of the Roman Period. In: ANRW 17,4

Wilhelmi, G. (1977); Der Hirt mit dem eisernen Szepter. Überlegungen zu Psalm ii,9, in: VT 27, S.178ff.

Wolff, Christian (1976); Jeremia im Frühjudentum und Urchristentum (TU 118); Berlin

Wolff, Christian (1981); Die Gemeinde des Christus in der Apokalypse des Johannes, in: NTS 27, S.186-197

Woude, A.S. van der (1975); Die messianischen Vorstellungen der Gemeinde von Qumran; Assen

Wright, R.B. (Ed.) (1985); Psalms of Solomon, in: Charlesworth, James H. (Ed.), The Old Testament Pseudepigrapha, Vol.2, S.239-269; New York, London, Toronto, Sydney, Auckland (Doubleday)

Wünsche, August (1882); Der Midrasch Schemot Rabba; Leipzig

Wünsche, August (1884); Der Midrasch Wajikra Rabba, das ist die haggadische Auslegung des dritten Buches Mose. Zum ersten Male ins Deutsche übertragen;
Leipzig

Wünsche, August (1967 (1892)); Midrasch Tehillim I/II; Hildesheim

Zahn, Theodor von (1899); Die Wanderungen des Apostels Johannes, in: Neue Kirchli-
che Zeitschrift 10, S.191-218

Zahn, Theodor (1888); Geschichte des Neutestamentlichen Kanons, erster Band: Das
Neue Testament vor Origenes; Erlangen

Zahn, Theodor (1924$^{1\cdot3}$); Die Offenbarung des Johannes. Erste Hälfte, Kapitel 1-5 mit
ausführlicher Einleitung (KNT 18); Leipzig

Zahn, Theodor (1926$^{1\cdot3}$); Die Offenbarung des Johannes. Zweite Hälfte, Kapitel 6-22
(KNT18); Leipzig

Zangenberg, Jürgen (1994); ΣAMAPEIA. Antike Quellen zur Geschichte und Kultur der
Samaritaner in deutscher Übersetzung (TANZ 15); Tübingen

Zenger, Erich (1986); Wozu tosen die Völker...? Beobachtungen zur Entstehung und
Theologie des 2. Psalms, in: Haag/Hoßfeld (Hg.), Freude an der Weisung
des Herrn (Festg. H. Groß); Stuttgart

Zielinski, Thaddäus (1931); Die griechischen Quellen der Apokalypse, in: Forschungen
und Fortschritte 7, S.155f.

Zobel, Moritz (1938); Gottes Gesalbter. Der Messias und die messianische Zeit in Talmud und Midrasch; Berlin